D0358983

De tederheid van wolven

Vertaald door Lidwien Biekmann en Nienke van der Hoeven

Stef Penney

De tederheid van wolven

2006 Prometheus Amsterdam

Voor mijn ouders

Oorspronkelijke titel *The Tenderness of Wolves*
© 2006 Stef Penney
© 2006 Nederlandse vertaling Uitgeverij Prometheus en Lidwien Biekmann en Nienke van der Hoeven
Omslagontwerp Roald Triebels
Foto omslag Getty Images
www.uitgeverijprometheus.nl
ISBN-10 90 446 0930 0
ISBN-13 978 90 446 0930 1

Verdwijning

De laatste keer dat ik Laurent Jammet heb gezien, stond hij in de winkel van Scott met een dode wolf over zijn schouder. Ik moest een paar naalden hebben, en hij kwam zijn premie halen. Scott wilde altijd per se het hele kadaver zien, want hij was een keer belazerd door een yankee die hem voor één wolf drie keer de premie van een dollar had laten betalen: hij was eerst met een paar oren komen aanzetten, later met de voorpoten en ten slotte met de staart. Het was winter, dus alles zag er nog redelijk vers uit, maar het bleek oplichterij te zijn, wat tot afgrijzen van Scott algemeen bekend raakte. Het eerste wat ik zag toen ik de winkel binnenkwam was dus die wolvenkop. De tong hing slap uit de bek, die opengesperd was in een grimas. Ik deinsde onwillekeurig achteruit. Scott begon te schreeuwen en Jammet bood uitgebreid zijn verontschuldigingen aan. Het was onmogelijk om kwaad op Jammet te worden, met die charme van hem, en dat manke been. Het kadaver werd naar achteren gebracht, en terwijl ik rondneusde, begonnen zij te ruziën over de mottige pels boven de deur. Ik geloof dat Jammet voor de grap zei dat Scott daar maar eens een nieuwe voor in de plaats moest hangen. Op het bordje eronder staat: LUPUS LUPUS (REU), DE EERSTE WOLF DIE WERD GEVANGEN IN DE STAD CAULFIELD, 11 FEBRUARI 1860. Dat bordje spreekt boekdelen over John Scott, over zijn zogenaamde geleerdheid, zijn gewichtigheid, en zijn lafhartige respect voor autoriteit, dat vaak ten koste gaat van de waarheid. Dat was absoluut niet de eerste wolf die in deze contreien werd gevangen, en strikt genomen bestaat de stad Caulfield helemaal niet, al zou Scott dat wel graag willen, want dan was er ook een gemeenteraad en dan kon hij de burgemeester zijn. 'Dat is trouwens een wolvin. Reuen hebben een donkerder kraag en ze zijn groter. Deze is heel klein.'

Jammet wist waar hij het over had, want hij had meer wolven gevangen dan wie dan ook. Hij glimlachte, om te laten zien dat hij het niet vervelend bedoelde, maar Scott, die altijd overal aanstoot aan neemt, werd nijdig.

'Dus u herinnert het zich beter dan ik, meneer Jammet?'

Jammet haalde zijn schouders op. Omdat hij hier in 1860 nog niet woonde, en omdat hij Frans was en wij niet, moest hij op zijn tellen passen.

Op dat moment liep ik naar de toonbank. 'Ik denk ook dat het een wolvin was, meneer Scott. De man die haar hier kwam brengen, vertelde dat haar pups de hele nacht hebben gehuild. Dat herinner ik me nog heel precies.'

En ook hoe Scott die wolf buiten aan de achterpoten had opgehangen, zodat iedereen ernaar kon staan gapen. Ik had nog nooit eerder een wolf gezien en ik verbaasde me erover dat ze zo klein was. Ze hing met haar neus naar de grond en had haar ogen dicht, alsof ze zich schaamde. Mannen keken er spottend naar, kinderen giechelden en daagden elkaar uit om een hand in de bek te steken. Zo poseerden ze, om elkaar te vermaken.

Scott richtte zijn kleine, felblauwe ogen op mij; hij was gekrenkt omdat ik partij koos voor een buitenlander, of zomaar gekrenkt, dat wist ik niet.

'Ja, en kijk wat er met hem gebeurd is.' Doc Wade, de man die de wolf had binnengebracht, was het daaropvolgende voorjaar verdronken. Alsof zijn oordeelkundigheid daarom in twijfel moest worden getrokken.

'Nou ja...' Jammet haalde zijn schouders op en gaf me een knipoog, de vlegel.

Op de een of andere manier – volgens mij begon Scott erover – raakten we aan de praat over die arme meisjes, zoals de meeste mensen zodra het over wolven gaat. Hoewel er wel meer onfortuinlijke vrouwen op de wereld zijn (ik kende er zelf al heel wat), gaat het in deze streek dan altijd over twee arme meisjes in het bijzonder, de zusjes Seton, die jaren geleden zijn verdwenen. We hadden hier een paar minuten prettig en volstrekt nutteloos over van gedachten gewisseld toen de winkelbel ging en mevrouw Knox binnenkwam. We begonnen met plotselinge interesse de knopen te bekijken die op de toonbank lagen. Laurent Jammet nam zijn dollar in ontvangst, maakte een buiging naar mij en mevrouw Knox en vertrok. Toen hij de winkel had verlaten, bleef de bel aan de metalen veer nog lang rinkelen.

Dat was het, niets bijzonders eigenlijk. De laatste keer dat ik hem heb gezien.

Laurent Jammet was onze naaste buurman. Desondanks was zijn leven voor ons een groot raadsel. Ik vroeg me vaak af hoe hij met zijn manke been op wolven kon jagen, totdat ik van iemand hoorde dat hij ze ving met hertenvlees dat hij had vergiftigd met strychnine. Het lastige was om het spoor te volgen naar de wolf die daaraan zou doodgaan. Ik vind dat geen normale manier van jagen. Ik weet dat wolven hebben geleerd om uit de buurt van een Winchester-geweer te blijven, dus echt stom kunnen ze niet zijn, maar kennelijk zijn ze nu ook weer niet zo slim om gratis eten te wantrouwen. Ik vond het geen prestatie om een dier achterna te zitten dat ten dode is opgeschreven.

Hij had wel meer ongewone dingen: lange reizen naar onbekende oorden, bezoek van donkere, zwijgzame vreemdelingen, en kortstondige buien van opzienbarende gulheid, die in scherp contrast stonden met zijn vervallen blokhut. We wisten dat hij uit Quebec kwam. En dat hij katholiek was, al ging hij niet vaak naar de kerk en biechtte hij zelden (al zou het kunnen dat hij zich daar tijdens die lange perioden van afwezigheid aan te buiten ging). Hij was beleefd en vriendelijk, maar hij had geen speciale vrienden en bewaarde een zekere afstand. En hij was, mag ik wel zeggen, knap, met zijn bijna gitzwarte haar en ogen, zijn gelaatstrekken die de indruk wekten dat hij net ergens om had gelachen of op het punt stond dat te gaan doen. Hij gedroeg zich tegenover alle vrouwen met dezelfde respectvolle charme, maar hij speelde het klaar om hen, en hun echtgenoten, niet te ergeren. Hij was niet getrouwd en vertoonde geen enkele neiging daar verandering in te brengen, maar het is mij opgevallen dat sommige mannen liever alleen zijn, zeker als ze een slordig en onregelmatig leven leiden.

Sommige mensen wekken een onbeduidende en volstrekt niet-kwaadaardige jaloezie op. Jammet was iemand die, met zijn luiheid en goedgehumeurdheid, moeiteloos en zonder zwoegen door het leven zeilde. Ik prees hem gelukkig, omdat hij zich geen zorgen scheen te maken over alles waar wij grijze haren van kregen. Grijze haren had hij dus niet, maar wel een verleden, dat hij grotendeels voor zich hield. Hij veronderstelde denk ik dat hij ook een toekomst had, maar dat was niet zo. Hij was misschien veertig. Ouder zou hij niet worden.

Het is een dinsdagochtend, half november, ongeveer twee weken na die ontmoeting in de winkel. Ik loop vanaf ons huis de weg af, in een verschrikkelijk humeur, en ik oefen zorgvuldig mijn preek. Waarschijnlijk doe ik dat zelfs hardop: dat is een van de vele vreemde gewoonten die je in de wildernis maar al te gemakkelijk opdoet. De weg, eigenlijk niet veel meer dan een door hoeven en wielen uitgesleten pad, loopt langs de rivier, die daar met een paar kleine watervallen naar beneden stroomt. Onder de berken groeit glanzend, smaragdgroen mos. Afgevallen bladeren, hard door de nachtvorst, kraken onder mijn voeten en kondigen fluisterend de naderende winter aan. De felblauwe lucht doet pijn aan mijn ogen. Omdat ik kwaad ben, loop ik snel, met opgeheven hoofd. Daardoor zie ik er waarschijnlijk opgewekt uit.

De blokhut van Jammet staat een eindje bij de oever vandaan op een met onkruid overwoekerd stuk grond dat door moet gaan voor een tuin. De wanden, die zijn opgetrokken van ongeschaafde boomstammen, zijn in de loop der jaren vergrijsd en verweerd, zodat het geheel nu meer op een levend wezen dan op een gebouw lijkt. Het is iets uit een vervlogen tijdperk: de deur is gemaakt van een stuk hertenvel dat op een houten frame is getimmerd en de ramen zijn van ingeolied perkament. 's Winters moet hij hier bijna bevriezen. Het is geen plek waar de vrouwen van Dove River vaak komen en ik ben hier zelf ook al in geen maanden geweest, maar ik weet niet meer waar ik anders moet zoeken.

Ik zie geen rook als teken van leven, maar de deur staat op een kier. Het leer zit vol vlekken van met aarde besmeurde handen. Ik roep, en klop dan op de muur. Er komt geen antwoord, dus ik tuur naar binnen, en als mijn ogen gewend zijn aan het halfduister zie ik dat Jammet thuis is en, zoals van hem te verwachten valt, op dit tijdstip van de ochtend nog in zijn bed ligt te slapen. Ik loop bijna weg omdat het geen zin heeft om hem wakker te maken, maar uit frustratie houd ik vol. Ik ben hier niet voor niets helemaal naartoe gelopen.

'Meneer Jammet?' begin ik, wat in mijn oren ergerlijk vrolijk klinkt. 'Meneer Jammet, neem me niet kwalijk dat ik u stoor, maar ik wilde iets vragen...'

Laurent Jammet ligt vredig te slapen. Om zijn hals zit de rode zakdoek die hij bij het jagen draagt zodat de andere jagers hem niet aanzien voor een beer en hem per ongeluk neerschieten. Aan de zijkant van het bed steekt een voet uit, met een vieze sok. Zijn rode zakdoek ligt op tafel... Ik grijp de deur vast. Plotseling is al het gewone totaal veranderd: vliegen cirkelen zoemend boven dit feestmaal in de late herfst; de rode zakdoek zit niet om zijn hals, dat kan niet, want hij ligt op tafel, dus dat betekent...

'O,' zeg ik, en ik schrik van het geluid in die stille ruimte. 'Nee.'

Ik hou me vast aan de deur, probeer niet weg te rennen, hoewel ik me direct realiseer dat ik dat niet eens zou kunnen, al hing mijn leven ervan af. De roodheid om zijn hals is uit een gapende wond in het matras gestroomd. Een gapende wond. Ik hijg, alsof ik heb gerend. De deur is nu het belangrijkste ter wereld voor me: ik zou niet weten wat ik zonder die deur zou moeten beginnen.

De halsdoek heeft zijn taak niet vervuld. Hij heeft Jammets voortijdige dood niet kunnen voorkomen.

Ik wil niet doen alsof ik bijzonder dapper ben; ik heb al lang geleden het idee laten varen dat ik over opmerkelijke kwaliteiten beschik, maar ik sta versteld van de kalmte waarmee ik rondkijk in de hut. Mijn eerste ingeving is dat Jammet de hand aan zichzelf heeft geslagen, maar er is geen spoor van een wapen te zien. Zijn ene hand hangt langs de zijkant van het bed naar beneden. Het komt niet in mijn hoofd op om bang te zijn. Ik weet absoluut zeker dat degene die dit heeft gedaan niet in de buurt is: de hut ademt een absolute leegte uit. Zelfs het lichaam op het bed is leeg. Het heeft geen eigenschappen meer: de vrolijkheid, de slonzigheid, de vaardigheid in het schieten, de gulheid en de gevoelloosheid, het is allemaal weg.

Er is nog iets anders wat ik wel moet zien, omdat zijn gezicht een beetje van mij is weggedraaid. Ik wil het helemaal niet zien, maar ik kan niet anders en het bevestigt wat ik al heb moeten accepteren: dat het lot van Laurent Jammet niet behoort tot al die dingen in het leven die ongewis zullen blijven. Dit is geen ongeluk en ook geen zelfmoord. Hij is gescalpeerd.

Na lange tijd, hoewel het waarschijnlijk maar een paar seconden later is, trek ik de deur achter me dicht. Als ik hem niet meer zie, voel ik me iets beter. Maar de rest van de dag, en nog dagen later, doet mijn rechterhand pijn van de kracht waarmee ik die deur heb vastgegrepen, alsof ik heb geprobeerd het hout tussen mijn vingers te kneden, als deeg.

Wij wonen in Dove River, aan de noordkust van Georgian Bay. Mijn man en ik zijn een jaar of tien geleden uit de Schotse Hooglanden geëmigreerd, verdreven zoals zo veel mensen. In een paar jaar tijd zijn er anderhalf miljoen mensen naar Noord-Amerika gekomen, maar ondanks die grote aantallen, en ondanks het propvolle ruim waar zo veel mensen in zaten dat je je onmogelijk kon voorstellen dat die allemaal in de Nieuwe Wereld zouden passen, zwermden we vanaf de kades van Halifax en Montreal uit als zijarmen van een rivier en verdwenen we allemaal in de wildernis. Het land slokte ons op en hongerde naar steeds meer. We rooiden bomen om bouwland te verkrijgen en vernoemden de plaatsen naar wat we zagen, een vogel, of een dier, of naar onze geboorteplaats, als sentimentele herinnering aan de plek die niet sentimenteel was over ons vertrek. Daaraan zie je maar weer dat je niet alles kunt achterlaten. Je neemt het allemaal met je mee, of je nu wilt of niet.

Tien jaar geleden waren hier alleen maar bomen. Ten noorden van deze plaats ligt een armzalig gebied dat bestaat uit moeras en rotsen, waar zelfs wilgen en lariksen geen wortel kunnen schieten. Maar vlak bij de rivier is de aarde zacht en diep, het bos eromheen is zo donkergroen dat het bijna zwart lijkt en de scherp geurende stilte voelt zo diep en zo oneindig als de hemel. Toen we hier voor het eerst kwamen, barstte ik in huilen uit. De kariool die ons had gebracht, reed ratelend weg. Ik kon de gedachte niet van me afzetten dat hier alleen de wind me zou horen, hoe hard ik ook zou schreeuwen. Als we op zoek waren geweest naar rust en stilte, waren we daar uitstekend in geslaagd. Mijn man wachtte rustig af tot mijn hysterische bui overwaaide, keek met een soort barse glimlach om zich heen en zei: 'Hier is alles onderworpen aan God.'

Dat kon je rustig aannemen, als je in zulke dingen gelooft.

Na verloop van tijd raakte ik gewend aan de stilte, aan de ijle lucht die alles helderder en scherper deed lijken dan thuis. Ik raakte er zelfs op gesteld. En ik bedacht een naam, want niemand wist hoe het hier heette. Dove River.

Ik ben zelf ook niet ongevoelig voor sentiment.

Er kwamen meer mensen. John Scott bouwde een korenmolen, vlak bij de monding van de rivier; hij had daar zo veel geld aan besteed en je had daar zo'n mooi uitzicht over de baai, dat hij besloot om er dan ook maar in te gaan wonen. Daardoor raakte het in zwang om vlak bij het water te gaan wonen, wat onbegrijpelijk was voor de mensen die juist verder landinwaarts waren getrokken langs de rivier om te ontsnappen aan de loeiende stormen, waarbij de baai leek te veranderen in een ziedende zee die het land waarop de mensen zich zo aanmatigend hadden gevestigd wilde teruggraaien. Maar Caulfield (weer dat sentiment: Scott komt uit Dumfriesshire) bloeide op zoals Dove River dat nooit zou kunnen: dat kwam door de overvloed aan vlak land en het relatief dun begroeide bos, en door de winkel die Scott er begon, en die het leven in de afgelegen bossen een stuk gemakkelijker maakte. Nu wonen er meer dan honderd mensen, een vreemde mengeling van Schotten en yankees. En Laurent Jammet. Hij woont, of woonde, hier nog niet lang.

Vier jaar geleden was hij naast ons komen wonen, op het land dat stroomafwaarts naast onze boerderij ligt en dat vroeger van Doc Wade was, een oudere Schot. Niemand wilde dat land kopen, behalve Jammet. Doc Wade was destijds naar Dove River gekomen om een boerderij te beginnen, ver weg van Toronto waar zijn rijke, bemoeierige zus en zwager woonden. Iedereen noemde hem Doc, hoewel hij helemaal geen dokter bleek te zijn, maar een ontwikkeld man die in de Nieuwe Wereld vergeefs zocht naar een plaats waar zijn vele maar vage capaciteiten zouden worden gewaardeerd. Helaas was Dove River niet de uitzondering waarop hij had gehoopt. Zoals velen al hebben ondervonden, is het opbouwen van een boerenbedrijf een langzame maar zekere manier om een kapitaal te verliezen, de gezondheid te ondermijnen en de geest te breken. Het werk was te zwaar voor een man van zijn leeftijd en bovendien had het niet zijn hart. Zijn oogsten mislukten, zijn varkens liepen het bos in, het dak van zijn blokhut vloog in brand. Op een avond gleed hij uit op de rots die vlak bij zijn huis een natuurlijke golfbreker vormt in de rivier en hij werd later teruggevonden in de diepe draaikolk bij Horsehead Bluff (met die frisse Canadese fantasieloosheid zo genoemd omdat de rots op een paarden-hoofd lijkt). Dat was een genadig einde na al zijn moeilijkheden, zeiden sommigen. Anderen noemden het een tragedie, een van de kleine, per-soonlijke tragedies waar het in de rimboe van stikt. Ik stelde me dat geloof ik heel anders voor. Wade dronk, zoals de meeste mannen. Op een avond, toen hij door zijn geld en door de whisky heen was, toen hem in deze wereld niets meer te doen stond, ging hij naar de rivier en keek naar het koude, zwarte, voorbijstromende water. Ik stel me voor dat hij nog eens omhoog keek, nog een laatste keer de spottende, onverschillige stem van het bos hoorde, dat hij de kracht voelde waarmee het hoge water aan hem trok, en zich toen in die oneindige genade stortte.

Hierna ging in de omgeving het gerucht dat er geen zegen op dat land rustte, maar het was goedkoop en Jammet was er de man niet naar om zich iets van bijgelovige geruchten aan te trekken, al had hij dat misschien beter wel kunnen doen. Hij was pelsjager geweest voor de Company en was onder een kano terechtgekomen die hij over een stroomversnelling probeerde te trekken. Bij dat ongeluk was hij kreupel geraakt, waar hij een schadeloosstelling voor had gekregen. Hij leek vooral dankbaar te zijn voor dat ongeluk, want hij had er genoeg geld aan overgehouden om zelf een stuk grond te kopen. Hij vertelde graag dat hij zo lui was en hij deed nooit het boerenwerk waaraan de meeste mensen zich niet kunnen ont-trekken. Hij verkocht het grootste stuk van de grond van Wade en leefde van de wolvenpremies en wat handel. Elk voorjaar kwamen er donkere mannen uit het verre noordwesten met hun volgeladen kano's, die graag handel met hem dreven.

Een halfuur later klop ik op de deur van het grootste huis in Caulfield. Terwijl ik wacht, strek ik de vingers van mijn rechterhand. Het lijkt wel alsof ze verkrampt zijn tot een soort klauw.

Meneer Knox heeft een ongezonde, grauwe gelaatskleur die me doet

denken aan zuiveringszout en hij is lang en mager, met scherpe gelaatstrekken die altijd gereed lijken om de verachtelijke mens te veroordelen,
wat een nuttige eigenschap is voor een magistraat. Plotseling voel ik me zo
leeg alsof ik een week niet heb gegeten.

'Ah, mevrouw Ross, wat een onverwacht genoegen...'

Eerlijk gezegd lijkt hij vooral gealarmeerd door mijn komst. Misschien
kijkt hij altijd zo, maar ik krijg de indruk dat hij net iets meer over mij
weet dan ik zou willen en daardoor vindt dat ik niet iemand ben die hij
graag in gezelschap van zijn dochters ziet.

'Meneer Knox... Ik ben bang dat het geen genoeglijke zaak is. Er is een...
een verschrikkelijk ongeluk gebeurd.'

Als we in de kamer zitten, komt mevrouw Knox vrijwel meteen op de
geur van een bijzonder sappig gerucht af. Ik vertel hun beiden wat ik in
de blokhut bij de rivier heb aangetroffen. Mevrouw Knox grijpt naar het
kleine, gouden kruisje om haar hals. Knox neemt het nieuws kalm op,
maar wendt op een bepaald moment zijn gezicht af; als hij zijn hoofd weer
terugdraait, kan ik me niet aan de indruk onttrekken dat hij zijn gezicht
in een geschikte plooi heeft getrokken: strak, grimmig, resoluut enzovoort. Mevrouw Knox zit naast me en streelt mijn hand. Ik moet me inhouden om die niet terug te trekken.

'En dan te bedenken dat ik hem voor het laatst die keer in de winkel heb
gezien. Hij leek zo...'

Ik knik instemmend en denk terug aan de schuldbewuste stilte die we
bij haar binnenkomst lieten vallen. Na een uitvoerig vertoon van geschokt
medeleven en goede raad voor ondermijnde zenuwen haast ze zich om
hun twee dochters op gepaste wijze in te lichten (met andere woorden:
veel gedetailleerder dan ze in aanwezigheid van hun vader zou doen).
Knox stuurt een koerier naar Fort Edgar om een paar mannen van de Company te halen. Hij laat mij achter in de kamer met het schitterende uitzicht en keert dan terug om te zeggen dat hij John Scott (die naast de winkel en de korenmolen ook nog verschillende pakhuizen en veel land bezit)
heeft opgedragen om samen met hem de blokhut te gaan onderzoeken en
die te verzegelen tegen 'indringing' tot de afvaardiging van de Company er
is. In zijn woordkeuze proef ik een bepaalde kritiek. Hij kan het me
natuurlijk niet kwalijk nemen dat ik het lijk heb gevonden, maar ik ben
ervan overtuigd dat het hem spijt dat een gewone boerin de plek heeft be-

zoedeld voordat hij de kans heeft gekregen om er zijn superieure zintuigen in werking te stellen. Maar ik voel naast zijn afkeuring ook nog iets anders, en dat is opwinding. Hij ziet zijn kans schoon om te schitteren in een grootser drama dan je hier in de afgelegen bossen zou mogen verwachten: hij gaat een onderzoek instellen. Ik neem aan dat hij Scott alleen meeneemt om alles officiëler te laten lijken en om hem getuige te laten zijn van zijn genialiteit. Bovendien verlenen de leeftijd en rijkdom van Scott hem een zekere status. Met intelligentie kan het niet te maken hebben, want Scott is het levende bewijs dat de rijken niet noodzakelijkerwijs beter of slimmer zijn dan anderen.

We rijden met de koets van Knox langs de rivier stroomopwaarts. Omdat de blokhut van Jammet vlak bij ons huis staat, moeten ze wel toestaan dat ik meerijd, en omdat we daar het eerst langskomen, bied ik aan om mee te gaan. Knox fronst met vaderlijke bezorgdheid zijn wenkbrauwen.

'U bent vast uitgeput door die vreselijke schrik. Ik sta erop dat u naar huis gaat om te rusten.'

'Wij kunnen het zelf net zo goed zien,' voegt Scott eraan toe. Beter zelfs, is de implicatie.

Ik draai me van Scott weg – met sommige mensen valt gewoon niet te praten – en kijk naar het scherpe profiel van Knox. Hij is gekrenkt, realiseer ik me, misschien omdat mijn vrouwelijke aard het idee kan verdragen die gruwelen nogmaals onder ogen te moeten zien. Maar iets in me verzet zich koppig tegen zijn veronderstelling dat alleen hij de juiste conclusies kan trekken. Of misschien is het gewoon dat ik het niet prettig vind als iemand tegen mij zegt wat ik moet doen. Ik zeg dat ik de enige ben die kan zien of er iets is verstoord en daar kunnen ze niets tegenin brengen. Ze kunnen niets doen, behalve me met overmacht naar huis sleuren en me daar opsluiten.

Het herfstweer zit ons niet tegen, maar als Knox de deur opentrekt, ruik ik een vage rottingsgeur die ik eerder niet heb opgemerkt. Knox loopt naar binnen, door zijn mond ademend, legt zijn vingers op Jammets hand – ik zie dat hij aarzelt waar hij hem zal aanraken, want zijn arm blijft even besluiteloos boven het lichaam zweven – en verklaart dat hij tamelijk koud is. De twee mannen spreken op gedempte toon, bijna fluisterend. Dat begrijp ik, het zou onbeschoft zijn om harder te praten. Scott pakt een notitieboekje en schrijft op wat Knox zegt over de positie van het lichaam, de temperatuur van de kachel, de plaats van de voorwerpen in de kamer. Dan blijft Knox een tijd staan zonder iets te doen, waarbij hij toch een doelbewuste indruk weet te wekken: een bijkomstigheid van zijn lichaamsbouw die ik met belangstelling bekijk. Er zijn wel voetafdrukken zichtbaar op de stoffige vloer, maar geen vreemde voorwerpen en geen wapens. De enige aanwijzing is die verschrikkelijke, ronde wond op Jammets hoofd. Het moet een indiaanse outlaw zijn geweest, zegt Knox. Scott beaamt dat: een blanke zou zoiets barbaars niet kunnen doen. Ik zie het gezicht van zijn vrouw weer voor me dat de afgelopen winter bont en blauw was. Ze beweerde te zijn uitgegleden over een stuk ijs, maar iedereen wist hoe het werkelijk kwam.

De mannen gaan naar boven, naar de andere kamer. Ik kan zien waar ze lopen aan de doorbuigende planken en het neerdwarrelende stof dat het licht vangt. Het dwarrelt op Jammets lichaam, het valt zacht als sneeuwvlokken op zijn wang. Kleine stofjes belanden op zijn geopende ogen; onverdraaglijk, maar ik moet ernaar kijken. Ik heb de neiging om het stof weg te vegen, om op scherpe toon naar boven te roepen dat ze op moeten houden met alles te verstoren, maar ik doe geen van beide. Ik kan me er niet toe zetten om hem aan te raken.

'Er is daar in geen dagen iemand geweest, de stoflaag was niet verstoord,' zegt Knox als ze weer beneden zijn en met zakdoeken het stof van hun broek slaan. Knox heeft een schoon laken meegenomen van boven; hij schudt het uit, waardoor er nog meer stofjes door de kamer vliegen, als een zwerm bijen in het zonlicht. Hij legt het laken over het lichaam.

'Zo, dat houdt de vliegen wel weg,' zegt hij zelfgenoegzaam, al begrijpt iedere idioot dat dat absoluut niet het geval zal zijn.

Als is besloten dat wij, of liever gezegd zij, niets meer kunnen doen, sluit Knox de deur en bindt er een stuk touw omheen dat hij verzegelt met een klodder zegellak. Dat laatste, moet ik tot mijn spijt toegeven, maakt indruk op me.

Als het kouder wordt, raakt Andrew Knox zich altijd pijnlijk bewust van zijn leeftijd. Sinds een paar jaar krijgt hij in de herfst last van zere gewrichten, die de hele winter pijn blijven doen, hoeveel lagen flanel en wol hij er ook omheen wikkelt. Hij moet met energieke pas lopen om zich te verzetten tegen de pijnscheuten in beide heupen. Elke herfst begint de pijn wat eerder.

Vandaag verspreidt zich echter een vermoeidheid door zijn gehele wezen. Hij houdt zich voor dat dat begrijpelijk is: iedereen zou geschokt zijn door zoiets gewelddadigs als een moord. Maar dat is het niet alleen. Er is in de twee dorpen nog nooit iemand vermoord. We zijn hier juist gekomen om daaraan te ontsnappen, denkt hij: toen we wegtrokken uit de steden dachten we zulke dingen achter ons te laten. En dan het bizarre ervan... het is een wrede, barbaarse moord, iets wat in de zuidelijke staten thuishoort. In de afgelopen jaren zijn er hier natuurlijk verscheidene mensen overleden aan ouderdom, koorts, een ongeluk, om nog maar te zwijgen over die arme meisjes... Maar nog nooit is er iemand afgeslacht, weerloos, op kousenvoeten. Hij is van streek door de schoenloosheid van het slachtoffer.

Na het eten leest hij de aantekeningen van Scott door en probeert zijn geduld niet te verliezen: 'De kachel is een meter hoog, vijftig centimeter diep en voelt nog een beetje warm aan.' Dat zou wel eens van belang kunnen zijn. Als het vuur op het moment van overlijden flink brandde, zou het zeker zesendertig uur kunnen duren voordat die kachel is afgekoeld.

Dan zou de moord dus de vorige dag gepleegd kunnen zijn. Tenzij het vuur al uit was toen Jammet aan zijn einde kwam: in dat geval kan het 's nachts zijn gebeurd. Of de avond ervoor, dat is ook niet ondenkbaar. Hun zoektocht van vandaag heeft niet veel opgeleverd. Er waren geen duidelijke aanwijzingen dat er een worsteling heeft plaatsgevonden, geen bloed, behalve dan op het bed, waar hij naar alle waarschijnlijkheid is aangevallen. Ze hadden zich hardop afgevraagd of de blokhut was doorzocht, maar het was er zo'n rommel – wat volgens mevrouw Ross niet ongebruikelijk was – dat daar niets over te zeggen viel. Scott beweerde bij hoog en bij laag dat het een indiaan geweest moest zijn: een blanke kon zoiets barbaars niet op zijn geweten hebben. Knox is daar nog niet zo zeker van. Enkele jaren geleden werd hij naar een boerderij vlak bij Coppermine gestuurd, waar een zeer spijtig incident had plaatsgevonden. In bepaalde gemeenschappen bestaat de gewoonte om de bruidegom tijdens de huwelijksnacht ritueel te vernederen. Dit staat bekend als 'charivari' en is bedoeld als milde blijk van afkeuring van, bijvoorbeeld, een oude man die een veel jongere vrouw huwt. In dit geval was de oudere bruidegom ingesmeerd met pek en veren en aan zijn voeten opgehangen aan de boom voor zijn eigen huis, terwijl de jongeren uit de buurt gemaskerd in het rond marcheerden waarbij ze op ketels sloegen en op fluitjes bliezen.

Een grap. Jeugdige uitgelatenheid.

Maar op de een of andere manier was de man om het leven gekomen. Knox wist in elk geval van één jongen zeker dat hij bij de zaak betrokken was, maar niemand wilde er iets over kwijt, hoe spijtig ze het allemaal ook vonden. Was het echt een uit de hand gelopen grap geweest? Scott heeft niet het bebloede gezicht van die man gezien, het touw dat meedogenloos in zijn opgezwollen enkels sneed. Andrew Knox kan het niet verantwoorden om mensen van een bepaald ras boven elke verdenking te verheffen omdat ze niet in staat zouden zijn tot dergelijke wreedheden.

Hij wordt zich bewust van de geluiden achter het raam. Buiten zijn muren bevinden zich wellicht boosaardige krachten. Misschien was het uit geslepenheid dat die man is gescalpeerd, zodat de verdenking op iemand met een andere huidskleur zou vallen. God, laat het niet iemand uit Caulfield zijn. En wat kan het motief zijn geweest? Toch niet de diefstal van Jammets oude, ongebruikte bezittingen. Had hij een geheime rijkdom? Had hij vijanden onder de mannen met wie hij handel dreef, misschien een niet-ingeloste schuld?

Hij zucht, ontevreden over zijn gedachten. Hij was ervan overtuigd geweest dat hij aanwijzingen, misschien zelfs antwoorden zou vinden in die blokhut, maar nu is hij zelfs nog onzekerder dan eerst. Hij voelt zich gekrenkt in zijn ijdelheid nu hij moet toegeven dat hij de tekens niet heeft kunnen duiden, vooral door de aanwezigheid van mevrouw Ross, een uitdagende vrouw die hem altijd een ongemakkelijk gevoel bezorgt. Haar sardonische blik verzachtte geen moment, zelfs niet toen ze haar ontstellende ontdekking beschreef, of die voor de tweede keer onder ogen zag. Zij is niet geliefd in de stad, want ze wekt de indruk op de mensen neer te kijken, hoewel uit alle verhalen blijkt (en hij heeft heel wat geruchten gehoord waarvan de haren je te berge rijzen) dat zij niets heeft om verwaand over te zijn. Niettemin: als je haar ziet, lijken die huiveringwekkende verhalen ongeloofwaardig, want ze heeft een vorstelijke houding en haar gezicht kan niet anders dan knap worden genoemd, al is haar prikkelbare manier van doen niet in overeenstemming met ware schoonheid. Hij voelde haar ogen op zich gericht toen hij naar het lichaam liep om te voelen of het nog warm was. Hij kon nauwelijks voorkomen dat zijn hand trilde: hij zag niet één stukje huid dat niet met bloed besmeurd was. Hij haalde diep adem (waarvan hij alleen maar misselijk werd) en legde zijn vingers op de hand van de dode man.

De huid van de man voelde koud maar verder heel gewoon aan, niet anders dan zijn eigen huid. Hij probeerde niet naar die vreselijke wond te kijken, maar zijn ogen werden er, net als de vliegen, onweerstaanbaar door aangetrokken. Jammets ogen keken hem aan en het drong tot Knox door dat hij waarschijnlijk op de plaats stond waar de moordenaar ook had gestaan. Jammet kon niet geslapen hebben, tenminste niet op het laatst. Knox had het gevoel dat hij die ogen moest sluiten, maar hij wist dat hij dat nooit zou kunnen. Kort daarna had hij een laken van boven gehaald en had dat over het lichaam gelegd. Het bloed was opgedroogd en zou geen vlekken maken, had hij gezegd. Alsof dat er iets toe deed. Hij had geprobeerd zijn verwarring te verbergen met een praktische opmerking en ergerde zich aan zijn eigen opgewekte toon.

In elk geval is het vanaf morgen niet meer uitsluitend zijn verantwoordelijkheid: dan komen de mannen van de Company, en die weten waarschijnlijk wel wat er moet gebeuren. Er moet toch haast wel iets aan het licht komen, iemand moet iets hebben opgemerkt, en tegen de avond zal het opgelost zijn.

Vervuld van die valse hoop legt Knox de papieren netjes op een stapel en blaast de lamp uit.

Het is na middernacht, maar ik zit nog met een boek bij de lamp. Lezen gaat niet. Ik wacht op voetstappen, het openzwaaien van de deur, koude lucht die de keuken binnenstroomt. Ik merk dat ik opnieuw aan die arme meisjes denk. Iedereen in Dove River en Caulfield kent het verhaal; het wordt verteld aan ieder die hier komt en eindeloos herhaald op winterse avonden bij het haardvuur, met allerlei subtiele variaties. Het is, net zoals alle goede verhalen, een tragedie.

De Setons waren een respectabele familie uit St. Pierre La Roche. Charles Seton was dokter en zijn vrouw, Maria, was niet lang geleden uit Schotland geëmigreerd. Ze hadden twee dochters, hun oogappels (zoals dat heet, maar zijn kinderen dat niet altijd?). Op een zachte septemberdag gingen Amy, vijftien jaar, en Eve, dertien, samen met een vriendinnetje, Cathy Sloan, bessen plukken en picknicken aan de oever van het meer. De drie meisjes wisten de weg, ze kenden de gevaren van de wildernis en hielden zich aan de regels: nooit van de paden gaan, nooit na het invallen van de duisternis buiten blijven. Cathy was buitengewoon knap, daar stond ze in het stadje om bekend. Dat detail wordt er altijd aan toegevoegd, alsof de gebeurtenissen daardoor nog tragischer zijn, maar ik begrijp nooit wat het ertoe doet.

De meisjes gingen om negen uur 's ochtends met een mandje eten en drinken op weg. Om vier uur, het tijdstip waarop ze terug hadden moeten zijn, was er nog steeds geen spoor van ze te bekennen. Hun ouders wachtten nog een uur, daarna gingen de beide vaders hun dochters achterna. Ze liepen zigzaggend door het bos langs de route die de meisjes genomen moesten hebben, waarbij ze voortdurend hun naam riepen, tot ze bij het meer kwamen. Ze bleven zoeken, voortdurend roepend, tot het al donker was, maar ze vonden geen spoor van de meisjes. Toen keerden ze terug, in de veronderstelling dat hun dochters misschien een andere weg hadden genomen en inmiddels al thuis waren, maar de meisjes waren nog steeds niet terug.

Er werd een massale zoektocht op touw gezet en iedereen in het stadje hielp om de kinderen te zoeken. Mevrouw Seton kreeg last van flauwtes. Op de avond van de tweede dag keerde Cathy Sloan lopend terug in St. Pierre. Ze was verzwakt en haar kleren waren smerig. Ze was haar jas en een schoen kwijt, maar ze hield nog steeds het mandje vast waarin hun eten had gezeten en dat nu vol met bladeren zat (een zonderling detail en waarschijnlijk onwaar). De zoektocht ging met man en macht door, maar er werd niets gevonden. Geen schoen, geen stukje stof, zelfs geen voetafdruk. Het was alsof de aarde zich had geopend en de meisjes had verzwolgen.

Cathy Sloan vertelde dat ze kort na hun vertrek onenigheid had gekregen met Eve en dat ze had getreuzeld tot ze de andere twee uit het zicht was verloren. Ze was naar het meer gelopen en had de twee meisjes geroepen; ze had het heel gemeen gevonden dat die zich voor haar verstopt hielden. Daarna was ze verdwaald in het bos. De zusjes Seton had ze niet meer gezien.

De inwoners van het stadje zochten verder en stuurden afvaardigingen naar de indiaanse dorpen, want de verdenking viel net zo vanzelfsprekend op de indianen als de regen op het land. Maar de indianen zwoeren op de bijbel dat ze er niets mee te maken hadden en bovendien werd er geen greintje bewijs voor een ontvoering gevonden. Er werd steeds verder gezocht. Charles Seton huurde een paar mannen in om hem te helpen zoeken, waaronder een indiaanse spoorzoeker, en later, toen mevrouw Seton was overleden (aan een gebroken hart, beweerde men) een man uit de Verenigde Staten, een professionele speurder. De speurder reisde alle indiaanse stammen af in het noorden van Canada en nog verder, maar vond niets.

De maanden werden jaren. Op tweeënvijftigjarige leeftijd stierf Charles Seton, uitgeput, berooid en wanhopig. Cathy Sloan werd nooit meer zo mooi als vroeger. Ze maakte een doffe, slome indruk, of was ze vroeger ook al zo geweest? Niemand die het zich nog kon herinneren. Het verhaal over de zaak verspreidde zich wijd en zijd, werd een legende, verteld door schoolkinderen, met wilde variaties; door vermoeide moeders, die de omzwervingen van hun kinderen aan banden wilden leggen. Er kwamen steeds wildere theorieën over wat er met de twee meisjes gebeurd moest zijn, mensen uit verafgelegen streken beweerden ze te hebben gezien, of met ze te zijn getrouwd, of zelfs ze te zijn, maar dat was allemaal niet zo. Uiteindelijk bleef er geen enkele verklaring over die de leegte kon vullen die was achtergebleven na de verdwijning van Amy en Eve Seton.

Dat is nu vijftien jaar geleden, of zelfs langer. De ouders zijn allang dood; eerst is de moeder gestorven van verdriet, daarna de vader, failliet en uitgeput door zijn onophoudelijke zoektocht. Maar het verhaal over de meisjes hoort bij ons omdat de zus van mevrouw Seton is getrouwd met meneer Knox. Daarom viel er een schuldbewuste stilte toen zij die dag de winkel binnenkwam. Ik ken haar niet bijzonder goed, maar ik weet wel dat zij er nooit over praat. Als zij op winteravonden bij de haard zit, zal ze het wel over iets anders hebben.

Mensen verdwijnen. Ik probeer niet aan het ergste te denken, maar de lugubere theorieën over de verdwijning van die meisjes achtervolgen me. Mijn man is naar bed gegaan. Hij maakt zich geen zorgen, of anders kan het hem niet schelen; het is jaren geleden dat ik kon raden wat hij dacht. Dat zal wel normaal zijn in een huwelijk. Of misschien toont het aan dat ik er niet geschikt voor ben. Mijn buurvrouw, Ann Pretty, is waarschijnlijk geneigd het laatste te denken: zij heeft wel duizend manieren om te laten doorschemeren dat ik tekortschiet in mijn plichten als echtgenote. Als je erover nadenkt is dat eigenlijk een verbluffende prestatie voor een zo weinig ontwikkelde vrouw. Zij beschouwt de afwezigheid van levende, natuurlijke kinderen als een aanwijzing dat ik mijn plicht als immigrant verzaak, een plicht die bestaat uit het kweken van zo veel arbeidskrachten dat het werk op de boerderijen zonder hulp van buitenaf kan worden gedaan. Dat is een vrij normale redenering in zo'n immens en dunbevolkt land. Ik denk wel eens dat de kolonisten zich zo heldhaftig voortplanten als angstige reactie op de omvang en de leegte van het land, alsof ze die leegte willen opvullen met hun nakomelingen. Of misschien zijn ze wel bang dat een kind hun heel gemakkelijk kan ontglippen en willen ze er daarom steeds meer. Misschien hebben ze wel gelijk.

Toen ik vanmiddag thuiskwam, was Angus terug. Ik vertelde hem dat Jammet dood was. Hij keek lange tijd naar zijn pijp, zoals altijd als hij diep in gedachten verzonken is. Ik was bijna in tranen, al kende ik Jammet niet erg goed. Angus kende hem beter, hij ging zo nu en dan met hem op jacht. Maar ik kon niet zien wat zich onderhuids bij hem afspeelde. Later zaten we in de keuken op onze vaste plaatsen zwijgend te eten. Tussen ons in, aan de zuidkant van de tafel, was nog een plaats gedekt. We zeiden er geen van beiden iets over.

Jaren geleden reisde mijn man terug naar het oosten. Hij bleef drie weken weg, waarna hij een telegram stuurde waarin stond dat ik hem op zondag terug kon verwachten. We hadden in vier jaar geen nacht zonder elkaar doorgebracht en ik verheugde me zeer op zijn terugkomst. Toen ik het geratel van wielen op de weg hoorde, vloog ik naar buiten en zag tot mijn verbazing dat er twee mensen in de kar zaten. Een van hen was een kind van een jaar of vijf, een meisje. Angus hield de pony in en ik rende erheen. Mijn hart bonsde in mijn keel. Het meisje sliep. Haar lange wimpers staken af tegen haar vaalgele huid. Ze had zwart haar, zwarte wenkbrauwen. Door haar oogleden schemerden paarse aderen. Ze was mooi. En ik kon geen woord uitbrengen. Ik keek alleen maar.

'Ze was bij de Franse nonnen. Haar ouders zijn gestorven aan tyfus. Ik hoorde erover en ben naar het klooster gegaan. Er zaten daar heel veel kinderen. Ik heb geprobeerd om er eentje te krijgen van ongeveer de juiste leeftijd, maar...' Hij zweeg. Onze dochter, een baby nog, was een jaar geleden gestorven. 'Maar zij was de mooiste.' Hij zuchtte diep. 'We zouden haar Olivia kunnen noemen. Ik weet niet of je dat wilt, of...'

Ik sloeg mijn armen om hem heen en hij hield me stevig vast. Mijn gezicht was nat. Toen deed het kind haar ogen open.

'Ik heet Francis,' zei ze met een duidelijk Ierse tongval. Ze had iets alerts, een scherpe blik in die wijd open ogen.

'Dag Francis,' zei ik zenuwachtig. Stel dat ze ons niet aardig vond?

'Word jij nu mijn mama?' vroeg ze.

Ik voelde mijn gezicht warm worden toen ik knikte. Daarna was ze stil. We namen haar mee naar binnen en ik kookte het heerlijkste maal dat ik bij elkaar kon scharrelen: witvis en groenten, en daarbij thee met veel suiker, maar ze at weinig en keek naar de vis alsof ze niet helemaal begreep wat dat was. Ze zei niets meer, maar ze keek ons met haar donkerblauwe ogen beurtelings aan. Ze was uitgeput. Ik tilde haar op en droeg haar in mijn armen naar boven. Ik trilde van emotie door dat warme, slappe lichaam tegen me aan. Haar botten voelden broos en ze rook muf, als een kamer die lang niet is gelucht. Omdat ze bijna sliep, trok ik alleen haar jurk, schoenen en sokken uit en stopte haar onder de dekens. Ik keek naar haar terwijl ze krampachtig bewoog in haar slaap.

De ouders van Francis waren met een pakketboot, de Sarah, aangekomen op Belle Isle. Het vooronder zat propvol Ieren uit County Mayo, dat nog leed onder de naweeën van de aardappelhongersnood. Hoewel de epidemieën grotendeels achter de rug waren, brak aan boord tyfus uit, als een modegril die maar niet wil verdwijnen. Bijna honderd mannen, vrouwen en kinderen stierven aan boord van dat schip, dat op de terugweg naar Liverpool verging. Verscheidene kinderen werden wees en werden naar het klooster gebracht tot er een thuis voor hen was gevonden.

De volgende ochtend ging ik naar de logeerkamer. Francis sliep nog steeds, maar toen ik voorzichtig mijn hand op haar schouder legde, kreeg ik de indruk dat ze deed alsof. Ze was natuurlijk bang; misschien had ze angstaanjagende verhalen gehoord over de Canadese boeren en dacht ze dat wij haar als slaaf zouden behandelen. Ik glimlachte naar haar, pakte haar bij de hand en nam haar mee naar beneden, waar ik een tobbe warm water bij de kachel had klaargezet. Ze hield haar ogen strak op de grond gericht en stak haar armen in de lucht zodat ik de lange onderjurk kon uittrekken.

Ik rende het huis uit, op zoek naar Angus. Hij was houtblokken aan het kloven.

'Angus,' siste ik. Ik was kwaad, maar ik voelde me ook stom.

Hij draaide zich om, met de bijl in de hand, en keek me verbaasd aan.

'Wat is er? Is er iets met haar?'

Ik schudde mijn hoofd. De gedachte kwam in me op dat hij het wist, maar dat zette ik meteen uit mijn hoofd. Hij draaide zich weer om naar het houtblok, hij kende mij, en kliefde het precies doormidden. De twee helften vlogen in de houtmand.

'Angus, je hebt een jongen meegebracht.'

Hij zette de bijl neer. Hij wist het niet. We gingen naar binnen, waar het kind in de tobbe met het stuk zeep zat te spelen, dat hij door zijn vingers omhoog liet schieten. Zijn grote ogen stonden argwanend. Het verbaasde hem niet dat we hem stonden aan te staren.

'Moet ik terug?' vroeg hij.

'Nee, natuurlijk niet.' Ik knielde naast hem en pakte de zeep uit zijn handen. Zijn schouderbladen staken als vleugels uit zijn broodmagere rug. 'Laat mij maar.' Ik begon hem te wassen. Misschien kon ik hem met mijn handen beter dan met woorden duidelijk maken dat het niet hinderde. Angus liep terug naar de stapel hout en sloeg de deur achter zich dicht.

Francis leek niet verbaasd dat hij verkleed als meisje bij ons was gekomen. We dachten uren na over die Franse nonnen; hadden ze misschien gedacht dat ze een meisje sneller konden onderbrengen dan een jongen? Maar er zaten ook weesjongens in dat klooster. Zouden ze het gewoon niet hebben gemerkt? Waren ze afgeleid door de schoonheid van zijn gezicht en hadden ze hem daarom kleren aangetrokken die daar het beste bij pasten? Francis kwam zelf ook niet met een verklaring. Hij schaamde zich niet en bood geen tegenstand toen ik een broek en een hemd voor hem maakte en zijn lange haar afknipte.

Hij denkt dat wij het hem nooit hebben vergeven, maar wat mij betreft is dat niet waar. Van mijn man weet ik het niet zo zeker. Hij is een Schot in hart en nieren, hij vindt het niet prettig om voor de gek gehouden te worden, en ik vraag me af of hij de schrik ooit te boven is gekomen. Toen Francis nog een kind was, was er niets aan de hand. Hij kon heel komisch zijn, dingen nadoen, potsierlijke grappen maken. Maar we werden ouder, alles veranderde, verslechterde, zoals het altijd schijnt te moeten gaan. Hij groeide op tot een jongen die geen aansluiting bij de anderen leek te kunnen krijgen. Ik merkte dat hij kalm en stoer probeerde te zijn en een roekeloze moed probeerde te kweken, zo'n nonchalant gebrek aan respect voor gevaar dat hier in de wildernis gemeengoed schijnt te zijn. Een man moet dapper en volhardend zijn, zich niets aantrekken van pijn en ontberingen. Nooit klagen. Nooit aarzelen. Ik zag dat het hem niet lukte. We hadden in Toronto moeten wonen, of in New York, daar had het misschien niet uitgemaakt. Maar wat in een minder harde wereld voor heldhaftig doorgaat, is hier dagelijkse kost. Hij probeerde niet meer te zijn zoals de anderen, hij werd nors en zwijgzaam, reageerde niet meer op affectie, wilde me niet meer aanraken.

Hij is nu zeventien. Zijn Ierse accent is helemaal verdwenen, maar in sommige opzichten is hij nog steeds een vreemdeling. Hij ziet eruit als het wisselkind dat hij is: ze zeggen dat sommige Ieren Spaans bloed hebben, en aan Francis te zien is dat ook zo: hij is net zo donker als Angus en ik blond zijn. Ann Pretty maakte een keer het vergezochte grapje dat hij door de tyfus bij ons was gekomen en dat wij nu tyfuslijders waren geworden. Ik was woest op haar (ze lachte ons natuurlijk gewoon uit), maar ik ben het nooit vergeten en steeds als Francis door het huis raast, met deuren slaat en gromt alsof hij nauwelijks kan praten, denk ik weer aan haar woorden. Dan denk ik maar aan mijn eigen jeugd en verbijt ik me. Mijn man is minder verdraagzaam. Er gaan soms dagen voorbij waarop ze niet normaal tegen elkaar praten.

Daarom durfde ik niet tegen Angus te zeggen dat ik Francis sinds de vorige dag niet meer had gezien. Toch neem ik het hem kwalijk dat hij er niet naar heeft gevraagd. Straks breekt de ochtend aan en is onze zoon al twee dagen weg. Hij doet dat wel vaker, hij gaat soms twee of drie dagen uit vissen, komt dan zonder vis terug en zegt nauwelijks een woord over wat hij heeft gedaan. Ik vermoed dat hij het vreselijk vindt om iets dood te maken; dat vissen is alleen maar een dekmantel voor zijn verlangen om alleen te zijn.

Ik moet in slaap zijn gevallen in mijn stoel, want als ik wakker word, is het bijna licht en ben ik verstijfd en koud. Francis is nog niet terug. Ik houd mezelf voor dat het toeval is, dat hij gewoon een paar dagen uit vissen is naar niks, maar steeds opnieuw komt de gedachte in me op dat mijn zoon is verdwenen op de dag van de enige moord in de geschiedenis van Dove River.

De eerste zonnestralen vallen op de drie ruiters die vanuit het westen komen. Ze zijn al uren onderweg en het ochtendlicht is een opluchting voor ze, vooral voor de man achteraan, Donald Moody, die zijn zwakke ogen in de schemering enorm moest inspannen. Hoe ver hij zijn bril ook op zijn neus drukt: deze monochrome wereld is vol onduidelijke afstanden en vage, verschuivende vormen. En het vriest. Zijn ledematen zijn verkleumd en doen zelfs geen pijn meer, ondanks de lagen wol en de pelsjas die hij met het bont naar binnen draagt. Donald ademt de ijle, frisse lucht in die zo anders is dan in zijn geboortestad Glasgow, waar rond deze tijd van het jaar een dikke roetnevel hangt. Het is zo helder dat het zonlicht geen enkele belemmering ondervindt. Als de zon net boven de horizon is, zoals nu, reiken hun schaduwen eindeloos ver achter hen.

Zijn paard, dat te dicht op de schimmel voor hem loopt, struikelt en stoot zijn neus tegen het achterwerk van zijn voorganger, waarvoor het een waarschuwende zwiep met de staart krijgt.

'Verdomme, Moody,' zegt de man die voor hem rijdt. Het grove paard van Donald blijft voortdurend achter of botst, zoals nu, tegen dat beest van Mackinley.

'Sorry, meneer.' Donald trekt aan de teugels en het paard drukt zijn oren plat tegen de hals. Het dier is van een Fransman geweest en lijkt diens anti-Britse gevoelens te hebben overgenomen. Mackinleys rug straalt afkeuring uit. Zijn paard gedraagt zich braaf, net als het dier dat voorop rijdt. Donald wordt door de anderen bijna voortdurend met zijn neus op het feit gedrukt dat hij nog maar een groentje is; hij is pas ruim een jaar in Canada en maakt nog steeds grote blunders, vooral wat betreft de gedragscode van de Company. Nooit waarschuwen de anderen hem ergens voor, want hun enige vermaak is toekijken terwijl hij worstelt, in een moeras valt, of de lokale bevolking beledigt. Niet dat de andere mannen bijzonder onaardig zijn, maar het is duidelijk dat het hier nu eenmaal zo gaat: de leertijd van de jongste van de groep is vooral een bron van vermaak voor de rest. De meeste leden van de Company zijn goed opgeleid, moedig en avontuurlijk, en vinden dat er in het dagelijks leven in dit grote land te weinig gebeurt. Er zijn wel gevaren (zoals men ook had aangekondigd), maar dat zijn de gevaren van bevriezing of onder-koeling, niet van een gevecht met wilde dieren of een oorlog met vijandi-ge inboorlingen. Het dagelijks bestaan is een aaneenrijging van kleine be-proevingen: kou, duisternis, enorme verveling en te veel slechte drank. Bij de Company gaan, had Donald al snel in de gaten, was net zoiets als naar een strafkamp gestuurd worden; je moest alleen meer formulieren invullen.

De man die voor hem rijdt, Mackinley, is de factor van Fort Edgar en voorop rijdt Jacob, een indiaan in dienst van het leger, die Donald tot zijn schaamte overal wil begeleiden. Donald is niet erg gesteld op Mackinley, die afwisselend sarcastisch en bruusk doet, een manier om de kritiek af te houden die hij vanuit elke hoek lijkt te verwachten. Hij vermoedt dat Mackinley zo lichtgeraakt is omdat hij zich sociaal minderwaardig voelt ten opzichte van sommige lagergeplaatsten, waaronder Donald, en daar-om voortdurend op zoek is naar signalen die duiden op een gebrek aan respect. Volgens Donald zou Mackinley veel meer gerespecteerd worden als hij zich niet zo druk zou maken over zulke dingen, maar het is niet waarschijnlijk dat de man nog kan veranderen. En wat hemzelf betreft: hij weet dat Mackinley en de anderen hem maar een slappe cententeller vin-den, best nuttig, maar geen echte, degelijke avonturier die de wildernis kan verdragen.

Toen hij van de boot uit Glasgow stapte, was hij van plan om zichzelf te blijven; de mensen moesten hem maar nemen zoals hij was. Toch heeft hij allerlei heldhaftige pogingen ondernomen om het beeld dat zij van hem hebben te verbeteren. Hij heeft bijvoorbeeld langzamerhand zijn lichaam laten wennen aan de sterkedrank die het levenssap van het fort is, al kan hij daar eigenlijk niet tegen. In het begin nam hij beleefde slokjes van de rum die uit grote, stinkende vaten werd ingeschonken, maar hij had nog nooit zoiets smerigs geproefd. De andere mannen merkten dat hij nauwelijks dronk en lieten hem alleen achter terwijl zij afreisden naar het rijk der dronkenschap, elkaar lange, saaie verhalen vertelden en steeds weer om dezelfde grappen lachten. Donald probeerde dit zo lang mogelijk vol te houden, maar de eenzaamheid werd zo zwaar dat hij die niet meer kon verdragen. De eerste keer dat hij heel erg dronken werd, juichten de anderen en sloegen hem op de schouders terwijl hij op zijn knieën lag te braken. Door de misselijkheid en de zure stank heen voelde Donald een bepaalde warmte: eindelijk hoorde hij erbij en zouden ze hem accepteren als een gelijke. Maar hoewel de rum hem niet meer zo smerig smaakte als eerst, merkte hij dat de anderen hem alleen geamuseerd tolereerden. Hij was en bleef de jongste boekhouder.

Een andere ingeving waarmee hij zichzelf wilde bewijzen was het organiseren van een rugbywedstrijd. Dat had rampzalige gevolgen gehad, maar er was wel een klein sprankje licht uit voortgekomen. Toen hij daaraan dacht, ging hij rechter in het zadel zitten.

Vergeleken met de andere forten van de Company is Fort Edgar een beschaafde post. Het ligt vlak bij de kust van Lake Superior en bestaat uit een paar houten gebouwen binnen een palissade; het geheel is koppig weggedoken achter een strook dennenbomen die het verbluffend mooie uitzicht op de baai en de eilanden belemmeren. Maar wat Fort Edgar beschaafd maakt zijn de kolonisten die hier in de buurt wonen, in Caulfield, aan Dove River. De inwoners van Caulfield wonen graag vlak bij de handelspost, omdat die volgepakt zit met geïmporteerde Engelse goederen en flinke kerels van de Company. De handelaren zijn op hun beurt blij met het nabijgelegen Caulfield, omdat het propvol Engelssprekende blanke vrouwen zit, die zo nu en dan kunnen worden overgehaald om de dansavonden en andere gelegenheden in het fort op te fleuren. Rugbywedstrijden bijvoorbeeld.

Donald was op de ochtend van de wedstrijd die hij had georganiseerd erg nerveus. De mannen waren nors en keken na de zuippartij van de vorige avond nog beneveld uit hun ogen. Hij werd nog nerveuzer toen hij de gasten ontmoette: een lange man met een strenge blik – het toonbeeld van een hel-en-verdoemenispredikant – en zijn twee dochters, die erg opgewonden waren nu ze plotseling in het gezelschap verkeerden van zo veel jonge, vrijgezelle mannen.

De zusjes Knox keken beleefd maar stomverbaasd naar alles wat er gebeurde. Hun vader had onderweg naar Fort Edgar geprobeerd om de spelregels uit te leggen, maar zijn kennis was zeer belegen en hij had de meisjes alleen nog maar verder in verwarring gebracht. De spelers renden in een ongeregeld kluitje door het weiland, waarbij de bal (een zware zak die door de vrouw van een pelsjager in elkaar was genaaid) meestal onzichtbaar was.

Naarmate het spel vorderde, werd de stemming grimmiger. De andere leden van Donalds team schenen te hebben afgesproken dat ze hem buiten het spel zouden houden en ze negeerden zijn geroep om de bal. Hij rende heen en weer over het veld en hoopte dat de meisjes niet zouden merken dat hij volkomen overbodig was, toen de bal plotseling zijn kant op rolde, waarbij stukjes bont van de vulling in het rond vlogen. Hij greep de bal en rende over het veld, vastbesloten om te scoren, maar werd ineens tegen de grond gesmakt. Een kleine halfbloed, Jacob, greep de bal en rende weg. Donald rende achter hem aan, want hij wilde zijn kans niet voorbij laten gaan. Hij wierp zich op Jacob en haalde hem onderuit met een flinke maar eerlijke tackle. Een reus van een man griste de bal weg en scoorde.

Terwijl hij op de grond lag, ging Donalds triomfantelijke gejuich over in een vreemd gegorgel. Hij haalde zijn handen van zijn buik en zag dat ze donker gekleurd en nat waren. Jacob stond naast hem met een mes in zijn hand: op zijn gezicht verscheen langzaam een blik vol afgrijzen.

De toeschouwers kregen eindelijk in de gaten dat er iets mis was en renden het veld op. De spelers kwamen om Donald heen staan, wiens eerste herkenbare emotie schaamte was. Hij zag dat de magistraat zich met vaderlijke bezorgdheid over hem heen boog.

'...nauwelijks gewond. Ongeluk... hitte van de strijd.'

Jacob was radeloos, de tranen rolden over zijn wangen. Knox bekeek de wond. 'Maria, geef je shawl eens.'

Maria, de minst knappe dochter, deed haar shawl af en dacht dat haar vader nooit eens aan Susannah zou vragen om iets op te offeren. Maar het was wel Susannahs omgekeerde gezicht waar Donald zijn ogen op richtte terwijl de shawl tegen de wond gedrukt werd.

Hij begon een doffe pijn te voelen in zijn maag en hij kreeg het ineens ontzettend koud. Het spel was vergeten, de spelers stonden ongemakkelijk om hem heen en staken een pijp op. Donald keek in Susannahs ogen, die hem bezorgd aankeken, en hij merkte dat niets hem meer interesseerde: niet of hij zich stoer en mannelijk had getoond, niet of ze hadden gewonnen, zelfs niet dat zijn levensbloed nu door zijn jas sijpelde en de stof bruin kleurde. Hij was verliefd.

De wond genas snel en had als vreemd gevolg dat Jacob zijn boezemvriend werd. De dag na de wedstrijd bezocht hij Donalds ziekbed, in tranen, en betuigde zijn diepgevoelde en oprechte spijt. Het was de drank die hem ertoe had aangezet, hij was bezeten door een kwade geest en hij zou voor zijn daad boeten door persoonlijk voor Donald te zorgen zolang die in het land verbleef. Donald was geroerd en toen hij hem glimlachend vergaf en zijn hand uitstak, lachte Jacob terug. Dat was misschien de eerste echte vriendschappelijke lach die hij in dit land had gezien.

Donald wankelt als hij zich van zijn paard heeft laten glijden en probeert door hevig te stampen het bloed weer door zijn benen te laten stromen. Hij moet met tegenzin toegeven dat hij onder de indruk is van de grootte en de pracht van het huis waar ze voor staan, waarbij hij vooral denkt aan Susannah en aan het feit dat dit haar nog onbereikbaarder voor hem maakt. Dan komt Knox naar buiten, glimlacht hartelijk naar hen en kijkt met nauwelijks verholen schrik naar Jacob.

'Is dat jullie gids?' vraagt hij.

'Dit is Jacob,' zegt Donald. Zijn wangen beginnen te gloeien, maar Jacob schijnt er geen aanstoot aan te nemen.

'Een zeer goede vriend van Moody,' zegt Mackinley vals.

De magistraat begrijpt er niets van, want hij weet vrijwel zeker dat hij die man bij de vorige gelegenheid nog een mes in Donalds buik zag steken. Hij zal zich wel vergissen.

Knox vertelt hun wat hij weet en Donald maakt aantekeningen. Het duurt niet lang voordat de feiten zijn genoteerd. Ze nemen stilzwijgend aan dat het een hopeloze zaak zal worden om de dader te vinden, tenzij iemand iets heeft gezien, wat in een gemeenschap als deze bijna altijd zo is; geroddel is het levenssap van zulke kleine plattelandsstadjes. Donald pakt een nieuw vel, strijkt het met een efficiënt gebaar glad en gaat met de anderen mee naar de plaats waar de misdaad is gepleegd. Hij verheugt zich niet op wat er nu gaat komen en hoopt dat hij zich niet te schande zal maken door misselijk te worden, of, en hij kwelt zichzelf met de gedachte aan het allerergste, door in tranen uit te barsten. Hij heeft nog nooit eerder een dode gezien, zelfs niet zijn grootvader. Hoewel het onwaarschijnlijk is, stelt hij zich met een bijna prettige afschuw voor welke plagerijen hij dan te verduren zou krijgen. Die zouden onverdraaglijk zijn, hij zou incognito moeten terugkeren naar Glasgow, een andere naam moeten aannemen...

Omdat hij in beslag genomen wordt door dergelijke gedachten, zijn ze in een oogwenk bij de blokhut.

Nieuws verspreidt zich tegenwoordig zo snel als een lopend vuur, denkt Thomas Sturrock. Nieuwtjes en hun duistere neven, geruchten, trekken zich niets aan van de afwezigheid van wegen en spoorwegen, maar leggen in een razendsnel tempo enorme afstanden af. Het is een vreemd verschijnsel, dat wellicht gebaat zou zijn bij de aandacht van een toegewijde geest als de zijne. Een korte monografie misschien? *The Globe* of *The Star* zouden belangstelling kunnen hebben voor zo'n stukje, mits het amusant is.

Hij heeft de afgelopen jaren meerdere malen de gedachte toegestaan dat hij met het verstrijken van de tijd alleen maar indrukwekkender wordt. Zijn haar, een tikje lang en krullend bij de oren, is naar achteren gekamd, zodat zijn fraaie, hoge voorhoofd goed uitkomt. Zijn jas, ouderwets maar goed van snit en zwierig, is van een donkerblauwe stof die prachtig terugkomt in zijn ogen, waaruit de schittering de afgelopen dertig jaar niet is verdwenen. Zijn broek zit piekfijn. Zijn gezicht is goed gevormd, havikachtig, aangenaam getekend door het buitenleven. Er hangt een met vlekken bespikkelde, wazige spiegel aan de muur tegenover hem, die bevestigt dat hij zelfs in deze behoeftige omstandigheden een bijzondere figuur is. Deze heimelijke ijdelheid, een klein en (belangrijker nog) kosteloos genoegen dat hij zichzelf maar zelden toestaat, doet hem glimlachen om zichzelf. 'Wat ben je toch een lachwekkende oude man,' zegt hij zwijgend tegen zijn evenbeeld terwijl hij een slokje koude koffie neemt.

Thomas Sturrock is zijn gebruikelijke bezigheid aan het uitoefenen: in enigszins verlopen koffiehuizen zitten (deze heet The Rising Sun) en een uur of twee over één kop koffie doen. Zijn gepeins over nieuws en geruchten komt ergens vandaan, ontdekt hij, als hij merkt dat hij naar een conversatie luistert die achter hem wordt gevoerd. Niet dat hij het gesprek afluistert, hij zou zich nooit tot zoiets verlagen, maar zijn dwalende gedachten zijn ergens door gegrepen en nu probeert hij erachter te komen waardoor ze werden gestrikt... Caulfield, dat was het, iemand noemde de naam Caulfield. Sturrock, wiens geheugen nog steeds even scherp is als zijn gevoel voor kleding, kent iemand die daar woont, ook al heeft hij die al een tijd niet meer gezien.

'Ze zeiden dat je nog nooit zoiets hebt gezien. Badend in het bloed, het zat zelfs tegen de muren... waarschijnlijk indiaanse overvallers...'

(Wie zou het je kwalijk nemen dat je zo'n gesprek afluistert?)

'Lag te rotten in zijn blokhut... al dagenlang. De vliegen kropen over hem heen, als een krioelende deken. Moet je je die stank voorstellen.'

De metgezel stemt daarmee in.

'Geen enkele reden, niets gestolen. Vermoord in zijn slaap.'

'Mijn god, het wordt hier al even erg als in de Verenigde Staten. Om de haverklap oorlogen en revoluties.'

'Kan ook zo'n deserteur zijn geweest, of niet?'

'Die kooplui vragen ook om moeilijkheden, die drijven maar handel met jan en alleman... Een buitenlander, naar het schijnt, dus dan weet je het maar nooit...'

'Waar moet het heen...'

Enzovoort, enzovoort.

Als hij hoort dat het om een buitenlander gaat, is Sturrocks aandacht nog eens extra getrokken en na nog enkele minuten onsamenhangende doemdenkerij, houdt hij het niet langer uit.

'Neem me niet kwalijk, heren...'

Hij negeert de blikken die hem worden toegeworpen als hij zich omdraait naar de twee mannen: handelsreizigers, te oordelen naar de goedkope maar schreeuwerige kleding en hun ordinaire manier van doen.

'Excuseer mijn bemoeienis, ik weet hoe vervelend het is als een vreemde zich in een gesprek mengt, maar wat u zojuist hebt besproken, gaat mij persoonlijk aan. Ik ken namelijk een handelaar die in de buurt van Caulfield woont en ik ving onwillekeurig uw zeer levendige beschrijving op van een bijzonder verontrustende en tragische gebeurtenis. Het moge duidelijk zijn dat die zaak mij daardoor wel met zorg moest vervullen, en ik kan alleen hopen dat mijn kennis er niet bij betrokken is...'

De twee handelsreizigers, beiden onbenullen, zijn nogal van hun stuk gebracht door zo'n welbespraaktheid, die niet vaak te beluisteren valt binnen de muren van The Rising Sun. De verteller herstelt zich als eerste en laat zijn ogen afdwalen naar Sturrocks manchet, die op de rugleuning van zijn stoel ligt. Sturrock herkent die blik meteen, evenals dat schuin naar beneden gerichte hoofd en de peinzende stilte die hij laat vallen voordat hij Sturrock weer aankijkt. De man probeert te bedenken wat hij financieel te winnen heeft als hij zijn informatie prijsgeeft. Niet veel, te oordelen naar de staat waarin de manchet verkeert, al belooft dat accent van die yankee, die zo te horen van de oostkust komt, wel wat meer. Hij zucht, maar de heerlijke sensatie van het vertellen van slecht nieuws wint het.

'In de buurt van Caulfield?'

'Ja, hij woont meen ik op een klein boerderijtje of zo, het heet iets met River... en dan een vogel, of een dier. Zo'n soort naam.'

Sturrock kent die naam precies, maar hij wil hem van de ander horen.

'Dove River, geloof ik.'

'Ja, dat is het. Dove River.'

De handelsreiziger kijkt naar zijn metgezel. 'Die handelaar, was dat een Fransoos?'

Sturrock voelt dat een kille schrik hem bij zijn ruggengraat vat. De twee mannen zien het al aan zijn gezicht. Er hoeft verder niets meer te worden gezegd.

'Ja, het was een Franse handelaar. Ik weet niet of daar nog meer van die lui wonen?'

'Dat geloof ik niet. U hebt niet toevallig zijn naam gehoord?'

'Niet dat ik zo uit m'n blote hoofd weet. Iets Frans, meer weet ik niet.'

'De naam van mijn kennis is Laurent Jammet.'

De ogen van de man lichten op van plezier. 'Nou, dat spijt me werkelijk, maar ik geloof dat dat de naam was die werd genoemd.'

Sturrock kan geen woord uitbrengen, wat niets voor hem is. Hij heeft in zijn lange loopbaan al veel schokken te verduren gekregen en in gedachten probeert hij al de gevolgen van dit nieuws te overzien. Het is tragisch, uiteraard, voor Jammet. Zorgelijk, op z'n minst, voor hem. Want hij heeft daar nog zaken af te handelen waar hij heel erg op gebrand is en waarvoor hem alleen nog de financiële middelen ontbreken. Nu Jammet dood is, moet dat zo snel mogelijk worden geregeld, omdat zijn kans anders voorgoed verkeken is.

Hij moet wel een bijzonder geschokte indruk hebben gemaakt, want ineens worden er een kop koffie en een glas brandewijn voor hem op tafel gezet. De handelsreizigers bekijken hem nu met grote en oprechte belangstelling; een vreselijk en gewelddadig bericht is al opwindend genoeg, maar ze vinden het vast geweldig dat ze iemand tegen het lijf zijn gelopen die rechtstreeks door de tragedie is getroffen. Dat vertegenwoordigt minstens de waarde van een paar maaltijden. Sturrock steekt een bevende hand uit naar het glas.

'U kijkt echt alsof er iemand over uw graf is gelopen,' zegt een van de twee.

Als hij merkt wat er van hem wordt verwacht, begint Sturrock stamelend een treurig relaas over een cadeau dat hij aan zijn zieke vrouw heeft beloofd, en over een niet-ingeloste schuld. Hij is helemaal niet getrouwd, maar dat weten die handelsreizigers niet. Op een gegeven moment leunt hij op de tafel en volgt met zijn ogen een schaal koteletjes die voorbijkomt. Binnen twee minuten wordt er een bord met gebraad voor hem neergezet. Hij is, denkt hij niet voor het eerst, zijn roeping misgelopen: hij had romanschrijver moeten worden, zo gemakkelijk heeft hij die tuberculeuze vrouw uit zijn hoge hoed getoverd. Als hij eindelijk het gevoel heeft dat hij ze genoeg waar voor hun geld heeft gegeven (niemand kan hem betichten van een gebrek aan fantasie) schudt hij beide mannen de hand en verlaat het koffiehuis.

Het is namiddag en de dag vlucht over de westelijke horizon. Hij wandelt langzaam terug naar zijn logement en probeert te bedenken hoe hij aan geld kan komen voor de reis naar Caulfield, want daar moet hij heen om zijn droom waar te maken.

Er is waarschijnlijk maar één persoon in Toronto wiens geduld hij nog niet volledig heeft verbruid en als hij haar op de juiste manier benadert, is ze misschien wel goed voor een lening van zo'n twintig dollar. En dus stuurt hij zijn voeten aan het eind van Water Street naar rechts en loopt in de richting van de heilzamere wijken langs de oever van het meer.

Toen ik niet meer kon doen alsof het nacht was, lang nadat de zon al was opgekomen, gaf ik toe aan mijn vermoeidheid en ging ik boven naar bed. Nu moet het al middag zijn, maar ik kan niet opstaan. Mijn lichaam weigert te gehoorzamen, of eigenlijk heeft mijn hoofd het geven van orders opgegeven. Ik staar naar het plafond en zak weg in de overtuiging dat alle menselijke inspanning, vooral de mijne, zinloos is. Francis is niet thuisgekomen, wat mij nog meer het gevoel geeft dat talent, moed en nut mij volkomen ontbreken. Ik maak me zorgen om hem, maar die zorg wordt overschaduwd door mijn onvermogen tot een besluit te komen en iets te doen. Het verbaast me niet dat hij is weggelopen bij zo'n moeder.

Angus stond op toen ik net naar boven ging en we wisselden geen woord met elkaar. We hebben eerder al moeilijke gesprekken over Francis gevoerd, maar niet onder zulke dramatische omstandigheden. Angus zegt steeds dat hij zeventien jaar is en voor zichzelf kan zorgen, dat het normaal is voor jongens van die leeftijd om dagenlang van huis te gaan. Maar hij is niet zoals normale jongens; ik probeer dat niet te zeggen, maar doe het uiteindelijk altijd toch. De onuitgesproken woorden bedrukken me in de kleine kamer: Francis is verdwenen en er is een dode man. Natuurlijk kan daar geen verband tussen bestaan.

Een stem in mijn hoofd vraagt of Angus er misschien niet heel erg rouwig om zal zijn als Francis niet terugkomt. Ze kunnen elkaar zo venijnig aankijken, alsof ze gezworen vijanden zijn. Een week geleden kwam Francis laat thuis en weigerde een van zijn karweitjes te doen. Het kon de volgende ochtend ook wel, zei hij, waarmee hij zich op gevaarlijk terrein begaf omdat Angus juist een vruchteloze ruzie had gehad met James Pretty over een hek. Angus haalde diep adem en zei tegen Francis dat hij een egoïstisch, ondankbaar joch was. Toen hij het woord ondankbaar gebruikte, wist ik al wat er zou gebeuren. Francis ontplofte: Angus verwachtte dankbaarheid van hem omdat hij hem een thuis gegeven had, hij behandelde hem als een contractarbeider, hij haatte hem, had hem altijd gehaat... Angus kroop in zijn schulp en liet alleen nog een zweem van minachting zien waar ik koud van werd. Toen begon ik tegen Francis uit te varen, met trillende stem. Ik wist niet in hoeverre hij ook kwaad was op mij; het was zo lang geleden dat hij me in de ogen had gekeken.

Hoe had ik kunnen voorkomen dat het zover kwam? Waarschijnlijk heeft Ann gelijk als ze me bespot; ik ben ongeschikt voor het gezinsleven, ook al verachtte ik vroeger vrouwen die dachten dat dat het enige was wat ertoe deed. Niet dat ik iets anders waardevols heb voortgebracht.

Terwijl ik wakker ben word ik achtervolgd door een nachtmerrie; ik heb laatst een griezelverhaal gelezen over een monsterlijk schepsel dat de wereld haatte omdat zijn verschijnen angst en walging veroorzaakte. Aan het einde van het boek vluchtte het monster naar de Noordpool waar niemand het kon zien. In mijn nachtelijke delirium zag ik dat Francis werd achtervolgd, net zoals dat moordzuchtige monster. Nu, bij daglicht, zie ik in hoe gek dat was: Francis is nog niet eens in staat om een forel te doden. Maar hij is al twee dagen en nachten weg.

Er schiet me in die wirwar van lakens iets te binnen, een gedachte die me uiteindelijk dwingt om naar de kamer van Francis te gaan en tussen zijn spullen te zoeken. Het is moeilijk te zien wat er nog is en wat niet, dus het duurt een tijdje voordat ik vind wat ik zoek. Dan word ik razend, ik trek spullen uit de kasten, voel onder het bed, raas door het huis in een wanhopige zoektocht. Maar het levert niets op, want ik smeek dat dingen er niet zullen zijn terwijl ze er onbetwistbaar wel zijn. Ik vind zijn twee hengels en de reservehengel die Angus voor hem heeft gemaakt toen ze nog op goede voet met elkaar stonden. Ik vind lucifers en dekens. Ik vind alles wat hij mee zou nemen als hij een paar dagen zou zijn gaan vissen. Het enige wat ontbreekt zijn een stel kleren en zijn mes. In een opwelling pak ik zijn lievelingshengel en breek die doormidden. De helften verberg ik in de stapel brandhout. Als ik dat heb gedaan, sta ik hevig te hijgen. Ik voel me schuldig en smerig, alsof ik Francis heb aangeklaagd. Ik ga naar binnen en zet pannen water op voor een bad. Gelukkig stap ik nog niet meteen in de tobbe, want Ann Pretty komt zonder kloppen de keuken binnen.

'Ah, mevrouw Ross, wat heerlijk veel vrije tijd hebt u toch! Zomaar overdag in bad gaan... U moet trouwens voorzichtig zijn met warme baden op uw leeftijd. Mijn schoonzus heeft in bad een beroerte gehad, wist u dat?'

Dat wist ik, want ze heeft het me minstens twintig keer verteld. Ann herinnert me er graag aan dat zij drie jaar jonger is dan ik, alsof dat een hele generatie is. Ik zou op mijn beurt kunnen opmerken dat zij er ouder uitziet dan ze is en het figuur heeft van een beer, terwijl ik nog een goed figuur heb en ik doorga voor een schoonheid. Vroeger, althans. Maar dat zeg ik niet, want dat interesseert haar toch niets.

'Hebt u gehoord dat ze een onderzoek zijn gestart? Ze hebben er mannen van de Company bijgehaald. Een hele troep! Overal langs de rivier zijn ze mensen aan het ondervragen.'

Ik knik, met een neutraal gezicht.

'Horace was bij de Maclarens, hij vertelde dat ze daar al geweest zijn en dat ze iedereen hebben ondervraagd. Ze zullen hier ook wel snel komen.' Ze kijkt met een roofzuchtige blik om zich heen. 'Hij zei dat Francis sinds gisterochtend weg is.'

Ik neem niet de moeite om haar te corrigeren door te zeggen dat hij zelfs al langer weg is. 'Ja, hij zal wel schrikken als hij terugkomt.'

'Hij ging toch wel eens jagen met Jammet?' Ze kijkt geniepig en kamt met haar ogen de kamer uit als een roofvogel, een buizerd met een roze gezicht en een dik achterwerk, op zoek naar een prooi.

'Een paar keer. Hij zal het wel naar vinden als hij het hoort. Hoewel ze geen dikke vrienden waren.'

'Wat een toestand. Waar moet het toch heen? Maar het was natuurlijk wel een buitenlander. Die Fransozen zijn ook zo heetgebakerd. Toen ik nog in de Sault woonde, vlogen ze elkaar ook om de haverklap naar de keel. Het is vast een van die lui geweest die daar voor zaken kwam.'

Ze zal Francis niet in mijn bijzijn beschuldigen, maar ik zie haar ervoor aan om dat tegenover anderen wel te doen. Ze heeft hem ook altijd als een buitenlander beschouwd, met zijn zwarte haar en zijn donkere huid. Ze vindt zichzelf een bereisde vrouw, en van elke plaats waar ze is geweest, heeft ze als souvenir een vooroordeel meegenomen.

'Wanneer komt hij terug? Maakt u zich trouwens geen zorgen, met die moordenaar in de buurt?'

'Hij is gaan vissen. Ik denk niet eerder dan morgen.'

Ik wil ineens dat ze weggaat; dat voelt ze, en ze vraagt me wat thee te leen, een teken dat ze denkt dat er verder niets meer bij me te halen is. Ik geef haar de thee bereidwilliger dan anders, en doe er in een vrijgevige bui nog wat koffiebonen bij: dat verzekert me ervan dat ze voorlopig niet terugkomt, want de etiquette hier in de rimboe schrijft voor dat je bij elk bezoek iets gelijkwaardigs meeneemt.

'Nou... dan ga ik maar weer.'

Maar ze gaat nog steeds niet en kijkt me aan met een uitdrukking die ik nog niet eerder op haar gezicht heb gezien. Op de een of andere manier verontrust me dat.

Warm water heeft een gunstige invloed op me. Baden is in november niet *de rigueur*, maar ik zie het als een beschaafd alternatief voor de koude onderdompelingsbaden die we in het gesticht kregen. Ik heb maar twee keer de koude overgieting gehad, in het begin, en hoewel het vooruitzicht daarop en de duur ervan martelend waren, voelde je je na afloop merkwaardig kalm en helder, uitgelaten zelfs. Die overgieting was een eenvoudige methode waarbij de patiënt (ik in dit geval) gekleed in een dun badhemd werd vastgebonden op een houten stoel, waarboven een grote emmer met koud water hing. Een verpleger trok aan een hendel zodat de emmer kantelde en de patiënt het ijskoude water over zich heen kreeg. Dat was voordat Paul, dr. Watson, geneesheer-directeur werd en een milder regime voor de krankzinnigen instelde, dat (althans voor de vrouwen) bestond uit naaien, bloemschikken en allerlei onzinnigheden. Ik had juist toegestemd in een verblijf in het ziekenhuis om aan dat soort dingen te ontsnappen.

De herinnering aan mijn tijd in het gesticht vrolijkt me altijd op; dat lijkt me een voordeel van een ellendige jeugd. Niet vergeten om die parel van wijsheid aan Francis te vertellen als hij thuiskomt.

Hij stelt zich voor als meneer Mackinley, factor van Fort Edgar. Het is een tengere man, met dik haar dat zo kort is dat het, heel toepasselijk, op bont lijkt. Iets aan me verrast hem, mijn accent denk ik, dat beschaafder is dan het zijne en hier waarschijnlijk uit de toon valt. Zijn houding wordt daardoor wat onderdaniger, al merk ik aan hem dat hij zich daartegen verzet. Geen gelukkig man, lijkt me. Niet dat ík zoveel heb om vrolijk over te zijn. 'Is uw man thuis?' vraagt hij stijfjes. Het is overduidelijk dat ik als vrouw word verondersteld van niets te weten.

'Hij is weg voor zijn werk. En onze zoon is uit vissen. Ik ben mevrouw Ross, ik heb het lijk gevonden.'

'Juist, ik begrijp het.'

Hij is een fascinerende man, zo iemand wiens gelaatsuitdrukking boekdelen spreekt over zijn innerlijk, wat heel zeldzaam is voor een Schot. Als hij deze informatie in zich heeft opgenomen, verandert zijn gezicht opnieuw, en zie ik naast verbazing, respect, beleefdheid en lichte minachting ook een levendige belangstelling. Ik zou de hele dag naar hem kunnen kijken, maar hij moet zijn werk doen. En ik het mijne.

Hij haalt een notitieboekje tevoorschijn en ik zeg tegen hem dat Angus later terugkomt, maar dat hij tot gistermiddag in de Sault was en dat Francis gisterochtend is vertrokken. Dat is een leugen, maar ik heb erover nagedacht en niemand weet dat het niet waar is. Hij toont belangstelling voor Francis. Ik zeg dat hij naar Swallow Lake is gegaan, maar dat hij misschien verder gaat als de vissen daar niet willen bijten.

Ik vertel dat ze bevriend waren. Hij maakt aantekeningen.

Ik heb lang nagedacht over wat ik moet zeggen over Francis en Jammet en hun vriendschap. Jammet was misschien wel zijn enige vriend, ook al was hij een stuk ouder, en een Fransman. Jammet heeft Francis overgehaald om te gaan jagen, iets wat Angus nooit is gelukt. En dan die keer, eerder deze zomer, toen ik naar het huis van de Maclarens liep en langs zijn blokhut kwam. Ik hoorde iemand vioolspelen, een vrolijke, aanstekelijke melodie, heel anders dan dat Schotse gefiedel. Een of ander Frans volksdeuntje, dacht ik. Het klonk zo aanlokkelijk dat ik erheen liep om het beter te kunnen horen. Toen vloog de deur open en stormde er iemand naar buiten, met molenwiekende armen, en meteen daarna weer naar binnen, in een soort spel. De muziek, die was gestopt, begon weer opnieuw, en ik liep door. Ik had pas na een paar ogenblikken in de gaten dat het Francis was. Ik had hem nauwelijks herkend, misschien omdat hij lachte.

Hij is niet dom, deze man, ondanks het feit dat zijn gezicht al zijn emoties verraadt. Maar misschien is dat gewoon toneelspel, bedoeld om je op het verkeerde been te zetten. Nu is zijn gezichtsuitdrukking vreemd genoeg weer heel anders; hij kijkt me bijna vriendelijk aan, alsof hij heeft vastgesteld dat ik een arm schepsel ben dat geen bedreiging voor hem kan zijn. Ik weet niet precies hoe ik hem die indruk heb gegeven, maar het ergert me.

Door het raam zie ik dat hij over de weg naar de boerderij van Pretty loopt. Ik denk aan Ann. Ik vraag me af of die uitdrukking op haar gezicht er één van medelijden was.

Donald komt al snel een paar dingen over Caulfield te weten. Allereerst dat de bewoners in paniek raken als hij aanklopt: normaal gesproken doet niemand dat hier. Als ze hebben vastgesteld dat er geen naaste familie is overleden, gewond geraakt of gearresteerd, trekken ze hem het huis in om hem vol te stoppen met thee en hem met vragen te bestoken. Zijn aantekeningen zijn een wirwar van kruisverwijzingen: het eerste gezin heeft niets gezien, maar er wordt een neef bijgehaald wiens vrouw misschien iets kan vertellen: als Donald een uur op haar heeft zitten wachten, blijkt dat hij haar al eerder heeft gesproken. De mensen lopen in en uit, vertellen elkaar verhalen en theorieën en doen opgewonden voorspellingen over naderend onheil. Het is even moeilijk om daar wijs uit te worden als om de rivier in zijn armen op te pakken.

Als hij klaar is met de aan hem toegewezen ronde is het al donker. Hij wacht in de salon van Knox en probeert conclusies te trekken uit wat hij heeft gehoord. Zijn aantekeningen tonen aan dat niemand die hij heeft gesproken iets bijzonders heeft gezien, behalve George Addamont, die vond dat de eekhoorns zich vanochtend vreemd gedroegen. Donald hoopt dat hij geen overduidelijke zaken over het hoofd heeft gezien en daardoor de anderen zal teleurstellen. Hij is moe en hij heeft grote hoeveelheden thee en, op het laatst, ook whisky moeten drinken, hij heeft beloftes gedaan om verschillende gezinnen nogmaals te bezoeken, maar, en daar is hij bijna zeker van, hij heeft geen moordenaar ontmoet.

Hij vraagt zich net af hoe hij moet vragen waar het toilet is als de deur wordt geopend en de minst knappe dochter van Knox binnenkomt. Donald springt op en laat een paar vellen papier vallen, die Maria opraapt en met een plagerige lach aan hem teruggeeft. Donald bloost, maar hij is blij dat het Maria is, niet Susannah, die hem betrapt op zo'n onhandigheid.

'Vader heeft u dus gestrikt als speurneus?'

Donald voelt meteen dat zij in de gaten heeft hoe onzeker hij zich voelt over de afgelopen middag en dat ze hem belachelijk maakt.

'Iemand moet toch proberen om de moordenaar op te sporen?'

'Ja, natuurlijk, ik bedoelde niet...' Ze zwijgt en kijkt geïrriteerd. Hij realiseert zich te laat dat ze alleen maar een conversatie op gang wilde brengen. Hij had luchtig moeten instemmen, misschien een grapje kunnen maken.

'Weet u wanneer uw vader terugkomt?'

'Nee.' Ze kijkt hem met die berekenende blik aan. 'Ik zou niet weten hoe ik dat moest weten.' Dan lacht ze, niet onvriendelijk. 'Zal ik het even aan Susannah vragen? Misschien weet zij het wel. Ik zal haar gaan halen.'

Als Maria weg is, vraagt Donald zich af waaraan hij die scherpe toon te danken heeft. Misschien maken de twee zussen zich wel vrolijk over zijn gebrek aan sociale vaardigheden. Er welt een plotseling verlangen in hem op naar zijn boeken in het fort, vol met nette cijfers en berekeningen, die hij, met enige manipulatie, altijd kan laten uitkomen. Hij is er trots op dat hij vage zaken in cijfers kan vatten, zoals de schoonmaak door indiaanse vrouwen, of het voedsel dat door de jagers wordt binnengebracht zodat ze iets kunnen terugdoen voor de 'gastvrijheid' van de Company voor de gezinsleden van de pelsjagers. Waren mensen ook maar zo gemakkelijk te manipuleren.

Een beleefd kuchje waarschuwt hem dat Susannah in aantocht is, net voordat ze de deur opent.

'Meneer Moody? Ach, u zit hier helemaal alleen. Zal ik wat thee laten komen?'

Ze glimlacht bevallig, zo anders dan haar zus, maar hij springt toch weer overeind, al houdt hij zijn aantekeningen deze keer stevig vast.

'Nee, dank u, ik heb al... nou ja, eigenlijk zou dat wel... graag, dank u.' Hij probeert niet te denken aan de liters thee die hij al heeft gehad.

Als de thee wordt gebracht gaat Susannah bij hem zitten om hem gezelschap te houden.

'Dit is een vreselijke zaak, juffrouw Knox, ik had gewild dat we elkaar onder betere omstandigheden opnieuw hadden ontmoet.'

'Ja, het is verschrikkelijk. Maar de laatste keer was het ook akelig, toen u werd neergestoken. Bent u helemaal hersteld? Het zag er zo naar uit!'

'Ja, volledig hersteld, dank u.' Donald glimlacht, blij dat hij goed nieuws kan melden, al is het litteken nog zacht en gevoelig en vaak pijnlijk.

'Is die man bestraft?'

Het is zelfs niet in Donald opgekomen dat Jacob bestraft zou moeten worden. 'Nee, hij was zeer berouwvol en hij is mijn gezworen beschermer geworden. Dat zal wel de indiaanse manier zijn om een misstap goed te maken. Veel nuttiger dan een straf, vindt u niet?'

Susannah spert verbaasd haar ogen open. Donald merkt dat ze een bijzonder aantrekkelijke kleur bruin hebben, met gouden vlekjes erin.

'Vertrouwt u hem?'

Donald begint te lachen. 'Ja! Volgens mij is hij heel oprecht. Hij is hier nu ook.'

'Mijn hemel! Hij zag er zo angstaanjagend uit.'

'De echte boosdoener was de drank, en die heeft hij voorgoed afgezworen. Hij is werkelijk heel vriendelijk, hij heeft twee dochtertjes die hij aanbidt. Ik help hem met leren lezen en hij heeft tegen me gezegd dat hij leren lezen en schrijven net zo boeiend vindt als op herten jagen.'

'Echt?' Ze begint ook te lachen. Dan valt er een stilte.

'Denkt u dat u degene zult vinden die die arme man heeft vermoord?'

Donald kijkt naar zijn aantekeningen, die daar zeker niet veel bij zullen helpen. Maar Susannah kan hem met zo veel warmte en vertrouwen aankijken dat hij het liefst niet alleen meteen de moord zou oplossen, maar ook een einde zou maken aan elk onrecht in de wereld.

'Ik denk dat een vreemde hier meteen moet zijn opgevallen. Ik krijg de indruk dat de mensen hier precies van elkaar weten wat ze doen.'

'Ja, dat klopt,' zegt ze. Haar gezicht verstrakt.

'Zoiets afschuwelijks... we zullen niet rusten voordat we de man voor het gerecht hebben. U hoeft niet in angst te leven.'

'O, ik ben helemaal niet bang,' Susannah houdt haar hoofd uitdagend scheef. Ze buigt zich een beetje naar hem toe en zegt op gedempte toon: 'Wij hebben al eens een tragedie meegemaakt.'

Donald is zo gefascineerd dat hij haar blijft aanstaren, wat ook de bedoeling was. 'O, dat wist ik niet... Wat erg...'

Susannah kijkt opgetogen. Als jongste van het gezin mag zij maar zelden het Grote Verhaal vertellen: iedereen in Caulfield kent het al en vreemden worden niet aan haar toevertrouwd. Ze zucht verheerlijkt.

'Het is al lang geleden en we waren nog heel klein toen het gebeurde, dus ik kan het me zelf niet herinneren, maar het was de zus van mama...'

De deur gaat zo plotseling open dat Donald zeker weet dat Maria daarachter heeft staan luisteren.

'Susannah! Dat kun je hem niet vertellen!' Haar gezicht is wit en verstrakt, maar haar intonatie maakt niet duidelijk of ze het erger vindt dat Susannah de verteller is, of Donald de toehoorder. Ze kijkt Donald aan. 'U kunt beter meekomen, mijn vader is teruggekeerd.'

Knox en Mackinley zijn in de eetkamer. Op tafel liggen stapels papieren. Tot Donalds ontzetting lijken ze veel meer te hebben opgeschreven dan hij. Donald kijkt om zich heen.

'Waar is Jacob? Eet hij niet met ons mee?'

'Met Jacob is alles in orde. Hij heeft voor het eh... het lijk gezorgd.'

'Wat vond hij van die verminking?'

Mackinley kijkt hem met een lichte verbolgenheid aan. 'Ik ben ervan overtuigd dat hij daar net zo over denkt als wij.'

Knox kucht om de aandacht weer op de kwestie te vestigen, maar het valt Donald op dat hij een beetje op de achtergrond geraakt lijkt, terwijl Mackinley juist de leiding neemt in het gesprek. Hij heeft de verantwoordelijkheid. De Company heeft het overgenomen.

Ieder vat zijn bevindingen samen; het komt erop neer dat niemand iets bijzonders heeft gezien. Een paar dagen geleden is hier een koopman geweest, een zekere Gros André. En de vorige dag was er een venter in Caulfield, Daniel Swan, die iedereen kent. Hij is vervolgens naar St. Pierre gegaan. Knox heeft een bericht gestuurd naar de magistraat daar. Mackinley heeft een jongen gevonden die heeft gezien dat Francis op een avond – hij weet niet meer precies wanneer – naar de blokhut van Jammet ging. En Francis is nu weg.

'De moeder zegt dat ze niet weet wanneer hij terugkomt. Ik heb navraag over hem gedaan bij een paar buren en het lijkt me een vreemde vogel. Erg in zichzelf gekeerd.'

'Hetgeen niet betekent dat hij het heeft gedaan,' brengt Knox naar voren.

'We moeten elke mogelijkheid onderzoeken. We weten niet of die andere twee Jammet hebben bezocht.'

'Die koopman toch wel? Die lijkt me ook Frans. U hebt zelf gezegd dat het waarschijnlijk een zakelijke onenigheid was.'

Mackinley richt zijn blik op Donald. 'Ik stel voor om hem te volgen, dan komen we er wel achter.'

'Zal ik dan die Swan volgen?'

Knox schudt zijn hoofd. 'Dat is niet nodig. Ik heb een boodschapper gestuurd en hij zal worden aangehouden in St. Pierre. Ik moet daar zelf naartoe, dus ik zal hem daar ondervragen. We wilden voorstellen dat jij hier blijft, met Jacob, en die jongen van Ross ondervraagt als hij terug is.'

Donald is heel even teleurgesteld, maar als tot hem doordringt welke mogelijkheden dit biedt, kan hij zijn oren haast niet geloven.

Mackinley fronst zijn wenkbrauwen. 'Misschien kunnen ze hem toch beter volgen. Als hij ervandoor gaat, kunnen we beter niet wachten tot de sporen uitgewist zijn.'

'Maar waar zouden ze moeten beginnen? Misschien is die jongen wel helemaal niet naar Swallow Lake gegaan. Dat is alleen wat we van zijn moeder hebben gehoord. En het is nog maar een jongen. Hij heeft geen motief, voor zover wij weten. Integendeel: ze waren bevriend.'

'We moeten alle mogelijkheden open houden,' zegt Mackinley dreigend.

'Natuurlijk. Ik denk alleen dat meneer Moody zijn tijd zou verdoen als hij overhaast naar dat meer zou gaan.' Hij kijkt Donald aan. 'Misschien zou je een dag of twee kunnen wachten; als hij dan nog niet terug is, ga je achter hem aan. Een dag maakt voor Jacob niets uit; die Francis is geen indiaan, dus hij moet gemakkelijk te volgen zijn.'

Jacob is een christen, maar toch voelt hij zich diep ongelukkig bij de gedachte dat hij een dood lichaam moet aanraken; daar komt bij dat een lichaam dat op deze manier is afgeslacht een bijzondere onreinheid heeft. Samen met twee betaalde vrijwilligers, waaronder een baker die gespecialiseerd is in afleggen, moet hij het lijk naar Caulfield brengen. Die baker was de enige die zich niet door de stank van de wijs liet brengen; ze klakte alleen even met haar tong als commentaar en begon het opgedroogde bloed weg te wassen. Het lichaam was verslapt, dus ze legden het recht, sloten de ogen en stopten een munt in de mond. De baker bond een doek om het hoofd om de mond gesloten te houden en de wonden te bedekken; daarna wikkelden ze er lakens omheen tot er niets meer te zien was en alleen nog de stank overbleef. De weg terug naar Caulfield was zo slecht dat Jacob zijn hand op het lichaam moest leggen om te voorkomen dat het van de kar rolde.

Nu lag het op een tafel achter een haastig opgehangen gordijn in het magazijn van de winkel van Scott, omringd door kratten stof en spijkers. Met z'n drieën, plus de knecht van Scott, bleven ze even om de tafel staan in een geïmproviseerde stilte. Toen liepen ze weg. Ze maakten alle drie een opmerking over het weer: dat het zo'n geluk was dat het zo koud was.

Donald volgt de geur van tabak naar de stallen, waar Jacob in een strobed zijn pijp rookt, en gaat zonder iets te zeggen naast hem zitten. Jacob prutst aan de tabak in de kop. Over de dode praten brengt ongeluk, dat gevoel heeft hij heel sterk. Maar hij weet ook dat dat juist is wat Donald wil.

'Zeg eens wat je denkt.'

Jacob begint eraan te wennen dat Donald hem voortdurend vraagt wat hij van allerlei dingen vindt. Het is natuurlijk heel normaal als iemand je vraagt wat je van het weer denkt, of wat je verwacht van de jacht, of hoe lang een tocht zal duren, maar Donald heeft het altijd over vage, onbelangrijke dingen, zoals een verhaal dat hij pas heeft gelezen, of een opmerking die iemand twee dagen geleden heeft gemaakt. Jacob probeert te bedenken wat Donald wil weten.

'Hij is gescalpeerd, dat weet u. Snel en vakkundig. Zijn keel is doorgesneden terwijl hij lag, misschien terwijl hij sliep.'

'Zou een blanke dat gedaan kunnen hebben?'

Jacob grijnst. Zijn tanden blikkeren in het lamplicht. 'Iedereen kan dat, als je maar wilt.'

'Heb je ook een bepaald gevoel gekregen toen je daar was, over wie het misschien gedaan zou kunnen hebben, of waarom?'

'Wie het heeft gedaan? Ik weet het niet. Iemand die niets voor hem voelde. En waarom hij hem heeft vermoord? Misschien heeft hij iets gedaan, lang geleden. Misschien heeft hij iemand gekwetst...' Jacob kijkt zwijgend naar de rook die omhoogkringelt naar de daksparren. 'Nee. In zo'n geval zou je willen dat hij wakker was, dat hij weet dat jij hebt gewonnen.'

Donald knikt aanmoedigend.

'Misschien is hij vermoord om wat hij wilde gaan doen, dus om hem tegen te houden. Ik weet het niet. Maar ik denk wel dat het iemand moet zijn die zoiets al eerder heeft gedaan.'

Donald vertelt hem dat ze moeten wachten op die jongen Ross en hem eventueel moeten opsporen. Mackinley gaat achter de handelaar aan, de meest waarschijnlijke verdachte, en sleept de eventuele glorieuze arrestatie van de moordenaar daarmee voor zichzelf in de wacht.

'Misschien moet hij niet alleen gaan, als dat zo'n harde is.' Jacob grijnst. 'Misschien brengt hij hem dan ook wel om zeep.'

Hij haalt zijn vinger langs zijn hals. Donald probeert niet te glimlachen. Sinds hij bevriend is geraakt met Jacob is hij zich bewust geworden van de universele impopulariteit van Mackinley.

'Vind je het niet vreemd dat niemand... eh, indianen heeft gezien de laatste paar dagen? Als het tenminste een indiaan is geweest.'

'Als een indiaan niet gezien wil worden, dan ziet niemand hem. Dat geldt tenminste voor onze stam. Die anderen...' Hij snuift geringschattend. 'Chippewa, ik weet het niet, die kunnen dat misschien niet zo goed.' Hij lacht er maar bij, om Donald te laten zien dat hij een grapje maakt.

Soms voelt Donald zich een kind bij deze jonge man, die nauwelijks ouder is dan hij. Toen hij was hersteld van zijn wond, is hij Jacob gaan leren lezen en schrijven, maar de verhouding tussen hen is niet die van leraar en leerling. Donald heeft het gevoel dat de boekenwijsheid die hij overbrengt op Jacob niet echt van hem is, dat hij alleen toevallig weet hoe hij die moet aanboren, maar dat alles wat Jacob hem vertelt wel helemaal van hemzelf is en echt uit zijn binnenste komt. Misschien voelt Jacob dat ook wel zo; de wereld om hem heen bestaat tenslotte ook uit een aantal signalen die hij toevallig begrijpt, zoals Donald zonder nadenken de betekenis snapt van woorden op papier. Hij is benieuwd hoe Jacob daarover denkt, maar hij heeft geen idee hoe hij hem dat zou moeten vragen.

Maria Knox observeert een fenomeen dat ze al vele malen heeft gezien: het effect dat haar zus op jonge mannen heeft. Ze is daaraan gewend, want vanaf de tijd dat zij veertien was en haar zus twaalf dromden de jongens al om Susannah heen, gingen zich in haar gezelschap anders gedragen, werden kortaangebonden en verlegen, of juist luidruchtig en opschepperig, afhankelijk van hun aard. Maria lieten ze links liggen; zij was niet mooi, ze was sarcastisch en alleen geschikt als speelkameraadje of, later, als iemand van wie je het huiswerk kon overschrijven. Susannah daarentegen had een opvallend zonnige aard en toen ze ouder werd bleek duidelijk dat ze ook een schoonheid was. Ze was niet gekunsteld, ze was goed in de meeste spelletjes en als ze zich al bewust was van haar uiterlijk (wat natuurlijk zo was), dan bleef ze er bescheiden onder en stoorde ze zich zelfs aan de aandacht die haar dat opleverde. Zoals de leden van een gezin (en van de maatschappij waarschijnlijk ook) zich een rol aanmeten, of die opgedrongen krijgen, en daar vervolgens in gevangen blijven zitten, zo werd Susannah ieders lieveling: verwend en afgeschermd van de onplezierige zaken in het leven, zoals verstopte toiletten of belastingen. Intussen werd Maria een twistzieke blauwkous, die haar puberteit vinnig lezend doorbracht, belangstelling opvatte voor het expansionisme, de oorlog met de zuidelijke staten en andere onderwerpen die over het algemeen als ongeschikt voor jongedames werden beschouwd. Nu heeft ze al drie jaar een eigen abonnement op een aantal Canadese en buitenlandse tijdschriften. Ze is een verklaard Reformer (maar is heimelijk aanhangster van de Clear Grits), ze bewondert Tupper en discussieert met haar vader over zijn voorkeur voor George Brown. Dat alles in een stad waar men iemand die in een jurk de krant leest als een rariteit beschouwt. Maar Maria beseft dat Susannah en zij wat betreft geestelijke capaciteiten helemaal niet zoveel van elkaar verschillen. Als Susannah niet zo mooi was geweest, en dus meer op zichzelf zou zijn aangewezen, zou ze net zo goed in staat zijn geweest zich intellectueel te ontwikkelen. En Maria is eerlijk genoeg om toe te geven dat zij, als ze in esthetisch opzicht meer waardering zou hebben genoten, veel luier zou zijn in het vergaren van kennis. Zulke kleine dingen zijn het die de loop van een leven kunnen bepalen.

Zo nu en dan brengt Maria het onderwerp studeren ter sprake: ze is nu twintig jaar en ze krijgt het gevoel dat een studie een lachwekkende aangelegenheid zou worden als ze nog langer zou wachten. Maar haar ouders en zus beweren dat zij onmisbaar is en bewijzen dat door haar te betrekken bij alles wat er gebeurt. Haar moeder raadpleegt haar over vrijwel elk aspect van het huishouden, waarbij ze als reden aanvoert dat ze het alleen niet aankan ('Hoe deed u dat dan toen ik nog klein was?' is de retorische vraag die Maria soms stelt). Haar vader neemt vaak zijn zaken met haar door. En wat Susannah betreft: die slaat haar armen om haar heen en jammert dat ze niet zonder haar zou kunnen leven. Misschien is ze ook wel niet dapper genoeg om zich los te maken van Caulfield. (Misschien zou ze zelfs niet aan de toelatingseisen voldoen?) Daar denkt ze over na, maar als ze dat te vaak doet raakt ze gedeprimeerd, dus dan pakt ze maar weer een krant en zet de gedachte uit haar hoofd. Trouwens, als ze in de herfst was gaan studeren, zou ze hier nu niet zijn geweest en had ze haar ouders in deze zware tijden niet kunnen steunen. Haar moeder houdt zich dapper, maar de zorgen staan op haar gezicht te lezen. Oppervlakkig gezien gaat het daarbij om het huisvesten van de twee vreemden, maar er gaat een diepe angst voor de wildernis achter schuil.

Maria probeert al twee dagen om haar vader onder vier ogen te spreken en hem naar de kwestie te vragen, maar dat was tot vanavond onmogelijk. Ze weet zeker dat hij haar zijn mening zal geven en ze wil graag haar eigen theorieën met hem bespreken. Maar nadat de mannen van de Company naar bed zijn gegaan is zijn gezicht, dat nooit gezond van kleur is, bijna grijs van vermoeidheid. Zijn ogen zijn diep weggezonken in de oogkassen en zijn neus lijkt geprononceerder dan ooit. In plaats van te praten, slaat ze haar armen om hem heen.

'Maak je geen zorgen, papa, binnenkort is dit allemaal opgelost en dan behoort het voorgoed tot het verleden.'

'Laten we het hopen, Mamie.'

Ze vindt het stiekem fijn om zo genoemd te worden – het is een koosnaampje uit haar jeugd dat verder absoluut niemand mag gebruiken.

'Hoe lang blijven ze?'

'Zo lang als nodig is om iedereen te ondervragen, neem ik aan. Ze zijn van plan om te wachten tot Francis Ross terugkomt.'

'Francis Ross? Echt?' Francis is drie jaar jonger dan zij en daarom ziet ze hem nog steeds als de norse, knappe jongen door wie de meisjes op school vaak moesten giechelen.

'Ze hoeven toch niet bij ons te logeren? Ze zouden ook naar Scott kunnen gaan. Dat kan de Company zich vast wel veroorloven.'

'Dat lijkt mij ook. Hoe zijn je moeder en Susannah er eigenlijk onder?'

Maria denkt hier diep over na. 'Mama zou zonder die gasten veel gelukkiger zijn.'

'Hmm.'

'En met Susannah gaat het prima. Het is natuurlijk ook wel een spannende onderbreking van de dagelijkse sleur. Alleen merkte ik dat ze vandaag op het punt stond om meneer Moody over onze nichtjes te vertellen. Ik werd daar boos over, al weet ik niet precies waarom. Dat gaat hem toch niets aan?' Ze zwijgt even en voegt er dan, een beetje beschaamd, aan toe: 'Ik had het gevoel dat ze indruk op hem probeerde te maken. Alsof dat nog nodig is.'

Haar vader glimlacht. 'Dat geloof ik best, dat ze indruk probeert te maken. Het gebeurt ook niet vaak dat iemand zo tegen haar opkijkt.'

'Hoe bedoelt u? Voor zover ik weet maakt ze niet anders mee.'

'Ja, dat mensen haar in een bepaald opzicht bewonderen, dat wel. Maar niet zoals ze naar jou opkijken, Mamie, met een zeker ontzag.'

Hij kijkt haar aan. Maria glimlacht en voelt dat ze begint te blozen. Het idee dat mensen ontzag voor haar hebben staat haar wel aan.

'Ik wilde je niet vleien.'

'Maakt u zich geen zorgen. Ik voel me heus niet gevleid als ik word vergeleken met de Niagara Falls of de Heights of Abraham.'

'Nou, zolang dat niet zo is...'

Maria kijkt haar vader na terwijl hij de trap beklimt, een beetje stijf, wat erop duidt dat hij last heeft van zijn gewrichten. Het is vreselijk om je ouders steeds ouder te zien worden en te weten dat pijn en gebreken steeds verder zullen toenemen tot hun lichaam het uiteindelijk zal opgeven. Maria heeft al een vrij cynische kijk op het leven ontwikkeld, wat waarschijnlijk ook een gevolg is van het feit dat ze een mooie zuster heeft. Die zoals gewoonlijk iemand geheel onbedoeld heeft betoverd, in dit geval meneer Moody.

Niet dat Maria zelf ook maar enige belangstelling voor hem heeft. Helemaal niet. Maar het zou wel aardig zijn als ze zo nu en dan het idee zou hebben dat zij ook een kans maakt.

Het wordt me duidelijk dat ik iets moet gaan doen. Als Mackinley weg is, ijsbeer ik door de keuken tot Angus terugkeert. Ik hoef hem niet te vertellen dat Francis nog steeds niet terug is. Ik vertel hem dat zijn hengels er nog zijn en dat ik er een heb verstopt. Nu kijkt hij ook bezorgd.

'Je moet hem gaan zoeken.'

'Hij is nog geen drie dagen weg. Het is geen kind meer.'

'Misschien heeft hij een ongeluk gehad. Het is koud en hij heeft geen dekens meegenomen.'

Angus denkt na en zegt dan dat hij morgen naar Swallow Lake zal gaan. Ik ben zo opgelucht dat ik naar hem toe loop en hem omhels, maar hij reageert stijf en kil. Hij wacht alleen maar tot ik hem loslaat en draait zich dan om alsof er niets is gebeurd.

Ons huwelijk was goed zolang ik er niet over nadacht. Ik weet het niet, maar hoe meer ik me bezorgd maak om anderen, hoe vervelender ze het schijnen te vinden. Toen ik alleen maar aan mezelf dacht, hoefde ik maar met mijn vingers te knippen en de mannen deden alles wat ik wilde. Maar toen ik probeerde om een beter mens te worden, leverde mij dat alleen maar ellende op. Mijn man heeft zich van me afgekeerd en wil me niet aankijken. Of misschien heeft het daar niets mee te maken maar alleen met leeftijd: als een vrouw ouder wordt, verliest ze het vermogen om te bekoren en te overreden, daar kan helemaal niemand iets aan doen. 'Zal ik meegaan?'

'Doe niet zo raar.'

'Ik kan niet meer tegen dat afwachten. Stel dat er iets is gebeurd?'

Angus zucht. Zijn schouders heeft hij opgetrokken, als een oude man. 'Rhu...' fluistert hij. Dat is mijn oude koosnaampje, en nu hij dat weer zegt, voel ik iets trillen in mijn binnenste. 'Er is heus niets met hem. Hij komt vast snel terug.'

Ik knik, ontroerd dat hij me zo noemt. Ik houd me daar zelfs aan vast als aan een reddingsboei, al vraag ik me later af waarom hij, als ik nog steeds zijn 'rhu' ben, zijn liefje, me niet aankijkt terwijl hij dat zegt.

Als het gaat schemeren ga ik een eind wandelen. De zakken van mijn rok puilen uit. Dat is tenminste wat ik tegen Angus zeg, dat ik ga wandelen, maar ik heb geen idee of hij me gelooft. Op dit tijdstip gaat iedereen in Dove River aan tafel, zo voorspelbaar als een kudde koeien, dus er zal niemand buiten zijn. Behalve ik.

Ik heb hier de hele dag over nagedacht en besloten dat ik dit het beste 's avonds kan doen. Ik zou ook tot het ochtendgloren kunnen wachten, maar dat duurt me te lang. Het water in de rivier staat hoog en stroomt snel; het heeft geregend in het noorden. Maar de rots van waaraf Doc Wade zijn vrijheid tegemoet is gesprongen, staat droog; daar stroomt alleen in het voorjaar water overheen.

Toch zie ik er een voetafdruk op. Een donkere, natte voetafdruk, die zelfs in de schemering zichtbaar is. Misschien heeft Knox hier toch een bewaker naartoe gestuurd. En is die uit verveling gaan pootjebaden. Dat geloof ik niet, dus ik sluip zacht langs de zijkant van de hut, uit het zicht van de deur. Het is doodstil. Misschien heb ik me die voetafdruk wel verbeeld, maar ik kan de rots hiervandaan niet zien. Ik heb een mes meegenomen in mijn rok en dat houd ik nu vast, een beetje krampachtiger dan nodig is. Ik denk geen moment dat de moordenaar terug zal komen, waarom zou hij, maar ik sluip verder, met mijn ene hand tegen de muur van de blokhut, en luister bij het raam of ik binnen iets hoor. Ik blijf daar net zo lang staan tot mijn benen slapen. Ik hoor zelfs nog geen vlieg zoemen. Ik loop naar de deur, die is dichtgebonden, pak de tang en maak het draad los. Binnen is het donker, maar ik doe toch de deur dicht, voor de zekerheid.

In de hut is het nog precies zoals ik het me herinner, afgezien van het lege bed. Er komt een afgrijselijke stank uit het matras en de dekens. Ik vraag me af wie dat gaat schoonmaken, of zouden ze alles gewoon verbranden? Jammets oude moeder zal het vast niet willen hebben.

Ik begin boven. Het lijkt er niet op dat Jammet hier vaak kwam: er staan kisten en kratten tegen de muren en overal ligt een laag stof, waarin je goed kunt zien waar de mannen gisteren gelopen hebben. Hun voetafdrukken vormen kleine open plekken op de plaatsen waar ze hebben gestaan om iets te bekijken. Ik zet de lamp neer en begin met de eerste kist, waarin ik nette kleren aantref: een ouderwets zwart pak, dat me te klein voor hem lijkt. Zou dat misschien van hem zijn geweest toen hij nog jonger was, of was het misschien van zijn vader? Ik pluis de andere kisten uit: nog meer kleren, wat papieren van de Hudson Bay Company over de regeling die met hem is getroffen na 'een ongeluk in diensttijd'.

Er zijn enkele voorwerpen die me een blik gunnen op het vroegere leven van Jammet, voordat hij naar Dove River kwam. Over sommige daarvan denk ik maar niet te veel na, zoals een geperste zijden bloem, vaal van ouderdom. Een blijk van liefde van een vrouw misschien, of één die hij zelf had willen geven maar niet durfde? Ik vraag me af wie de onzichtbare vrouwen in zijn leven zijn. En dan vind ik iets bijzonders: een foto van Jammet als jongeman, met die aanstekelijke grijns van hem. Hij staat tussen een paar andere mannen, die naar ik aanneem ook pelsjagers zijn, bij een stapel kisten en kano's; ze dragen allemaal een halsdoek en een lange jas en kijken met meer of minder toegeknepen ogen tegen het felle zonlicht in. Hij is de enige die lang genoeg kon blijven lachen. Welke gelegenheid zou bijzonder genoeg zijn geweest voor een foto? Misschien hadden ze net een erg lang stuk met de boten moeten sjouwen en daarbij een record gebroken. Pelsjagers scheppen eer in zulke dingen.

Als ik de kisten heb doorzocht, schuif ik ze van de muur weg. Ik weet niet wat ik daar achter denk te vinden; er ligt niets, behalve stof en muizenkeutels.

Moedeloos ga ik weer naar beneden. Ik weet niet eens waar ik naar op zoek ben, behalve dan een bevestiging dat Francis hier niets mee te maken heeft, wat ik zelf natuurlijk allang weet. Ik merk dat ik zwaar door mijn mond adem terwijl ik Jammets levensmiddelen doorzoek. Het hele huis is doortrokken van de stank, die erger is dan toen hij hier nog lag. Voor de volledigheid, en om te voorkomen dat ik midden in de nacht spijt krijg en terug moet gaan, steek ik mijn hand in de bussen met graan en meel. En dan vind ik het. In het meel strijk ik met mijn vingers ergens langs. Onwillekeurig trek ik mijn hand met een kreet terug, zodat het meel in het rond vliegt. Het is een stuk papier dat van een groter stuk gescheurd is en beschreven is met cijfers en letters: 61HBKW. Dat is alles. Het lijkt me totaal onbelangrijk. Maar waarom zou je een stukje papier in het meel verstoppen als er alleen maar een paar onzinnige letters op staan, zeker als je, zoals Jammet, niet kunt lezen? Ik stop het in mijn zak, maar dan bedenk ik dat het ook per ongeluk in die meelbus terechtgekomen kan zijn. Als dat zo is, kan dat dus overal zijn gebeurd, bijvoorbeeld in het pakhuis van Scott. Maar zelfs als Jammet het daar zelf in heeft verstopt, lijkt het geen aanwijzingen te geven omtrent de identiteit van zijn moordenaar.

Tot nu toe heb ik het stuk rond het bed vermeden. Ik had handschoenen mee moeten nemen, want het idee dat ik het bed moet aanraken staat me erg tegen. Maar dat is het enige waaraan ik niet heb gedacht. Ik doe de kachel open en tuur naar binnen. Dan gebeurt er iets waardoor ik bijna flauwval van schrik: er wordt op de deur geklopt.

Ik blijf enkele seconden stokstijf staan, maar het heeft geen zin om te doen alsof ik hier niet ben, want het licht van de lamp schijnt door de ramen. Ik blijf nog een paar seconden staan en probeer een aannemelijke reden te verzinnen voor mijn aanwezigheid; die heb ik nog steeds niet bedacht als de deur wordt geopend en er een man voor me staat die ik nog nooit heb gezien.

Kort nadat hij de stralende mist van zijn jeugd achter zich had gelaten moest Donald toegeven dat hij moeite had om voorwerpen op afstand te onderscheiden. Voorbij het bereik van zijn uitgestrekte arm werd alles onduidelijk: kleine dingen ontgingen hem, mensen werden anoniem. Hij kon zijn vrienden niet meer herkennen, zelfs zijn eigen familieleden niet. Hij riep nooit meer naar iemand in de verte, want hij had geen idee wie het was. Hij werd aangezien voor kil en afstandelijk. Toen hij dit ongemak opbiechtte aan zijn moeder, kreeg hij een onhandig metalen brilletje. Dat was het eerste wonder in zijn leven, die bril die hem weer terugbracht in de wereld.

Het tweede, daaraan gerelateerde wonder gebeurde kort daarna. Op een zeldzaam heldere dag in november liep hij tegen het vallen van de avond van school naar huis. Hij keek omhoog en bleef toen als aan de grond genageld staan. De volle maan stond zwaar en groot aan de hemel en wierp zijn schaduw over de weg. Maar wat hem vooral zo verbaasde was de scherpte. Hij had aangenomen (zonder daar ooit echt over te hebben nagedacht) dat de maan voor iedereen een vage, onduidelijke schijf aan de hemel was. Hoe kon het ook anders, met iets wat zo ver weg was? Maar nu zag hij plotseling haarscherp elk detail: het gerimpelde, pokdalige oppervlak, de lichte vlakten en de donkere kraters. Zijn nieuwe, verbeterde gezichtsvermogen reikte niet alleen tot het einde van de straat of het psalmbord in de kerk, maar eindeloos ver de ruimte in. Ademloos zette hij zijn bril af: nu was de maan zachter, groter en in zekere zin dichterbij. De directe omgeving kwam ook dichterbij en leek vertrouwder, maar tegelijk ook dreigender. Hij zette de bril weer op en de afstand en scherpte werden direct hersteld.

Die avond liep hij overspoeld door gelukzaligheid naar huis. Hij lachte hardop, tot verbazing van de voorbijgangers. Hij kon het wel uitschreeuwen en wilde het liefst iedereen die hij tegenkwam van zijn ontdekking op de hoogte stellen. Hij wist dat het voor hen niets te betekenen had, zij hadden het immers aldoor al zo gezien. Toch had hij met hen te doen, omdat ze niet wisten wat het was om een gave als het gezichtsvermogen te verliezen en weer terug te mogen krijgen.

Hoe vaak heeft hij sindsdien diezelfde overweldigende gelukzaligheid gevoeld? Eerlijk gezegd niet één keer.

Donald ligt in het smalle, oncomfortabele bed en kijkt naar de maan boven Caulfield. Hij zet zijn bril af en weer op en herbeleeft dat uitzinnige moment van openbaring. Hij herinnert zich dat hij er destijds van overtuigd was dat hem een blik op iets ontzagwekkends werd gegund, al wist hij niet precies wat het betekende. Niet veel, denkt hij achteraf. Maar hij is eraan gewend geraakt om dingen vanaf een afstand te bekijken en ze daardoor juist scherper te zien. Misschien dat hij zich daarom aangetrokken voelt tot cijfers, tot hun zwijgende eenvoud. Cijfers zijn altijd zichzelf. Als dingen tot cijfers kunnen worden gereduceerd, kunnen ze worden geordend en in balans worden gebracht. Neem bijvoorbeeld de indianengezinnen die achter de palissade van Fort Edgar wonen en de agenten voortdurend kopzorgen geven. De pelsjagers hebben zich in een alarmerend tempo voortgeplant, zodat de Company steeds meer monden te voeden heeft gekregen. Omdat er veel gemopperd werd over de hoeveelheid voedsel die ze aten en de medische verzorging die ze nodig hadden, maakte Donald een optelsom van al het werk dat de indiaanse vrouwen voor het Fort deden: de was, de moestuin, het looien van de huiden, sneeuwschoenen maken... Aan elke taak kende hij een bepaalde waarde toe, tot hij kon aantonen dat de Company minstens zoveel van de situatie profiteerde als de indiaanse gezinnen. Hij was erg trots op deze prestatie, vooral toen hij Jacobs vrouw leerde kennen en zijn kinderen, twee meisjes die de bleke vriend van hun vader met grote, vochtige ogen bekeken. Hij weet dat die kinderen, met hun argeloze blik en hun onbegrijpelijke, geheime namen, worden afgewogen tegen de pelzen waar de Company van leeft, maar eerlijk gezegd twijfelt niemand eraan naar welke kant de balans doorslaat.

Toen Donald voor het eerst in Fort Edgar kwam gaf de depotbeheerder, Bell genaamd, hem een rondleiding door de handelspost. Donald zag de kantoren, de volle slaapvertrekken, de toonbank, het indianendorpje achter de palissade (op ruime afstand), de van boomstammen opgetrokken kerk, het kerkhof... en ten slotte de grote, koele opslagruimtes waar de pelzen werden bewaard tot ze aan hun lange reis naar Londen zouden beginnen en in harde valuta zouden worden omgezet. Bell keek heimelijk om zich heen voordat hij een baal openmaakte. De glanzende bontvellen gleden op de smerige vloer.

'Kijk, hier is het allemaal om begonnen,' zei hij met zijn Edinburghse accent. 'Dit is in Londen heel wat guinjes waard. Eens kijken...' Hij voelde met zijn hand tussen de pelzen. 'Dit is een marter. Je ziet wel waarom we niet willen dat ze die beesten afschieten: die valstrikken laten nauwelijks sporen na, kijk!'

Hij zwaaide met de platte poot van een wezelachtig dier naar Donald. De kop zat er nog aan: een kleine, puntige snuit met toegeknepen ogen, alsof het dier de herinnering aan wat er was gebeurd niet kon verdragen.

Hij legde de marter neer, stak zijn hand weer tussen de bonthuiden en gaf ze Donald in een vlot tempo aan, als een goochelaar. 'Deze zijn het minst waardevol: bever, wolf en beer, maar ze komen toch van pas als voering voor de andere pelzen. Voel maar hoe ruw deze zijn...'

De glanzende bontvellen golfden onder zijn handen, met daaronder de resten van de poten. Terwijl de pelzen in Donalds armen werden gelegd, verbaasde hij zich erover hoe ze aanvoelden. Aanvankelijk vond hij dit enorme pakhuis van de dood weerzinwekkend, maar toen hij zijn handen over die koele, zachte weelde liet glijden, kreeg hij de neiging het zachte bont tegen zijn lippen te drukken. Hij onderdrukte die neiging natuurlijk, maar hij kon zich voorstellen dat een vrouw zoiets om haar hals gedrapeerd wilde hebben, zodat ze met slechts een kleine hoofdbeweging het bont langs haar gezicht kon voelen strijken.

Bell praatte intussen door, bijna alsof hij het tegen zichzelf had. 'Maar het waardevolste... kijk, dit is een zilvervos, die is meer dan zijn gewicht in goud waard.' Zijn ogen glansden in het vale licht.

Donald stak zijn hand uit om de pels aan te raken, waarop Bell bijna achteruitdeinsde. Het dikke, zachte bont had grijze, witte en zwarte tinten die door een zilveren glans vloeiend in elkaar overgingen. Hij trok zijn hand terug, want Bell leek de pels niet te kunnen loslaten.

'Alleen de zwarte vos is nog waardevoller, die komt ook uit het verre noorden, maar die zie je bijna nooit. Daar betaal je in Londen zeker honderd guinje voor.'

Donald schudde verwonderd zijn hoofd. Terwijl Bell de bontvellen weer in het houten krat duwde en de zilvervos er teder bovenop vleide, kreeg Donald een onprettig gevoel, alsof hij ondanks de poging van Bell om het te verbergen getuige was van een of ander heimelijk genoegen.

Donald dwingt zijn gedachten terug naar het heden. Hij wil zijn gesprek met Jacob overdenken en de feiten tegen elkaar afwegen tot hij met een briljante oplossing komt waardoor alles op zijn plaats valt, maar er zijn niet genoeg feiten. Er is iemand dood, maar niemand weet waarom, laat staan wie het heeft gedaan. Als ze Jammets leven vanaf het eindpunt konden volgen tot aan het begin, als ze alles over hem zouden kunnen weten, zou dat dan tot de waarheid leiden? Maar dat is een zinloze gedachte, want hij kan zich niet voorstellen dat de Company de mankracht zou leveren om dat allemaal uit te zoeken. Zeker niet nu het om een vrijhandelaar gaat.

Zijn gedachten komen weer terug bij Susannah. Hij heeft enkele minuten met haar in de zitkamer doorgebracht zonder dat er pijnlijke stiltes vielen. Ze leek hem wel interessant te vinden, ze wilde hem van alles vertellen en ze was benieuwd naar zijn mening. Hij was te gespannen om zich opgetogen te voelen, maar toch ontwaarde hij iets van geluk, dat zich ontvouwde als een bloemknop na de Canadese winter. Hij vouwt zijn bril op en legt die, bij gebrek aan nachtkastje, op de grond naast zich, in de hoop dat hij er de volgende ochtend niet op zal gaan staan.

Na de eerste schrik dringt het tot me door dat ik niet in direct gevaar verkeer. De man in de deuropening is minstens zestig jaar, maakt een intellectuele indruk en is, en dat is het belangrijkste, niet gewapend. Hij ziet er vooral gedistingeerd uit; hij heeft glad, wit, achterovergekamd haar, een hoog voorhoofd en een mager gezicht met een scherpe arendsneus. Zijn gezichtsuitdrukking vind ik opvallend vriendelijk. Voor een man van zijn leeftijd is hij zelfs (het woord verbaast me maar het klopt wel) mooi.

Ik heb de afkeurenswaardige gewoonte ontwikkeld om een lijstje af te gaan als ik een vreemde ontmoet, iets wat hier gebruikelijk is omdat het accent geen betrouwbare leidraad meer vormt. Als ik iemand zie die ik nog nooit heb ontmoet, kijk ik naar de manchetten, schoenen, vingernagels enzovoort, om zijn stand en financiële positie te beoordelen. Deze man draagt een flamboyante jas, die van goede snit is maar betere tijden heeft gekend; hij ziet er netjes en gladgeschoren uit, maar zijn schoenen zijn schandelijk versleten. In het korte ogenblik waarin ik dit alles in me opneem, heeft hij, merk ik, een soortgelijke inventarisatie van mij gemaakt en is waarschijnlijk tot de conclusie gekomen dat ik de vrouw van een redelijk welgestelde boer ben. Of hij nog verder gaat en besluit dat ik een verwelkte en waarschijnlijk verbitterde voormalige schoonheid ben, kan ik niet zeggen.

'Neemt u me niet kwalijk...' Zijn stem klinkt plezierig en heeft een nasale yankeeklank. Het razende bonzen van mijn hart neemt af.

'U laat me wel schrikken,' zeg ik nors. Er zit meel op mijn jurk en waarschijnlijk ook in mijn haar. 'Bent u op zoek naar meneer Jammet?'

'Nee. Ik heb gehoord...' Hij wijst op het bed en de bebloede dekens. 'Een verschrikkelijke toestand... een verschrikkelijk verlies. Neem me niet kwalijk, mevrouw, ik weet niet hoe u heet.'

Hij lacht ingetogen en ik merk dat ik hem sympathiek begin te vinden. Ik kan een vriendelijke manier van doen zeker waarderen, vooral bij iemand die zich afvraagt wat ik doe op de plaats waar een moord is gepleegd.

'Ik ben mevrouw Ross. Zijn buurvrouw. Ik ben zijn spullen aan het uitzoeken.' Ik glimlach een beetje spijtig om duidelijk te maken hoe onplezierig die taak is. Verbeeld ik het me of schrikt hij op als ik het over Jammets spullen heb?

'Ah, mevrouw Ross, neemt u me niet kwalijk dat ik u stoor. Mijn naam is Thomas Sturrock, uit Toronto. Advocaat.'

Hij steekt zijn hand uit, die ik schud. Hij buigt het hoofd.

'Bent u hier vanwege de nalatenschap?' Advocaten duiken toch niet zomaar in hun eentje op als het al donker is om rond te snuffelen en het vuile werk te doen? En ze hebben meestal ook geen versleten manchetten en schoenen met gaten.

'Nee, ik ben hier niet voor mijn werk.'

Hij is eerlijk. Helemaal niet een typische advocaat.

'Het is iets persoonlijks. Ik weet niet precies wie ik hiervoor moet benaderen, maar monsieur Jammet had namelijk een voorwerp dat van belang is voor mijn onderzoek. Hij zou me dat nog sturen.'

Hij zwijgt en probeert mijn reactie te peilen. Ik ben vooral verbaasd: ik heb net de hut van boven tot onder uitgekamd en ik kan niets bedenken dat voor iemand van belang zou kunnen zijn, zeker niet voor iemand als hij. Als Jammet iets dergelijks in zijn bezit had, zou hij het vast hebben verkocht.

'Het is niet iets waardevols,' voegt hij eraan toe. 'Het is alleen van wetenschappelijke betekenis.'

Ik blijf zwijgen.

'Ik zal u maar in vertrouwen nemen,' zegt hij met een bedeesde glimlach. 'U kunt natuurlijk op geen enkele wijze weten of het waar is wat ik zeg, dus ik zal u dan maar alles vertellen. Monsieur Jammet had een stuk been of ivoor, ongeveer zo groot...' Hij duidt de grootte aan van zijn handpalm. 'Met bepaalde tekens erop. Het kan zijn dat dat voorwerp van grote archeologische betekenis is.'

'U zei toch dat u advocaat bent?'

'Inderdaad, dat is mijn beroep, maar mijn hart gaat uit naar de archeologie.'

Dat verbaast me, maar hij lijkt oprecht. 'Ik moet eerlijk zeggen dat ik hem niet bijzonder goed kende, maar zijn dood vind ik zeer spijtig. Het was geloof ik... nogal plotseling?'

Dat zou je inderdaad wel kunnen zeggen.

'Het lijkt misschien inhalig dat ik al zo snel na zijn dood dat voorwerp kom halen, maar ik denk werkelijk dat het van groot belang is. Het ziet er heel onbetekenend uit en het zou erg jammer zijn als het uit onwetendheid zou worden weggegooid. Dat is dus de reden dat ik zo snel hierheen ben gekomen.'

Hij kijkt me op een ontwapenende manier aan; heel open en een beetje onzeker over zichzelf. Zelfs als hij liegt kan ik me niet voorstellen dat hij kwaad in de zin heeft.

'Nou, meneer Sturrock,' begin ik. 'Ik heb niet...'

Ik maak mijn zin niet af, want plotseling hoor ik iets anders, een geknars van de steentjes op het pad. Meteen gris ik de lantaarn van de kachel.

'Meneer Sturrock, ik zal u helpen als u mij helpt en doet wat ik zeg. Ga naar buiten en verberg u in de bosjes bij de rivier. Houd u stil. Als u dat doet en niet wordt ontdekt, zal ik u vertellen wat ik weet.'

Zijn mond zakt open van verbazing, maar hij beweegt zich voor een man van zijn leeftijd verrassend snel: als ik nog maar nauwelijks uitgesproken ben, staat hij al buiten. Ik blaas de lamp uit, trek de deur achter me dicht en draai het draad een keer om zodat de deur dicht blijft zitten. Dan schiet ik snel achter een van de struiken in Jammets overwoekerde tuin, dankbaar dat hij geen verwoed hovenier is, want hier kunnen zich wel tien mensen verstoppen.

Ik verberg me zo goed als ik kan tussen de struiken, waarbij mijn ene voet in iets zachts en nats wegzakt. De voetstappen komen dichterbij en ik zie het licht van een lantaarn, die aan de hand van een donkere figuur bungelt.

Tot mijn enorme schrik is het mijn echtgenoot.

Hij houdt de lantaarn omhoog, doet de deur open en gaat naar binnen.

Ik wacht behoorlijk lang; ik begin het steeds kouder te krijgen en mijn schoen zuigt het water op. Net als ik me afvraag wanneer Sturrock hier genoeg van zal krijgen en zal besluiten om met de nieuwkomer te gaan praten in plaats van met die mallotige vrouw, komt Angus weer naar buiten en trekt de deur achter zich dicht. Hij kijkt nauwelijks om zich heen en verdwijnt over het pad. Al snel is het licht van zijn lamp uit het zicht verdwenen.

Nu is het helemaal donker. Ik kom overeind, met stijve ledematen, en trek mijn voet uit de zachte modder. Mijn kous is doorweekt. Ik pak de lucifers en weet met enige moeite de lamp weer aan te krijgen.

'Meneer Sturrock!' roep ik. Even later stapt hij de lichtkring van mijn lantaarn binnen en veegt de bladeren van zijn versleten jas.

'Nou, dat was me wel een avontuur.' Hij glimlacht naar me. 'Wie was die meneer voor wie we ons verborgen moesten houden?'

'Ik weet het niet. Het was te donker om dat te zien. Neemt u me niet kwalijk, meneer Sturrock, u moet mijn gedrag wel heel vreemd vinden. Ik zal open kaart spelen, zoals u dat ook met mij hebt gedaan; misschien dat we elkaar dan kunnen helpen.'

Ik doe onder het praten de deur weer open. De stank slaat me opnieuw tegemoet. Als Sturrock dat ook ruikt, weet hij het wonderbaarlijk goed te verbergen.

De meeste mannen zouden niet zo genadig zijn als Angus wanneer hun vrouw rond de schemering plotseling verdween en pas na het invallen van de duisternis terugkwam met een vreemdeling van het mannelijk geslacht. Dat is een van de redenen dat ik met hem ben getrouwd. In het begin van ons huwelijk vertrouwde hij me volkomen, maar nu weet ik dat zo net nog niet: misschien denkt hij dat ik geen onzuivere gevoelens meer kan opwekken, of misschien kan het hem gewoon niet meer schelen. Er komen maar zelden vreemdelingen in Dove River; meestal worden ze feestelijk ontvangen, maar Angus kijkt alleen op en knikt kalm. Misschien heeft hij hem bij de hut toch gezien.

Sturrock praat weinig over zichzelf, maar onder het eten krijg ik langzamerhand een beeld van hem. Een beeld van een man met gaten in zijn schoenen die van goede tabak houdt. Een man die zijn varkensvlees en aardappelen eet alsof hij in een week geen behoorlijke maaltijd meer heeft gehad. Een verfijnde, intelligente man, misschien ook een teleurgestelde. En nog iets anders: ambitieus. Want dat stukje been, wat het dan ook mag zijn, wil hij per se hebben.

We vertellen hem over Francis. Kinderen raken soms verdwaald in de wildernis. Dat is bekend. Het is onvermijdelijk dat we het ook over de meisjes Seton krijgen. Net als iedereen ten noorden van de grens kent ook hij het verhaal. Sturrock somt de verschillen op tussen de verdwijning van de meisjes en die van Francis; ik moet toegeven dat Francis geen hulpeloos jong meisje is, maar het stelt me niet echt gerust.

Soms merk je dat je anders naar het bos kijkt. Soms zijn het alleen maar bomen, die huizen en warmte opleveren en de naaktheid van de aarde bedekken, en dan ben je er blij mee. Maar soms, zoals vanavond, is het een immense, duistere aanwezigheid die je nooit helemaal kunt overzien; misschien heeft het niet alleen een lengte en breedte waarin je kunt verdwalen, maar ook een onmetelijke diepte, of zelfs nog een heel andere dimensie.

En soms kijk je naar je echtgenoot en vraag je je af of hij wel de ongecompliceerde man is die je denkt te kennen: kostwinner, vriend, iemand die flauwe moppen vertelt waar je toch om moet glimlachen. Of heeft hij ook een onpeilbare diepte? Waar zou hij allemaal toe in staat zijn?

's Nachts keldert de temperatuur. Als Donald de ijsbloemen van zijn raam wrijft en naar buiten kijkt, wordt hij begroet door een dun laagje sneeuw. Hij vraagt zich af of Jacob die nacht in de stal heeft doorgebracht. Jacob is aan de kou gewend. De vorige winter – Donalds eerste in dit land – was relatief zacht, maar hij was toch geschrokken van de kou. Deze huiveringwekkend koude ochtend is nog maar een voorproefje.

Knox heeft geregeld dat iemand uit de buurt met Mackinley meegaat om de Fransman te zoeken. Iemand die zo nederig is dat Mackinley de eer niet met hem hoeft te delen...maar die gedachte wijst Donald meteen als harteloos van de hand. Tegenwoordig heeft hij steeds vaker zulke harteloze gedachten. Dat had hij niet verwacht toen hij uit Schotland vertrok – er ging een belofte van puurheid uit van dit grote, eenzame land, waar het strenge klimaat en het eenvoudige leven zijn moed zouden versterken en zijn onvolkomenheden zouden bijslijpen. Maar zo is het helemaal niet; of misschien ligt het aan hem en kan hij niet worden bijgeslepen. Misschien heeft hij daarvoor gewoon te weinig karakter.

Als Mackinley, tot op het laatst kortaf en prikkelbaar, is vertrokken, treuzelt Donald met zijn koffie in de hoop Susannah nog te zien. Natuurlijk is het ook prettig om aan een tafel met een wit linnen kleed te zitten en naar de schilderijen aan de wand te kijken, om te worden bediend door een blanke vrouw, ook al is het een ruige Ierse, en om peinzend in het vuur te staren zonder dat er ruwe grappen op hem worden afgevuurd. Ten slotte wordt zijn geduld beloond en komen de meisjes allebei binnen en nemen plaats.

'Zo, meneer Moody,' zegt Maria, 'dus u waakt over onze veiligheid terwijl de anderen achter de verdachten aan zitten.'

Het is ongelofelijk hoe Maria hem in één zin het gevoel kan geven dat hij een lafaard is. Hij probeert niet in de verdediging te gaan. 'We wachten op Francis Ross. Als hij vandaag niet terugkomt, gaan we achter hem aan.'

'U denkt toch niet dat hij het gedaan kan hebben?' Susannah kijkt hem aan met een bekoorlijke frons.

'Ik weet niets over hem. Wat denkt u?'

'Ik denk dat hij een jongen van zeventien is. Een behoorlijk knappe,' zegt ze plagerig.

'Hij is lief,' zegt Susannah, met haar blik op de tafel gericht. 'Verlegen. Hij heeft niet veel vrienden.'

Maria snuift sarcastisch. Donald vermoedt dat iedere jongen een verlegen en onhandige indruk zou maken in aanwezigheid van de zure Maria en de mooie Susannah.

'Zo goed kennen we hem niet,' voegt Maria eraan toe. 'Niemand, voor zover ik weet. Hij lijkt alleen altijd zo verwijfd. Hij jaagt niet, hij doet nooit van die dingen die de meeste andere jongens doen.'

'Wat doen de meeste andere jongens dan?' Donald probeert niet te denken aan hoe hij zelf was als jongen van zeventien, toen hij ook nooit ging jagen en ongetwijfeld door deze jonge vrouwen als verwijfd zou zijn bestempeld.

'Gewoon, met elkaar optrekken, grappen uithalen, dronken worden... van die stomme dingen.'

'En jullie denken dat iemand die zulke dingen niet doet niet in staat is tot moord?'

'Nee...' Maria kijkt nadenkend. 'Hij leek altijd erg humeurig, en... nou ja, het was alsof zich allerlei dingen onder het oppervlak afspeelden.'

'Er was wel een keer iets op school,' zegt Susannah, terwijl haar gezicht opklaart. 'Toen hij ongeveer veertien jaar was, met een andere jongen, was dat niet George Pretty? Nee nee, Matthew Fox. Of...' Ze zwijgt, en fronst haar wenkbrauwen. Haar zus werpt haar een blik toe.

'Nou, Matthew, of wie het dan ook maar was, probeerde bij hem te spieken en deed dat heel opvallend om aan zijn vrienden te laten zien wat hij deed. Ineens merkte Francis het ook en kreeg een verschrikkelijke driftbui. Ik had nog nooit eerder gezien dat iemand letterlijk wit werd van woede, maar dat gebeurde bij hem wel; hij werd spierwit, terwijl zijn gezicht anders altijd zo'n gouden gloed heeft, weet u wel...? In elk geval begon hij Matthew te slaan alsof hij hem wilde vermoorden. Hij was echt razend, hij moest door meneer Clarke en een andere jongen worden weggetrokken. Heel angstaanjagend was dat.'

Ze kijkt Donald met haar bruine, opengesperde ogen aan. 'Ik had daar in tijden niet meer aan gedacht. Denkt u dat...?'

'Hij is toch niet in een vlaag van razernij vermoord, meneer Moody?' Maria heeft haar kalmte bewaard, terwijl Susannah zich flink zit op te winden.

'We kunnen niets uitsluiten.'

'Meneer Mackinley denkt toch dat het die Franse pelshandelaar was? Daarom is hij achter hem aan gegaan. Of misschien wil hij alleen maar graag dat hij het heeft gedaan. Jullie houden in de Company toch niet zo van vrijhandelaren?'

'De Company probeert natuurlijk zijn eigen belangen te beschermen, maar het is in ieders belang als een pelsjager een vaste prijs voor zijn pelzen krijgt. Bovendien zorgt de Company voor veel mensen, de pelsjagers weten waar ze moeten zijn en de situatie is... stabiel. Als er concurrentie ontstaat, gaan de prijzen schommelen. Daar komt bij dat de vrijhandelaren niet voor de gezinnen van de pelsjagers zorgen. Het is het verschil tussen... orde en chaos.' Donald hoort het beterige toontje in zijn stem en huivert inwendig.

'Maar als een vrijhandelaar een hogere prijs voor een pels biedt dan de Company, dan mag een pelsjager daar toch op ingaan? Dan kan hij zelf voor zijn gezin zorgen.'

'Natuurlijk, het staat hem vrij om dat te doen. Maar dan loopt hij wel het risico dat die handelaar er het volgende jaar misschien niet is. Hij kan in elk geval niet zo vast op hem vertrouwen als op de Company.'

'Maar is het niet zo,' houdt ze vol, 'dat de Company de indianen met wie ze handel drijft afhankelijk maakt van alcohol, en dat de Company de enige leverancier van alcohol is en ze dus wel moeten blijven terugkomen?'

Donald voelt een warme gloed uitstijgen boven zijn kraag. 'Zulke dingen moedigt de Company niet aan. De pelsjagers doen wat ze zelf willen, ze worden nergens toe gedwongen.'

Hij klinkt nogal kwaad. Susannah keert zich tegen haar zus. 'Dat is een vreselijke beschuldiging,' zegt ze. 'Trouwens, het is toch niet de schuld van meneer Moody als zulke dingen gebeuren?'

Maria haalt haar schouders op. Ze is niet overtuigd.

Donald loopt buiten en laat zijn gezicht afkoelen door de wind. Hij moet Susannah later nog maar even alleen proberen te spreken, want het is onmogelijk om een gesprek te voeren met die irritante Maria in de buurt. Hij steekt zijn pijp aan om rustiger te worden, en gaat naar Jacob, die in de stallen tegen zijn paard staat te praten in de onzintaal die hij daarvoor gebruikt.

'Goedemorgen, meneer Moody.'

'Goedemorgen. Heb je goed geslapen?'

Jacob verbaast zich zoals altijd over die vraag. Hij heeft geslapen, ja, maar wat valt daar verder nog over te zeggen? Hij heeft ook wakker gelegen en nagedacht over de dode man en de gewelddadige manier waarop hij thuis, in zijn bed, is gestorven. Toch knikt hij, om Donald een plezier te doen.

'Jacob, vind je het leuk om voor de Company te werken?'

Weer zo'n bizarre vraag. 'Ja.'

'Zou je niet liever voor iemand anders werken, een vrijhandelaar bijvoorbeeld?'

Jacob haalt zijn schouders op. 'Nu niet meer, nu ik een gezin heb. Als ik weg ben, weet ik zeker dat mijn vrouw en kinderen veilig zijn en niet zullen verhongeren. En de spullen van de Company zijn goedkoop, veel goedkoper dan ergens anders.'

'Dus het is maar goed dat je voor de Company werkt?'

'Ik geloof het wel. Hoezo, wilt u weg?'

Donald schudt lachend zijn hoofd, maar hij vraagt zich ineens af waarom dat eigenlijk nooit in zijn hoofd is opgekomen. Omdat hij niet zou weten waar hij heen moest? Misschien kan Jacob ook nergens heen; zijn vader werkte als pelsjager bij de Company en Jacob is al op zijn veertiende gaan werken. Zijn vader is jong overleden. Donald heeft zich wel eens afgevraagd of hij misschien bij een ongeluk is omgekomen, maar hij kan geen geschikt moment vinden om dat te vragen.

De reden dat Donald zich zo opwond was dat Maria gelijk had toen ze zei dat de Company er alles aan doet om zijn monopolie te beschermen. Maar ze hebben ook een goede reden om de concurrentie te vrezen: er zijn steeds meer onafhankelijke pelshandelaren, vooral Fransen en yankees, die genoeg hebben van de macht die de Company al eeuwenlang in deze streken uitoefent en die proberen het monopolie op de bonthandel te breken. Er zijn in het verleden wel vaker concurrerende groepen opgericht, maar die heeft de Company allemaal overgenomen of de kop in gedrukt. Over deze nieuwe alliantie, de North America Company, maken de bestuurders zich echter wel zorgen. Er zit veel geld achter, en de regels (dat wil zeggen de regels die zijn opgesteld door de Company) worden met voeten getreden. De onafhankelijke pelshandelaren bieden de pelsjagers hoge bedragen en laten ze beloven dat ze in de toekomst geen zaken meer met de Company zullen doen. Waarschijnlijk is er ook omkoperij en bedreiging in het spel, zeer waarschijnlijk zelfs, want daar bedient de Company zich zelf ook van. De handel lijdt eronder en de winsten dus ook.

Mackinley heeft een paar keer onomwonden met Donald gediscussieerd over de onbetrouwbare aard van de vrijhandelaren en de noodzaak om de bevolking aan de Company te binden met drank, wapens en voedsel. Dat was de reden dat het bloed Donald naar het hoofd steeg: de beschuldiging van Maria was terecht. Maar aan de andere kant is het toch niet erger dan wat de yankees doen? Hij had Maria moeten vertellen over het indianendorp, dat bescherming en voedsel krijgt van het Fort. Over Jacobs vrouw en die twee dochtertjes, die je met hun grote ogen zo vol vertrouwen kunnen aankijken. Maar zoals gewoonlijk bedenkt hij zulke dingen pas als het al te laat is.

Tijdens een van die gesprekken met Mackinley schoot Donald iets te binnen: het probleem van de dalende winsten heeft misschien een fundamentelere oorzaak dan de inhaligheid van de yankees. Er wordt al meer dan tweehonderd jaar op pelzen gejaagd en dat heeft zijn tol geëist. Toen de Company de eerste handelsposten oprichtte, waren de dieren nog redelijk tam en argeloos, maar het moordzuchtige winstbejag is steeds verder de wildernis binnengedrongen en heeft de dieren voor zich uit gedreven. Sinds de dag waarop Bell hem het depot liet zien, heeft Donald nooit meer een zilvervos gezien. Ook geen zwarte trouwens. Die worden hier niet meer binnengebracht.

Donald spoort zijn pony aan om Jacob in te halen. Ze rijden door een stuk bos waar de laatste bladeren aan de bomen nog fellere kleuren lijken te hebben gekregen dan in de herfst. De afgevallen bladeren zijn bedekt met een laag rijp. Als Susannah zich niet druk maakt over de methoden van de Company hoeft hij dat toch ook niet te doen? Uiteindelijk is orde altijd beter dan chaos en anarchie. Dat moet hij zichzelf maar voorhouden.

Ze laten de pony's grazen langs de rivier en lopen naar de blokhut. Donald is blij dat die nu leeg is. Hij heeft zich gelukkig goed weten te houden toen hij dat lijk zag, maar het was geen ervaring die hij graag nog eens zou willen herhalen. In de overwoekerde tuin om het huis blijft Jacob staan en kijkt naar de grond. Zelfs Donald ziet de vele voetstappen.

'Deze zijn van gisteravond. Kijk, iemand heeft zich hier verborgen gehouden.' Jacob wijst naar de grond onder een struik.

'Misschien wat jongens uit het dorp?'

Er zijn voetafdrukken van verschillende mensen. Jacob wijst ze aan.

'Dat is een afdruk van een mannenvoet en daaronder is er nog één in een iets andere vorm. Er zijn dus twee mannen geweest. De man met de grootste voeten was hier het eerst. Maar de laatste persoon die uit de blokhut is gekomen is iemand met nog kleinere voeten, ziet u wel? Misschien een jongen... of een vrouw.'

'Een vrouw? Weet je zeker dat deze voetafdrukken van gisteren zijn? Kan het niet die vrouw zijn die de dode heeft afgelegd?'

Jacob schudt zijn hoofd.

Donald toont Jacob triomfantelijk de losse vloerplank met de holle ruimte die hij heeft ontdekt, maar Jacob is degene die de geheime bergplaats onder een paar stenen vindt. Daarmee is het mysterie van Jammets verdwenen rijkdom opgelost: in de loden kist die ze in die schuilplaats vinden zitten drie Amerikaanse geweren, goud en een stapel dollars, gewikkeld in een stuk oliedoek. Als hij het ziet, slaakt Jacob een opgewonden kreet. Donald vraagt zich af wat ze ermee moeten doen en besluit om de kist weer te verbergen en later met een kar op te gaan halen. Ze leggen de kist weer onder de stenen en Jacob strijkt de aarde glad en strooit er wat bladeren overheen, zodat de plek onbetreden lijkt. Donald kijkt naar Jacob terwijl die zijn pijp tevoorschijn haalt. Er glijdt een glimp van wantrouwen door zijn hoofd, maar hij berispt zichzelf direct om de gedachte dat

Jacob misschien in verleiding wordt gebracht door wat zich in die kist bevindt. Het is meer waard dan hij in tien jaar zou kunnen verdienen. Donald is zich ervan bewust dat hij Jacobs gezichtsuitdrukking niet zo goed kan peilen, in elk geval niet zoals hij dat bij een blanke denkt te kunnen. Hij hoopt dat Jacob zijn gezicht net zo ondoorgrondelijk vindt en daarop niet zijn gebrek aan vertrouwen kan aflezen.

Ann Pretty is verbaasd dat ze me zo snel terugziet nadat ik haar die koffie heb geleend en ze lijkt op haar hoede, al kom ik nu eens niet om mijn spullen terug te vragen. Ida zit bij de kachel lakens te verstellen. Ze kijkt op, met haar bleke, gekwelde gezicht. Ze is vijftien jaar. Ik interesseer me voor haar, misschien omdat Olivia nu net zo oud geweest zou zijn. Bovendien past ze in de familie Pretty als een kraai in een kippenhok: ze is mager, donker, introvert en naar het schijnt intelligent. Ik zie dat ze pas heeft gehuild.

'Mevrouw Ross!' buldert Ann van een meter afstand tegen me. 'Hebt u al nieuws over uw zoon?'

'Angus is hem gaan zoeken.'

Nu ik hier ben, weet ik niet of ik de indruk van luchtige onbezorgdheid wel kan volhouden. Als Angus al niet met me wil praten, tot wie moet ik me dan wenden?

'Ach, kinderen zijn toch zo'n kruis.' Ze werpt de stille Ida een hardvochtige blik toe. Ida blijft over haar laken gebogen zitten en naait verder met kleine, keurige steekjes.

'Francis was in zo'n vreselijk humeur toen hij vertrok dat ik niet eens heb gevraagd waar hij naartoe ging. En als hij terugkomt, zal hij erg van streek zijn over Jammet. Het was toch een aardige man, wat je verder ook van hem mag vinden. En altijd vriendelijk tegen Francis.'

'Wat een toestand. God mag weten wat ons nog allemaal boven het hoofd hangt.'

Ida slaakt een nauwelijks hoorbare zucht. Ze zit voorovergebogen, dus ik kan haar gezicht niet zien, maar ze huilt weer. Ann zucht ook, geïrriteerd.

'Kind, ik begrijp niet waar je om huilt. Alsof je hem zo goed kende.'

Ida snottert en zwijgt. Ann kijkt hoofdschuddend weer naar mij.

'Met zijn moeder heb ik wel erg te doen. Ze heeft verder niemand, voor zover ik heb gehoord. Weet je dat hij twee maanden geleden nog in Chicago is geweest? Wat moet een man als hij nou in Chicago, vraag ik me af?'

'Gingen die lui van de Company maar naar Chicago in plaats van zich druk te maken over Francis. Het is toch absurd dat ze zo achter hem aanzitten.'

'Dat is het zeker.'

Ida maakt weer een geluidje; haar schouders schokken nu.

'Ida, hou toch eens op! Als je niet kunt ophouden met dat gesnotter, ga je maar naar boven. Mijn god...'

Ida gaat staan en loopt zonder naar ons te kijken weg.

'Ik word nog eens gek van haar. Wees maar blij dat u geen dochters hebt...'

Zodra ze dat eruit heeft geflapt, denkt ze aan Olivia en ik krijg de indruk dat ze even overweegt om zich te verontschuldigen, maar dat idiote idee zet ze weer uit haar hoofd.

'Maar voor u is het met die jongen ook een beproeving af en toe.'

Dat moet ik toegeven.

'Het zit gewoon in hun bloed, daar kunt u niets aan doen. U hebt zijn ouders nooit gekend, hè? Wie weet waren dat wel dieven en landlopers. Dat heb je met die Ieren, die zijn gewoon niet te vertrouwen. Toen ik in Kitchener woonde, had je daar ook een stel van die Ieren, die stalen je nog de kleren van het lijf als je niet oplette. Niet dat ik uw Francis daarvan beschuldig, maar het zit er gewoon in, hè. Het zit erin en je moet op je tellen passen.'

Ondanks de beledigingen krijg ik de indruk dat ze haar best doet om vriendelijk te zijn; ze weet gewoon geen andere manier om die te uiten.

'Maar wat is er dan met Ida? U moet niet te streng voor haar zijn, u weet toch zelf hoe het is op die leeftijd?'

Ann snuift. 'Ik heb die leeftijd nooit gehad. Ik heb vanaf mijn tiende het huishouden moeten doen, ik had helemaal geen tijd om te zitten mokken.' Ze werpt me een blik toe, zo'n gniepig humoristische, die meestal wordt gevolgd door een grap ten koste van mij. 'Weet je wat ik denk? Volgens mij is ze verliefd op jullie Francis. Niet dat ze dat zegt, maar ik heb het heus wel door.'

Ik ben zo verbaasd dat ik bijna hardop moet lachen. 'Ida?' Ik kan haar nauwelijks anders zien dan als een mager kind. En ik had niet gedacht dat iemand van de familie Pretty zich iets aan Francis gelegen liet liggen. Na de rampzalige kampeerpartij die Angus en Jimmy de jongens hadden opgedrongen waren Francis en George en Emlyn al na twee dagen teruggekomen. Francis had er met geen woord meer over willen praten, en ik had er daarna nooit meer op aangedrongen dat ze met elkaar zouden spelen.

'Ze waren op school met elkaar bevriend, voordat hij wegging.'

'Zal ik eens met haar praten? Ik weet nog wel hoe ik me voelde toen ik zo oud was als zij. Ze doet me zelfs vaak denken aan mezelf op die leeftijd.' Ik glimlach naar Ann, vergenoegd over de gedachte dat het vooruitzicht dat haar dochter net zo zal worden als ik een nachtmerrie voor haar moet zijn.

Ik ga op het gesnik af en tref Ida aan in haar kleine slaapkamer. Ze zit uit het raam te kijken. Ik krijg tenminste sterk de indruk dat ze dat aan het doen was, uit het raam kijken, maar als ik binnenkom buigt ze zich weer over haar naaiwerk.

'Volgens je moeder vind je het erg leuk op school.'

Ida kijkt op, met rode ogen en een rebelse trek om haar mond. 'Leuk? Helemaal niet.'

'Francis zegt altijd dat je zo intelligent bent.'

'Echt?' Haar gezicht ontspant zich wat. Misschien had Ann dan toch gelijk.

'Hij zei een keer dat je een echte studiebol bent. Misschien kun je wel naar school in Coppermine, heb je daar wel eens over gedacht?'

'Dat mag vast niet van pa en ma.'

'Ze hebben toch genoeg jongens om op de boerderij te helpen?'

'Jawel...'

Ik lach naar haar en ze lacht bijna terug. Ze heeft een spits, mager gezicht, met vlekken onder de ogen. Niemand zal haar ervan beschuldigen dat ze mooi is.

'Mevrouw Ross? Hebt u uw school afgemaakt?'

'Ja. Het is heel belangrijk om dat te doen.'

Het is bijna waar. Ik had het in elk geval kunnen doen, als ik niet in een gesticht was beland. Ze kijkt me aan met een verlegen bewondering en ik verlang er ineens naar om te zijn zoals zij denkt dat ik ben. Misschien kan ik een soort raadsvrouw voor haar zijn; ik heb daar nooit aan gedacht, maar het idee staat me wel aan. Misschien is dat een van de voordelen van het ouder worden.

'Francis moet zeker doorgaan met school. Hij is heel slim.' Ze bloost van inspanning, ze is er niet aan gewend om haar persoonlijke mening te geven.

'Misschien wel. Hij wil op dit moment niet met me praten. Dat zul je nog wel merken als je zelf moeder bent: dat kinderen soms niet naar je willen luisteren.'

'Ik ga niet trouwen. Nooit.'

Haar gezicht betrekt opnieuw.

'Weet je dat ik dat vroeger ook wel eens heb gezegd? Maar het loopt niet altijd zoals je verwacht.'

Om de een of andere reden ontglipt ze me. De tranen springen haar weer in de ogen.

'Ida... Heeft Francis voordat hij vertrok misschien nog iets tegen je gezegd? Waar hij naartoe ging bijvoorbeeld?'

Het meisje schudt haar hoofd. Als ze opkijkt ben ik verbluft door het hevige verdriet in haar ogen. Verdriet, maar ook nog iets anders... woede? Het heeft iets te maken met Francis.

'Nee, hij heeft niets gezegd.'

Als ik thuiskom voel ik me akeliger dan toen ik vertrok. Ik verwacht niet dat Angus met Francis thuis zal komen en als hij lang na middernacht in z'n eentje binnenkomt, ben ik dus niet verrast. Zijn huid is slap van vermoeidheid en hij praat zonder me aan te kijken.

'Ik ben tot Swallow Lake gegaan. Ik heb wel duidelijke sporen gezien die daarheen leidden, van meer dan één persoon. Maar hij is daar niet. En er heeft daar ook niemand gevist, dat durf ik te zweren. Hij is meteen verdergegaan. Als dat Francis was, dan was hij op de vlucht.'

En jij bent teruggegaan, denk ik. Jij hebt je omgedraaid en bent weggelopen. Ik heb mijn besluit genomen: ik hoef er niet meer over na te denken.

'Dan ga ik achter hem aan.'

Het spreekt in zijn voordeel dat hij niet begint te lachen, zoals de meeste mannen zouden doen. Ik weet niet of ik stiekem hoop dat hij me zal tegenhouden, of tenminste bezwaar zal maken en me zal smeken om niet te gaan, om niet zoiets stoms en dappers en gevaarlijks te doen. Maar dat doet hij niet. Ik denk aan de mannen van de Company in Caulfield, die morgen meteen naar de boerderij zullen komen om te zien of Francis er al is. En suggestieve blikken op ons gezicht zullen werpen om te zien hoe bang we zijn. Ik heb de energie niet meer om te doen alsof. Ik zal ze aankijken en ik zal ze laten zien dat ik bang ben.

Dat ik doodsbang ben.

Donald en Jacob komen laat die ochtend terug in Caulfield. Donald regelt een kar om Jammets verborgen schat op te halen. Hij schaamt zich over zijn achterdocht van daarnet en stuurt Jacob in z'n eentje terug om de kist te gaan halen. Daardoor voelt hij zich een stuk beter en het heeft bovendien het voordeel dat hij nu zelf beschikbaar is voor de lunch met mevrouw Knox en haar dochters. Ze zitten nauwelijks aan tafel als hij een flater slaat.

'Ik vroeg me af of ik meneer Sturrock hier nog zou treffen,' begint hij op luchtige toon. 'Dat is toch een kennis van uw man?'

Mevrouw Knox kijkt Donald gealarmeerd aan. 'Meneer Sturrock? Thomas Sturrock?' De meisjes werpen elkaar een veelbetekenende blik toe.

'Zijn voornaam ken ik niet, maar... Ik heb begrepen dat hij uw man kent... Het spijt me, heb ik iets verkeerds gezegd?'

Mevrouw Knox is onmiskenbaar bleek geworden, maar ze perst haar lippen op elkaar. 'Dat hindert niet, meneer Moody. Ik ben alleen verbaasd, dat is alles. Ik heb die naam lange tijd niet gehoord.'

Donald is van zijn stuk gebracht en kijkt naar zijn bord. Susannah werpt haar zus een dreigende blik toe. Maria schraapt haar keel.

'Ik zal het u uitleggen, meneer Moody. Wij hebben twee nichtjes gehad, Amy en Eve, die na een wandeling in het bos nooit meer zijn teruggekomen. Oom Charles heeft er verschillende mensen bijgehaald om te proberen ze terug te vinden en meneer Sturrock was een van hen. Hij stond namelijk bekend als speurder, iemand die kinderen opspoort die door indianen zijn gekidnapt. Hij heeft erg lang gezocht, maar niets gevonden.'

'Hij heeft al het geld van oom Charles erdoor gejaagd en die is toen gestorven aan een gebroken hart,' zegt Susannah snel.

'Hij heeft een beroerte gehad,' zegt Maria tegen Donald.

'Nou, nou,' zegt mevrouw Knox vermanend.

Donald is verbluft. Aan Susannahs gezicht ziet hij dat dit het verhaal is dat ze hem de vorige dag had willen vertellen, maar dan de onopgesmukte versie. En dat ze het vervelend vindt dat het nu van haar is afgenomen.

'Wat erg.' Hij denkt er eindelijk aan om zoiets te zeggen. 'Wat verschrikkelijk.'

'Dat was het ook,' zegt mevrouw Knox. 'Mijn zus en haar man zijn er nooit overheen gekomen. Het klopt op zich wel wat Maria zegt, hij heeft inderdaad een beroerte gehad, maar hij was pas tweeënvijftig. Hij was een gebroken man.'

Susannah kijkt haar zus triomfantelijk aan.

In de stilte die hierop volgt klinkt alleen het geluid van Donalds vork op zijn bord. Ineens voelt hij zich onbehouwen omdat hij verder eet en zijn hand met de vork blijft weifelend in de lucht zweven. Zelfs kauwen klinkt oorverdovend, maar omdat zijn mond vol is moet hij wel.

'Ik hoop dat u het vlees lekker vindt,' zegt mevrouw Knox resoluut. Ze is geen gastvrouw die zich snel van haar stuk laat brengen.

'Heerlijk,' mompelt Donald, terwijl hij merkt dat Susannah, die links van hem zit, haar vork heeft neergelegd.

'Het is al heel lang geleden,' zegt Maria. 'Zeventien of achttien jaar. Maar u hebt helemaal nog niet verteld of Francis Ross al terug is. Of gaat u morgen naar hem op zoek in de wildernis?'

Donald is haar erg dankbaar. 'Het laatste, want hij is nog niet terug. Zijn ouders zijn erg bezorgd.'

'Denken ze dat hij ook is verdwenen, net als...' Susannah maakt haar zin niet af.

'Francis Ross zwerft altijd in de bossen. Hij is net een indiaan, hij kent de wildernis als zijn broekzak.'

'Hoe dan ook, we zullen de zaak ophelderen als we hem hebben opgespoord. Jacob is een uitstekend spoorzoeker. Dat Francis een voorsprong van een paar dagen heeft, maakt hem niets uit.'

Nu, na de lunch, zit Donald in de studeerkamer, bestudeert zijn aantekeningen van de vorige dag en noteert de gebeurtenissen van vandaag. Hij heeft net besloten om op zoek te gaan naar die meneer Sturrock en hem te ondervragen als Susannah zonder te kloppen binnenkomt. Hij springt overeind en weet het daarbij voor elkaar te krijgen om zijn stoel om te gooien.

'Verdomme! Sorry, ik...'

'O jee...'

Susannah loopt naar hem toe om hem te helpen met het rechtzetten van de stoel, waarbij ze heel dicht bij elkaar komen te staan, met maar een paar centimeter afstand tussen hun gezichten. Donald deinst terug, want hij is plotseling bang dat ze het bonzen van zijn hart zal horen.

'Ik kwam mijn verontschuldigingen aanbieden,' zegt ze. 'We zijn erg onaangenaam gezelschap voor u geweest, en ik had eigenlijk gehoopt dat dat de volgende keer anders zou zijn.'

Ze kijkt hem ernstig aan, maar haar wangen kleuren een beetje roze. Met een schok realiseert Donald zich dat dit prachtige meisje hem leuk vindt. Dat verbijsterende besef dringt met een rilling tot hem door, alsof hij een grote slok brandewijn heeft genomen. Hij hoopt dat hij niet als een idioot staat te grijnzen.

'U hoeft zich nergens voor te verontschuldigen, juffrouw Knox.'

'Zeg maar Susannah.'

'Goed. Susannah.'

Dit is voor het eerst dat hij haar naam in haar bijzijn noemt. Hij moet ervan glimlachen. Dat gevoel van haar naam op zijn tong en de aanblik van dat gezicht dat naar hem opkijkt, schroeien als een brandmerk in zijn hart.

'Je bent zeer prettig gezelschap, en een welkome afleiding van al dat... gedoe. Ik ben blij dat ik hier ben, ik bedoel, blij dat Mackinley mij heeft gekozen.'

'Maar als jullie morgen vertrekken, zullen we elkaar niet meer zien.'

'Ja... Maar ik denk dat de Company hier een oogje in het zeil zal houden, dus wie weet. Misschien ben ik eerder terug dan je denkt.'

'O. Juist.'

Ze kijkt zo verloren dat hij het waagt om eraan toe te voegen: 'Maar ik zou het echt heerlijk vinden als je mij zou kunnen schrijven... me zou laten weten hoe het hier gaat.'

'Als een verslag, bedoel je?'

'Ja, zoiets, maar ik zou ook wel graag willen weten hoe het met jou gaat. En ik zou jou ook kunnen schrijven, als je dat goedvindt.'

'Zou jij mij willen schrijven?' Ze klinkt verbaasd, op een alleraardigste manier.

'Dat zou ik heel leuk vinden.'

Ze zijn beiden sprakeloos als ze tot zich laten doordringen wat ze eigenlijk tegen elkaar zeggen. Dan glimlacht Susannah.

'Dat zou ik ook heel leuk vinden.'

Donald is door het dolle heen en voelt een kracht en energie door zich heen stromen waarvan hij het bestaan vergeten was. Hij zegt dank, ernstig en in stilte, en loopt in een opwelling het huis uit, want paradoxaal genoeg heeft hij het gevoel dat hij alleen wil zijn om dit nieuwe geluk echt te kunnen vieren. Hij loopt naar de winkel van Scott, want hij neemt aan dat John Scott wel op de hoogte zal zijn van alles wat zich in Caulfield afspeelt. Hij komt de winkel binnenvallen, probeert die stomme grijns van zijn gezicht te halen – er is tenslotte iemand overleden – en ziet een slanke vrouw met een rond gezicht achter de toonbank staan. Ze kijkt op als ze de deurbel hoort en krijgt iets angstigs in haar ogen, wat snel wordt gemaskeerd door een neutrale blik.

John Scott is er niet, maar mevrouw Scott blijkt bijna net zo behulpzaam. Het valt Donald op dat ze een beetje afwezig is en moeite moet doen om haar aandacht erbij te houden als ze hem vertelt dat meneer Sturrock in hun huis logeert, maar dat ze niet kan zeggen of hij er momenteel is.

'U kunt gerust even gaan kijken. De meid is er wel...' Mevrouw Scott zwijgt plotseling, alsof haar zojuist iets te binnen schiet. 'Nee, ik zal even een boodschap sturen, dat is het beste.'

Ze verdwijnt door een deur naar achteren. Donald kijkt uit het raam naar de lucht, die hem aan gestremde melk doet denken. Dan denkt hij aan Susannahs zachte mond.

Thomas Sturrock heeft een manier van doen die Donald meteen sympathiek vindt. Toen hij hoorde dat de man een speurder was, had hij zich een oude woudloper voorgesteld met een grove manier van doen en de onaangename humor die hij in het Fort te verduren krijgt. Hij is blij verrast als hij in plaats daarvan een verfijnde heer voor zich ziet.

'Zou ik mogen vragen hoe u in dat werk terechtgekomen bent?'

Ze drinken de bittere koffie van Scott en zitten in de twee stoelen die mevrouw Scott bij de haard heeft gezet. Sturrock kijkt teleurgesteld in zijn kopje voordat hij antwoord geeft.

'Ik heb in mijn leven al heel wat dingen gedaan en ik heb veel geschreven over het indiaanse leven. Ik heb altijd op goede voet met de indianen gestaan. Iemand die dat wist vroeg me of ik wilde helpen een jongen terug te krijgen die door de indianen was ontvoerd. Toen dat lukte, werd ik vaker geraadpleegd in dergelijke gevallen. Ik ben nooit op zulk werk uit geweest, het ging allemaal vanzelf. Nu ben ik er te oud voor.'

'En dat voorwerp waarnaar u op zoek bent: hebt u schriftelijk bewijs dat Jammet wilde dat u dat zou krijgen?'

'Nee. Hij was niet van plan zich te laten vermoorden toen ik hem de laatste keer sprak.'

'Weet u of hij vijanden had?'

'Nee. Hij kon keihard onderhandelen, maar dat lijkt me geen aannemelijk motief.'

'Nee, dat is zo.'

'Toen hij me dat voorwerp, een stuk bot met tekens erop, voor het eerst liet zien, heb ik hem gevraagd of ik de symbolen mocht natekenen; hij zag dat het me erg interesseerde, dus hij weigerde en zei dat hij het wel aan mij wilde verkopen.'

'Maar u hebt het toen niet gekocht?'

'Nee. Ik had namelijk tijdelijk niet de beschikking over voldoende financiële middelen. Maar hij beloofde het voor me te bewaren tot ik hem kon betalen. Ik heb het geld nu wel, maar...' Hij spreidt hulpeloos zijn handen uit. 'Ik weet niet waar het is.'

'Ik zal er met meneer Knox over spreken. We hebben geen testament gevonden. Als meneer Knox inschikkelijk is, dan zal hij het vast aan u verkopen. Aangenomen dat we het vinden, natuurlijk.'

Donald vraagt zich plotseling af of Sturrock misschien zelf al op zoek is gegaan naar dat stuk been. Hij denkt aan de voetstappen die hij bij de blokhut heeft gezien. Drie paar afdrukken. Er zijn daar gisteren dus drie verschillende mensen geweest.

'Dat is heel ruimhartig van u, meneer Moody. Ik waardeer het ten zeerste.'

'Wat is het eigenlijk voor iets? Komt het uit Rome, of Egypte?'

'Dat weet ik niet helemaal zeker. Het lijkt me niet, maar daarvoor heb ik het juist nodig, ik wil het aan wat mensen van een museum laten zien die verstand hebben van zulke zaken.'

Donald knikt, maar hij begrijpt nog steeds niet goed waarom Sturrock zo in dat voorwerp is geïnteresseerd. Eén ding weet hij echter zeker: als iemand ergens zo veel belangstelling voor heeft, is voorzichtigheid geboden. Zou het kunnen dat Sturrock al eerder hier is geweest en dat Jammet heeft geweigerd om hem het bot te verkopen? Heeft Sturrock hem toen vermoord? Of had Jammet het misschien al aan iemand anders verkocht? Wat hij ook verzint: het lijkt hem niet waarschijnlijk dat Sturrock de moordenaar is. Van de andere kant is dat kennelijk zo waardevolle voorwerp spoorloos verdwenen. Wie heeft het dan nu in zijn bezit?

Donald verlaat de winkel nadat Sturrock hem ervan heeft verzekerd dat hij de komende dagen in Caulfield zal blijven. Hij vraagt zich af waarom het niet in hem is opgekomen om naar de meisjes Seton te informeren. Misschien omdat het hem onmogelijk lijkt dat deze charmante en goedgemanierde man de inhalige oplichter is die mevrouw Knox heeft beschreven. En hij vraagt zich – niet voor het eerst – af of hij misschien door zijn onervarenheid te snel een gunstige indruk van iemand krijgt. Moet hij niet veel achterdochtiger zijn, zoals Mackinley, die ervan uitgaat dat mensen hem vroeg of laat wel zullen teleurstellen en daar meestal gelijk in krijgt?

Onderweg komt hij Maria tegen, die een mand draagt. Hij licht zijn hoed en zij glimlacht vaag. Ze lijkt duidelijk minder vijandig dan vanmorgen, maar hij zou haar nooit hebben durven aanspreken.

'Meneer Moody. Hoe staat het met het onderzoek?'

'Eh... het vordert langzaam, dank u.'

Ze zwijgt, alsof ze wacht tot hij iets zal zeggen.

'Ik heb net met meneer Sturrock gesproken.'

Ze lijkt niet in het minst verrast, maar knikt alleen maar, alsof ze dat wel had verwacht. 'En?'

'Ik vond hem wel charmant. Ontwikkeld, gevoelig... heel anders dan ik me had voorgesteld.'

'Hij moet ook wel charmant zijn, want hij heeft mijn oom al zijn geld afhandig gemaakt. En dat was geloof ik heel veel. Ik weet wel dat mijn oom uit wanhoop tot alles in staat was, maar een eerzaam man zou hem ervan hebben overtuigd dat het zinloos was om te blijven zoeken en zou geen geld meer van hem hebben aangenomen. Dat zou uiteindelijk ook voor mijn oom het beste zijn geweest, want hij had nu niets meer: hij had zijn dochters niet terug, hij had geen geld meer en hij... nou ja, het is zijn dood geworden. Mijn tante was toen al overleden. Ik weet dat het verschrikkelijk klinkt, maar... Ik heb altijd gedacht dat ze waarschijnlijk door de wolven zijn opgegeten. Er zijn wel meer mensen die dat zeggen en ik denk dat ze gelijk hebben. Maar mijn oom en tante wilden dat natuurlijk niet geloven.'

'Nee, wie wel?'

'Maar is die mogelijkheid dan zoveel erger dan wat zij dachten?'

'Het leven, wat voor leven dan ook, is toch altijd beter dan de dood, zou ik denken.'

Maria kijkt hem met die taxerende blik aan, als een boer die naar een dampig paard kijkt. Als ze altijd zo naar mannen kijkt, zal ze nooit een echtgenoot vinden, denkt hij geïrriteerd.

'Misschien hebben de wolven hen wel voor een erger lot gespaard.' Uit haar mond klinkt dat nog clichématiger dan het al is.

'Dat denkt u toch niet echt?' Hij verbaast zich erover dat hij haar durft tegen te spreken.

Maria haalt haar schouders op. 'Een paar jaar geleden zijn er hier in de baai twee kinderen verdronken. Het was een verschrikkelijk ongeluk. Hun ouders hebben daar uiteraard veel verdriet van gehad, maar zij leven nog wel. En ze lijken nu best gelukkig, even gelukkig als een ander.'

'Misschien is het de onzekerheid die zo moeilijk te verdragen is.'

'Waardoor de gewetenlozen zich kunnen voeden met de laatste restjes hoop totdat ze hun slachtoffer hebben leeggezogen.'

Donald verbaast zich opnieuw over de dingen die ze zegt. Hij hoort vaag zijn vader op dat prekerige toontje van hem zeggen: 'Het verlangen om te choqueren is een kinderlijke neiging die bij het volwassen worden dient te verdwijnen.' Toch is Maria allesbehalve onvolwassen. Hij herinnert zichzelf eraan dat hij het niet meer met zijn vader eens hoeft te zijn; ze bevinden zich op verschillende continenten.

'Meneer Sturrock lijkt me geen rijk man,' zegt Donald, bij wijze van verdediging.

Maria kijkt langs Donald heen de straat in en kijkt dan weer naar hem met een glimlach. Haar ogen zijn blauw, in tegenstelling tot die van Susannah. 'Als je iemand aardig vindt, hoef je hem nog niet te vertrouwen.' En met een hoofdknikje, dat bijna een spottende reverence lijkt, loopt ze weg.

Donald kamt de rest van de middag en avond Jammets bezittingen uit, maar net zoals de anderen die dat al eerder hebben gedaan kan ook hij niets vinden dat met zijn dood te maken lijkt te hebben. De aardse bezittingen van de Fransman staan in een droog gedeelte van de stallen en hij en Jacob, die in verband met de beveiliging heeft toegezien op het leeghalen van de blokhut, hebben alles opgestapeld of in kisten gedaan. Alles bij elkaar is het verrassend weinig. Donald probeert niet te denken aan het weinige dat zijn collega's zouden moeten uitzoeken als hij plotseling van dit aardse ongerief zou worden verlost. Er zou bijvoorbeeld geen enkel teken overblijven van zijn nieuwe, maar enorm belangrijke gevoelens voor Susannah. Hij neemt zich plechtig voor om haar meteen na zijn thuiskomst te schrijven, wat absurd is, omdat ze dan nog steeds in hetzelfde huis verblijven; het zal nog een dag of twee duren voordat Donald vertrekt, omdat hij heeft besloten te wachten op de terugkeer van Mackinley en Knox voordat hij begint aan wat waarschijnlijk een hopeloze zoektocht zal worden.

Hij zal een foto van haar vragen, of een aandenken. Niet dat hij van plan is om te sneuvelen natuurlijk. Maar voor het geval dat.

Toen ik nog een jong meisje was en mijn ouders nog leefden, had ik last van wat 'moeilijkheden' werden genoemd. Ik werd bevangen door verlammende angsten die mij het bewegen onmogelijk maakten, zelfs het praten. Ik had het gevoel dat de aarde onder mijn voeten vandaan schoof en dat ik de grond waarop ik stond niet kon vertrouwen, wat een verschrikkelijk gevoel was. Artsen namen me de pols, keken in mijn ogen en zeiden dat het wel zou verdwijnen bij het aanbreken van de volwassenheid (waarmee ze volgens mij het huwelijk bedoelden). Voordat deze theorie echter kon worden getest, stierf mijn moeder onder onduidelijke omstandigheden. Ik denk dat ze zichzelf van het leven heeft beroofd, hoewel mijn vader dat ontkende. Ze gebruikte laudanum en ze stierf aan een overdosis, opzettelijk of niet. Ik kreeg steeds meer last van angsten, totdat mijn vader er niet meer tegen kon en me liet opnemen in een krankzinnigengesticht, om het maar onomwonden te zeggen, al had de instelling een of andere fraaie naam, iets met oververmoeide mensen uit goede families. Toen kwam hij ook te overlijden, waardoor ik was overgeleverd aan de genade van een gewetenloze directeur en in een openbaar gesticht belandde, dat tenminste zo eerlijk was om zichzelf ook zo te noemen.

In het gesticht was laudanum vrij verkrijgbaar. Ik kreeg het aanvankelijk voorgeschreven tegen mijn verlammende angsten, maar ik werd er afhankelijk van. Het ging de plaats innemen van mijn ouders en vrienden. Het werd algemeen gebruikt om lastige patiënten te kalmeren, maar ik wilde er altijd over kunnen beschikken en ik nam mijn toevlucht tot bedrog om het te bemachtigen. Ik vond het niet moeilijk om de mannelijke stafleden over te halen iets voor me te doen, en de geneesheer-directeur, een idealistische jonge man die Watson heette, wond ik om mijn vinger. Als je eenmaal ergens aan gewend raakt, vergeet je waarom je het aanvankelijk zo graag wilde.

Later, toen mijn man vond dat mijn verslaving echte intimiteit in de weg stond, hield ik ermee op. Of liever gezegd, gooide hij mijn voorraad laudanum weg, waardoor ik geen keus had en het zonder moest stellen. Hij was de enige die het de moeite waard vond mij van mijn verslaving af te helpen. Het was alsof ik na een lange periode van dronkenschap weer nuchter was, en die nuchterheid leek in het begin fantastisch. Maar ik ging me ook dingen herinneren die ik was vergeten, bijvoorbeeld waarom ik het verdovende middel nodig had gehad. Als ik in de jaren daarna soms zware periodes doormaakte, wist ik weer waarom ik verslaafd was geraakt, en de laatste dagen heb ik bijna even vaak aan laudanum gedacht als aan Francis. Ik weet dat ik het in de winkel kan gaan kopen. Ik ben me daar onophoudelijk van bewust. Wat me ervan weerhoudt om dat te doen is de gedachte dat ik de enige ter wereld ben die Francis kan helpen. Al heb ik tot nu toe niet veel voor hem kunnen doen.

Vijf dagen nadat Francis is vertrokken loop ik over het pad naar de blokhut van Jammet als ik verderop iets hoor. Een hond die ik nooit eerder heb gezien rent jankend over het pad. Het is een grote, ruigbehaarde hond die een wilde indruk maakt. Een sledehond. Ik blijf staan: er is iemand binnen.

Op het heuveltje achter het gebouw verschuil ik me met geoefende, heimelijke bewegingen tussen de struiken en wacht af. Een verstoord insect zet zijn kaken in mijn pols. Na een tijd komt er een man uit de blokhut, hij fluit. Er rennen twee honden naar hem toe, ook de hond die ik net op het pad zag. In mijn schuilplaats houd ik de adem in en als hij zijn gezicht mijn kant op draait, lopen de rillingen over mijn rug. Hij is lang voor een indiaan, krachtig gebouwd, en gekleed in een lange, blauwe overjas en een leren broek. Maar zijn gezicht doet me denken aan het verhaal over een monsterlijke schepsel. Hij heeft een laag, breed voorhoofd, hoge jukbeenderen, en zijn neus en mond zijn naar beneden gericht als de bek van een roofvogel, waardoor hij een woeste, wrede indruk maakt. In de koperkleurige huid aan weerszijden van de mond zitten diepe groeven. Zijn zwarte haar zit in de knoop. Ik heb nog nooit van mijn leven zo'n lelijke man gezien, met dat gezicht dat met een botte bijl uit een stuk hout gehakt lijkt. Als Mary Shelley een voorbeeld nodig had gehad voor haar verhaal over dat angstaanjagende monster, zou deze man daar perfect voor zijn geweest.

Ik wacht en durf nauwelijks adem te halen tot hij weer naar binnen is gegaan. Dan sluip ik achterstevoren mijn schuilplaats uit. Ik probeer te bedenken wat ik nu het beste kan doen – Angus waarschuwen of meteen naar Caulfield gaan en Knox inlichten. Ik durf hem niet zelf aan te spreken, want het is duidelijk een gevaarlijke man. Ik weet dat het niet terecht is, maar ik kan moeilijk geloven dat iemand met zo'n gezicht geen kwaadaardige, wrede aard zou hebben. Ik besluit op zoek te gaan naar Angus. Hij hoort me zwijgend aan, pakt zijn geweer en loopt het pad af.

Later hoorde ik dat hij naar de blokhut was gegaan en de vreemdeling had verrast terwijl die de kamer boven aan het doorzoeken was. Angus had hem geroepen en hem, ongetwijfeld heel vriendelijk, gezegd dat hij mee moest gaan naar Caulfield omdat hier een misdaad was gepleegd en hij hier niet mocht komen. De man aarzelde, maar bood geen weerstand. Hij pakte zijn geweer en liep voor Angus uit naar de Bay, een afstand van drie mijl. Daar bracht Angus hem naar de achterdeur van het huis van Knox. Terwijl ze stonden te wachten, keek de vreemdeling met een trotse, afstandelijke blik naar de grond, alsof het hem niet kon schelen wat er met hem zou gebeuren. De vreemdeling werd gearresteerd en gevangengezet en Angus ging naar huis. Hij ontfermde zich over de twee sledehonden, die Knox niet op zijn erf wilde hebben, en nam ze mee naar huis, want dat was volgens hem een kleine moeite. Ik dacht dat hij dan toch wel iets sympathieks aan die vreemdeling had ontdekt, anders zou hij zoiets niet doen.

Andrew Knox zit tegenover Mackinley en rookt zijn pijp. Het haardvuur werpt een warme, oranje gloed op de gezichten, waardoor zelfs de bleke Mackinley er minder grauw uitziet. Knox deelt niet de hinderlijke tevredenheid van Mackinley. Ze hebben de man meer dan een uur ondervraagd en zijn niets concreters te weten gekomen dan zijn naam, William Parker, en dat hij een pelsjager is die al eerder met Jammet heeft gehandeld. Hij beweerde dat hij niet wist dat Jammet dood was, maar dat hij hem wilde opzoeken en had ontdekt dat de blokhut leeg was. Vervolgens was hij het huis gaan doorzoeken om een aanwijzing te vinden voor wat er was gebeurd.

'U zegt dat een moordenaar nooit zou teruggaan naar de plek van de moord,' verbreekt Mackinley de stilte. 'Maar als hij de geweren en die andere spullen de eerste keer niet kon vinden, is het toch aannemelijk dat hij daar later voor is teruggegaan, toen de kust weer veilig was?'

Knox geeft toe dat dat zou kunnen.

'Of misschien dacht hij dat hij iets was vergeten en ging hij terug om dat op te halen.'

'We hebben niets gevonden dat daar niet hoorde.'

'Misschien hebben we het over het hoofd gezien.'

Knox zet zijn tanden in de groef die in de steel van zijn pijp is uitgesleten. Dat is een prettig gevoel: de tanden en de steel passen na al die jaren precies in elkaar. Mackinley veroordeelt de pelsjager te haastig, hij laat zijn verlangen naar een oplossing de feiten bepalen in plaats van andersom.

Knox wil hem dat duidelijk maken, maar dan zonder hem te krenken; Mackinley heeft per slot van rekening nog steeds officieel de leiding.

'Het is mogelijk dat hij inderdaad is wat hij beweert te zijn, een pelsjager die in het verleden met hem heeft gehandeld en die niet wist dat hij dood was.'

'Maar wie gaat er nu rondsnuffelen in een leeg huis?'

'Dat is geen misdaad; het is zelfs niet ongebruikelijk.'

'Geen misdaad, maar wel verdacht. We moeten de meest waarschijnlijke conclusie proberen te trekken uit wat we tot nu toe aan informatie hebben.'

'Maar we hebben helemaal niets. Ik weet niet eens of we wel voldoende reden hebben om hem vast te houden.'

Knox heeft erop aangedrongen dat de man niet als gevangene moet worden beschouwd en goed moet worden behandeld. Hij heeft Adam een blad met eten laten brengen naar het magazijn waar hij wordt vastgehouden en daar de kachel laten aanmaken. Hij vond het vreselijk dat hij Scott nogmaals om een gunst moest vragen, maar hij kon niet dulden dat die man hier in zijn huis bij zijn vrouw en kinderen zou worden opgesloten, zelfs niet in een afgesloten kamer. In weerwil van zijn woorden is er iets in het gezicht van die vreemdeling dat duistere en angstaanjagende gedachten oproept. Het doet hem denken aan gezichten op die gravures van indiaanse oorlogen: beschilderde gezichten, vertrokken van razernij, godslasterlijk en uitheems.

Ze doen voor de tweede keer de deur van het magazijn van het slot en houden hun lantaarns omhoog. De gevangene zit roerloos bij het vuur. Hij kijkt niet op als de deur wordt geopend.

'Meneer Parker,' roept Knox. 'Wij zouden graag nog een keer met u willen praten.'

Ze gaan op de stoelen zitten die ze eerder hierheen hebben gebracht. Parker zegt niets en kijkt hen niet aan. Alleen aan zijn adem, die in bleke wolkjes om zijn gezicht hangt, is te zien dat hij leeft.

'Hoe komt u aan de naam Parker?' vraagt Mackinley. Zijn toon is beledigend, alsof hij de man ervan beschuldigt dat hij over zijn identiteit heeft gelogen.

'Mijn vader was van Engelse komaf, hij heette Samuel Parker. Zijn vader kwam uit Engeland.'

'Was uw vader in dienst van de Company?'

'Hij heeft zijn hele leven voor de Company gewerkt.'

'Maar u niet.'

'Nee.'

Mackinley buigt zich naar voren nu het over de Company gaat. 'Hebt u er vroeger wel voor gewerkt?'

'Ik ben bij de Company in de leer geweest. Nu ben ik pelsjager.'

'En u hebt zaken gedaan met Jammet?'

'Ja.'

'Hoe lang?'

'Jarenlang.'

'Waarom bent u bij de Company weggegaan?'

'Omdat ik aan niemand iets verplicht wil zijn.'

'Wist u dat Laurent Jammet lid was van de North America Company?'

De man kijkt hem half geamuseerd aan. Knox werpt Mackinley een blik toe. Heeft hij dat van die andere Fransman gehoord?

'Ik handelde niet met een Company, ik handelde met hem.'

'Bent u lid van de North America Company?'

Nu begint Parker spottend te lachen. 'Ik ben lid van geen enkele Company. Ik vang dieren en ik verkoop de pelzen, meer niet.'

'Maar op dit moment hebt u geen pelzen.'

'Het is herfst.'

Knox legt waarschuwend zijn hand op Mackinleys arm. Hij probeert vriendelijk en redelijk te klinken als hij zegt: 'U begrijpt waarom we zulke vragen moeten stellen: meneer Jammet is op een gewelddadige manier om het leven gekomen. We moeten zo veel mogelijk informatie over hem verzamelen, zodat de dader kan worden opgespoord en berecht.'

'Hij was mijn vriend.'

Knox zucht. Voordat hij iets kan zeggen, neemt Mackinley weer het woord.

'Waar was u op veertien november, zes dagen geleden? Overdag en 's nachts?'

'Dat heb ik u al verteld, ik reisde vanuit Sydney House naar het zuiden.'

'Heeft iemand u gezien?'

'Ik reis alleen.'

'Wanneer bent u uit Sydney House vertrokken?'

De man aarzelt, voor het eerst. 'Ik was niet in Sydney House zelf, maar wel daar in de buurt.'

'Maar u hebt gezegd dat u uit Sydney House kwam.'

'Dat zei ik om duidelijk te maken waar het ongeveer was. Ik kwam uit die richting. Uit de bossen.'

'En wat deed u daar?'

'Jagen.'

'Zei u zonet niet dat het niet het seizoen is voor de jacht op pelsdieren?'

'Het ging mij om het vlees.'

Mackinley kijkt Knox aan en trekt zijn wenkbrauwen op. 'Is dat normaal in deze tijd van het jaar?'

Parker haalt zijn schouders op. 'Dat is normaal in elke tijd van het jaar.'

Knox schraapt zijn keel. 'Dank u, meneer Parker. Goed... dat was het voorlopig.'

Hij voelt zich opgelaten vanwege zijn stem, die betuttelend klinkt, als die van een oud wijf. Ze staan op om te vertrekken, maar dan draait Mackinley zich om naar de man bij de haard. Hij pakt de beker water van het blad en dooft daarmee het vuur.

'Geef mij uw vuurtas.'

Parker kijkt naar Mackinley, die hem strak blijft aankijken. Parkers ogen lijken ondoorgrondelijk in het lamplicht, maar hij wekt de indruk dat hij Mackinley ter plekke wil vermoorden. Langzaam haalt hij de leren tas van zijn hals en geeft die aan Mackinley. Mackinley pakt de tas vast, maar Parker laat niet los.

'Hoe weet ik of ik hem wel terugkrijg?'

Knox loopt naar hen toe, want hij wil de spanning die in de lucht hangt verminderen. 'U krijgt die tas beslist terug. Ik zal er persoonlijk op toezien.'

Parker laat los en de twee mannen gaan weg. Ze nemen de enige twee lampen mee en laten de gevangene in de kou en het donker achter. Knox tuurt nog achterom terwijl hij de deur dichtdoet en ziet – of verbeeldt hij zich dat maar? – de halfbloed als een geconcentreerde donkere vorm in de duisternis.

'Waarom deed u dat?' vraagt Knox als ze teruglopen door het stille stadje.

'Wilt u dan dat hij de boel in de fik steekt en ontsnapt? Ik ken die lui.

Gewetenloos zijn ze. Hebt u gezien hoe hij naar me keek? Alsof hij me ter plekke wilde scalperen.'

Hij houdt de tas omhoog in het licht van de lamp; het is een leren buidel, prachtig versierd met borduurwerk. In de buidel zit een overlevingsuitrusting: vuurstenen, tondel, tabak en een paar onappetijtelijke reepjes anoniem vlees. Zonder deze spullen zou hij in de wildernis waarschijnlijk omkomen.

Mackinley is opgetogen. 'Wat vindt u ervan? Hij heeft zijn verhaal veranderd zodat we niet kunnen nagaan of het klopt. Hij kan een week geleden in Dove River geweest zijn zonder dat iemand dat weet.'

Knox weet hier niets op te zeggen. Hij voelde ook een lichte twijfel toen Parker aarzelde; het was alsof Parkers zelfbewuste gedrag een deuk opliep.

'Het is nog geen bewijs,' zegt hij ten slotte.

'Het is indirect bewijs. Of wilt u liever geloven dat die jongen het heeft gedaan?'

Knox zucht. Hij is doodmoe, maar niet moe genoeg om het onderwerp te laten rusten.

'Wat was dat trouwens over die North America Company? Daar heb ik nog nooit van gehoord.'

'Het is geen officiële Company, maar dat zou het wel kunnen worden. André heeft me verteld dat Jammet daarbij betrokken was. Hijzelf ook. De Frans-Canadese handelaren spreken over de oprichting van een concurrerende Company. Ze worden gesteund door de Verenigde Staten en er is zelfs belangstelling van sommige Britten hier.'

Mackinley klemt zijn kiezen op elkaar. Hij is een loyaal man, en de gedachte dat een Canadese of Britse afscheiding partij kiest tegen de Company grieft hem. Voor Knox is dit minder verrassend. De Company is altijd geleid door rijke mannen in Londen, die hun agenten (die zij bedienden noemen) naar de kolonie sturen om daar rijkdommen te vergaren. Voor degenen die hier zijn geboren is dat een buitenlandse macht die het land berooft en in ruil daarvoor wat kruimels uitdeelt.

Hij kiest zijn woorden zorgvuldig. 'Dus Jammet kan zijn beschouwd als een vijand van de Hudson Bay Company?'

'Als u wilt suggereren dat dit hem is aangedaan door iemand van de Company, dan verzeker ik u dat dat volstrekt ondenkbaar is.'

'Ik suggereer helemaal niets. Maar als het waar is, dan kunnen we het niet negeren. In hoeverre was hij betrokken bij die North America Company?'

'Dat wist die man niet. Alleen dat Jammet het er in het verleden een keer over heeft gehad.'

'En het staat vast dat André in de Sault was toen Jammet overleed?'

'In een hoek van een bar, stomdronken, volgens de eigenaar. Het is onmogelijk dat hij op hetzelfde moment in Dove River Jammet aan het vermoorden was.'

Knox voelt zich geïrriteerd door de gebeurtenissen van die avond. Door de bemoeizuchtigheid en zelfverzekerdheid van Mackinley, door de brute, indrukwekkende gevangene, zelfs door de onzalige Jammet en zijn smerige dood. In zijn korte bestaan is de stad Caulfield altijd een vredige gemeenschap geweest, zonder gevangenis en zonder behoefte daaraan. Maar de laatste dagen heerst overal geweld en verbittering.

Zijn vrouw is nog wakker als hij naar boven gaat. Zelfs als Parker uit het zicht is, spookt hij nog door ieders hoofd. Er is misschien een moordenaar in hun stad, iemand die slechts door dunne, houten muren van hen is afgescheiden. Iets aan de man maakt dat je gemakkelijk in zijn schuld gelooft. Hij kan er natuurlijk niets aan doen dat hij zo'n gezicht heeft, hij mag daar niet op worden beoordeeld. En is dat niet wat Knox nu doet?

'Sommige mensen maken het je niet gemakkelijk om ze aardig te vinden,' merkt hij op terwijl hij zich uitkleedt.

'Heb je het over die gevangene of over Mackinley?'

Knox staat zichzelf een ingehouden glimlachje toe. Hij kijkt naar haar gezicht en vindt dat ze er moe uitziet. 'Gaat het wel?'

Hij vindt het prachtig zoals haar lange haar golft als ze het losmaakt; het is nog net zo glanzend bruin als toen ze trouwden. Ze is er trots op en borstelt het elke avond vijf minuten lang, tot het gaat knetteren en aan de borstel plakt.

'Dat wilde ik net aan jou vragen.'

'Jawel. Maar ik zou graag willen dat dit allemaal voorbij was. Ik vind het in Caulfield prettiger als het er stil en saai is.'

Ze schuift op als hij tussen de lakens kruipt. 'Heb je het andere nieuws al gehoord?'

Hij hoort aan haar stem dat het geen goed nieuws is. 'Nee. Wat dan?'

Ze zucht. 'Sturrock is hier.'

'Sturrock de Speurder? In Caulfield?'

'Ja. Meneer Moody heeft hem gesproken. Het schijnt dat hij Jammet kende.'

'Goeie genade.' Hij blijft zich erover verbazen wat zijn vrouw allemaal uit het roddelcircuit weet te halen. 'Goeie genade,' herhaalt hij zacht. Hij gaat liggen. De twijfels schieten door zijn hoofd. Wie had kunnen denken dat Jammet zo veel onbekende connecties had? Er gaat een vreemde kracht uit van die lege blokhut, een kracht die allerlei onwaarschijnlijke en ongewenste figuren naar Caulfield trekt die uit zijn op god mag weten wat. Het is tien jaar geleden dat hij Sturrock voor het laatst heeft gezien, kort voordat Charles stierf. Die ontmoeting zou hij het liefst zijn vergeten. Hij doet zijn uiterste best, maar hij kan niet één onschuldige reden bedenken voor de komst van Sturrock.

'Denk je dat hij het gedaan heeft?'

'Wie?' Even weet hij niet meer over wie ze het heeft.

'Wie? De gevangene natuurlijk. Denk je dat hij het gedaan heeft?'

'Ga maar slapen,' zegt Knox, en hij geeft haar een kus.

De dag voordat ze vertrokken kamde Donald de winkel van Scott uit om een cadeautje voor Susannah te vinden. Hij overwoog om haar een vulpen te geven; dat zou een geschikt afscheidscadeau zijn, maar zou haar misschien te dwingend herinneren aan haar belofte om hem te schrijven. Er was maar een beperkte keuze en uiteindelijk koos hij een geborduurde zakdoek, waarbij hij de mogelijke implicatie dat hij verwachtte dat ze tijdens zijn afwezigheid een traantje zou laten uit zijn hoofd zette: daar zou zij waarschijnlijk helemaal niet aan denken.

Die middag hing Susannah urenlang rond in de bibliotheek van hun huis in de hoop dat Donald haar daar per ongeluk zou treffen, en ze bladerde intussen in een paar boeken. Ze zou een heel boek hebben kunnen lezen voordat hij eindelijk in de gaten kreeg dat ze daar was, maar dat deed ze niet, want de meeste boeken hier waren erg saai: ze waren uitgekozen door haar vader toen die nog jong was, of door Maria, die een vreemde smaak had. Donald hoorde haar kuchen en deed verlegen de deur van de bibliotheek open, waarbij hij zijn ene hand achter zijn rug hield.

'We vertrekken morgen. Voor zonsopgang, dus dan zien we je niet meer.'

Ze legde haastig de verhandeling over vistechnieken neer en keek Donald met die onweerstaanbare zijdelingse blik aan. 'Het zal wel saai zijn, zonder jou.'

Donald glimlachte en zijn hart sloeg op hol. 'Ik hoop dat je het niet vrijpostig vindt, maar ik heb dit voor je gekocht. Ik wilde je iets geven voordat we vertrekken.'

Hij haalde het kleine pakje tevoorschijn, verpakt in het bruine pakpapier van de winkel van Scott en bijeengebonden met een lint. Susannah maakte het glimlachend open en haalde de zakdoek eruit.

'O, wat mooi! Dat had je toch niet hoeven doen, meneer Moody!'

'Noem me alsjeblieft Donald.'

'O... Donald. Heel hartelijk bedankt. Ik zal hem altijd bij me dragen.'

'Ik kan me geen grotere eer indenken.'

Hij vroeg zich aarzelend af of hij zou zeggen dat hij die zakdoek dan benijdde, maar dat durfde hij niet, wat misschien maar beter was ook. Hij wist niet dat Susannah al precies zo'n zakdoek had, één die nog geen jaar geleden in dezelfde winkel was gekocht door een smoorverliefde jongen uit de buurt. Donald zag dat Susannah bloosde; de vage kleur op haar wangen wekte de indruk dat ze van binnenuit gloeide.

'Nu geneer ik me wel omdat ik je niets terug kan geven!'

'Ik hoef ook niets terug.' Opnieuw aarzelde hij, ditmaal over de vraag of hij haar zou kussen, maar ook nu durfde hij niet. 'Behalve dan misschien dat je me zo nu en dan zult schrijven, als je het niet te druk hebt.'

'O, dat zal ik zeker doen! En als jij het niet te druk hebt zou je mij misschien ook af en toe kunnen schrijven.'

'Elke dag!' zei hij onbezonnen.

'Maar daar heb je het vast veel te druk voor. Ik hoop dat het niet... gevaarlijk zal zijn.'

De resterende minuten in de bibliotheek verliepen in een heerlijke waas. Donald wist niet wat hij verder nog moest zeggen, maar hij had sterk het gevoel dat hij alles kon en hij waagde het zelfs om haar hand even in de zijne te nemen. Toen sloeg er iemand op de Javaanse gong die in de hal stond, het teken dat ze gingen eten, waarop ze haar hand terugtrok. Wie weet wat er anders was gebeurd? Het duizelde hem als hij daaraan dacht.

Je kunt Dove River maar op twee manieren verlaten: aan de zuidkant via de baai, of aan de noordkant langs de rivier door het bos. Een eindje voorbij de boerderij van Price vindt Jacob een spoor. Angus Ross heeft hun verteld dat hij sporen van Francis heeft gezien die langs Swallow Lake leidden. Jacob blijft hier even staan om de voetstappen goed te bekijken en te bepalen of ze door de jongen gemaakt kunnen zijn. Het spoor is duidelijk zichtbaar en ze kunnen het in een redelijk tempo volgen. Aan het begin van de middag zijn ze bij het meer. Jacob knielt en bestudeert de grond.

'Het is een paar dagen geleden, maar hier zijn meer mensen langsgekomen.'

'Tegelijk?'

Jacob haalt zijn schouders op.

'Het zou de Franse pelshandelaar kunnen zijn. Die is hier toch ook langsgekomen?'

'In elk geval zijn het voetafdrukken van twee verschillende mensen, met een verschillende schoenmaat.'

Ze volgen het spoor een paar mijl. Op de plaats waar een zijrivier uitmondt in de Dove buigt het spoor af naar het westen, langs de zijarm, over een rotsachtige ondergrond waar geen afdrukken meer zichtbaar zijn. Donald loopt achter Jacob aan en vertrouwt op zijn oordeel, maar hij is opgelucht als hij een stukje zachte grond vlak naast het water ziet met voetafdrukken in het gras en de modder.

'Stel dat hij zes of zeven dagen heeft gelopen. Dan is hij moe en hongerig. Ik denk dat wij sneller gaan en dat we hem wel zullen inhalen.'

'Maar waar leidt het spoor heen?'

Jacob weet het niet. Het spoor gaat maar door, slingert door het bos langs de rivier, steeds hoger, maar niets wijst erop dat het ergens anders naartoe leidt dan steeds verder de wildernis in.

Ze stoppen als het nog licht is en Jacob laat Donald zien hoe je met takken een schuilhut maakt. Hoewel hij al meer dan een jaar in Canada woont, is dit Donalds eerste kennismaking met het indiaanse leven en hij voelt zich uitgelaten door al dat nieuwe en onbekende. Hij werpt zijn verleden van zich af en kruipt uit zijn intellectuele, pietluttige schulp: hij wordt eindelijk een daadkrachtig man, een stoere pionier, een ware avonturier van de Company. Hij verheugt zich er nu al op om over zijn ervaringen te vertellen wanneer hij weer terug is in Fort Edgar.

Als de schuilhut klaar is en ze een kampvuur hebben gemaakt, kookt Jacob een stamppot van vlees en maïs. Na het eten kruipt Donald bij het vuur en haalt pen en papier tevoorschijn om een brief aan Susannah te gaan schrijven. Hij heeft er niet aan gedacht hoe hij haar die brieven moet sturen, maar waarschijnlijk is er ergens onderweg wel een nederzetting waar hij iemand kan vinden om de post te bezorgen. 'Beste Susannah,' begint hij, maar dan stopt hij. Zal hij de tocht van vandaag beschrijven en het bos met die donkergroene en felgele tinten, de paarsige rotsen die door het schitterende mos steken? Of hun slaapplaats? Hij wijst dat allemaal als potentieel saai van de hand en schrijft: 'Het was een hoogst interessante...' en bezwijkt dan voor de warmte van het vuur en valt in slaap, zodat Jacob hem moet wakker schudden en hem naar het dak van berkentakken moet slepen waar hij op de zachte dennennaalden instort. De uitputting raakt hem als een mokerslag en hij is te moe om te zien dat de maan ijle schaduwen werpt tussen de bomen en dat Jacob naar de halo van ijskristallen om de maan kijkt en zijn wenkbrauwen fronst.

Ik heb in de loop der jaren een mooie, zij het selecte verzameling boeken opgebouwd waarvan ik er net een aantal heb uitgeleend aan Ida. Ze is me heel dankbaar, in tegenstelling tot haar moeder, en ze lijkt werkelijk geroerd dat ik haar zoiets waardevols toevertrouw. Ik zou het voor vorige week niet hebben gedaan, maar nu lijken zelfs mijn kostbaarste bezittingen niet meer zo belangrijk. Een van de boeken die ik haar heb geleend is mijn woordenboek, dat ik al twintig jaar lang koester en dat ik tijdens mijn hele verblijf in het gesticht bij me heb gehad, als compensatie voor mijn afgebroken opleiding. Ik wilde het eigenlijk niet uitlenen, maar Ida vroeg er speciaal om, want zo'n boek is in het huishouden van de familie Pretty volkomen onbekend.

Mijn moeder heeft me het woordenboek kort voor haar dood gegeven, alsof ze alvast wilde goedmaken dat ik haar zou moeten missen. Een kleine compensatie, zou je denken, maar toch niet helemaal nutteloos. Ik vond het vreselijk als ik in boeken onbekende woorden tegenkwam en zocht ze altijd trouw op: 'doorschijnend', 'korzelig', 'aanzeggen'. Na haar dood zocht ik het woord 'zelfmoord' op. Ik dacht dat ik daardoor beter zou kunnen begrijpen waarom ze het had gedaan. De definitie was helder en beknopt en bestond uit twee onderdelen die niet op mijn moeder van toepassing waren. 'Daad van zelfvernietiging' klonk doelbewust en gewelddadig, maar mijn moeder was juist dromerig en zachtaardig. Ik vroeg het aan mijn vader omdat ik hoopte dat hij het kon uitleggen, want ik nam aan dat hij haar beter had gekend dan ik. Hij begon tekeer te gaan en te tieren:

het was allemaal onzin, zoiets zou ze nooit doen en het was een doodzonde om er zelfs maar aan te denken. Toen begon hij te huilen, waardoor ik me enorm opgelaten voelde. Ik sloeg mijn armen om hem heen en probeerde hem te troosten, terwijl hij maar bleef snikken. Nadat we daar een minuut of twee zo hadden gestaan als een schijnbeeld van een innige vader-dochterrelatie, minuten die wel een uur leken te duren, liet ik hem los en verliet de kamer. Hij scheen het niet eens te merken.

Ik denk niet dat een van ons haar echt heeft gekend.

Later drong het tot me door dat hij zo kwaad werd omdat ik de waarheid had geraden. Ik denk dat hij het zichzelf kwalijk nam en dat hij mij naar een inrichting stuurde omdat hij vreesde dat hij mijn moeder depressief had gemaakt en dat mij misschien hetzelfde zou overkomen. Hij was bepaald geen inspirerende man en ik vermoed dat hij gelijk had.

Ik heb mijn leven lang geprobeerd om niet op mijn ouders te lijken. Nu ik de leeftijd nader die mijn moeder had toen ze stierf, vraag ik me af in hoeverre ik daarin ben geslaagd: mijn enige kind is onder deze verschrikkelijke omstandigheden weggelopen en dat kan ik natuurlijk niet allemaal aan zijn Ierse bloed wijten. Ik heb ook een rol gespeeld in zijn lot, maar ik weet nog niet hoe schadelijk die is geweest.

Het lucht me een beetje op om met Ida te praten, die vandaag vrolijker is, en dan is er nog een vleugje spanning door het gerucht over de man die opgesloten zit in het pakhuis in Caulfield. Ida geeft een goede imitatie ten beste van Scott, die zijn wangen opblaast van verontwaardiging over de vraag of hij zijn kostbare onroerend goed wil afstaan voor een dergelijk doel. En ze voegt er iets interessants aan toe: dat haar broers hebben ontdekt dat die man op weg naar Jammet hun boerderij is gepasseerd: dat betekent dat hij uit het noorden is gekomen en dat het dus mogelijk is dat hij Francis heeft gezien. En dat betekent weer dat ik dat aan hem zal gaan vragen, of hij nu een misdadiger is of niet. Vlak voordat Ida weggaat vertelt ze nog over Thomas Sturrock, die in het huis van Scott verblijft. Of ik wel wist dat hij de beroemde indianenspeurder is die de Seton-meisjes niet heeft kunnen vinden? De hele stad heeft het erover. Ik knik, afwezig, en zeg dat ik daar wel iets over heb gehoord. Ik vraag me af waarom hij dat niet heeft verteld toen we het over die zaak hadden. Weer een voorbeeld van iets wat ik als laatste te horen krijg.

Zoals te verwachten viel doet Knox heel moeilijk over mijn vraag of ik met de gevangene mag praten. Hij beweert dat ik toch niets uit hem zal krijgen, dat ze het hem al hebben gevraagd, dat het niet tot de waarheid zal leiden, dat het ongepast is en tot slot dat het gevaarlijk is. Ik blijf redelijk. Ik weet dat als ik maar lang genoeg volhoud en niet wegga hij uiteindelijk wel zal toegeven, en dat doet hij dan ook, met veel hoofdschudden en somber gezucht. Ik verzeker hem ervan dat ik niet bang voor die man ben, hoe angstaanjagend hij er ook uitziet; als hij zich misdraagt heeft hij veel te verliezen (tenzij hij wordt veroordeeld, want dan doet het er niet meer toe voor hoeveel moorden hij wordt opgehangen, maar dat zeg ik maar niet). In elk geval staat Knox erop dat zijn knecht met me meegaat en bij de deur van het pakhuis blijft wachten om een oogje in het zeil te houden.

Adam opent de deur van het pakhuis, dat voor een groot deel is leeggehaald, waardoor de gevangene een zee van ruimte heeft. Er zijn twee ramen, maar die zitten heel hoog, vlak bij het dak, waardoor er nauwelijks kans bestaat op ontsnapping. De gevangene ligt op een brits en kijkt niet op als de deur wordt geopend. Misschien slaapt hij, want hij beweegt alleen even als Adam hem roept, gaat langzaam zitten en trekt de dunne deken om zich heen. Er brandt geen vuur en de kou lijkt hier nog feller en gemener dan buiten.

Ik draai me om naar Adam: 'Proberen jullie hem te laten bevriezen?'

Adam mompelt iets over 'alles platbranden', maar ik draag hem op om een stoof te halen voor onder onze voeten, en koffie. Adam kijkt me verbijsterd aan.

'Ik mag u niet alleen laten.'

'Ga dat ogenblikkelijk halen. Doe niet zo idioot, we kunnen hier niet in de kou zitten praten. Er overkomt mij heus niets in de tussentijd.' Ik kijk hem zo streng aan als ik maar kan en hij vertrekt en doet tot mijn verontrusting de deur op slot.

De gevangene kijkt me niet aan, maar zit er als een standbeeld bij. Ik zet een stoel bij de brits, een stukje ervan af, en ga zitten. Ik ben nerveus, maar dat laat ik niet merken. Als ik wil dat hij me helpt moet ik proberen te doen alsof ik hem vertrouw.

'Meneer Parker, ik heb lang nagedacht over hoe ik u dit moet vragen. Mijn naam is mevrouw Ross. Ik ben gekomen om uw hulp in te roepen. Neem me niet kwalijk dat ik gebruikmaak van uw... hechtenis.'

Hij kijkt me niet aan en geeft er geen blijk van dat hij weet dat ik hier zit. Misschien is hij wel een beetje doof.

'Meneer Parker,' ga ik verder, nu op luidere toon. 'Ik geloof dat u uit het noorden bent gekomen, langs Swallow Lake?'

Na een lange stilte zegt hij zacht: 'Wat hebt u daarmee te maken?'

'Het volgende. Ik heb een zoon, Francis. Hij is zeven dagen geleden vertrokken. Ik denk dat hij naar het noorden is gegaan, maar hij kent daar niemand en ik maak me zorgen. Ik vroeg me af of u hem misschien hebt gezien? Hij is nog maar zeventien. Hij heeft donker haar... en hij is niet zo groot.'

Dat is het dan. Ik kan het niet anders onder woorden brengen, bovendien is mijn keel zo stevig dichtgeknepen dat ik verder geen woord meer zou kunnen uitbrengen.

Parker lijkt na te denken. Die wezenloze blik is uit zijn zwarte ogen verdwenen en hij kijkt me nu aan.

'Zeven dagen geleden?'

Ik kan mezelf wel voor mijn kop slaan. Ik had acht dagen moeten zeggen. Of negen. Ik knik.

'En Jammet is zes dagen geleden gevonden.'

'Mijn zoon heeft hem niet vermoord, meneer Parker.'

'Hoe weet u dat?'

Ik wind me op over die vraag. Natuurlijk weet ik dat. Ik ben zijn moeder.

'Hij was zijn vriend.'

Parker doet nu iets heel onverwachts: hij begint te lachen. Het klinkt zacht en ruw, net als zijn stem, maar niet onprettig.

'Ik ook. Maar toch schijnen meneer Knox en meneer Mackinley te denken dat ik hem heb vermoord.'

Ik ben even van mijn stuk gebracht door deze wending. 'Nou, misschien omdat ze u niet kennen. Maar ik denk dat een onschuldig man zijn uiterste best zou doen om een vrouw in mijn omstandigheden te helpen. Dat zou meteen bewijzen dat hij iemand met een goede inborst is.'

Verbeeld ik het me of glimlacht hij nu? Ik zie een minieme beweging in die naar beneden gerichte mondhoeken.

'Dus u denkt dat meneer Mackinley mij zal vrijlaten als ik u help?'

Ik weet niet of hij dit sarcastisch bedoelt. 'Dat hangt ook van omstandigheden af waar ik niets over weet, meneer Parker, bijvoorbeeld of u schuldig bent of niet.'

'Dat ben ik niet. En u?'

'Ik...' Ik weet haast niet wat ik hierop moet zeggen. 'Ik heb hem gevonden. Ik heb gezien wat hem is aangedaan!'

Nu kijkt hij werkelijk verbaasd. En ik krijg duidelijk de indruk dat hij wil weten wat ik heb gezien. In een flits dringt het tot me door dat als hij daar zo benieuwd naar is, hij het dus zelf niet gedaan kan hebben.

'Hebt u hem gezien? Ze hebben me niet verteld wat er precies is gebeurd.'

Als hij liegt, dan doet hij dat zeer overtuigend. Hij buigt zich naar voren. Ik probeer niet terug te deinzen, maar zijn gezicht is echt angstaanjagend. Ik kan de woede die van hem afstraalt bijna voelen.

'Vertel me eerst wat u hebt gezien. Misschien kan ik u dan helpen.'

'Dat kan ik niet doen. Zoiets kan ik niet met u afspreken.'

'Waarom zou ik u dan helpen?'

'Waarom niet?'

Hij staat plotseling op en loopt naar de muur van het pakhuis, een paar stappen maar, maar ik deins onwillekeurig naar achteren. Hij zucht. Misschien is hij eraan gewend dat mensen bang voor hem zijn. Ik vraag me af waar Adam blijft met de koffie: het lijkt alsof hij al minstens een uur weg is.

'Ik ben een halfbloed en ik word ervan beschuldigd dat ik een blanke heb vermoord. Denkt u dat het hun iets kan schelen of hij mijn vriend was of niet? Denkt u dat ze ook maar een woord geloven van wat ik zeg?'

Parker staat nu in een donkere hoek van het pakhuis en ik kan zijn gezicht niet zien. Dan draait hij zich weer om naar zijn brits.

'Ik ben moe. Ik zal proberen of ik me iets kan herinneren. Vraagt u het me morgen nog maar eens.'

Hij gaat liggen, met zijn rug naar mij toe, en trekt de deken over zich heen.

'Meneer Parker, ik smeek u om nu nog eens goed na te denken.' Ik heb geen idee of het me nog een keer zal lukken om hem te spreken te krijgen. 'Meneer Parker...?'

Als Adam terugkomt zit ik naast de deur te wachten. Hij kijkt me stomverbaasd aan. De pot koffie stoomt als een minivulkaan in de klamme lucht.

'Meneer Parker en ik zijn voorlopig uitgesproken,' zeg ik tegen hem. 'Misschien kunt u die koffie hier laten staan?'

Adam kijkt niet blij, maar hij doet wat ik voorstel en zet de pot en een kopje op veilige afstand van de brits neer.

En daar moet ik het voorlopig mee doen.

Andrew Knox zou soms willen dat hij niet zo'n vooraanstaande magistraat was geworden. Toen hij zich uit de rechtspraak terugtrok, deed hij dat juist om te ontsnappen aan al die mensen die hem smeekten om orde te scheppen in hun verwarde, chaotische bestaan. Mensen die logen en bedrogen en toch dachten dat de wereld tegen hen samenspande en dat hun problemen niet door hun eigen toedoen waren veroorzaakt, wat voor onrechtmatigheden en zonden ze ook op hun geweten hadden. En alsof het nog niet genoeg is dat de hele stad in rep en roer is door de aanwezigheid van een potentiële moordenaar, stond John Scott zich vanochtend in zijn werkkamer te beklagen dat hij zijn pakhuis terug wil, of een ruime compensatie wil hebben omdat hij zijn onroerend goed ter beschikking van de gemeenschap heeft gesteld; anders zal hij er werk van maken bij de overheid. Knox wenste hem daarbij veel succes. Een paar andere inwoners hielden hem op straat staande om te vragen waarom de boosdoener niet naar een echte gevangenis wordt overgebracht. Niemand schijnt de mogelijkheid in overweging te nemen dat hij onschuldig is. En Mackinley maakt ook al geen haast om te vertrekken; Knox verdenkt hem ervan dat hij hoopt zelf een schuldbekentenis uit de verdachte te krijgen, zodat hij met de eer kan gaan strijken. Knox voelt zich in het nauw gedreven door de honger van die ambitieuze mannen, waar hij helemaal niets meer mee te maken wil hebben.

En dan is er nog die kwestie Sturrock, die kan hij niet negeren.

Mary klopt op de deur en zegt dat mevrouw Ross hem wil spreken.

Alweer. Die vrouw laat hem gewoon niet met rust. Hij knikt, en zucht inwendig; hij heeft het vermoeden dat ze, als hij weigert, in de hal zal blijven wachten, of, erger nog, op straat.

'Meneer Knox...' begint ze al voordat de deur dicht is.

'Mevrouw Ross, ik hoop dat u iets hebt gehad aan het gesprek?'

'Hij wilde niet met me praten. Maar hij weet wel iets. Ik moet het morgen nog een keer proberen.'

'Dat kan ik echt niet toestaan, want...'

'Hij heeft het niet gedaan.'

Ze klinkt zo overtuigd dat zijn mond openzakt van verbazing. 'Hoe weet u dat zo zeker?' vraagt hij dan. 'Vrouwelijke intuïtie?'

Ze glimlacht sarcastisch, een onplezierige trekje bij een vrouw. 'Hij wilde weten hoe Jammet aan zijn einde gekomen is. Dat wist hij niet, dus daar leid ik uit af dat hij het niet heeft gedaan. En ik ben ervan overtuigd dat hij iets over Francis weet. Maar hij vertrouwt er niet op dat meneer Mackinley een... halfbloed rechtvaardig zal behandelen.'

Knox vermoedt dat Parker hem ook niet vertrouwt, maar dat zij zo diplomatiek is om dat niet te zeggen.

'Misschien weet u ook wat hij in de blokhut van Jammet te zoeken had?'

'Dat zal ik hem vragen.'

Knox fronst zijn wenkbrauwen. Deze zaak loopt helemaal uit de hand. Hij vergeet dat hij een paar minuten geleden nog wenste verlost te zijn van zijn verantwoordelijkheden, maar het idee dat een boerin die van hem overneemt is belachelijk.

'Het spijt me, maar daar is geen sprake van. We gaan de gevangene zo snel mogelijk overbrengen. Ik kan niet toestaan dat iedereen die hem iets wil vragen daar in- en uitloopt.'

'Meneer Knox.' Ze komt een stap dichterbij, bijna alsof ze (als ze een man was geweest) hem bedreigt. 'Mijn zoon zit in de wildernis en het is niet zeker of die mannen van de Company hem kunnen vinden. Misschien is hij verdwaald of gewond. Het is nog maar een jongen en als u mij ervan weerhoudt om hem op te sporen, dan bent u misschien verantwoordelijk voor zijn dood.'

Het kost Knox enige moeite om niet een stap naar achteren te doen. Er is iets aan die vrouw... of misschien komt het door het gevoel van ontoereikendheid dat lange, knappe vrouwen altijd bij hem oproepen. In haar keiharde ogen – die een bijzondere grijze kleur en een bijna minerale hardheid hebben – leest hij haar onverzettelijke wilskracht.

'Ik had gedacht dat juist u zou moeten begrijpen hoe het is om een kind te verliezen. En dat u mij elke mogelijke hulp zou willen bieden.'

Knox zucht, woedend dat ze de Seton-tragedie tegen hem gebruikt, maar hij beseft dat hij zich juist daardoor gewonnen zal geven. Als de jongen inderdaad verdwaald is, wil hij liever niet aan de mogelijke gevolgen denken. En Mackinley hoeft het misschien niet te weten te komen. Als hij uitkijkt, hoeft niemand het te weten.

Hij zegt dat ze 's ochtends maar terug moet komen, heel vroeg, en drukt haar op het hart discreet te zijn. Als ze weg is, slaakt hij een zucht van verlichting. Het zal wel natuurlijk zijn voor een moeder om op te treden in het belang van haar kind, maar hij zou het natuurlijker hebben gevonden (en sympathieker) als ze daarbij was gaan huilen, of zich wat minder hard had opgesteld.

'Meneer Knox!' Mackinley beent zonder kloppen zijn werkkamer binnen. Die man wordt met de dag onverdraaglijker; hij kuiert door het huis alsof het van hem is. 'Ik denk dat een dag extra wel voldoende zal zijn, denkt u niet?'

Knox kijkt hem vermoeid aan. 'Voldoende waarvoor, meneer Mackinley?'

'Om die vent te laten bekennen. Het heeft geen zin om het langer te rekken.'

'En als hij niet bekent?'

'O, dat lijkt me geen probleem.' Mackinley lacht sluw. 'Als je die kerels van hun vrijheid berooft, kruipen ze binnen de kortste keren voor je. Ze kunnen niet tegen opsluiting, het zijn net dieren.'

Knox kijkt hem met een blik vol haat aan. Mackinley merkt het niet.

'Ik wilde het voor het eten nog maar eens proberen.'

'Ik heb dringende bezigheden. Kan het niet wachten?'

'Ik zou niet weten waarom u die moeite zou nemen, meneer Knox. Ik ben meer dan bereid om hem alleen te ondervragen.'

'Het lijkt mij... verstandiger als we beiden aanwezig zijn.'

'Ik geloof niet dat ik gevaar zal lopen.' Hij trekt zijn jasje opzij en laat de revolver zien die hij in zijn riem heeft gestoken. Knox voelt woede in zich opwellen.

'Ik dacht niet zozeer aan uw veiligheid, meneer Mackinley, maar aan de noodzakelijke aanwezigheid van ten minste één getuige.'

'Dan neem ik Adam wel mee, als u zich daar zorgen om maakt. De sleutel, alstublieft.'

Knox bijt op zijn onderlip en trekt de lade open waarin hij de twee sleutels van het pakhuis bewaart. Hij overweegt om zijn plannen te veranderen en toch met hem mee te gaan. Hij krijgt zo langzamerhand het gevoel dat Mackinley de crimineel is, wat natuurlijk niet waar is: hij is een gerespecteerd dienaar van de Company. Hij geeft hem een sleutel en kijkt hem met een geforceerde glimlach aan.

'Adam zal wel in de keuken zijn.'

Als Mackinley weg is hoort Knox dat er in de huiskamer met stemverheffing wordt gesproken. Zijn dochters hebben ruzie. Hij overweegt even om in te grijpen, zoals hij altijd deed toen ze nog klein waren, maar hij kan de energie niet meer opbrengen. Bovendien zijn het nu volwassen vrouwen. Hij luistert naar de bekende geluiden: Susannahs stem, die overgaat in gesnik, Maria's belerende toon, waarover hij zich verbijt, een deur die dichtslaat en dan rennende voetstappen op de trap. Volwassen vrouwen, dat zijn het.

Sturrock was met mevrouw Scott in gesprek en zij kijkt met haar kenmerkende nerveuze blik op, waarschijnlijk omdat ze denkt dat het haar man is die komt ruzie zoeken. Ik krijg de indruk dat ze een vrij intiem gesprek met elkaar hebben gevoerd: als ik de winkel binnenkom, maken ze beiden een subtiele, terugtrekkende beweging, alsof ze daarmee het eind van een onderonsje aanduiden. Ik voel me ontstemd: ik dacht dat ik zijn enige vertrouwelinge was. Het lijkt wel alsof meneer Sturrock er een gewoonte van maakt om op fluistertoon gesprekken te voeren met andermans echtgenotes.

Hij draait zich om naar mij, lacht en buigt zijn zilvergrijze hoofd. 'Mevrouw Ross. U hebt de warmste en vriendelijkste plek in Caulfield gevonden op deze koude dag.'

Ik knik, een beetje stijfjes. Om de een of andere reden verwachtte ik min of meer dat hij me niet meer zou kennen.

'Mag ik u een kopje koffie aanbieden, mevrouw Ross? Van het huis?' Mevrouw Scott kijkt me voor haar doen heel vrijpostig aan. Het lijkt wel alsof ze moed put uit de aanwezigheid van Scott en daarom de koffie van haar man durft uit te delen.

'Dank u. Dat zou heel fijn zijn.'

Ik zou er als het moest zelfs die belachelijk hoge prijs voor willen betalen. Ik voel me koud tot op het bot. Zo koud als in het pakhuis. Zo koud als dat lijk. In tegenstelling tot wat ik tegen Knox heb gezegd, heb ik geen idee of Parker een moordenaar is of niet. Mijn overtuiging dat hij niet weet wat er met Jammet is gebeurd, zwakte direct af toen Adam die deur op slot deed en ik met hem zat opgesloten.

'U hebt helemaal niet verteld dat u meneer Knox kent,' zeg ik meteen, zodat het maar de wereld uit is, al wilde ik dat het minder nukkig klonk.

'O, dat zou kunnen. Neemt u me niet kwalijk.'

'U had ook naar hem kunnen gaan met uw vraag over de bezittingen van Jammet. U had daar niet zelf hoeven te gaan rondsnuffelen als een dief.'

Zoals ik zelf heb gedaan. Ik voel me verraden. Ik vond hem aardiger toen hij even stiekem deed als ik.

'Ik ken meneer Knox nog van vroeger. Ik weet niet of hij me nu nog kent.'

'Weet hij dat u hier bent?'

'Het lijkt me onwaarschijnlijk dat hij dat niet weet.'

'Ik wil niet nieuwsgierig doen. Ik heb alleen het gevoel dat ik in het ongewisse word gelaten.'

We drinken een tijdje zwijgend onze koffie.

'Ik wilde u laatst niet om de tuin leiden, mevrouw Ross, gelooft u me alstublieft. Soms voelt een mens teleurstelling over de rol die hij heeft gespeeld. Iedereen wil toch graag een held zijn? De held van het verhaal, of anders... niets.'

'U hebt vast uw uiterste best gedaan.'

Hij zucht. Ik ben geneigd om hem te geloven, maar dat komt vast meer door zijn charme dan door mijn oordeelkundigheid.

'Als die meisjes er niet meer waren had u ze toch met geen mogelijkheid kunnen vinden.'

Hij glimlacht. 'Maar sommigen beweren, en ik neem aan dat u dat zeker ter ore is gekomen, dat ik te lang heb doorgezocht en dat ik de hoop heb aangewakkerd die eigenlijk opgegeven had moeten worden.'

'Als ouders verkiezen te blijven hopen, kan ze dat door niemand uit het hoofd worden gepraat.'

Het klinkt feller dan ik eigenlijk wilde, en Sturrock kijkt me aan met een blik waar compassie uit spreekt, een blik die ik eerder ook al bij hem heb gezien. Het cynische deel in mij vraagt zich af hoeveel door bezorgdheid gekwelde families die blik al hebben gezien en zich erdoor getroost hebben gevoeld.

Maar in mijn situatie heb ik geen compassie nodig, maar daadkracht.

Iets wat zich al een tijd in mijn binnenste roert, naamloos en angstaan-jagend, krijgt plotseling vorm en wordt kristalhelder. En ik besef dat ik niet langer op andere mensen kan vertrouwen, op niemand. Uiteindelijk stellen ze alleen maar teleur.

Knox hoort dat Sturrock bij de familie Scott logeert. Hij meldt zich bij de meid en Scott komt zelf naar de deur om hem te begroeten. Hij kijkt hem met een intens nieuwsgierige blik aan, maar Knox zegt niets over de reden van zijn komst. Laten ze maar roddelen (dat doen ze toch wel, of hij het toestaat of niet), het gaat ze niets aan. Misschien denken ze wel dat Sturrock ook van de moord wordt verdacht.

Hij wordt naar een kamer achter in het huis gebracht die Scott verhuurt aan kooplui en handelsreizigers. De bediende klopt op de deur, en als Sturrock antwoordt geeft, gaat Knox naar binnen.

Thomas Sturrock is ouder geworden sinds hij hem voor het laatst zag. Maar dat is dan ook al tien jaar geleden, en de tien jaar tussen vijftig en zestig kunnen het verschil maken tussen een man in de bloei van zijn leven en een kindse grijsaard. Knox vraagt zich af of hij zelf ook zo is veranderd. Sturrock is nog even kaarsrecht en verfijnd als vroeger, maar hij lijkt magerder, droger, fragieler. Hij is opgestaan toen Knox binnenkwam, en maskeert zijn verrassing, of wat hij dan ook maar voelt, met een soepele lach.

'Knox. Dat zou me niet moeten verrassen.'

'Sturrock.' Ze schudden elkaar de hand. 'Ik hoop dat je het goed maakt.'

'Ik heb zo het een en ander waarmee ik me kan bezighouden, ook al ben ik gepensioneerd.'

'Mooi. Ik neem aan dat je begrijpt waar ik voor kom?'

Sturrock haalt nadrukkelijk zijn schouders op. Zelfs met die versleten manchetten en die niet meer zo schone broek maakt hij een fatterige indruk. Iets wat niet altijd in zijn voordeel heeft gepleit.

Knox voelt zich ongemakkelijk. Hij was vergeten welke invloed er van Sturrock uitgaat en hij had zichzelf bijna wijsgemaakt dat het verhaal dat in Caulfield de ronde doet waar is.

'Het spijt me dat... nou ja, je weet wel. Ik weet wat de mensen allemaal over je zeggen. Dat kan niet erg prettig voor je zijn.'

Sturrock glimlacht. 'Ik ben niet geneigd ze tegen te spreken, als je je daar soms zorgen over maakt.'

Knox knikt opgelucht. 'Ik maak me vooral zorgen om mijn vrouw. Het zou haar zo'n verdriet bezorgen, en mijn dochters... Dat begrijp je vast wel.'

'Ja, natuurlijk.'

Knox beseft dat hij het niet met hem eens is, dat hij hem niet kan vertrouwen. Hij wil zijn reputatie herstellen.

'Wat brengt jou trouwens naar Caulfield? Ik heb allerlei vreemde verhalen gehoord.'

'Die zullen wel waar zijn,' zegt Sturrock glimlachend.

Op dat moment hoort Knox een geluid achter de deur. Hij staat geluidloos op en doet open. John Scott staat met een blad voor de deur en probeert te kijken alsof hij er net aankomt.

'Ik dacht dat jullie wel een klein borreltje zouden willen,' zegt hij met weinig overtuigende hartelijkheid.

'Dank u.' Knox neemt het blad aan en kijkt met een strenge blik naar Scott. 'Heel attent. U wilde geloof ik vragen of ik een brief zal sturen om uw aanvraag voor een vergoeding te steunen?'

Scotts gezicht betrekt en hij zegt, in een poging om de situatie te redden, op samenzweerderige fluistertoon: 'Wat een boeiende man,' waarbij hij een hoofdbeweging maakt in de richting van Sturrock.

Als Knox naar het verontrustend rode en glanzende gezicht van Scott kijkt, moet hij plotseling denken aan een varken op de boerderij van zijn ouders dat altijd heel koket naar hapjes zocht en daarbij zijn snuit door de heg duwde. Hij is zo verward door dit beeld dat zich plotseling aan hem opdringt dat hij alleen maar knikt en met zijn voet de deur dicht duwt.

Hij zet het blad op tafel. 'Meneer Scott is niet alleen onze kruidenier, molenaar en ondernemer, maar fungeert ook als stadskrant.'

Hij schenkt een glas whisky in voor Sturrock. 'Kan ik misschien nog iets voor je doen? Behalve je een kamer aanbieden in mijn huis, wat... ongepast zou zijn.'

'Aardig dat je het vraagt.' Sturrock lijkt de zaak te overdenken, wat hij niet hoeft te doen. Hij vertelt Knox de reden van zijn komst en Knox belooft zijn best te doen, al verwondert hij zich in stilte over het verzoek. Een halfuur later, en verscheidene dollars lichter, verlaat Knox het huis en merkt dat zijn voeten hem als vanzelf naar het pakhuis brengen dat zich als een donkere, raamloze monoliet aftekent tegen de verlichte huizen.

Buiten blijft hij staan; het is nu bijna helemaal donker, en hij luistert naar geluiden die van binnen komen. Hij hoort niets en pakt de tweede sleutel, in de overtuiging dat Mackinley al is vertrokken.

Zelfs nog voordat zijn ogen aan de duisternis binnen gewend zijn, merkt hij dat er iets is veranderd. De gevangene draait zich niet naar hem om.

'Meneer Parker? Ik ben het, Knox.'

Nu draait de man zich om en toont zijn gezicht. Knox begrijpt even niet wat hij ziet: het ruw uitgebeitelde gezicht lijkt plotseling niet voltooid, of verminkt door een ongelukkig uitgeschoten beitel. Knox rilt als hij de opgezwollen wang en het dikke oog herkent, en het bloed dat de huid donker kleurt.

'Goeie genade, wat is er gebeurd?' roept hij, voordat zijn hoofd zijn woorden heeft ingehaald en hij op zijn onderlip bijt.

'Is het nu uw beurt?' De stem van de man klinkt hard, maar zonder emotie.

'Wat heeft hij gedaan?' Had hij er toch maar op aangedrongen dat hij met Mackinley meeging. Hij had naar zijn twijfels moeten luisteren. Verdomme, die rotvent ook! Nu heeft hij alles verpest.

'Hij dacht dat hij me kon aanmoedigen om alles op te biechten. Maar ik kan niet iets opbiechten wat ik niet heb gedaan.'

Knox ijsbeert geagiteerd heen en weer. Hij denkt aan wat mevrouw Ross heeft gezegd, dat Parker onschuldig is, en hij is geneigd haar te geloven. Knox wordt overvallen door de paniek van een jongleur die te veel ballen in de lucht houdt, en het dringt tot hem door dat een ramp, en de daarmee gepaard gaande vernedering, niet lang meer kan uitblijven.

'Ik zal daar iets voor halen.'

'Er is niets gebroken.'

'Het... het spijt me. Dit had nooit mogen gebeuren.'

'Ik zal u iets vertellen wat ik niet tegen die ander wil zeggen.'

Knox kijkt de man hoopvol aan.

'Laurent had vijanden. En zijn ergste vijanden zaten in de Company. Hij vormde een bedreiging voor hen toen hij nog leefde. Maar nu hij dood is niet meer.'

'Wat voor bedreiging?'

'Hij was de oprichter van de North America Company. Maar vroeger zat hij bij de Hudson Bay Company, net als ik. En de Company houdt niet zo van mensen die zich tegen het bedrijf keren.'

'Wie waren dan zijn vijanden, binnen de Company?'

Er valt een lange stilte.

'Dat weet ik niet.'

Knox voelt de zweetdruppeltjes over zijn borst lopen, ondanks de kou in het pakhuis. Er komt een gedachte in hem op, een stomme, roekeloze maar niet te verdringen gedachte, iets wat niet strookt met wat hij ooit heeft gedaan. En hij weet wat hem te doen staat.

Onder het eten kijkt hij hoe Mackinley steeds jovialer wordt door de wijn en de vrouwelijke aandacht. Zijn stemvolume stijgt naarmate de kleur op zijn wangen toeneemt en hij weidt uit over de heldendaden van de grote mannen van de Company die hij heeft gekend. Hij vertelt over een factor van de Company die een ruzie tussen twee indianenstammen zodanig wist aan te wakkeren dat die in het nadeel van beide partijen uitviel. En over een door hem bewonderde man, een echt buitenmens, die hartje winter het liefst honderden mijlen door de wildernis trok. Zelfs de indiaanse gidsen hadden bewondering voor zijn oriëntatievermogen en overlevingskracht, waarmee was bewezen dat er helemaal niets superieurs is aan de indiaanse vaardigheden in de wildernis, althans niets wat in de juiste omstandigheden niet door een blanke (en zeker een Schot) kan worden geëvenaard.

Knox kijkt naar Mackinley. Hij neemt geen deel aan het gesprek en weet zijn afkeer voor de man verborgen te houden. Straks, na het eten, zal zijn vrouw hem vragen of hij zich wel goed voelt: dan zal hij glimlachen en zeggen dat hij moe is, maar dat er geen reden is voor ongerustheid.

Vanaf nu zal er over hem gesproken worden: de geruchten over zijn incompetentie en zijn ongeschiktheid zullen zich over enorme afstanden verspreiden. Gelukkig is hij al gepensioneerd. Als zijn reputatie de prijs is die hij moet betalen voor gerechtigheid, dan moet dat maar.

Hij heeft al eerder zijn mond gehouden over de waarheid. Dat kan hij nog een keer.

Hemelse Velden

Het is mislukt. Hij ligt hier nu al dagen zwijgend in deze kamer, met nauwelijks de kracht om zich te bewegen. De constante kloppende pijn in zijn linkerbeen houdt hem 's nachts uit de slaap. Vanuit het smalle bed heeft hij eindeloos naar de witgekalkte muren gekeken, de geverfde houten stoelen, de gordijnloze ramen waarachter alleen maar lucht te zien is. Als hij zich opricht en op zijn ellebogen steunt, ziet hij een kleine kerktoren die in een doffe tint rood geverfd is. De lucht is meestal grijs of wit. Of zwart.

Hij rilt niet meer zo erg. Hij heeft waarschijnlijk koorts gekregen nadat hij in het moeras was gevallen. Hij was een rustig, veenachtig water overgestoken, dat zo stil stond dat er olieachtige regenbogen op het oppervlak dreven, toen hij plotseling aan de overkant uitgleed en in het moeras wegzakte. Tot zijn ontzetting ging dat heel snel; hij greep zich vast aan het riet en probeerde zijn bovenlichaam plat op de modder te krijgen om het wegzakken tegen te gaan. Voor zijn geestesoog zag hij zich al helemaal onder het oppervlak gezogen worden, tot de modder zijn mond en neus binnendrong en zijn luchtpijp vulde. Hij schreeuwde het uit, wat meer bedoeld was als strijdkreet dan als hulpgeroep, want hij was zich er pijnlijk van bewust dat dat hier toch geen enkele zin had. Het leek uren te duren voordat hij zich uit de modder wist te werken en zich aan een paar bosbessenstruiken op de bruinige oever kon trekken. Bosbessenstruiken waren goed, veilig, want hun wortels stonden in stevige, rotsachtige grond. Hij ging uitgeput liggen. Er was iets ergs gebeurd met zijn linkerbeen; toen hij probeerde te gaan staan, klapte het onder hem weg en moest hij bijna braken van de pijn in zijn knie. Er kwam niets uit zijn maag, want hij had al drie dagen niet meer fatsoenlijk gegeten. Of was het al langer geleden?

Hij kan zich niet meer herinneren dat hij werd gevonden en hierheen werd gebracht, waar hij nu dan ook mag zijn. Hij werd wakker in deze witte kamer en vroeg zich af of dit de dood was: een saaie, volkomen witte ruimte waar engelen in- en uitzweven en vreemde klanken voortbrengen.

Toen de koorts afnam, realiseerde hij zich dat de kamer niet totaal kleurloos was en dat de engelen op de grond liepen en heel gewone mensen waren, al kon hij ze niet verstaan.

Er zijn twee vrouwen die hem verzorgen, hem soep voeren en dingen doen waarvan hij moet blozen. Maar ze zijn ongeveer even oud als zijn moeder en ze behandelen hem als hun eigen kind. Ze zijn kordaat en flink: ze wassen hem, verschonen zijn lakens, strelen zijn haar. Gisteren – volgens hem was het gisteren – kwam er een man binnen; hij sprak met een van de vrouwen en keek vanaf een schijnbaar enorme hoogte op hem neer. Die man was ongeveer even oud als zijn vader, hij had een volle baard, heel ouderwets, en doordringende ogen die hem aan geitenogen deden denken.

'Etes vous Français?' vroeg hij met een vreemd accent. Francis schrok omdat hij blijkbaar zijn naam kende, maar toen herkende hij het Franse woord. Hij wist niet wat hij moest zeggen. Er is zoveel dat hij niet weet. De man draaide zich om naar de vrouw en sprak tegen haar met die vreemde keelklanken.

'Enk-lish?'

Francis keek de man aan en besloot dat hij helemaal niets zou zeggen. Dat was waarschijnlijk het beste.

De man en de vrouw keken elkaar aan. De man haalde zijn schouders op, vouwde zijn handen en begon te praten. Na een tijdje drong het tot Francis door dat hij bad. De vrouw bad ook, maar dan zwijgend, terwijl ze naar de man luisterde. Ze droegen simpele kleren, van grove stof in zwarte, witte en grijze kleuren, net als de lucht hier.

Hij begint zich, sinds een uur ongeveer, dingen te herinneren: dat hij mijlenver langs de rivieroever sjokte, dwars door het bos, verder dan hij ooit was gegaan, achter het spoor van de man aan. Hij had hem niet teruggezien sinds die nacht in de blokhut en zijn vaardigheden als spoorzoeker waren danig op de proef gesteld. Maar het terrein was hem gunstig gezind. Steeds als hij dacht dat hij verkeerd gelopen was, als hij urenlang naar de grond had lopen staren zonder een spoor te zien en de conclusie moest trekken dat de man een andere kant op moest zijn gegaan, zag hij weer een ander teken: de afdruk van een mocassin in de bladeren, door pis gesmolten en verkleurde sneeuw. De resten van een vuur, haastig met bladeren bedekt. Hij vroeg zich af wanneer die man eigenlijk at. Hij had nog nooit meegemaakt dat iemand zo snel reisde.

Francis had zelf maar één keer een vuur durven maken. Daarna had hij niet geslapen, doodsbang dat de man had gemerkt dat hij werd gevolgd en naar hem op zoek ging. Maar er was niets gebeurd. Hij had ervoor gezorgd dat hij niet te dichtbij kwam en keek goed uit voor valstrikken. Uiteindelijk werd die voorzichtigheid hem noodlottig, want op de vierde dag raakte hij het spoor kwijt. Het liep eerst omhoog, het bos uit, in noordwestelijke richting door een verlaten, boomloos terrein; een moerasachtig plateau met alleen wat struiken, waar hij langzaam vorderde door de vele plassen terwijl de noordenwind door zijn jas van wolfspels sneed. Hij liep langzaam: hij was gewend geraakt aan de beschutting van de bomen en was bang dat hij op open terrein gezien zou worden. Na een paar uur was hij bijna in weer een andere rivier gevallen die zich door olieachtige zandbanken boorde en een soort kanaal had gevormd. Het water was ondoorzichtig en hij zag niet waar zijn voorganger erdoorheen was gegaan. Hij aarzelde. Hij zat in de val. Hier werd hij, voor het eerst, echt bang. Hij was natuurlijk steeds al bang geweest, maar nu drong het tot hem door dat het land hem in zijn greep had, dat het hem zou laten sterven en dat hij nooit zou worden teruggevonden. Zijn beenderen zouden hier achterblijven, gebleekt en uitgesleten zoals de hertenskeletten die hij om zich heen zag. Hij ploeterde door, tot zijn middel in het water, tot het allang donker was. Hij riep zelfs, voor het geval de man in de buurt was; als hij hem dan zou doden, zou dat in elk geval snel gebeuren. En door mensenhand. Maar op de een of andere manier wist hij zich toch uit het moeras te trekken. Daarna hadden zijn krachten het begeven: hij was totaal uitgeput, verzwakt en ijskoud, en verloor het bewustzijn. Hij had gefaald.

Hij denkt dat het nu middag is: hij heeft een uur geleden soep gehad en daarna heeft een van de vrouwen, die met het donkere haar, hem op de vernederende beddenpan geholpen. Hij wendde zijn ogen van haar af, waarop zij had gelachen, alsof ze hem echt heel grappig vond. Zij leek het helemaal niet gênant te vinden.

Hij ziet nergens zijn kleren, maar hij weet niet of hij daarnaar moet vragen en zo ja, hoe hij dat moet doen. Hij zou het de man kunnen vragen als die terugkomt. Maar het lijkt hem ook wel wat om helemaal niets te zeggen. Als hij niet praat zal niemand iets aan hem vragen. Hij vindt het jammer dat hij heeft gefaald, maar hij heeft gedaan wat hij kon. Zijn redenen om op pad te gaan lijken nu zo vaag, iets uit een andere wereld. Een pijnlijke wereld, één waarnaar hij niet graag wil terugkeren. Maar allereerst is het van belang om te achterhalen waar dat stuk bot is.

Als een van de vrouwen later terugkomt, die met het dunne, blonde haar die zo hard lacht, probeert hij het met gebaren. Ze doet hem door haar aardse, praktische manier van doen een beetje denken aan de moeder van Ida. Terwijl ze met hem bezig is, de dekens instopt en aan zijn voorhoofd voelt, vangt hij haar blik en houdt die vast. Dan strijkt hij met zijn beide handen over zijn tegenoverliggende armen en doet alsof hij een jas aantrekt; daarna houdt hij zijn handen vragend omhoog. Ze begrijpt het, trekt aan haar eigen rok en laat een stroom hoekige woorden op hem los. Hij lacht, het is fijn om iemand aan zijn kant te hebben. Hij doet alsof hij op zijn handpalm schrijft en tekent de vorm van het stuk bot in de lucht. Ze fronst haar wenkbrauwen, maar lijkt dan te snappen wat hij bedoelt. Ze kijkt hem afkeurend aan, maar verlaat de kamer.

Op een avond, maanden geleden, had Laurent het stuk bot uit de geheime bergplaats gehaald (hij was op dat moment dronken) om het aan Francis te laten zien. Samen hadden ze de kleine poppetjes bekeken en de hoekige tekens die op schrift leken. Laurent dacht dat Francis misschien wel zou weten wat het voorstelde. Francis dacht aan de Egyptische hiëroglyfen en de oude Griekse letters die hij op school had gezien en op de plaatjes in de boeken van zijn moeder, maar hij kon zich niets herinneren wat op deze tekens leek. Je kon alleen aan de poppetjes, die rondom stonden afgebeeld, zien hoe je de tekens rechtop moest houden. Laurent vertelde dat hij het bot van een handelaar uit de Verenigde Staten had gekocht en dat hij een man uit Toronto had ontmoet die er veel geld voor wilde betalen. Ze hadden samen gelachen om die rare rijken. Later had hij gezegd dat Francis het wel mocht hebben. Francis had geweigerd, uit angst voor het onbekende. Wie weet stond er wel een vloek op dat bot. Maar Laurent had aangedrongen, dus toen hij het later toch had meegenomen, was dat geen diefstal geweest. Wat die andere spullen betreft: die moest hij wel meenemen om te overleven. Hij zou het geweer ook hebben meegenomen als hij het had kunnen vinden. Een stem in zijn binnenste, die klinkt als de jongens die hij al die jaren op de dorpsschool heeft moeten verdragen, zegt: en wat had je daar dan mee gedaan, met dat geweer? Je kunt nog niet eens een konijn doodschieten.

Als hij zijn ogen weer opent, zit de man met de baard naast zijn bed. Hij legt een boek neer; hij heeft zitten lezen terwijl Francis sliep. Francis ziet de titel van het boek, maar dat is een onbegrijpelijke wirwar van letters. De man lacht naar hem. Zijn tanden zijn verkleurd, wat des te meer opvalt doordat zijn lippen zo rood zijn. Francis kijkt hem strak aan, maar blijkbaar verzachten zijn trekken toch een beetje, want de man begint stralend te lachen en klopt hem op zijn schouder. Hij vraagt hem opnieuw of hij Frans of Engels is. Francis is op het idee gekomen dat de mensen die hem hebben gevonden misschien de man hebben gezien die hij volgde. En die is misschien zelfs wel hier! Als hij besluit niet te praten, besluit hij daarmee ook de hoop op te geven om die man op te sporen. En tot zijn eigen verbazing is hij daartoe nog niet bereid.

Hij bevochtigt zijn lippen, die droog en vies zijn. 'Engels,' zegt hij hees. 'Engels! Mooi zo!' De man is dolblij. 'Hoe heet je?'

Francis aarzelt een fractie van een seconde, en dan zegt hij zonder erover na te denken: 'Laurent.'

'Laurent? Ah. Laurent. Ja, mooi. Ik ben Per.' Hij kijkt om en roept: 'Britta, *kommer du?*'

De blonde vrouw, die blijkbaar ergens in de buurt was, komt binnen en glimlacht naar Francis. Per spreekt met haar in hun taal.

'Laurent. Welkom,' zegt ze.

'Zij spreekt niet veel Engels. Mijn Engels is het best. Weet je waar je bent?' Francis schudt zijn hoofd.

'In Himmelvanger. Dat betekent Hemelse Velden. Mooie naam, niet?'

Francis knikt. Hij heeft er nooit van gehoord. Welke rivier...?' Zijn stem klinkt nog steeds vreemd en zwak.

'Rivier? Ah, waar we jou hebben gevonden, ja. Ah, een rivier zonder naam. Jens was gaan jagen... en zag jou. Heel verbaasd!' Per doet een man na die aan het jagen is maar in plaats van hazen een jongen vindt.

Francis lacht, zo goed en zo kwaad als het gaat. Zijn mond vindt dat lastig.

'Mag ik met Jens praten?'

Per kijkt verbaasd. 'Ja, natuurlijk. Maar nu... je bent ziek. Slapen en eten. Beter worden. Britta en Line zorgen goed voor je, ja?'

Francis knikt. Hij glimlacht naar Britta, die onverwacht begint te giechelen.

Per buigt zich voorover en pakt de kleren van Francis.

'Allemaal schoon, ja? En dit...' Hij pakt de tas van Laurent en geeft hem aan Francis.

'Dank u, heel hartelijk bedankt. En bedank... Jens, dat hij me heeft gevonden. Ik hoop dat ik hem snel kan spreken.'

De anderen lachen en knikken.

Britta zegt iets tegen Per, die zijn stoel met een schrapend geluid naar achteren schuift en met een tevreden grom opstaat.

'Nu jij moet slapen. Britta zegt dat. Ja?'

Francis knikt.

Hij laat zijn gedachten afdwalen naar huis, naar zijn ouders. Ze zullen wel bezorgd zijn, maar of ze bezorgd genoeg zullen zijn om achter hem aan te komen is nog maar de vraag. Laurent zal inmiddels wel gevonden zijn. Wat zullen ze denken? Dat hij het heeft gedaan?

Dat idee maakt hem bijna aan het lachen.

Line is buiten met Torbin en Anna als Britta naar buiten komt om te zeggen dat de jongen iets heeft gezegd. Line vindt het vreemd dat een Engelse jongen Laurent heet. Vroeger, toen Janni nog leefde, kende ze een Fransman die Laurent heette. Zij spreekt beter Engels dan iedereen hier, zelfs beter dan Per, dus ze is stiekem blij. Ze heeft steeds al het gevoel gehad dat er een beschermende kracht van die jongen uitgaat, zelfs toen Jens hem hier bracht, liggend achter op zijn pony. Nu lijkt dat te worden gerechtvaardigd, want zij kan de schakel vormen tussen hem en de anderen.

Torbin en Anna rennen op haar af, tussen de kakelende kippen door, en luisteren nieuwsgierig mee.

'Mogen we hem nu zien?' vraagt Torbin. Zijn gezicht is rood van de kou.

'Nee, nog niet. Hij is heel zwak, dat zou veel te vermoeiend zijn.'

'We zullen heel zacht doen, als muizen, als piepkleine muizen!' Anna begint zachte piepgeluidjes te maken.

'Binnenkort,' zegt Line. 'Als hij uit bed mag en kan lopen.'

'Net als Lazarus,' reageert Anna, die de vreemdeling meteen in haar door Himmelvanger gevormde wereld wil passen.

'Niet helemaal zoals Lazarus, want hij was niet echt dood.'

'Wel bijna, toch?' Torbin hoopt op nog meer dramatische details.

'Ja, wel bijna. Hij was bewusteloos.'

'Ja, kijk eens mama, zo!' Torbin werpt zich in de sneeuw en doet alsof hij bewusteloos is, waarbij volgens hem ook hoort dat zijn tong uit de mond hangt. Line glimlacht. Torbin kan haar altijd aan het lachen maken. Hij is zo onbedwingbaar en onverwoestbaar als een rubberbal. Ze vindt dat hij niet erg op Janni lijkt, terwijl Anna juist Janni's evenbeeld is, met die brede jukbeenderen, het bruine haar, de fjorddiepe blauwe ogen. En ze heeft een onvoorstelbaar lieve lach, die maar een paar keer per jaar te zien is, maar door die zeldzaamheid des te verpletterender is.

De kinderen stappen uit de kippenren en lopen over het erf. Line moet de kippen voeren en daarna Britta helpen met de quilts. Ze is niet vaak alleen, maar dat is niet de reden dat ze zich nu hier in het kippenhok heeft teruggetrokken. Ze vindt het prettig om hier te zijn, in dit stevige bouwwerk dat de winterse stormen moet weerstaan, met een steil dak waar de sneeuw snel vanaf glijdt. Alle gebouwen van Himmelvanger hebben die prettige stevigheid. Alles is heel degelijk gebouwd, omdat het gebouwd is voor God: de zwaluwstaartverbindingen, de spouwmuren, de schuine lijnen van de daken die netjes zijn gedekt met hartvormige houten pannen. Het torentje op de kleine kapel, met het beschilderde kruis. Al tien jaar weerstaat het de ergste stormen die de Canadese winter eropaf stuurt. God beschermt hen.

En deze mensen hebben haar met vriendelijkheid en genade opgenomen, al geven ze haar wel veel adviezen. Je moet meer bidden, Line, je moet vertrouwen op God, en je werk moet doordrenkt zijn met geloof, want dat maakt je leven zinvol. Je moet niet treuren om Janni, want hij is nu bij God, dus hij is gelukkig. Ze heeft al die adviezen geprobeerd op te volgen, want ze dankt haar leven aan hen. Toen Janni verdween – ze vindt het nog steeds moeilijk om 'stierf' te zeggen, zelfs tegen zichzelf – had ze twee kleine kinderen en geen geld. Ze werd uit haar huis gezet en ze konden nergens heen. Ze had overwogen om terug te gaan naar Noorwegen, maar ze kon de overtocht niet betalen. Ze had er zelfs over gedacht om met haar kinderen in de St. Lawrence te springen. Maar toen had een vriend van haar over Himmelvanger verteld. Het vooruitzicht dat ze in een strengreligieuze gemeenschap zou gaan wonen was zó absurd dat het bijna komisch was. Maar het waren ook Noren en ze zaten te springen om harde werkers. En het belangrijkste was dat ze geen geld vroegen.

Ironisch genoeg moest ze dezelfde kant uit als Janni op zijn laatste reis, althans de laatste keer dat ze hem had gezien. Hij was op zoek naar werk en hij had een andere Noor ontmoet die voor de Hudson Bay Company ging werken. Ze betaalden goed, maar het was ver weg, in het noordwesten, in Rupert's Land. Hij zou Line en de kinderen meer dan een jaar niet zien, maar daarna zouden ze volgens hem genoeg geld hebben om een huis te kopen. Het zou een snelle manier zijn om het leven te krijgen dat ze wilden: een eigen huis en een stukje grond. Line zou niet meer andermans vieze kleren hoeven te wassen en hij zou zich niet meer hoeven te verbijten en voor idioten hoeven te werken.

Toen hij weg was kreeg ze maar één brief. Janni was niet zo'n schrijver, dus ze had ook geen gepassioneerde liefdesbrieven verwacht, maar één brief in een halfjaar vond ze toch wel een beetje kwetsend. Hij schreef dat het niet helemaal liep zoals hij had verwacht: hij en zijn vriend waren ingedeeld bij een groep Noorse gevangenen die de Company hierheen had gehaald. De mannen waren ruw en gewelddadig, vormden een kliekje en lieten andere werknemers links liggen. Janni voelde zich niet op zijn gemak tussen die mannen, maar nationaliteit telde blijkbaar zwaarder dan eerlijkheid. Hij schreef dat hij het met sommige mannen wel kon vinden en dat hij zich erop verheugde om Line en de kinderen de volgende zomer terug te zien, en samen met haar een plek uit te kiezen voor hun nieuwe huis. Verder geen liefdesverklaringen, geen lieve woordjes. Het had evengoed een brief aan zijn tante kunnen zijn. En daarna had ze niets meer gehoord, helemaal niets.

Toen het zomer werd, wachtte ze ongeduldig af en vroeg allerlei mensen of ze iets hadden gehoord. Het was warm en vochtig in Toronto, de kinderen hadden veel last van grote, zwarte vliegen en in de kleine, benauwde kamers die ze hadden gehuurd hing een vieze rioollucht. 's Nachts droomde ze van weidse landschappen zonder mensen, overdekt met koude, maagdelijke witte sneeuw, maar dan werd ze zwetend wakker en krabde aan de nieuwe insectenbeten. Ze raakte slechtgehumeurd en prikkelbaar. In juli kreeg ze een brief die was gericht aan 'De familie van Jan Fjelstad.' Hij was naar een verkeerd adres gestuurd, opengemaakt en opnieuw geadresseerd in een kinderlijk handschrift. In stijve, formele zinnen werd tot spijt van de schrijver meegedeeld dat haar man tot een groep Noren behoorde die afgelopen januari waren gedeserteerd uit de handelspost, met medeneming van waardevolle eigendommen van de Company. Ze waren in de wildernis verdwenen en zonder twijfel omgekomen in de sneeuwstormen die die maand hadden gewoed. Maar, werd met zorgvuldigheid benadrukt, als ze door een vreemd toeval niet waren omgekomen, moesten ze worden beschouwd als voortvluchtige misdadigers.

Eerst kon Line het gewoon niet geloven. Ze bleef wachten tot haar man kwam opdagen, in de veronderstelling dat er sprake moest zijn van een persoonsverwisseling. Die Engelsen vonden al die Noorse namen heel verwarrend, zei ze tegen zichzelf. Ze kon niet geloven dat Janni iets zou stelen, dat was niets voor hem.

Ze ging naar het kantoor van de Company in Toronto en eiste dat ze iemand te spreken zou krijgen, waarop ze door een Engelse jongeman met rossig haar werd ontvangen in een klein kantoortje. Hij was beleefd en verontschuldigend, maar hij zei dat er geen reden was om te twijfelen aan wat er in de brief werd beweerd. Hij wist zelf niet precies wie er bij die desertie betrokken waren, maar hij zei dat ze er niet van uit moesten gaan dat wat in die brief stond niet klopte. Line was tegen die jongen tekeer gegaan; hij scheen niet te begrijpen dat hij het had over de dood van haar echtgenoot, over het einde van al haar hoop. Ze liep het gebouw uit en wachtte thuis verder af.

Maar de weken kropen voorbij en hij kwam niet terug. Haar geld raakte op. Uiteindelijk deed het er niet meer toe wat ze geloofde of niet en wat de waarheid was; ze moest een besluit nemen. Op een ochtend in september begon ze met de kinderen aan de reis van drie weken naar het oord met de idiote naam Himmelvanger, een reis die bijna even ver was als de voorlaatste reis van Janni naar het al even idioot klinkende Moose Factory.

Dat was drie jaar geleden en ze was gewend geraakt aan haar nieuwe leven. Aanvankelijk was ze ervan overtuigd dat Janni haar zou vinden; voordat ze uit Toronto waren vertrokken had ze aan iedereen verteld waar ze naartoe gingen. Op een dag zou hij op een groot paard het erf op komen rijden en haar naam roepen; dan zou ze alles uit haar handen laten vallen en naar hem toe rennen. Ze dacht daar bijna elke dag aan. Later gaf ze zich niet meer over aan die fantasie. Ze raakte lusteloos en gedeprimeerd, tot Sigi Jordal haar aanmoedigde om haar in vertrouwen te nemen. Line huilde, voor het eerst sinds ze hier was, en ze biechtte Sigi op dat ze soms liever dood wilde. Dat had ze beter niet kunnen doen. Vanaf dat moment kwamen de leden van de gemeenschap er bij toerbeurt bij haar op aandringen dat ze berouw moest tonen voor de doodzonde van de moedeloosheid, dat ze God in haar hart moest verwelkomen en Hem moest toestaan haar wanhoop uit te bannen. Ze verzekerde hen er snel van dat ze God (plotseling) in haar hart had gesloten en dat Hij haar had weggeleid uit het donkere dal der smarten. Op de een of andere manier putte ze troost uit die huichelarij, en zo nu en dan vroeg ze zich zelfs af of ze er niet toch een beetje in geloofde. Dan ging ze in de kapel zitten en keek naar het invallende zonlicht, naar een dwarrelend stofje, tot haar ogen er pijn van deden. Ze vond het prettig om haar gedachten de vrije loop te laten. Ze bad niet, maar ze voelde zich ook niet alleen.

Het was ongeveer in die periode dat Espen Moland haar bijzondere aandacht begon te geven. Hij was getrouwd (de gemeenschap was eigenlijk alleen bedoeld voor gezinnen) en zijn kinderen speelden met Torbin en Anna, maar zijn belangstelling voor haar was niet louter spiritueel. Ze was in het begin erg op haar hoede, want ze wist dat zulke dingen tegen de voorschriften waren, maar stiekem genoot ze ervan. Espen gaf haar weer het gevoel dat ze mooi was. Hij zei dat ze de knapste vrouw van Himmelvanger was en dat ze hem helemaal gek maakte. Line schudde afkeurend haar hoofd, maar ze vond hem al even aantrekkelijk. Niet dat Espen knap was, zoals Janni, maar hij was snel en geestig en hij had altijd het laatste woord in een discussie of een woordenwisseling. Het was fijn om zulke gepassioneerde woorden te horen van een man die altijd grapjes maakte en het liet haar niet onberoerd. Uiteindelijk, nu enkele maanden geleden, waren ze gaan zondigen. Dat was hoe zij erover dacht, hoewel ze zich niet schuldig voelde. Alleen behoedzaam en angstvallig. Ze kon zich geen tweede ramp veroorloven.

Line hoort hem nu aankomen; hij fluit zo'n zelfbedacht deuntje. Komt hij naar het kippenhok? Ja, de deur gaat open.

'Line! Ik heb je de hele dag nog niet gezien!'

'Ik moet hard werken, dat weet je toch?'

'Jawel, maar als ik je niet zie word ik zo verdrietig.'

'Ja, dat zal wel.'

'Ik kom het gat in het dak repareren.'

Hij heeft zijn gereedschapsriem om; hij is de timmerman van Himmelvanger. Line kijkt omhoog naar het dak.

'Er is helemaal geen gat.'

'Nee, maar dat had toch gekund, dat er een gat was. Je kunt niet voorzichtig genoeg zijn. Stel je voor dat de eieren nat regenen!'

Ze begint te giechelen. Espen maakt haar altijd aan het lachen, zelfs met de stomste dingen. Hij heeft zijn arm om haar middel gelegd en drukt haar tegen zich aan. Ze krijgt dat vertrouwde, smeltende gevoel dat ze in zijn aanwezigheid altijd krijgt.

'Britta wacht op me.'

'Nou en? Een paar minuten maakt toch niet uit?'

Het is zo moeilijk om je te gedragen zoals het hoort, zelfs in een strengreligieuze gemeenschap zoals deze. Hij kust haar hals, zijn lippen voelen warm op haar huid. Als ze nu niet weggaat is ze verloren.

'Het is nu niet zo'n goed moment.' Ze wurmt zich los, zwaar ademend.

'Jezus, wat zie je er vandaag mooi uit. Ik zou...'

'Hou op!'

Ze is dol op die smekende blik in zijn ogen. Het is fijn om te voelen dat ze iemand gelukkig kan maken, alleen al door hem aan te raken. Maar als ze niet ogenblikkelijk uit het kippenhok weggaat, begint hij misschien van die woorden tegen haar te zeggen waarvan het bloed haar naar het hoofd stijgt en die haar verstand uitschakelen. Vieze, obscene woorden die zij nooit over haar lippen zou kunnen krijgen, maar die een ongewone, bijna magische kracht op haar uitoefenen. Zulke dingen zou Janni nooit zeggen, maar dat was toch al niet zo'n prater. Ze heeft zich trouwens nooit eerder zo gevoeld zoals nu bij Espen: ze schrikt er soms van hoe snel ze verandert, alsof ze door een stroomversnelling vaart in een vederlichte kano: opgetogen, uitgelaten, maar onzeker of ze zichzelf nog wel in de hand heeft.

Ze dwingt zichzelf om weg te lopen terwijl haar lichaam naar hem hunkert; op het allerlaatste moment lacht ze naar hem, zodat hij niet zal denken – God verhoede het! – dat ze niet meer in hem geïnteresseerd is.

Als ze het kippenhok uit is, probeert ze die lach van haar gezicht te halen door aan iets anders te denken, iets afstotelijks, de geur van varkens bijvoorbeeld, niet aan Espen met zijn lieve, verleidelijke mond. Ze moet straks met Britta aan die quilts werken en de laatste tijd kijkt die haar soms zo achterdochtig en vragend aan. Ze kan het onmogelijk weten, maar misschien ziet ze iets aan haar dat haar verraadt. Ze denkt aan die zieke jongen, om te ontnuchteren, maar op de een of andere manier heeft dat nu niet het gewenste effect. In plaats daarvan ziet ze voor zich dat ze de lakens optilt en naar zijn naakte lichaam kijkt. Ze heeft gezien wat hij daar heeft, die aantrekkelijke goudbruine huid, die zo glad aanvoelt...

O, god! Espen heeft haar helemaal bedorven! Misschien moet ze even naar de kapel gaan om te bidden en om te proberen of ze daar een gepast gevoel van schaamte kan oproepen.

Het vriest. Van de vijf dagen dat ze het spoor volgen is het vandaag het koudst. Er staat een snijdende poolwind en de hagel striemt hen in het gezicht. Donalds ogen tranen ervan; zijn natte wangen bevriezen meteen, waardoor de huid openbarst. Er komt ook vocht in zijn snor terecht, die meteen bevriest. Hij wikkelt zijn das om de onderkant van zijn gezicht, maar als de das bevriest door de condens van zijn adem, doet hij hem gauw weer af, voordat hij stikt. Hij is koud en uitgeput, ook al draagt Jacob het leeuwendeel van de bepakking omdat Donald hem anders niet kan bijhouden.

Na de tweede dag begon elke beweging pijn te doen. Hij had zichzelf altijd als redelijk sterk en fit beschouwd, maar hij merkt dat zijn uithoudingsvermogen nu pas echt op de proef wordt gesteld. Jacob loopt voor hem uit, met de zware bepakking op zijn schouders, en volgt nauwkeurig het spoor. Als ze aan het einde van de middag stoppen, is het Jacob die hout verzamelt, een vuur aanlegt en takken snijdt voor hun schuilplaats voor de nacht. In het begin stond Donald erop dat hij zijn aandeel deed, maar hij was gewoon te onhandig en te moe, en het kamp was veel eerder klaar als hij Jacob zijn gang liet gaan. Jacob droeg hem vriendelijk maar vastberaden op te blijven zitten en zich te concentreren op aan de kook brengen van het water.

Vanochtend vroeg zijn ze het bos uitgekomen en aan de oversteek van een kaal, glooiend plateau begonnen waar geen enkele beschutting meer is voor de wind vanuit de bevroren Hudson Bay. Ondanks zijn dikke kleren veroorzaakt die wind scherpe, gemene steken in Donalds gevoelige delen. Al snel blijkt dat het plateau in feite een enorm moeras is, met poelen donker, uit de bodem opgeweld water, aan de rand bedekt met een laag ijs. Rietstengels en een soort wilgenstruikjes vangen de stuifsneeuw en houden die met een wirwar van stengels vast. Het is onmogelijk om steeds een stevige ondergrond te vinden en Jacob heeft zijn pogingen om droge voeten te houden moeten staken; hij ploetert met meedogenloos monotone tred over richels en door kuilen. Hoe vastberaden hij ook is om het tempo bij te houden: hij heeft al drie keer naar Jacob moeten roepen of het wat langzamer kan en Jacob blijft zo nu en dan staan tot hij hem heeft ingehaald. Hij krijgt het voor elkaar om dat te doen zonder Donald een onbeholpen gevoel te geven, maar wendt voor dat hij even wacht om Donald te informeren over het spoor dat ze nog steeds volgen. Dat gaat in dit landschap duidelijk veel minder gemakkelijk, maar Donald luistert met steeds grotere desinteresse. Gisteren kon het hem al bijna niet meer schelen of ze die jongen ooit zouden vinden, maar vandaag is de gedachte bij hem opgekomen dat zij misschien nooit meer van deze reis terugkeren. En eigenlijk kan hem dat ook al niet veel meer schelen.

Ze zien onderweg steeds meer kadavers van dieren. Nu komen ze langs het skelet van een hert, dat daar al enige tijd moet liggen omdat het is schoongevreten maar nog een donkere, geelbruine kleur heeft. De schedel, die vlak bij de beenderen ligt, is naar hen toegewend, kijkt met lege oogkassen naar Donald, en wijst hem op de nutteloosheid van de hele onderneming.

Donald probeert zijn gedachten te verzetten, een deur te sluiten tussen wat zijn lichaam doorstaat en wat hij voelt; hij denkt aan Susannah, maar in plaats daarvan hoort hij tot zijn grote teleurstelling de prekerige stem van zijn vader: 'De geest is sterk, Donnie. De geest is sterk. Je moet erboven staan! We moeten allemaal wel eens zin maken!' Hij voelt de irritaties uit zijn jeugd als moerasgas naar boven borrelen. Zijn vader, een boekhouder in Bearsden, heeft nooit in de Canadese winter door een onafzienbaar moeras hoeven lopen.

Weggestopt in zijn hemd, op zijn hart, bewaart hij drie brieven aan Susannah. Hij is teleurgesteld door zijn matige welbespraaktheid, maar hij troost zich met de gedachte dat het ook wel erg moeilijk is om mooi proza te schrijven terwijl je intussen dicht genoeg bij het vuur moet kruipen om te kunnen zien wat je schrijft zonder je haar in lichterlaaie te zetten. Hij vreest dat de brieven nogal smoezelig en vettig zijn geworden en waarschijnlijk ook erg naar rook stinken. Misschien, als ze ooit nog de beschaafde wereld bereiken, kan hij ze overschrijven op schoon papier, of zelfs helemaal overnieuw beginnen, in een betere, literaire stijl. Dat is waarschijnlijk het beste.

Om vier uur 's middags raakt Jacob in de war. Hij laat Donald wachten en loopt speurend rond. Dan gebaart hij dat Donald door kan lopen. Donald vloekt in stilte om de verspilde tijd, maar hij is te uitgeput om te vragen wat er aan de hand is. Het sneeuwt een beetje en het zicht is slecht. De lucht voelt tegelijk nat en bijtend aan. Jacob blaast langzaam zijn adem uit, iets wat hij altijd doet als hij hard nadenkt.

'Ik denk dat ze hier een verschillende kant op zijn gegaan.'

Donald kijkt naar de grond, maar hij ziet helemaal niets wat erop wijst dat hier iemand is geweest.

'Ze zijn allebei op dezelfde plek het bos uit gekomen. Tot dat punt was het spoor heel duidelijk, maar volgens mij ging de tweede man wel langzamer. Hier gaat het ene spoor die richting uit en buigt het andere af, want daar zie je een bevroren voetstap in de modder. Maar het is erg moeilijk te zien in dat moeras. Ik denk dat de tweede hier het spoor is kwijtgeraakt en de verkeerde kant op is gelopen...' Dan wijst hij naar een plek waar de grond een beetje is ingedrukt. 'Kijk, het lijkt erop dat iemand daar vast is komen te zitten en daarna toch weer verder is gegaan. Dat ik dat niet eerder heb gezien.'

Donald stemt daar zwijgend mee in. 'En denk jij dat dat tweede spoor van Ross is?'

'Het eerste is van iemand die heel snel ging, iemand die eraan gewend is om grote afstanden af te leggen, die de route kent en niet steeds hoefde te stoppen om te kijken hoe hij het beste kon lopen. Dus ik denk dat het tweede spoor van die jongen is. En dat hij erg vermoeid was.'

'Maar waar gaan ze in godsnaam heen? Dat bos is nog tot daar aan toe, maar hier... Kijk dan, hier kan toch niemand leven!'

Zo ver ze kunnen kijken zijn er alleen maar struiken en die vervloekte waterpoelen. Er is in dit landschap niets wat als aantrekkelijk zou kunnen worden beschouwd: niet het contrast tussen bergen en valleien, geen meren, geen bossen. Als dit gebied al karakter heeft, dan is het naargeestig, armzalig en vijandig.

'Ik ken dit gebied niet zo goed,' zegt Jacob, 'maar er zijn nog wel posten, verder naar het noorden.'

'Mijn god. Wat een arme stakkers die daar moeten wonen.'

Jacob glimlacht. Ze hebben zich met opluchting de rol van leerling en leermeester aangemeten. Dat maakt het gemakkelijker om te bedenken wat ze moeten zeggen. En gemakkelijker om te voorspellen hoe de ander zal reageren. De afgelopen dagen is een vertrouwde dagelijkse gang van zaken ontstaan.

'Overal wonen mensen. Maar dit gebied wordt *Hongerland* genoemd.'

Donald vloekt. 'Dan kunnen we hem beter zo snel mogelijk opsporen.' Wat er anders zal gebeuren hoeft hij niet te zeggen.

'Misschien was de eerste man wel op weg naar een van de handelsposten daar.' Jacob wijst in de gierende storm in een richting die er, net als alle andere richtingen, niet veelbelovend uitziet.

'En de tweede?'

'Dat weet ik niet. Misschien is hij wel verdwaald.'

Ze vervolgen tergend langzaam hun weg, over graspollen en rotsen die hier en daar tussen de moerasvegetatie staan en die soms opvallende kleuren hebben: donkergroen, of paars, of vaaloranje. De zwarte plassen zijn meestal hardbevroren, maar hier en daar schiet Donald met een voet dwars door de ijslaag en zakt weg in donker, modderig, ijskoud water. De gedachte dat ze alleen maar een lijk zullen vinden, iets wat nu zeker niet onwaarschijnlijk lijkt, vervult Donald met ontzetting. Hoe lang kan iemand hier overleven, in z'n eentje, verdwaald? Hij houdt zich voor dat ze niet ver achterliggen op die jongen, maar de morbide gedachte komt in hem op dat Jacob hem misschien onopzettelijk achter zal laten en dat hij, Donald, dan net zo alleen zal zijn als die jongen. Hoe lang zou hij het volhouden? Hij ploetert achter de donkere figuur in de verte aan, vastbesloten dat hij dat niet zal laten gebeuren. Door een ironisch, fysiologisch proces begint zijn buikwond, die mooi genezen was, weer te kloppen en herinnert hem daarmee aan zijn kwetsbaarheid – en misschien ook aan het feit dat Jacob, van wie zijn leven nu afhangt, hem onlangs heeft neergestoken.

Na lange tijd bereiken de twee mannen een rivier die onzichtbaar door het landschap kronkelt. Het water tussen de bevroren oevers is zo zwart als olie. Jacob blijft staan en wijst op een plek waar de dikke modder verstoord is en in pieken en kuilen is bevroren.

'Hier zijn mensen geweest. En een paard. Ik denk dat ze samen verder zijn gereisd.'

Jacob glimlacht en Donald probeert zich blij te voelen. Maar het gevoel dat hij niet meer verder kan overheerst. Hij voelt een steeds sterkere haat voor dit landschap, dat zo volstrekt anders is dan alles wat hij ooit heeft gezien. Mensen horen hier helemaal niet te komen. Het idee dat hier een man te paard heeft gereden die die jongen heeft meegenomen, vervult hem met afgrijzen, want god mag weten hoe ver zij nu nog moeten lopen. Hij begrijpt niet waarom Jacob geen paarden mee wilde nemen; misschien is dit wel een zeer ingewikkelde manier om af te maken wat hem met die messteek niet is gelukt.

Jacob leidt hen weg van de rivier en Donald strompelt achter hem aan, met zijn ogen strak op de grond gericht, ongeïnteresseerd in de vooruitgang die ze boeken.

Jacob blijft plotseling staan en Donald botst tegen hem op, zo slecht let hij op zijn omgeving. Jacob pakt hem bij zijn arm en begint te lachen.

'Meneer Moody, kijk! Kijk!'

Hij wijst in de duisternis, die ongemerkt is ingevallen. In de grijze draaikolken ziet Donald lichtpuntjes. Hij begint breeduit te grijnzen en voelt dat er iets warms over zijn kin loopt. Zijn lip is opengebarsten en begint te bloeden. Maar niets kan zijn wilde vreugde bederven. Daar zijn huizen, mensen, warmte... een vuur en, het allermooiste: muren! Muren tussen hem en de elementen. Hij voelt zich uitzinnig van blijdschap en net zo opgewonden als toen hij voor het eerst het oppervlak van de maan zag, toen hij die pure, onvervalste vreugde ervoer van een jongen van veertien. Zijn blijdschap is zo groot dat het geploeter van de laatste dagen en zelfs alle ontberingen van de afgelopen anderhalf jaar het waard lijken te zijn. Hij slaat Jacob onhandig op de schouder, ervan overtuigd dat hij de beste, de fijnste vent is die hij ooit heeft ontmoet.

Drie kwartier later lopen ze een groot erf op dat is omringd door keurige, houten gebouwen. Er zijn schuren met vee, waar de damp vanaf slaat, een kleine kapel met een plompe toren waar een matrood geverfd kruis op staat. Er brandt licht, dat door de ramen op het bevroren erf valt. Het lijkt op het beloofde land. Donald slikt zijn tranen van dankbaarheid weg, terwijl ze naar het grootste gebouw lopen en op de deur kloppen.

Ik dacht vroeger, toen ik een meisje was, en ook later toen ik in het gesticht zat, dat getrouwde mensen zich nooit meer eenzaam voelen. Destijds twijfelde ik eraan of ik zelf zou trouwen; ik dacht dat ik een maatschappelijke verschoppeling zou worden, of erger nog: een ouwe vrijster. Ik had wel vrienden in het gesticht, en dokter Watson was zelfs een speciale vriend, maar dat ik de muse van een gestoorde arts was gaf me nu niet bepaald het gevoel dat ik in de normale wereld thuishoorde of dat ik veilig was. Mijn echtgenoot gaf me iets wat ik nooit had verwacht: een gevoel van legitimiteit. En het gevoel dat ik iemand had voor wie ik niets hoefde te verbergen. Ik hoefde nooit te doen alsof. Ik denk dat ik bedoel dat ik van hem hield. Ik weet dat hij van mij hield, ik weet alleen niet wanneer dat is opgehouden.

Het is laat en ik heb weer last van slapeloosheid. Ik denk aan mijn volgende gesprek met de gevangene. Knox heeft daarin toegestemd, als ik maar heel discreet ben. Volgens mij is hij gekwetst omdat ik de tragedie van zijn vrouw tegen hem heb gebruikt, dus het pleit voor hem dat hij toch heeft ingestemd. Hij is bang voor de man van de Company. Hij is ook bang dat ze hem een slappeling vinden. Ik lig een tijd wakker naast mijn man; Angus draait zich in zijn slaap om en gaat half op me liggen, iets wat hij lang niet heeft gedaan. Ik durf me niet te bewegen en ik vraag me af of hij weet wat hij doet, of droomt. Na een tijdje kreunt hij en draait zich weer om, met zijn rug naar me toe. En ik geloof niet dat ik me ooit zo alleen heb gevoeld, zelfs niet op de somberste momenten in het gesticht toen mijn vader was overleden. Als Olivia was blijven leven, zou het dan anders zijn geweest? Of als Francis nooit bij ons was gekomen?

Zinloze vragen. De vragen die ik het liefste stel.

Ik veracht die zwakte van mij, die eindeloze eenzijdige gesprekken die de plaats van daden innemen. Soms (meestal 's avonds laat) wil ik dat ik meer op Ann Pretty lijk. Haar achternaam is misschien weinig toepasselijk, maar ze is het toonbeeld van een pioniersvrouw, een verstokte doordouwer, taai, fantasieloos en gewetenloos. Zij zal nooit 's nachts wakker liggen van de vraag wat haar man, of iemand anders, van haar denkt. Zij zal nooit een kind verliezen aan de wildernis.

Ik sta op en om iets omhanden te hebben besluit ik te gaan pakken voor de reis die ik wil maken. Eerlijk gezegd heb ik daar niet veel zin in; ik moet mijn angst voor de wildernis en mijn gebrek aan durf onder ogen zien. Wie weet staan Moody en die andere man hier morgen wel met Francis voor de deur. Het kan me niet schelen of ze hem hebben gearresteerd of niet, zolang hem maar niets is overkomen. Misschien dat ze hem dan in dat pakhuis in Caulfield opsluiten, misschien dat hij dan zit te rillen in die donkere, holle ruimte, maar hij zal dan in elk geval wel veilig zijn. Terwijl ik daaraan denk, verzamel ik mijn warmste kleren en een voorraad droge, niet-bederfelijke etenswaren. Het is een beetje alsof ik een winterse picknick voorbereid; als ik het zo bekijk, lijkt het al minder vreselijk.

De zachte klop op de deur verrast me minder dan ik had gedacht: ik denk aan Francis, misschien wordt mijn verlangen eindelijk vervuld. Met een kreet van vreugde doe ik de deur open; de woorden liggen klaar om naar buiten te stromen, evenals de tranen, maar ik zie alleen een gapende duisternis. Ik kijk rond, fluister zijn naam; vreemd dat ik fluister, alsof ik een soort voorgevoel heb.

Hij staat in het duister, om mij minder aan het schrikken te maken denk ik, zodat ik hem niet in één keer goed zie en het maar langzaam tot me doordringt wie het is.

De gevangene houdt zijn handen omhoog in een verzoenend gebaar. 'Ga alstublieft niet gillen.'

Ik staar hem aan. Ik was niet van plan om te gaan gillen. Ik ben er trots op dat ik dat nooit doe, zelfs niet als ik danig op de proef word gesteld.

'Het spijt me dat ik u aan het schrikken maak. Knox heeft me vrijgelaten. Ik ga uw zoon achterna, want ik denk dat hij de moordenaar heeft gezien. Maar ik heb spullen nodig, levensmiddelen, en mijn geweer is in beslag genomen. En u hebt geloof ik mijn honden?'

Ik staar hem verbijsterd aan. Het dringt nauwelijks tot me door wat hij zegt.

'Mevrouw Ross, u moet me helpen. En u hebt mijn hulp nodig.'

Zo werkt dat dus: mensen werken samen als ze elkaar nodig hebben; dat heeft niets te maken met vertrouwen of vriendelijkheid of dat soort sentimentele redenen. Ik begrijp niet helemaal wat hij zegt over Knox en waarom die hem zomaar heeft vrijgelaten, maar hij is gewond aan zijn gezicht en ik vermoed dat Mackinley hem heeft toegetakeld. Parker wil een geweer en voedsel en zijn honden en ik heb een gids nodig om Francis te zoeken. Misschien denkt hij wel dat Francis eerder zal praten als ik erbij ben: Francis heeft iets wat hij ook wil. En dus pakken we de nodige spullen, terwijl mijn man boven ligt te slapen, en bereid ik me voor om de wildernis in te trekken met iemand die verdacht wordt van moord. Erger nog: een man aan wie ik niet eens fatsoenlijk ben voorgesteld. Ik ben te geschrokken om bang te zijn, te opgewonden om me druk te maken over de ongepastheid van de situatie. Als je het allerliefste wat je bezit bent kwijtgeraakt, verliezen onbelangrijke dingen als reputatie en eer elke glans. (Trouwens, in het ergste geval kan ik mezelf er altijd aan herinneren dat ik mijn eer wel voor minder te grabbel heb gegooid. Als het moet kan ik mezelf dat voorhouden.)

Er valt een lichte sneeuw als we Dove River verlaten. De twee honden lopen stil naast Parker mee. Als we een uur voorbij de boerderij van Pretty zijn, loopt hij naar een geheime opbergplaats tussen de wortels van een paar bomen en bouwt snel een slede met het materiaal dat hij daar vandaan haalt: een licht, rank bouwwerk van wilgentakken en een zitting die gemaakt is van een soort stijf leer. Ik wil hem net bedanken voor zijn zorgzaamheid als hij de pakken met dekens en levensmiddelen op de zitting vastbindt. De honden zijn helemaal opgewonden door de sneeuw en beginnen jankend te blaffen. Tijdens deze werkzaamheden, die maar een halfuur in beslag nemen, kijkt Parker me niet aan en zegt geen woord tegen me. Op de een of andere manier krijg ik de indruk dat hij er niet zo in geïnteresseerd is om mij van mijn eer te beroven. Hij trekt het tuig nog eens stevig aan en gaat weer op pad, naar het noorden, langs de Dove, waarbij hij zich laat leiden door het geluid van het water en door een zwakke, vage gloed die van de sneeuw zelf lijkt te komen.

Ik volg hem, struikelend over de mocassins die ik van hem moet dragen maar waar ik niet aan gewend ben; ik ben vastbesloten om niet te klagen, wat er ook gebeurt.

Hoewel het maar zelden voorkomt, zijn er wel eens eerder bezoekers on-
aangekondigd naar Himmelvanger gekomen; meestal indianen, die komen handeldrijven en nieuws brengen. Per verwelkomt ze: ze zijn buren
en je moet in vrede met je buren samenleven. En het zijn ook kinderen van
God, ook al leven ze als varkens in smerige omstandigheden en in onwetendheid. Soms komen ze langs met zieken, die ze zelf niet met hun re-
medies hebben kunnen genezen. Dan staan ze met sombere, wanhopige
gezichten voor de deur en kijken toe terwijl de Noren kleine doses laudanum of braakwortel of kamfer toedienen, of hun eigen, traditionele ge-
neeswijzen uitoefenen, die meestal ook mislukken. Per hoopt dat dit niet
weer zoiets zal zijn.

De blanke man steekt een ijskoude hand uit. Hij draagt een bril, waarvan het metalen montuur is bedekt met een laag ijs, waardoor hij een geschrokken gezichtsuitdrukking krijgt, als een uil.

'Neem me niet kwalijk dat we u storen. Wij zijn van de Hudson Bay
Company en we zijn hier voor zaken.'

Per is nu nog veel verbaasder en hij vraagt zich af wat de Company hier
te zoeken heeft. 'Komt u binnen. U zult wel erg koud zijn. Uw hand...' De
hand die hij schudt is lijkbleek en slap van de kou, er zit helemaal geen
kracht in. Het lijkt net een varkenslapje.

Per stapt opzij en laat hem de warme toevluchtshaven binnen. 'Hebt u
dieren bij u?'

'Nee, we zijn te voet.'

Per trekt zijn wenkbrauwen op en gaat hun voor naar een kleine kamer vlak bij de keuken, waar hij Sigi en Hilde roept en warme soep en brood en koffie laat brengen. Sigi kijkt de twee vreemdelingen met grote ogen nieuwsgierig aan.

'Lieve hemel, Per, de Heer stuurt ons allerlei gasten deze winter!'

Per reageert fel, want hij wil eerst weten wat er precies aan de hand is voordat de mannen iets opvangen. Gelukkig verstaan ze geen Noors. Ze grijnzen vermoeid en hongerig, ze wrijven hun handen warm en ze storten zich met dankbare kreten op het voedsel.

Als zijn handen weer wat warmer worden, voelt Donald een scherpe, tintelende pijn; hij bekijkt ze eens goed bij het licht van de haard en ziet dat ze bleek en opgezwollen zijn. Een vrouw brengt hem een schaal sneeuw en zegt dat hij zijn handen daarmee moet inwrijven. Als hij dat doet merkt hij dat ze langzaam en heel pijnlijk weer tot leven komen. De vrouw lacht naar hen terwijl ze voor hen zorgt, maar ze zegt niets. Per legt uit dat ze Noors zijn en niet allemaal Engels spreken.

'Wat doen twee mannen van de Company hier in november?'

'We zijn hier eigenlijk niet echt voor zaken.' Donald moet moeite doen om niet steeds te glimlachen: hij kan bijna niet geloven dat ze zo veel geluk hebben gehad, niet alleen omdat ze een nederzetting hebben bereikt, maar ook omdat het zo'n beschaafde is, met zo'n welgemanierde man als Per Olsen.

'Bent u op doorreis?'

Uit zijn toon blijkt hoe onwaarschijnlijk hij dit zelf vindt. Donald eet zijn mond leeg, want hij heeft net een hap amandeltaart genomen. (Amandelen! Ze zijn hier echt gezegend!)

'We zijn op reis omdat we iemand volgen. We volgen een spoor vanuit Dove River, aan de baai, via de rivier die over het plateau loopt. Daarna leidde het spoor hierheen.' Hij kijkt naar Jacob, maar die lijkt verlegen in aanwezigheid van de anderen en knikt alleen.

Per luistert ernstig en verlaat dan de kamer. Donald neemt aan dat hij met een paar anderen gaat overleggen en als hij terugkomt heeft hij iemand bij zich, een man die hij voorstelt als Jens Andreassen.

'Jens heeft jullie iets te vertellen,' zegt hij.

Jens, een traag bewegende man met een tong die te groot lijkt voor zijn mond, vertelt dat hij de jongen aan de rivieroever heeft gevonden en dat hij bijna dood was. Hij heeft hem meegenomen naar Himmelvanger, waar ze hem hebben verzorgd. Hij vertelt dit in het Noors en Per vertaalt het, langzaam, waarbij hij zorgvuldig naar de juiste woorden zoekt.

Donald voelt dat Per zich beschermend opstelt: Francis is het verloren schaap dat God aan zijn zorgen heeft toevertrouwd.

'Waar verdenken jullie hem van? Wat is er gebeurd?'

Donald wil niet alle feiten onthullen. Als Per zich over de jongen heeft ontfermd, wil hij hem niet tegen Francis opzetten.

'Er is een overval gepleegd.'

Per kijkt op, zijn lichte ogen puilen uit, en als hij dit voor Jens vertaalt kijken de twee elkaar geschrokken aan.

'Het is niet zeker dat Francis schuldig is, maar we zijn hem toch achterna gegaan. Zijn moeder is vreselijk bezorgd.'

Per fronst zijn wenkbrauwen: 'Wie is Francis?'

'Die jongen. Hij heet Francis Ross.'

Per denkt even na. 'Deze jongen beweert dat hij Laurent heet.'

Donald en Jacob kijken elkaar aan. Donald voelt een koude rilling over zijn rug lopen. Nu weet hij het bijna zeker.

'Misschien is het iemand anders,' suggereert Per.

Donald gaat van opwinding harder praten. 'Het spoor leidt hierheen, daar is geen twijfel over mogelijk. Het is een Engelse jongen met zwart haar. Hij ziet er niet Engels uit, eerder... Frans, of Spaans.'

Zo heeft Maria hem beschreven.

Per perst zijn meisjesachtig rode lippen op elkaar. 'Zo ziet hij er inderdaad uit.'

'Wat heeft hij nog meer gezegd?'

'Dat hij werk zocht maar dat zijn gids hem in de steek heeft gelaten. Hij zei dat hij met een indiaanse gids naar het noordwesten trok.' Pers ogen dwalen even af naar Jacob. Dan kijkt hij naar Jens en vertaalt het voor hem. Jens zegt weer iets, als antwoord op een vraag.

'Jens zegt dat hij heel verbaasd was toen hij hem vond. En dat die jongen hier nooit in zijn eentje naartoe heeft kunnen komen, met dit weer.'

'Waarom niet?'

'Hij was uitgeput, totaal uitgeput. Het is bijna onmogelijk dat hij zover heeft kunnen reizen zonder hulp, of zonder dat hij werd gedwongen.'

Schuldbesef is een sterke aansporing, denkt Donald.

'Ik vond het wel vreemd,' gaat Per verder. Hij zei dat hij werk zocht om geld te verdienen, maar hij had vrij veel geld bij zich, meer dan veertig dollar. Verder had hij dit bij zich, en dat wilde hij met alle geweld houden.' Per pakt iets van de grond. Het is een *skipertogan*, een leren buidel die indianen om hun hals dragen en waarin ze tabak en tondel bewaren. Hij doet de buidel open en haalt er een rolletje papiergeld uit en een dun stuk been of ivoor, ongeveer zo groot als een handpalm, waarop figuren en kleine, donkere tekens zijn gekrast. Het is erg vies. Donald kijkt ernaar, zijn keel wordt dichtgeknepen en hij strekt zijn hand ernaar uit.

'Dat was van Laurent Jammet.'

'Laurent Jammet?'

'Het slachtoffer van die overval.'

'U zei "was".' Per kijkt hem aan. 'Ik begrijp het.'

Donald begrijpt meteen Maria's beschrijving van Francis als ze de ziekenkamer binnenkomen. Een knappe, donkere vrouw staat op als de deur opengaat, werpt hun een achterdochtige blik toe en verdwijnt, waarbij haar rok schaamteloos langs zijn broekspijp zwiert. De jongen kijkt zwijgend toe terwijl ze gaan zitten en Per hem voorstelt. Tegen die witte lakens steekt zijn huid donker af, bijna mediterraan. Hij heeft zwart, vrij lang haar en zijn ogen zijn opvallend blauw. Maria heeft ook gezegd dat hij knap is, een knap kind. Donald heeft geen idee of Francis knap is, maar hij ziet niets kinderlijks aan de vijandigheid die van hem afstraalt. De blauwe ogen kijken hem zonder te knipperen aan, wat hem een lomp, ongemakkelijk gevoel geeft. Hij haalt zijn notitieboekje tevoorschijn en verschuift zijn stoel, waardoor het boekje van zijn schoot op de grond valt. Hij vloekt inwendig en raapt het op, en probeert niet te letten op de warmte die zich over zijn hals en gezicht verspreidt. Hij zegt nog eens tegen zichzelf wie hij is en wat hij hier komt doen. Hij kijkt weer naar die ogen, die nu van hem wegkijken, en schraapt zijn keel.

Per neemt het woord en probeert geruststellend te klinken. 'Dit is meneer Moody, van de Hudson Bay Company. Hij komt uit Dove River. Hij zegt dat je vader en moeder zich erg veel zorgen om je maken.'

'Dag Francis.'

Francis knikt, alsof hij hem nauwelijks de moeite waard vindt.

'Weet je waarom ik hier ben?'

Francis kijkt hem boos aan.

'Jij bent toch Francis Ross?'

Francis slaat zijn ogen neer, wat Donald als een bevestiging opvat. Dan kijkt hij naar Per, die met een gekwetste blik naar de jongen kijkt.

'Eh... Kende jij in Dove River een man die Laurent Jammet heette?'

De jongen slikt. Zijn kaakspieren spannen zich, ziet Donald, en dan, tot zijn verbazing, knikt hij.

'Wanneer heb je hem voor het laatst gezien?'

Er valt een lange stilte. Donald vraagt zich af of de jongen nog wel iets zal gaan zeggen.

'Ik heb hem voor het laatst gezien toen hij dood was. Ik heb de man gezien die hem heeft vermoord, en daarom ben ik hem gevolgd, vier dagen lang in noordelijke richting, maar toen ben ik hem kwijtgeraakt.'

Zijn stem klinkt vlak en zacht. Donald kijkt de jongen aan, ongelovig en opgewonden tegelijk. Hij zegt tegen zichzelf dat hij voorzichtig moet zijn, dat hij niet te hard van stapel moet lopen, dat hij moet wachten tot hij vaste voet aan de grond heeft voordat hij een volgende stap waagt, net als in dat helse moeras. Hij legt het notitieboek steviger op zijn schoot.

'Kun je me precies vertellen wat je toen hebt gezien? En wanneer dat was?'

Francis zucht. 'Het was de avond waarop ik ben weggegaan. Dat was... heel wat dagen geleden. Ik weet het niet meer.'

'Je bent hier nu vijf dagen,' brengt Per vriendelijk naar voren. Donald kijkt hem fronsend aan. Per kijkt met een onschuldige, vriendelijke blik terug.

'Dan misschien... vijf dagen daarvoor? Ik ging naar de blokhut van Laurent Jammet. Het was laat en ik dacht dat hij er niet was. Toen zag ik een man naar buiten komen en weglopen. Ik ging naar binnen en toen zag ik hem.'

'Wie?'

'Jammet.'

Hij slikt opnieuw. Het is duidelijk dat het hem veel moeite kost. Donald wacht heel lang totdat Francis verder vertelt.

'Hij was net... doodgegaan. Hij was nog warm en het bloed was nat. Daardoor wist ik dat die andere man de moordenaar moest zijn.'

Donald schrijft op wat Francis zegt. 'Die andere man... kende je die?'

'Nee.'

'Heb je gezien hoe hij eruitzag?'

'Alleen dat het een indiaan was, met lang haar. Ik heb alleen een glimp van zijn gezicht gezien, maar het was donker. Ik kon het niet goed zien.'

Donald schrijft alles op en houdt zijn gezicht strak. 'Zou je hem herkennen als je hem nog een keer zag?'

Het antwoord laat lang op zich wachten. 'Misschien.'

'En zijn kleren? Wat had hij aan?'

Francis schudt zijn hoofd. 'Het was te donker. Donkere kleren.'

'Was hij gekleed zoals ik? Of meer als een pelsjager? Je moet toch wel een indruk gekregen hebben?'

'Als een pelsjager.'

'Waarom ging je eigenlijk naar Jammet toe?'

'We waren vrienden.'

'Hoe laat was dat?'

'Ik weet het niet, een uur of elf. Misschien middernacht.'

Donald kijkt op en probeert de jongen aan te kijken terwijl hij schrijft. 'Was dat niet een beetje laat?'

Francis haalt zijn schouders op.

'Ging je vaker zo laat nog bij hem langs?'

'Hij ging nooit vroeg naar bed. Hij was geen boer.'

'Dus... je zag het lijk. Wat heb je toen gedaan?'

'Ik ben die man achternagegaan.'

'Ben je niet eerst naar huis gegaan om je spullen te pakken?'

'Nee. Ik heb spullen van Jammet meegenomen.'

'Waarom heb je je ouders niet gewaarschuwd? Of iemand om hulp gevraagd, iemand die zoiets beter zou kunnen?'

'Daar was geen tijd voor. Ik wilde hem niet kwijtraken.'

'Je wilde hem niet kwijtraken. Wat heb je allemaal meegenomen?'

'Alleen wat ik nodig had. Een jas... eten.'

'Verder niets?'

'Hoezo? Maakt dat iets uit?' Francis kijkt op naar Donald. 'Denkt u dat ik hem heb vermoord?'

Donald kijkt hem kalm aan. 'Heb je hem vermoord?'

'Ik zei toch net dat ik de moordenaar heb gezien. Hij was mijn vriend, waarom zou ik hem vermoorden?'

'Ik probeer er alleen achter te komen wat er is gebeurd.'

Per gaat verzitten, waarschuwend. Donald vraagt zich af of hij nog zal doorvragen of dat hij hem meteen moet beschuldigen. Hij voelt zich een chirurg in opleiding die in het duister tast en niet weet of hij het juiste orgaan te pakken heeft.

'Hij is erg moe,' zegt Per. De jongen ziet er uitgeput uit en zijn gezicht staat gespannen.

'Nog even, alstublieft. Je beweert dus dat je tegen middernacht naar de blokhut van het slachtoffer bent gegaan, meneer Jammet, en dat je hem dood hebt aangetroffen; daarna ben je de man achterna gegaan die hem volgens jou heeft vermoord, maar die ben je kwijtgeraakt.'

'Ja.' De jongen sluit zijn ogen.

'En wat is dat stuk bot?'

Francis doet zijn ogen weer open, verbaasd deze keer.

'Je weet toch wel wat ik bedoel?'

'Ik weet niet wat dat is.'

'Je hebt het zelf meegenomen. Daar moet je toch een reden voor hebben gehad?'

'Hij heeft het me gegeven.'

'Heeft hij het aan jou gegeven? Maar het is heel waardevol.'

'Hebt u het gezien? Volgens mij is het helemaal niet waardevol.'

'En dat geld? Heeft hij je dat ook gegeven?'

'Nee. Maar ik had het nodig om die... man op te sporen. Misschien dat ik er iemand mee kon betalen.'

'Sorry, dat begrijp ik niet. Betalen waarvoor?' Francis draait zijn hoofd opzij. 'Wat was je van plan?'

Per schraapt zijn keel en kijkt ontstemd naar Donald, die met tegenzin zijn notitieboekje dichtklapt.

Buiten pakt Per Donald bij zijn arm vast. 'Sorry, maar ik moet aan zijn gezondheid denken. Hij was bijna dood toen Jens hem hier bracht.'

'Nee, dat geeft niet, ik begrijp het.' Dat is niet wat Donald echt denkt, maar hij is hier tenslotte te gast. 'Ik hoop wel dat u begrijpt dat ik hem in deze omstandigheden moet arresteren. Alleen al omdat hij dat geld bij zich heeft.'

Per heeft de neiging om met zijn bovenlichaam een beetje voorover te hellen als hij met iemand praat; dat zal wel door zijn bijziendheid komen, denkt Donald, terwijl hij naar die grote, bleke ogen van hem kijkt. Hij ruikt zelfs een beetje naar een geit.

'Dat is uw beslissing.'

'Ja. Dat is waar. En daarom wil ik graag dat u een bewaker bij zijn deur zet.'

'Waarom? Hij kan Himmelvanger onmogelijk verlaten, zelfs al kon hij lopen.'

'Ja. Nou goed...' Donald voelt zich erg stom, want hij is zich er ineens van bewust dat het buiten sneeuwt. 'Zolang we hem maar in de gaten kunnen houden.'

'Er zijn hier geen geheimen,' zegt Per ernstig, met een zedige blik naar het plafond.

Andrew Knox kijkt met gemengde gevoelens uit het raam naar de vallende sneeuw. Aan de ene kant is hij op een bijna vaderlijke manier bezorgd om de jonge mannen van de Company die nu door de wildernis trekken, vooral omdat hij aan het zusterlijke geplaag heeft gemerkt dat Susannah belangstelling heeft voor Donald Moody. Maar aan de andere kant is hij opgelucht dat de sporen van de gevangene onder een deken van sneeuw verdwijnen. Het is droge sneeuw, de echte wintersneeuw die de grond tot het voorjaar zal bedekken. Natuurlijk heeft Knox de ontsnapping van Parker net als Mackinley en de anderen openlijk betreurd en heeft hij geholpen bij het organiseren van zoekacties om in elk geval de richting te bepalen waarin de voortvluchtige is verdwenen. Vervolgens heeft hij zijn knecht Adam apart genomen in de studeerkamer en een lange preek afgestoken over de ernst van zijn fout. Adam bracht daar tegenin dat hij zich toch duidelijk herinnerde dat hij de deur op slot had gedaan, en Knox gaf toe dat er misschien een andere verklaring voor de ontsnapping kon zijn en dat Adam zijn baan daarom niet zou kwijtraken. Adam had hem met een mengeling van rechtschapen protest en verontwaardigde dankbaarheid aangekeken: ze wisten beiden dat hij gelijk had, maar ook dat er grenzen zijn aan wat je tegen je werkgever kunt zeggen. Het is nu eenmaal oneerlijk verdeeld in het leven.

Alsof dit al niet gecompliceerd genoeg is, bereikte hen een uur geleden het opzienbarende gerucht uit Dove River dat mevrouw Ross is verdwenen en dat zij misschien is ontvoerd door de voortvluchtige gevangene. Knox is geschokt door die ontwikkeling en hij piekert over zijn aandeel daarin. Heeft hij dit op de een of andere manier veroorzaakt door haar met de gevangene te laten spreken? Of is het toeval dat de twee tegelijk zijn verdwenen? Dat laatste lijkt hem onwaarschijnlijk. Dan moet hij er maar op hopen dat ze is gekidnapt, want als ze in haar eentje op pad is gegaan is de kans dat ze dat in dit weer zal overleven uiterst gering.

Toen hij dit nieuws aan zijn vrouw en dochters vertelde, benadrukte hij dat de gevangene zich natuurlijk zo snel mogelijk uit de voeten zou maken en dus waarschijnlijk al erg ver van Caulfield vandaan was. Ze reageerden zoals te verwachten viel erg geschokt op het nieuws dat mevrouw Ross ook was verdwenen. Het is de nachtmerrie van iedere blanke vrouw in de wildernis om ontvoerd te worden, maar hij drukte zijn dochters op het hart dat het alleen nog maar een gerucht was. Toch had vrijwel iedereen al de conclusie getrokken dat het geen toeval kon zijn dat de gevangene was ontsnapt en dat mevrouw Knox plotseling was verdwenen.

Mackinley nam het nieuws met een soort vastberaden tevredenheid op, ook al vervloekte hij de stompzinnigheid van Adam en ging hij tekeer over de gebrekkige voorzieningen in Caulfield. Vervolgens ging hij met de vrijwilligers mee op zoektocht naar sporen langs de baai. Nadat Knox aan Mackinley had verteld dat de gevangene niet meer in het pakhuis was, moest hij zich even terugtrekken in zijn studeerkamer met een glas brandewijn en werd hij overvallen door hevige trillingen. Dat ging gelukkig na enkele ogenblikken over, maar hij kan nog steeds niet de moed verzamelen om zich onder de mensen te begeven.

'Pappie?' Het is lang geleden dat Maria hem voor het laatst zo heeft genoemd. 'Gaat het?'

Ze komt achter hem staan en legt haar handen op zijn schouders. 'Dit is verschrikkelijk.'

'Het had nog erger gekund. Het kan altijd erger.'

Maria ziet eruit alsof ze heeft gehuild. Nog zo'n kinderlijke gewoonte die ze, dacht hij, had afgezworen. Hij weet dat ze zich geen zorgen maakt om zichzelf, maar om zijn reputatie.

'Wat zullen de mensen er wel niet van zeggen?'

'Niet zo hard van stapel lopen. We denken allemaal dat we weten wat er is gebeurd, maar het blijft gissen. Als je wilt weten hoe ik erover denk...'

Hij bedenkt zich en zegt: 'De meeste ontsnapte gevangenen komen niet ver. Waarschijnlijk zit hij binnen een dag of twee alweer achter slot en grendel.'

'Die arme vrouw, wat die moet doorstaan...'

'Niemand heeft nog met haar man gesproken. Ik zal wel naar hem toe gaan, misschien is het niet eens waar.'

'Mackinley zag er zo kwaad uit dat ik even dacht dat hij Adam zou gaan slaan.'

'Hij is teleurgesteld. Hij denkt dat hij promotie krijgt als hij de moord oplost.'

Maria klakt afkeurend met haar tong. 'Zou het hierna ooit nog gewoon worden?'

'Over een paar maanden zijn we dit allemaal allang weer vergeten.'

Hij kijkt uit het raam en vraagt zich af of dit haar overtuigt. Opnieuw heeft hij het duizelingwekkende gevoel van naderend onheil. Als hij omkijkt (een paar seconden later, of is het een minuut?) is Maria weg. Opnieuw kijkt hij gehypnotiseerd naar buiten. De vlokken dwarrelen als veertjes naar beneden en houden de lucht op de grond gevangen. Elke sneeuwvlok raakt de andere alleen heel licht.

De perfecte sneeuw om sporen te bedekken.

Susannah reageert op de spanningen van die dag door kledingstukken aan te passen in haar kamer en de exemplaren die te ouderwets zijn aan de kant te gooien. Dat ritueel vindt elke paar maanden plaats, als Susannah het juk van het provinciale bestaan te hard op haar schouders voelt drukken. Maria staat in de deuropening en kijkt hoe haar zus met duidelijke afkeer aan de linten van een jurk van groene moiré trekt. Ze voelt een golf van affectie voor haar zus, omdat die zich in een noodsituatie zoals deze zorgen maakt om de taillelijn of de mouwbreedte van een jurk.

'Die kan nog heel goed ingenomen worden, Susannah. Niet verscheuren!'

Susannah kijkt op. 'Nou, ik kan hem in elk geval niet aan met die stomme linten, dat is geen gezicht.' Ze zucht en smijt de jurk neer. Die linten heeft Maria er zelf opgenaaid, met kleine, stevige steekjes.

Maria raapt de jurk op. 'We zouden er nieuwe mouwen aan kunnen zetten, misschien van kant, en de halslijn wat kunnen veranderen. Dan is die jurk nog heel modieus.'

'Ja, misschien. En wat doen we dan met deze?' Ze houdt een met bloemen bedrukte katoenen jurk omhoog, die een beetje doet denken aan Marie Antoinette die boerinnetje speelt.

'Eh... bij de poetslappen?'

Susannah begint te lachen, met die lach voor als ze onder elkaar zijn, een bulderende lach die absoluut niet lijkt op haar onnozele openbare lachje dat volgens haar moeder veel damesachtiger is.

'Vreselijk, hè? Ik weet niet waar ik toen met mijn hoofd zat.'

'Bij Matthew Fox, voor zover ik me kan herinneren.'

Susannah smijt de jurk naar haar toe. 'Des te meer reden om er een poetslap van te maken.'

Maria gaat op het bed zitten, midden tussen de verachte afdankertjes. 'Heb je Donald Moody al geschreven?'

Susannah slaat haar ogen neer. 'Hoe had ik dat dan moeten doen? Ik kan daar toch geen brief laten bezorgen?'

'Maar je had het beloofd!'

'Ja, hij ook, maar ik heb ook nog niets ontvangen. En hij weet wel waar ik zit.'

'Waarschijnlijk hoor je binnenkort wel iets. Ze zullen op de een of andere manier wel over die gevangene horen en zich realiseren dat het een hopeloze zaak is, die zoektocht. Ze gaat tussen de lege jurken liggen. 'Ik dacht dat je hem leuk vond.'

'Nou, dat valt wel mee.' Susannah begint te blozen, tot haar ergernis. Maria grinnikt naar haar.

'Hou op! Wat moet ik dan volgens jou doen?'

'O, ik dacht dat je wel lange, gepassioneerde brieven zou schrijven en die met een roze lint bij elkaar zou binden en op je hart zou dragen.'

Maria is tevreden als ze ziet dat Susannah begint te blozen. Ze heeft al vaak meegemaakt dat jongens gepassioneerd van haar zus bleken te houden en ook bij haar een vonk meenden te bespeuren, maar na ongeveer een week verloor Susannah altijd weer haar belangstelling en richtte ze haar aandacht op iets nog interessanters. De laden van haar kaptafel liggen vol met bewijzen van onbeantwoorde liefdes. Maria's eigen kaptafel is daar niet mee volgepropt, maar dat is geen reden om jaloers te zijn op haar zus: integendeel. Ze weet dat Susannah al die aandacht maar irritant vindt en dat ze daardoor het gevoel heeft dat ze zich nog meer als een jongedame moet gaan gedragen. De mannen die haar gezicht en figuur zo charmant vinden, zien iets fundamenteels van Susannah over het hoofd: zij is in wezen een praktisch, aards meisje dat meer houdt van zwemmen en vissen dan van keurige theevisites. Ze vindt theoretische gesprekken saai en bloemrijke uitingen van emotie gênant. Maria weet dat en is daarom niet jaloers op de aandacht die haar zus krijgt. En toen Maria erg gesteld raakte op een jongeman die vorig jaar lesgaf op de school hoopte Susannah oprecht dat hij haar zus gelukkig zou maken. Het was dan ook niet Susannahs schuld dat Robert in verwarring raakte toen hij haar ontmoette, dat hij een liefdesverklaring stamelde en daarna het eerste het beste stoomschip naar Sarnia nam, overdonderd door haar geschokte reactie. Susannah had dit maar niet aan Maria verteld, maar het gerucht verspreidde zich toch, zoals alles in Caulfield vroeg of laat bekend wordt. Maria maakte na een periode van verdrietig stilzwijgen een wassen beeldje dat Robert Fisher voorstelde en verbrandde dat in de haard van haar slaapkamer. Vreemd genoeg voelde ze zich daardoor beter.

Daarna heeft Maria zo ongeveer de gelofte van kuisheid afgelegd, want ze kan zich niet voorstellen dat ze een man zal leren kennen die lijkt op haar ideaalbeeld: haar vader. Bovendien vraagt ze zich af of het in het leven alleen maar zou moeten gaan om het huwelijk en huiselijk geluk. In Caulfield en Dove River werken de vrouwen zich uit de naad en worden angstaanjagend snel oud; hun echtgenoten zijn dan juist in de (zij het enigszins ruige) bloei van hun leven, waardoor het lijkt alsof ze met hun moeder zijn getrouwd. Dat lot ziet zij niet voor zichzelf weggelegd.

Maar Donald lijkt een fatsoenlijke, intelligente man. Ze heeft al heel lang de gewoonte om zich, als ze iemand voor het eerst ontmoet, provocerend en prikkelbaar te gedragen en daardoor de mensen af te wimpelen die te oppervlakkig zijn om dat te doorzien. Ze weet dat dat een soort zelfverdedigingsmechanisme is dat ze zich na die ongelukkige affaire heeft aangemeten. Donald hield vol, al was het maar vanwege Susannah, en daar respecteert ze hem om. En toen ze hem was tegengekomen op straat, nadat hij Sturrock had ontmoet, was ze onder de indruk van wat hij zei en had ze zich zelfs afgevraagd of het wel allemaal waar was wat ze over de speurder had gehoord.

'Deze dan?' Susannah houdt een lichtblauwe wollen japon omhoog, een voormalige lievelingsjurk. 'Deze zou ik nog wel eens willen dragen, als we tenminste iets aan die mouwen kunnen doen.'

Het lijkt alsof ze Donald helemaal uit haar hoofd heeft gezet. Eigenlijk is hij wat haar betreft na zijn vertrek uit Caulfield opgehouden te bestaan, behalve dan als abstractie, als iets wat tijdelijk is uitgeschakeld, en zal hij pas na zijn terugkeer weer tot leven komen. Maria denkt dat Susannah hem waarschijnlijk niet als eerste zal schrijven, als ze hem al schrijft. Ze vraagt zich af of zij zichzelf zou hebben toegestaan om iets voor Donald te gaan voelen als het niet vanaf het allereerste begin duidelijk was geweest dat hij smoorverliefd was op Susannah. Stom natuurlijk om daar zelfs maar aan te denken.

Knox neemt de koets en rijdt zelf naar Dove River om Angus Ross te bezoeken. Hij heeft de bron van het gerucht niet kunnen achterhalen en hij neemt het zichzelf kwalijk dat hij het zo snel geloofde. Sinds dat eerste gerucht doen er steeds wildere verhalen de ronde: dat de Maclarens zijn afgeslacht in hun bed, dat er een kind wordt vermist en zelfs dat de gevangene tijdens zijn ontsnapping Knox heeft vastgebonden. Hij heeft dus goede hoop dat hij mevrouw Ross gewoon thuis zal aantreffen.

Ross is in de velden achter het huis een hek aan het repareren. Hij blijft doorwerken terwijl Knox eraan komt en kijkt pas op als hij nog maar op enkele stappen afstand is. De man staat bekend om zijn zwijgzaamheid, zoals zijn vrouw bekendstaat om haar gebrek aan respect voor de conventies, maar hij begroet Knox toch hartelijk.

'Angus.'

'Andrew, alles goed?'

'Z'n gangetje.'

Angus is een van de weinige mannen in Dove River die er kennelijk geen moeite mee heeft om hem bij zijn voornaam aan te spreken.

'Ik weet waarom je hier bent.'

Ross heeft lichte ogen, licht haar en een onverstoorbare manier van doen. Hij doet Knox denken aan een verweerd stuk graniet: een typische Pict. Hij en zijn vrouw hebben dezelfde koppigheid, ook al is zij nogal elegant en Engels. En zo hard als een vuursteen. Graniet en vuursteen. Mensen die je je onmogelijk in een intieme situatie kunt voorstellen. (Knox vermaant zichzelf en zet die gedachte huiverend uit zijn hoofd.) Ze zijn allebei zo anders dan Francis dat niemand hem voor hun natuurlijke kind zou kunnen aanzien.

'Ja, we hebben nogal wilde geruchten gehoord vandaag. Iedereen is in rep en roer nu de gevangene is ontsnapt. Het is erg vervelend allemaal.'

'Het klopt wel wat je hebt gehoord. Ze is weg, maar ze is niet tegen haar zin meegegaan.'

Knox zwijgt even tot hij meer te horen krijgt, maar zo toeschietelijk is Ross niet.

'Weet je waarnaartoe?'

'Ze zei dat ze Francis achterna wilde. Ze kon de ongerustheid niet meer verdragen.'

Knox is verbluft door de koele reactie van de man, al had hij zoiets wel verwacht.

'Ze zal wel wat mensen van de Company tegenkomen.'

'Is ze alleen gegaan?'

Ross haalt heel licht zijn schouders op en kijkt hem aan. 'Als je me vraagt of de gevangene met haar mee is gegaan, dan zou ik dat niet weten. Ik kan me niet voorstellen waarom hij haar zou willen helpen, jij wel?'

'Maar man, ben je dan niet bezorgd? Je vrouw, daar ergens buiten, in dit jaargetijde!'

Ross pakt zijn bijl en houweel en loopt in de richting van het huis. 'Kom, dan krijg je thee.'

Knox kan zo te horen niet weigeren en gaat mee.

Uit wat Ross hem in de keuken laat zien, blijkt dat Knox zich niet te veel zorgen hoeft te maken over het welzijn van mevrouw Ross. Ze is blijkbaar goed uitgerust op pad gegaan. Hij leest zelfs het briefje voor dat ze heeft achtergelaten en dat kort maar veelzeggend is. De zin: 'Trek je niets aan van wat ze zullen zeggen,' zou op de ontsnapping van de gevangene kunnen slaan, maar dat hoeft niet. Ross zegt er niets over. Knox vraagt zich af of Ross misschien jaloers is, zoals je zou verwachten van een man wiens vrouw er misschien met een andere man vandoor is, hoe vreemd de omstandigheden ook zijn. Maar daar bespeurt hij niets van.

Terwijl hij zijn thee drinkt – onverwacht subtiel van smaak – betrapt hij zich erop dat hij speculeert over het huwelijk van het echtpaar Ross. Misschien kunnen ze elkaar na al die jaren niet meer uitstaan. Misschien is hij blij dat ze weg is. En die zoon ook.

'Het lijkt me voorlopig beter dat je hier niets over zegt. Ik zal zeggen dat ik je heb gesproken en dat er geen reden tot bezorgdheid is. Het lijkt me niet goed als er nog meer... hysterische toestanden ontstaan.'

Hij ziet voor zich dat er steeds meer mannen in noordelijke richting afreizen en voelt bij die gedachte een onbedaarlijke lach in zich opkomen. Dat is een ongepaste reactie waar hij bij het ouder worden steeds vaker last van krijgt. Misschien begint hij wel seniel te worden. Hij slikt het weg; dit is een ernstige zaak. Het zal waarschijnlijk niet nodig zijn om nog meer mannen eropuit te sturen, want Donald Moody en Jacob zijn hopelijk op de plaats van bestemming gearriveerd, waar dat dan ook moge zijn.

Ross knikt. 'Als jij het zegt.'

'Klopt het dat je niet van plan bent om zelf achter haar aan te gaan?'

Er valt een korte stilte. De meeste mannen zouden deze vraag als minachtend hebben opgevat.

'Waar zou ik dan heen moeten? Met dit weer kan ik onmogelijk zien waar ze langs is gegaan. En zoals ik zei zal ze die mannen van de Company wel tegenkomen.'

Is hij zijn eigen gedrag nu aan het rechtvaardigen? Knox vindt hem ineens een beetje antipathiek en dat stoïcijnse gedrag begint hij erg verontrustend, om niet te zeggen weerzinwekkend te vinden.

'Nou...' Knox geeft toe aan zijn aandrang om weg te gaan en hij staat op. 'Bedankt dat je zo openhartig tegen me bent. Ik hoop werkelijk dat ze allebei snel weer terugkomen.'

Ross knikt en bedankt hem voor zijn komst, zonder enig vertoon van bezorgdheid of enthousiasme.

Knox voelt zich opgelucht als hij bij Angus Ross weggaat. Een dergelijke opluchting voelt hij soms ook als hij met sommige indianen te maken krijgt, die hun emoties niet zo kwistig uiten als blanken. Het is erg vermoeiend om in het gezelschap te verkeren van mensen bij wie een spontane lach aanvoelt als een kinderachtige zwakte.

Sturrock is gekleed in een geleende winterjas en loopt voorzichtig door de verse sneeuw, waarbij hij de grond afspeurt naar vluchtsporen. Rechts van hem loopt een man, Edward Mackay, die precies hetzelfde doet. En aan zijn linkerkant port een jongen die een alarmerend grote adamsappel heeft met een lange stok in de grond. Sturrock beseft dat dit een hopeloze aangelegenheid is. Alles is vanaf het begin verkeerd aangepakt. Toen het pakhuis waarin de gevangene werd vastgehouden leeg werd aangetroffen, lekte dat nieuws razendsnel uit en was het binnen de kortste keren in heel Caulfield bekend. Iedereen kwam naar buiten om te kijken en over de kwestie van gedachten te wisselen, waardoor eventuele sporen direct onzichtbaar werden. De poederachtige sneeuw was 's nachts al gevallen, waardoor de sporen waarschijnlijk toch al uitgewist waren, maar door het grote aantal mensen waren alle aanwijzingen onbruikbaar geworden.

Toen Sturrock aankwam, was het terrein rond het pakhuis een chaos van modder en natte sneeuw en had niemand ook maar enig idee in welke richting er moest worden gezocht. De mannen werden in groepen verdeeld en elke groep liep een bepaalde kant uit, waarbij ze de grond in rijen van tien man afspeurden. Op die manier onderzochten ze het hele gebied rond Caulfield en vernielden elk spoor dat daar misschien nog te vinden was. Sturrock had voorzichtig geprotesteerd en gewaarschuwd wat er zou gebeuren, maar omdat hij een buitenstaander was, werd hij beleefd aangehoord en vervolgens genegeerd. Verschillende keren werd er een vals alarm gegeven, als iemand een voetstap of een ander teken meende te hebben gevonden, maar dat bleek altijd een natuurlijke holte in de grond te zijn, of een spoor van dieren, of een voetstap van de zoekers zelf.

Sturrock denkt aan het huis van Scott, waar hij zijn papieren onder het matras heeft verstopt (hij had eerst gekeken of er geen ongedierte zat waarvoor het papier als ontbijt zou kunnen dienen). Hij is bereid om zo lang te blijven als nodig is en vertrouwt erop dat hij Knox om meer geld kan vragen terwijl hij wacht op de terugkeer van mevrouw Ross en het benen voorwerp. Hij is er vrijwel zeker van dat niemand hier weet wat dat kan zijn. Hij weet het zelf ook niet; er moet dus wel een zeldzaam scherpe geest voor nodig zijn om zoiets buitengewoons te bedenken.

Sturrock heeft Laurent Jammet een jaar geleden voor het eerst ontmoet, op een druilerige, winderige dag in Toronto. Sturrock had zoals gewoonlijk meer schulden dan financiële middelen en hij had zojuist een eindeloze tirade moeten aanhoren van zijn hospita, mevrouw Pratt. Zij was een van de vele mensen die niet inzagen dat Sturrock voor de betere dingen des levens bestemd was, en dat hij haar een dienst bewees door haar sjofele onderkomen met zijn aanwezigheid te vereren. Om bij te komen van de ergerlijke ervaring, en om na te denken over een mogelijke oplossing voor de situatie, was hij een van de koffiehuizen binnengegaan waar hij met enig aandringen nog wel wat krediet kon krijgen. Hij dronk zijn koffie zo langzaam mogelijk op en luisterde intussen naar het gesprek dat de twee mannen aan het belendende tafeltje met elkaar voerden.

Een van hen, een Fransman zo te horen, vertelde dat hij zaken had gedaan met een man uit Thunder Bay en een merkwaardig en waarschijnlijk waardeloos voorwerp had gekregen dat hem pas veel later was opgevallen. Het was een ivoren of benen voorwerp met tekens erop, 'zoiets als van de oude Egyptenaren,' zei hij.

'Dat is geen Egyptenaars, dat is meer met plaatjes, van vogels en zo,' zei een ander, aan zijn accent te horen zo'n waardeloze yankee die waarschijnlijk de oorlog was ontvlucht. Sturrock hoorde dat ze het voorwerp aan elkaar doorgaven.

'Ik weet niet wat het is,' zei een derde. 'Misschien wel Grieks.'

'Dan kan het best iets waard zijn,' zei de Fransman.

Op dat moment was Sturrock opgestaan en had zich aan de mannen voorgesteld. Dat is misschien nog wel zijn grootste talent: zich slinks in gezelschappen van allerlei soort voegen, van mijnwerkers tot mensen van adel. Hij is een van de weinige blanken die het vertrouwen en de genegenheid heeft gewonnen van verscheidene indiaanse opperhoofden aan beide zijden van de grens. Daarom was hij ook zo'n uitstekende speurder. Wat in dit geval ook hielp was dat de yankee wel eens over Sturrock had gehoord.

Hij vertelde dat hij de archeologie bestudeerde en hen misschien wel van dienst kon zijn. De yankee deed het eervolle verzoek of hij wat anekdotes wilde vertellen, waaraan Sturrock voldeed terwijl hij het voorwerp onderzocht dat hij in zijn hand hield. Hij deed alsof hij er niet veel belang aan hechtte en kon er eerlijk gezegd geen touw aan vastknopen. Hij wist maar weinig van de Griekse en Egyptische cultuur – dat van die studie was lichtelijk overdreven – maar hij zag wel dat het met geen van beide iets te maken had. Die kleine figuurtjes rond de hoekige tekens fascineerden hem. De stijl deed hem denken aan de primitieve geborduurde figuren die hij wel eens op indiaanse riemen had gezien en die verhalen uit de indiaanse geschiedenis verbeeldden. Hij gaf het stuk ivoor terug aan de Fransman, die Jammet heette, en zei dat hij het niet herkende, maar dat hij wel zag dat het geen Egyptisch, Grieks of Latijn was en dus niet afkomstig was van een van de grote oude beschavingen.

Een van de andere mannen betuigde zijn medeleven met Jammet en zei: 'Straks is het nog oud-indiaans, als je pech hebt.'

De mannen barstten in lachen uit. Kort daarna ging ieder zijns weegs; alleen Sturrock bleef achter, nippend aan de koffie waarop de Fransman hem had getrakteerd.

In de dagen daarna vatte het idee post in zijn hoofd en wilde daar niet meer uit verdwijnen. Als Sturrock over straat liep (een koets kon hij zich niet veroorloven) zag hij in gedachten dat stuk been en die vreemde tekens die erin gekerfd waren. Iedereen wist dat de indianen geen schrift kenden. Dat ze dat nooit hebben gekend.

En toch...

Sturrock liep terug naar het koffiehuis, vroeg naar de Fransman en vond hem, als bij toeval, voor een pension, in een buurt die veel beter was dan de zijne, iets wat hem meteen opviel. Ze stonden een tijdje met elkaar te praten, en Sturrock vertelde dat hij een vriend van hem had gesproken, een man die veel over oude talen wist, en dat die het stuk bot graag eens wilde bekijken. Als hij het een dag of twee kon lenen om aan die vriend te laten zien, dan zou hij misschien kunnen helpen om de waarde ervan te bepalen. Jammet ontpopte zich echter als een keiharde zakenman en hij weigerde het af te geven, behalve tegen betaling van een grote som geld. Sturrock, die meende dat hij zijn belangstelling voldoende had verborgen, was gekwetst door het gebrek aan vertrouwen, maar Jammet lachte en sloeg hem op de schouder en zei dat hij het voor hem zou bewaren totdat hij het geld had. Sturrock had gedaan alsof het hem niet veel kon schelen, maar had na enige aarzeling gevraagd of hij de tekens kon overschrijven zodat hij kon nagaan of het inderdaad een waardevol object was. Jammet had het geamuseerd weer tevoorschijn gehaald en de tekens op een stukje papier gekrabbeld.

Daarna had Sturrock die kopie laten zien aan allerlei deskundigen in de musea van Toronto en Chicago, aan professoren en mensen die bekend-stonden om hun geleerdheid. Niemand kon zijn theorie weerleggen. Hij vertelde niet wat hij dacht dat het was, maar vroeg alleen of het om een Indo-Europese taal ging. De geleerden meenden van niet. Ook alle talen uit de klassieke Oudheid werden geëlimineerd. Het zou handig zijn ge-weest als hij had geweten waar die handelaar het vandaan had, maar dat durfde hij niet te vragen omdat hij bang was dat hij dan te veel belang-stelling zou tonen. In de maanden die hierop volgden, veranderde Stur-rocks belangstelling voor het vreemde voorwerp. Het werd een obsessie.

Hij was, zoals hij Moody had verteld, toevallig in het speurdersvak ver-zeild geraakt. Sturrock had naam gemaakt als journalist nadat hij zijn geluk had beproefd in de rechtspraak, het theater en de kerk. Dat laatste was het succesvolste van dit ongelukkige trio: zijn kerk was uitgegroeid tot een congregatie van enkele honderden mensen die zich voelden aan-getrokken tot zijn welsprekendheid en scherpzinnigheid; alles ging voor-spoedig totdat bekend werd dat hij een verhouding had met de echt-genote van een vooraanstaande parochiaan: hij werd uit de stad verjaagd. De journalistiek paste misschien beter bij zijn non-conformistische nei-gingen: dat was een afwisselend, sociaal beroep waarin hij zijn meningen in kleurrijke taal kon ventileren. Bovendien had hij een onverbloemde strijdlust bij zichzelf ontdekt. Aangespoord door zijn romantische ideeën over de nobele wilde, ging hij artikelen schrijven over indiaanse aangelegen-heden en hoewel hij zijn schilderachtige fantasieën al snel liet varen, raakte hij minstens zo vervuld van de werkelijkheid die hij leerde kennen. Hij raakte bevriend met een zekere Joseph Lock, een tachtigjarige indiaan die in armoedige omstandigheden in de buurt van Ottawa woonde en die hem allerlei verhalen vertelde over zijn stam, de Pennacook, die van hun land in Massachusetts waren verdreven. Hij behoorde tot het handjevol leden van zijn stam die nog over waren, misschien was hij zelfs wel de allerlaatste. Sturrock schreef prachtig over het lot van Joseph – dat kreeg hij althans vaak te horen en hij had geen enkele reden om daaraan te twijfelen – en hij werd een graag geziene gast in de salons van Toronto en Ottawa. Hij had het gevoel dat hij eindelijk zijn bestemming had gevonden.

Maar ook deze onderneming was geen lang leven beschoren. Door zijn roem werd hij aan meer indianen voorgesteld, die jonger en agressiever waren dan Joseph, en zijn artikelen, die tot dan toe een levendige beschrijving gaven van de armoede en de onrechtvaardigheden uit het verleden (de manieren waarop je die kon beschrijven raakten snel uitgeput), werden steeds controversieler. Sturrock merkte dat uitgevers aarzelden om zijn werk te publiceren. Ze kwamen met vage excuses, of gooiden het op de grillige belangstelling van de lezers. Hij bracht daar tegenin dat de mensen toch op de hoogte moesten worden gebracht van de gevoelens van de indianen, maar de uitgevers mompelden iets over belangrijker zaken in Engeland en haalden hun schouders op.

Deuren bleven voor hem gesloten. De stroom uitnodigingen droogde op. Hij voelde zich onrechtvaardig behandeld, even onrechtvaardig als de indianen.

Juist in die periode werd hij benaderd door een Amerikaans echtpaar dat hun zoon was kwijtgeraakt bij een indiaanse overval. Dat was helemaal ten zuiden van de grote meren gebeurd, in Michigan, maar de vader had gehoord over Sturrock en hij was slim en wanhopig genoeg om te geloven dat die hem kon helpen. Sturrock liep al tegen de vijftig, maar hij stortte zich met veel verbeeldingskracht en energie op zijn taak. Misschien kwam het door zijn status als buitenstaander, maar de indianen verwelkomden hem en vertrouwden hem. Na enkele maanden ontdekte hij dat de jongen bij een groep Huron-indianen in Wisconsin woonde. Hij was meteen bereid om terug te gaan naar zijn ouders.

Thomas Sturrock werd opnieuw een gerespecteerd man. Na dat eerste succes onderzocht hij nog meer zaken van ontvoerde kinderen en vond ze in twee van de drie gevallen terug. Het opsporen zelf was meestal niet het moeilijkste, maar wel om de kinderen over te halen weer terug te keren naar hun oude leven. Maar daar was hij goed in, in overhalen.

Toen, na een paar jaar, ontving hij een brief van Charles Seton. Het geval Seton was anders dan de andere zaken die hij had onderzocht, omdat de meisjes al meer dan vijf jaar waren verdwenen en er helemaal geen aanwijzingen waren dat ze door indianen waren gekidnapt. Maar Sturrock, die door al het succes veel zelfvertrouwen had gekregen, wilde deze zaak, die wel eens de kroon op zijn carrière zou kunnen worden, niet weigeren. Bovendien werd je er bepaald niet rijk van om kinderen van arme kolonisten op te sporen, al verdiende hij er wel zijn brood mee, dus hij kon het geld goed gebruiken.

Hij had aanvankelijk niet gemerkt dat het uit de hand begon te lopen. Charles Seton werd na vijf jaar nog steeds verteerd door verdriet. Zijn vrouw was daar zelfs aan overleden, waardoor zijn verdriet nog erger werd. Hij stopte met werken en besteedde al zijn tijd aan het zoeken naar de kinderen; dat werd zijn enige levensdoel. Sturrock had moeten inzien dat geen enkele verklaring nog afdoende kon zijn voor Seton, dat geen enkele uitkomst het verdriet kon goedmaken. Sturrocks hoop dat de meisjes zouden worden teruggevonden nam steeds verder af. Veel mensen waren ervan overtuigd dat de kinderen direct waren omgekomen en dat hun resten door wilde dieren waren meegenomen. Na een zoektocht van een jaar begon Sturrock daar zelf ook van overtuigd te raken, maar Charles Seton wilde er niets over horen. Die mogelijkheid was in zijn bijzijn onbespreekbaar.

In die periode, toen Sturrock regelmatig tussen Lake Ontario en Georgian Bay heen en weer reisde, ontmoette hij een jonge indiaan, Kahon'wes, een militante journalist die over het lot van de indianen schreef. Kahon'wes wilde graag via Sturrock in contact komen met mensen in de journalistiek en hoewel Sturrock niet meer in die kringen verkeerde en hem dus niet verder kon helpen, werden ze goede vrienden. Kahon'wes noemde hem Sakotatis, wat Prediker betekent. Sturrock was gevleid door alle aandacht en door de manier waarop de jonge indiaan hem idealiseerde. Ze spraken vaak tot diep in de nacht over de oorlogen ten zuiden van de grens en over de politici in Ottawa. Ze spraken over cultuur, over het beeld van de indianen als mensen uit het Stenen Tijdperk en de vooroordelen van een geletterde beschaving ten opzichte van een ongeletterde. Kahon'wes vertelde hem over opgravingen langs de Ohio, waarbij grote aarden wallen en kunstvoorwerpen van voor de jaartelling waren gevonden. De blanke archeologen die deze dingen vonden weigerden te geloven dat de indianen tot hetzelfde volk behoorden als die houtsnijkunstenaars en bouwers van vroeger (en daarom konden de indianen zonder mededogen door de blanken worden verstoten, net zoals de indianen dat op hun beurt met dit onbekende volk hadden gedaan).

Aan die gesprekken denkt Sturrock tien jaar later terug als hij door de straten van Toronto loopt en informatie verzamelt over het benen voorwerp. Hij heeft al een idee over de monografie die hij over dit onderwerp kan schrijven en over de schok die na de publicatie daarvan door heel Noord-Amerika zal gaan. Die monografie zal van onschatbare waarde zijn voor het lot van zijn indiaanse vrienden en een prettige bijkomstigheid is dat hij er wereldberoemd door zal worden. Helaas kon hij Kahon'wes niet meer om advies vragen, want die was gaan drinken en was over de grens verdwenen, iets wat vaker gebeurt met mannen die van het pad afdwalen dat het leven voor hen heeft uitgestippeld.

En terwijl Sturrock door de sneeuw ploetert, let hij niet op het verbluffende, sombere landschap en zijn blunderende medezoekers (amateurs, allemaal). Zijn gedachten zijn bij Kahon'wes en zijn oude droom die nog steeds niet is vervuld. Als dat nog eens zou gebeuren zou dat al het wachten en alle ongemak dubbel en dwars waard zijn.

Afgezien van mijn echtgenoot ben ik met maar weinig mannen een tijd alleen geweest, dus ik vind het moeilijk te beoordelen wat normaal is en wat niet. Op de derde dag nadat we uit Dove River zijn vertrokken, loop ik achter Parker en de slee en bedenk ik me dat hij alles bij elkaar vijf zinnen tegen me heeft gesproken. Ik vraag me af of ik iets verkeerd heb gedaan. Ik weet natuurlijk dat de omstandigheden ongewoon zijn, en ik ben zwijgzamer dan gemiddeld, maar toch vind ik zijn zwijgzaamheid zenuwslopend. Al twee dagen heb ik geen enkele neiging om vragen te stellen en heb ik al mijn krachten nodig om het straffe tempo bij te benen. Vandaag gaat het iets gemakkelijker: we bereiken een pad dat redelijk begaanbaar is en waar de ceders beschutting bieden tegen de wind. We lopen door een permanente schemering onder de bomen, waar we alleen het geknerp van onze voetstappen horen en het gesis van de glijders van wilgentakken door de sneeuw.

Parker volgt zonder aarzelen een pad langs de rivier; hij lijkt precies te weten waar we naartoe gaan. Als we stoppen voor een kop zwarte thee en maïsbrood vraag ik het.

'Dus hier is Francis langsgekomen?'

Hij knikt. Hij is, mag je wel zeggen, een man van weinig woorden.

'Dus... dit spoor hebt u ook gezien op weg naar Dove River?'

'Ja. Hier zijn twee mannen langsgekomen, ongeveer in dezelfde periode.'

'Twee? Bedoelt u dat er iemand bij hem was?'

'De een volgde de ander.'

'Hoe weet u dat?'

'Het ene spoor is later gemaakt dan het andere.'

Hij zwijgt minstens een minuut. Ik zeg niets.

'Ze hebben aparte vuren gemaakt. Als ze samen reisden, zouden ze samen een kampvuur hebben gehad.'

Ik voel me stom omdat mij dat niet is opgevallen. Parker straalt een subtiele tevredenheid uit. Of misschien verbeeld ik me dat maar. We staan bij ons kleine vuurtje en ik voel de warmte van de beker via mijn handschoenen door mijn ijskoude handen trekken. Een schrale troost. Ik hou de beker onder mijn gezicht zodat de stoom in mijn gezicht dampt; ik weet dat het daarna juist weer meer pijn gaat doen, maar ik ben nog niet zo'n doorgewinterde veteraan dat ik mezelf dat kortstondige genoegen daarom ontzeg.

Een van de honden blaft. Een windvlaag blaast door de met sneeuw beladen takken en een gordijn van witte vlokken dwarrelt omlaag. Alsof hij mijn gedachten raadt, zegt hij: 'Vier mannen laten een duidelijk spoor achter.'

'Vier?'

'De mannen van de Company, die uw zoon achterna zijn gegaan. Die zijn gemakkelijk te volgen.'

Verbeeld ik me het nu, of zie ik een schaduw van een glimlach?

Hij slaat de rest van de thee in één teug achterover en loopt een eindje weg om zijn behoefte te doen. Hij kan, zoals me ook wel eens is opgevallen bij andere buitenmensen, kokendhete vloeistoffen opdrinken zonder zich te branden. Zijn mond moet haast wel van leer zijn. Ik draai me om en kijk naar de honden, die warm tegen elkaar aangekropen zijn in de sneeuw. Een van de twee, de kleinste, met een rossige vacht, heet Lucie, een naam die hij op z'n Frans uitspreekt. Daardoor voel ik een sentimentele verbondenheid met haar; ze lijkt me heel vriendelijk en goed van vertrouwen, in tegenstelling tot haar maatje Sisco, die met zijn griezelige blauwe ogen en zijn dreigende gegrom meer aan een wolf doet denken. De gedachte komt in me op dat er bepaalde overeenkomsten zijn tussen de twee honden en de twee mensen op deze tocht. Ik vraag me af of dat Parker ook is opgevallen, al heb ik hem mijn voornaam niet verteld, en heeft hij daar natuurlijk ook niet naar gevraagd.

In de ijskoude lucht koelt de thee zo snel af dat die binnen een halve minuut heel goed drinkbaar is. Een paar ogenblikken later is ze steenkoud.

's Nachts bouwt Parker een kamp en maakt een vuur, waar ik vlakbij ga zitten, waardoor mijn gezicht verschroeit en mijn rug bevriest. Intussen hakt hij met de bijl een berg takken van de bomen. (Angus zal die bijl vreselijk missen, maar dat is zijn probleem; dan had hij zijn zoon maar niet in de steek moeten laten.) De grootste takken ontdoet hij van twijgen en bladeren en daarmee bouwt hij een geraamte voor een tent in de luwte van een grote boomstam, of, als er een geschikte omgevallen boom is, achter de ontwortelde boomstronk. Dan legt hij kleinere takken met bladeren op de grond en schikt ze als de stralen van de zon, met de bladeren naar het midden. Als ik het de eerste keer zie, lijkt het wel een offerplaats. Die gedachte verdring ik snel, voordat ik er verder over na kan denken. Hij bedekt het geheel met de oliedoek die ik heb meegenomen uit de kelder. Het doek wordt vastgezet met nog meer takken en hopen sneeuw die hij er met een stuk boombast op schept, tot het doek een stevige wand vormt die de warmte binnen houdt. Aan de binnenkant hangt hij een kleiner stuk doek aan het houten skelet vast, als een gordijn dat de ruimte in tweeën deelt. Dat is zijn gebaar van fatsoenlijkheid en ik ben er blij mee.

Terwijl hij met de schuilhut bezig is, kook ik water en maak ik een pap van havermout en pemmikaan, met een paar verdroogde bessen erin. Ik ben het zout vergeten, dus de pap heeft een laffe smaak, maar het is toch heerlijk om iets warms en stevigs te eten en door je keel te voelen glijden. Daarna nog meer thee, met suiker, om de smaak van de pap weg te spoelen. Daarbij stel ik me de sprankelende conversatie voor die ik zou hebben gevoerd als ik een andere gids had gehad – of is hij mijn ontvoerder? Daarna kruipen we uitgeput (ik in elk geval wel) in de tent, de honden wurmen zich achter ons naar binnen, en Parker sluit de ingang met een steen.

De eerste nacht kroop ik met bonzend hart de kleine, donkere tunnel in en bleef ik doodstil onder de dekens liggen, te bang om me te bewegen, wachtend op een lot dat erger is dan de dood. Ik hield mijn adem in en luisterde naar Parker, die op slechts enkele centimeters afstand lag, zich omdraaide, ademde. Lucie kroop onder het gordijn door, of werd er misschien onderdoor geduwd, en kroop tegen me aan. Ik was erg blij met dat kleine, warme lijf naast me. Parker bewoog niet meer, maar ik merkte tot mijn afschuw dat hij gedeeltelijk tegen het oliedoek aan lag, en dus tegen mijn rug. Ik had geen ruimte meer om op te schuiven, want ik lag met mijn gezicht bijna tegen het oliedoek en de sneeuw aan. Ik lag maar te wachten tot er iets verschrikkelijks gebeurde, slapen kon ik in geen geval meer, maar toen voelde ik de vage warmte van zijn lichaam. Mijn ogen waren opengesperd, zonder dat ze iets zagen, mijn oren spanden zich in om het geringste geluid op te vangen, maar er gebeurde niets. Ik geloof dat ik op een bepaald moment zelfs ben weggedoezeld. Ik moet blozen als ik eraan denk, maar uiteindelijk zag ik wel in dat dit een prachtig systeem was, waarbij we voldoende privacy hadden, maar toch konden profiteren van elkaars lichaamswarmte.

Toen ik de volgende ochtend wakker werd, zag ik een vaag licht door het doek schijnen. In mijn cocon was het benauwd en het stonk naar hond. Het was erg koud in de tent, maar toen ik naar buiten kroop, merkte ik tot mijn ontsteltenis hoe warm het in de tent was vergeleken met buiten. Ik weet zeker dat Parker naar me keek terwijl ik onelegant op ellebogen en knieën naar buiten kroop, waarbij mijn losgeraakte haar in mijn gezicht hing, maar gelukkig lachte hij niet en deed hij alsof hij het niet zag. Hij reikte me plechtig een beker thee aan en ik probeerde met mijn vrije hand mijn haar glad te strijken en wenste dat ik een handspiegeltje had meegenomen. Het is heel vreemd dat je zelfs in zulke omstandigheden nog ijdel blijft. Maar ijdelheid is wat ons onderscheidt van de dieren, bedenk ik me, dus misschien moeten we daar trots op zijn.

Nu, op onze derde avond, ben ik vastbesloten om te proberen mijn zwijgende reisgenoot aan het praten te krijgen. Als we achter een kom stamppot zitten, begin ik. Ik heb het gevoel dat ik omzichtig te werk moet gaan, en ik zit al uren na te denken over wat ik zal zeggen.

'Meneer Parker, ik ben erg dankbaar dat u me hebt meegenomen en ik waardeer het heel erg dat u zo uw best doet om het mij naar de zin te maken.'

In het oranje schijnsel van het vuur is zijn gezicht een ondoordringbaar masker van schaduwen, hoewel de duisternis de blauwe plek op zijn wang verhult en zijn scherpe trekken verzacht.

'De omstandigheden zijn natuurlijk nogal... ongebruikelijk, maar ik hoop dat we goede reisgenoten zullen zijn.' Dat treft de juiste toon, 'reisgenoten': het klinkt hartelijk en niet te persoonlijk.

Hij kijkt op en kauwt op een hardnekkig stuk kraakbeen.

Ik heb het idee dat hij blijft zwijgen, alsof ik niet besta, alsof ik een waardeloos dier ben, een soort mestkever, maar dan slikt hij het stukje door en vraagt: 'Hebt u hem wel eens viool horen spelen?'

Het duurt even voordat ik in de gaten heb dat hij Laurent Jammet bedoelt.

En ik wordt teruggevoerd naar die avond bij de blokhut aan de rivier; ik hoor weer die vreemde, zoetgevooisde klanken, en ik zie dat Francis naar buiten stormt, zijn gezicht zo anders nu hij lacht. Ik ben verlamd van verdriet.

Ik heb in mijn leven niet veel gehuild, alles in aanmerking genomen. Iedereen krijgt in het leven te maken met moeilijkheden, zeker als je zo oud bent als ik, een oceaan bent overgestoken en je ouders en een kind hebt verloren, maar je kunt rustig zeggen dat mijn leven meer moeilijkheden heeft gekend dan gemiddeld. Toch heb ik altijd het gevoel gehad dat huilen geen zin heeft. Onzinnig eigenlijk, want waarom zou huilen alleen zin hebben als iemand je ziet en medelijden met je krijgt, of als iemand je kan helpen. Ik besefte al snel dat niemand dat kon. Ik heb de laatste dagen niet om Francis gehuild, omdat ik het te druk had met liegen en bedriegen en een manier bedenken om hem te helpen; ik was bang dat ik door te huilen mijn krachten zou verspillen. Ik begrijp dan ook niet waarom de tranen me nu over de wangen stromen en warme paden over mijn huid trekken. Ik sluit mijn ogen en draai gegeneerd mijn hoofd opzij, in de hoop dat Parker het niet merkt. Hij kan toch niets doen, behalve me door het bos leiden, wat hij al doet. Ik schaam me, want het lijkt alsof ik een beroep doe op zijn menselijkheid, terwijl hij misschien wel een onmens is.

Maar terwijl ik huil, ben ik me bewust van een sensueel genot: de tranen strelen mijn wangen als warme vingers en bieden vertroosting.

Als ik mijn ogen weer open, heeft Parker thee gezet. Hij vraagt niet om uitleg.

'Sorry, maar mijn zoon hield erg van zijn muziek.'

Hij reikt me een tinnen beker aan. Ik neem een slok en proef tot mijn verbazing dat hij er extra veel suiker in heeft gedaan, dat wondermiddel. Was heel het leven maar zo zoet en zorgeloos.

'Hij speelde vaak voor ons als we aan het werk waren. De bazen vonden het goed als hij zijn viool meenam. Ze wisten dat dat het extra gewicht meer dan waard was.'

'Hebt u met hem samengewerkt? Voor de Company?'

Ik haal me die foto van Jammet en de groep pelsjagers weer voor de geest en probeer me te herinneren of Parker daar ook bij was. Een gezicht zoals het zijne vergeet je niet gauw, maar ik kan het me niet herinneren.

'Heel lang geleden.'

'Ik vind u helemaal geen type voor de Company.' Ik glimlach snel, voor het geval het als een belediging klinkt.

'Mijn grootvader was Engels. Hij heette ook William Parker. Hij kwam uit Hereford.'

Hij heeft een pijp opgestoken, één van mijn man, omdat de zijne in beslag is genomen.

'Hereford? In Engeland?'

'Kent u dat?'

'Nee. Maar er staat geloof ik een prachtige kathedraal.'

Hij knikt, alsof die kathedraal iets vanzelfsprekends is.

'Hebt u uw grootvader nog gekend?'

'Nee. Zoals de meesten is hij niet gebleven. Hij trouwde met mijn grootmoeder, een Cree, maar is later teruggegaan naar Engeland. Ze kregen één kind, mijn vader. Hij heeft zijn hele leven voor de Company gewerkt.'

'En uw moeder?'

'Eh...' Een sprankje emotie brengt zijn gezicht tot leven. 'Dat was een Mohawk van een Franse missie.'

'Aha,' zeg ik, alsof dat een verklaring ergens voor is. Maar dat is ook zo: de Irokezen staan bekend om hun lengte en fysieke kracht. En ook om hun schoonheid (al zeg ik dat niet). 'Dus u bent een Irokees. Daarom bent u zo lang.'

'Mohawk, geen Irokees,' corrigeert hij me, zonder dat het geïrriteerd klinkt.

'Ik dacht dat dat hetzelfde was.'

'Weet je wel wat 'Irokees' betekent?'

Ik schud mijn hoofd.

'Het betekent 'ratelslang'. Zo werden ze genoemd door hun vijanden.'

'Neemt u me niet kwalijk, dat wist ik niet.'

Zijn mond vertrekt op een manier die ik inmiddels als glimlach herken. 'Zij werd geacht een goede, door de missie bekeerde katholiek te zijn, maar ze was op de eerste plaats een Mohawk.'

In zijn stem hoor ik warmte en humor. Ik glimlach naar hem boven het vuur. Het is prettig om te weten dat iemand die verdacht wordt van moord van zijn moeder houdt.

Mijn thee is bijna op, de rest is natuurlijk steenkoud geworden. Ik wil hem iets vragen over de dood van Jammet, maar ik ben bang dat onze delicate verstandhouding daardoor zal worden verstoord. In plaats daarvan vraag ik, terwijl ik naar hem wijs: 'Hoe gaat het nu met uw gezicht?'

Hij raakt het met twee vingers aan. 'Het doet niet meer zo'n pijn.'

'Gelukkig. Het is ook veel minder dik.' Ik denk aan Mackinley. Hij lijkt me geen man die het snel zal opgeven. 'Ze zullen ons wel proberen te volgen.'

'Dat zal heel moeilijk gaan, met al die sneeuw. En daardoor kunnen ze ook veel minder snel.'

'Maar kunt u het spoor dan nog wel volgen?'

Daar maak ik me al een tijdje zorgen over. Toen het ging sneeuwen, bedrieglijk zachte, prettige sneeuw, heel droog en poederachtig, probeerde ik mezelf ervan te overtuigen dat Francis waarschijnlijk ergens in een dorp is gaan schuilen. Dat moet ik wel geloven, ik kan niet anders.

'Ja.'

Ik bedenk dat hij een pelsjager is en gewend om nauwelijks zichtbare sporen van kleine dieren te volgen in de sneeuw. Maar er lijkt nog iets anders te zijn waardoor hij zo zeker is van zijn zaak. Opnieuw krijg ik het vermoeden dat hij al weet waar dit spoor naartoe leidt.

We blijven een tijdje zitten. Ik ben jaloers op het ritme en het ritueel waarmee hij zijn pijp rookt, waardoor hij diep in gedachten verzonken lijkt, ook al doet en denkt hij misschien niets. En toch heb ik me lange tijd niet zo vredig gevoeld. We zijn op weg. Ik doe iets om Francis te helpen.

Ik doe iets om te laten zien hoeveel ik van hem houd en dat is belangrijk, want ik ben bang dat hij dat is vergeten.

Op een bepaald moment dringt het tot Francis door dat hij is gearresteerd. Niemand heeft dat daadwerkelijk tegen hem gezegd, maar hij concludeert het uit de manier waarop Per naar hem kijkt, en naar Moody. Moody denkt dat hij Laurent heeft vermoord. Dat ergert hem, ook al is hij niet bang of kwaad. Als hij Moody was, zou hij waarschijnlijk hetzelfde denken.

'Ik begrijp niet,' zegt Moody, die voor de honderdste keer zijn bril op zijn neus duwt, 'waarom je niemand hebt verteld wat je daar zag. Je had het toch aan je vader kunnen vertellen? Hij is een gerespecteerd man in jullie dorp.'

Francis bijt op zijn onderlip in plaats van het voor de hand liggende vinnige antwoord te geven. Hij vraagt zich af of Moody zijn vader wel eens heeft ontmoet.

'Ik dacht dat hij dan een te grote voorsprong zou krijgen. Ik heb er niet goed over nagedacht.'

Donald houdt zijn hoofd een beetje scheef, alsof hij dat idee van niet goed nadenken probeert te begrijpen. Hij kijkt alsof hem dat niet lukt.

Naast Moody zit een jonge halfbloed, die aan Francis is voorgesteld als Jacob. Francis heeft hem nog niet horen praten, maar hij neemt aan dat hij als getuige optreedt voor de Hudson Bay Company. Hij heeft gehoord – onder meer van Jammet – dat de Company in Rupert's Land mannen eropuit stuurt om recht te spreken. Als bekend is wie een moord heeft gepleegd, wordt de moordenaar door de Company opgespoord en gedood. Hij vraagt zich af of dat de taak van Jacob zal zijn. Hij zit meestal met

175

zijn hoofd gebogen, maar hij houdt Francis scherp in de gaten. Misschien denkt hij dat hij een fout zal maken en zichzelf zal verraden.

Moody draait zich om en fluistert iets, waarop Jacob opstaat en de kamer verlaat. Moody trekt zijn stoel dichterbij en lacht naar Francis, als een jongen die vriendschap probeert te sluiten op de eerste schooldag.

'Ik wil je iets laten zien.'

'Dan trekt hij zijn hemd omhoog, uit zijn broek, tot Francis het litteken ziet, dunne, glimmende huid, rood op wit. 'Zie je dat? Het mes zat acht centimeter diep. En de man die dat heeft gedaan... die zat net nog naast me.'

Hij kijkt Francis aan. Francis voelt dat hij zijn ogen onwillekeurig openspert.

'En toch geloof ik niet dat er hier in dit land iemand is die meer om mij geeft dan hij.'

Francis glimlacht even, ondanks de situatie. Donald voelt zich bemoedigd en lacht terug. 'Wacht maar tot je hoort hoe het kwam. We speelden rugby en ik haalde hem onderuit. Een klassiek voorbeeld van beentje lichten. En toen ging hij me instinctief te lijf. Hij had nog nooit eerder rugby gespeeld. Ik wist niet eens dat hij een mes bij zich had.'

Donald begint te lachen en Francis voelt zich vanbinnen een beetje warm worden. Even lijkt het alsof ze vrienden zijn.

Donald stopt zijn hemd weer in zijn broek.

'Ik bedoel dat je zelfs ruzie kunt krijgen met een vriend en dat iemand in een driftbui soms raar uit de hoek kan komen. Zonder dat hij het kwaad bedoelt. Jacob zou even later zijn leven hebben gegeven om het ongedaan te maken. Is het zo gegaan met Laurent Jammet? Jullie hadden ruzie, misschien was hij dronken, en jij ook, je werd kwaad op hem en toen haalde je zonder nadenken uit...'

Francis staart naar het plafond. 'Als u zo graag de waarheid wilt weten, waarom volgt u dan niet dat andere spoor, het spoor dat de moordenaar heeft achtergelaten? Dat moet u toch ook hebben gezien, ik kon het zelfs volgen. Ook al gelooft u me niet, u hebt dat andere spoor toch wel gezien?'

Iets in hem is bezweken en nu stromen de woorden naar buiten en klinken ze steeds harder.

'Misschien heb je dat spoor wel gevolgd omdat je hoopte daardoor op een veilige plaats terecht te komen.' Donald leunt naar voren, alsof hij het gevoel heeft dat hij nu eindelijk iets bereikt.

'Als ik wilde vluchten, zou ik dan hierheen zijn gegaan? Dan had ik toch beter naar Toronto kunnen gaan, of een boot kunnen nemen...' Francis kijkt naar het plafond met de inmiddels bekende barsten en lijnen. Onleesbare tekens.

'Waar zou ik hier dat geld aan moeten uitgeven? Het is krankzinnig om te denken dat ik hem heb vermoord, snapt u dat niet? Idioot gewoon...'

'Misschien ben je daarom wel hierheen gegaan, juist omdat het niet voor de hand ligt... Je verstopt je hier en als alles weer rustig is kun je gaan en staan waar je wilt. Behoorlijk slim van je.'

Francis kijkt hem aan. Wat voor zin heeft het nog om daar iets tegenin te brengen? Die idioot heeft toch al helemaal bedacht hoe het is gegaan. Zou het vanaf nu steeds zo gaan? Als dat zo is, dan moet dat maar.

Zijn keel voelt dik en hij heeft een nare smaak in zijn mond. Hij wil gaan schreeuwen. Als ze de waarheid kenden, zouden ze hem dan wel geloven? Als hij zou zeggen hoe het werkelijk zat?

In plaats daarvan doet hij zijn mond open en schreeuwt alleen maar: 'Verdomme! Verdomme! Donder toch allemaal op!' Dan draait hij zijn hoofd naar de muur.

Op het moment dat hij dat doet, schiet Donald iets te binnen. Iets wat de laatste dagen steeds maar door zijn hoofd speelde. Francis doet hem denken aan een jongen bij wie hij vroeger op school zat, maar die hij links liet liggen, net zoals iedereen. Dus dat was misschien het motief. Het verbaast hem eigenlijk niet eens.

Er gebeurt iets heel bijzonders. Terwijl we bij zeer rustig, bladstil weer in noordelijke richting door het bos lopen, merk ik plotseling dat ik geniet. Ik schrik ervan en voel me schuldig, alsof ik me meer zorgen om Francis moet maken, maar ik kan het niet ontkennen: zolang ik er maar niet aan denk dat hij misschien gewond of doodgevroren is, ben ik gelukkiger dan ik me lange tijd heb gevoeld.

Ik had nooit gedacht dat ik zo ver de wildernis in zou kunnen trekken zonder bang te zijn. Wat mij altijd zo heeft tegengestaan aan het bos, iets wat ik nooit aan iemand heb verteld, is dat het overal hetzelfde is. Er zijn maar een paar soorten bomen, vooral nu ze door de sneeuwlaag een vreemde, sombere vorm hebben gekregen en het duister en schemerig is. Toen we net in Dove River woonden, had ik vaak een nachtmerrie: ik ben midden in het bos, ik draai me om naar de richting waaruit ik gekomen denk te zijn en zie dat elke kant er precies hetzelfde uitziet. Ik ben volkomen gedesoriënteerd en ik raak in paniek. Ik weet zeker dat ik voorgoed verdwaald ben en er nooit meer uit zal komen.

Misschien komt het wel door de extreme situatie, waardoor het onmogelijk, of gewoon zinloos is om bang te zijn. Ik ben ook niet bang meer voor mijn zwijgzame gids. Omdat hij me nog steeds niet heeft vermoord, terwijl hij volop de kans heeft gekregen, ga ik hem langzamerhand vertrouwen. Ik heb me wel even afgevraagd wat er zou zijn gebeurd als ik had geweigerd om met hem mee te gaan; zou hij me dan hebben gedwongen? Maar dat vraag ik me nu niet meer af. Acht uur lang door de sneeuw lopen is een goede manier om een rusteloze geest tot bedaren te brengen.

Het geweer van Angus is aan de hondenslee gebonden en ongeladen en biedt dus weinig bescherming tegen een plotselinge aanval. Als ik aan Parker vraag of dat wel verstandig is, begint hij te lachen. Hij zegt dat er hier geen beren zitten. En wolven dan, vraag ik. Hij kijkt me met een medelijdende blik aan.

'Wolven vallen geen mensen aan. Ze zijn soms nieuwsgierig, maar ze vallen niet aan.'

Ik vertel over die arme meisjes die door de wolven zijn verslonden. Hij luistert zonder me te onderbreken en zegt dan: 'Daar heb ik over gehoord. Er is nooit iets gevonden waaruit blijkt dat ze zijn aangevallen door wolven.'

'Maar ook niet dat ze zijn gekidnapt. Er is helemaal niets gevonden.'

'Wolven eten nooit alles op. Als ze door de wolven zouden zijn verslonden, zouden er sporen overgebleven zijn, stukken bot.

Ik weet niet wat ik daarop moet zeggen. Ik vraag me af of hij zulke macabere details kent omdat hij ze zelf heeft gezien.

'Maar,' gaat hij verder, 'ik heb nog nooit meegemaakt dat wolven iemand aanvallen zonder dat ze werden geprovoceerd. Wij zijn ook niet aangevallen, maar de wolven houden ons wel in de gaten.'

'Probeert u me bang te maken, meneer Parker?' zeg ik met een zorgeloze lach, ook al loopt hij voor me en kan hij mijn gezicht niet zien.

'Er is geen reden om bang te zijn. Ik kan aan de honden merken dat er wolven in de buurt zitten, vooral 's nachts. En we zijn er nog.'

Hij zegt dit over zijn schouder, alsof hij een terloopse opmerking maakt over het weer, maar ik kijk achterom of we worden gevolgd en ik blijf nog angstvalliger dan eerst in de buurt van de slee.

Als het donkerder wordt voel ik schaduwen die om ons heen bewegen en ons omsingelen. Was ik er maar nooit over begonnen. Ik ga dicht bij het vuur zitten, de vermoeidheid weet mijn zenuwen niet te overmannen en ik schrik op van elk geritsel en elke sneeuwvlaag. Ik verzamel vlak bij het vuur sneeuw en maak haastig het eten. Als Parker uit het zicht is om takken te verzamelen, tuur ik ingespannen tussen de bomen door naar zijn gestalte, en als de honden opgewonden beginnen te blaffen, schrik ik me wild.

Later, als ik als een worst in de tent lig, schrik ik ergens van wakker. Ik zie een vaag grijs schijnsel door het doek, dus het wordt ochtend, of anders staat er een heldere maan. Dan hoor ik tot mijn schrik vlak naast me de stem van Parker.

'Mevrouw Ross, bent u wakker?'

'Ja,' fluister ik na een tijdje. Mijn hart bonst in mijn keel en ik stel me allerlei gruwelen voor aan de andere kant van die muur van oliedoek.

'Steek als u kunt uw hoofd door de opening en kijk naar buiten. Niet schrikken. U hoeft niet bang te zijn. Misschien interesseert het u.'

Het is niet moeilijk om zo te manoeuvreren dat ik naar buiten kan kijken, want na de eerste nacht slaap ik met mijn hoofd in de richting van de tentopening. Ik zie dat Parker aan mijn kant van het gordijn een opening heeft gemaakt en ik steek mijn hoofd naar buiten.

Het is nog geen ochtend, maar er schijnt een koel, grijzig licht, misschien van de onzichtbare maan; het licht wordt weerkaatst door de sneeuw en maakt de omgeving goed zichtbaar. Alleen tussen de bomen is het donker en wazig. Voor me zie ik een zwarte vlek, de restanten van ons vuur, en daarachter staan de twee honden gespannen en alert te kijken naar iets tussen de bomen. Een van hen jankt, misschien dat ik daarvan wakker ben geworden.

Eerst zie ik niets, maar na een minuut of twee beweegt er iets in het duister tussen de bomen. Met een schok dringt het tot me door dat het nog een gestalte is die op een hond lijkt, en grijs afsteekt tegen het lichtere grijs van de sneeuw. Het derde dier kijkt naar de honden. Zijn ogen en snuit zijn donkerder dan zijn vacht. De dieren kijken gefascineerd naar elkaar; ze maken geen agressieve indruk, maar geen van de drie schijnt zich te willen omdraaien. Ik hoor opnieuw gejank, nu van de wolf. Hij lijkt me kleiner dan Sisco, en volgens mij is hij alleen. Ik kijk hoe hij een stukje dichterbij komt, maar dan weer terugdeinst, als een kind dat graag wil meedoen aan een spelletje maar niet zeker weet of het wel welkom is.

Ik kijk minstens tien minuten naar deze bijna geluidloze communicatie tussen honden en wolf en ik vergeet helemaal om bang te zijn. Ik weet dat Parker naast me ligt en ook naar ze kijkt. Ik kijk niet opzij, maar hij ligt zo dichtbij dat ik hem kan ruiken. Ik word me daar alleen langzaam van bewust: meestal is de lucht zo koud dat elke geur doodslaat. Dat is iets om dankbaar voor te zijn, heb ik vaak gedacht. Maar terwijl ik naar de dieren kijk, ruik ik leven: niet de geur van de honden, ook geen zweet, maar meer iets als bladeren, zoals het in een kas ruikt, zo'n doordringende, rijke geur, vochtig en groeizaam. Ik voel mijn huid prikken alsof ik langs een brandnetel gestreken ben; er komt een herinnering in me op aan de kas in het gesticht, waar we tomaten kweekten. Zo rook het ook als ik mijn gezicht tegen het overhemd van dokter Watson vleide, of tegen zijn huid. Ik wist niet dat een man zo kon ruiken, niet naar tabak en aftershave, zoals mijn vader, of naar lichaamsvocht en ongewassen kleren, zoals de meeste bewakers.

Die geur van dokter Watson en zijn kas, dat kan in dit bevroren bos alleen maar Parker zijn.

Ik kan het niet laten om mijn hoofd een beetje zijn kant op te draaien en zijn geur diep op te snuiven om die herinnering te versterken, wat heel verleidelijk en bepaald niet onprettig is. Ik doe dat onhoorbaar, maar ik voel dat hij het merkt. Ik kan het niet laten om opzij te kijken en ik merk dat hij vanaf een afstand van nauwelijks tien centimeter naar me kijkt. Ik schrik, en glimlach om mijn gêne te verbergen. Dan kijk ik weer naar de honden, maar de wolf is weg. Ik weet niet of hij net is verdwenen of al wat eerder.

'Dat was een wolf,' zeg ik. Wat een briljante opmerking.

'En u was niet bang.'

Ik kijk weer naar hem, om te zien of hij me plaagt, maar hij is alweer in de tent gekropen.

'Bedankt,' zeg ik, maar ik erger me meteen aan mezelf. Het klinkt alsof hij die wolf speciaal voor mij heeft laten opdraven, wat natuurlijk belachelijk is. Ik kijk weer naar de twee honden. Sisco kijkt nog steeds geconcentreerd de indringer na, die tussen de bomen is verdwenen, maar Lucie kijkt naar mij, met haar bek open en haar tong naar buiten, alsof ze me uitlacht.

Bij de zoekacties zijn geen sporen van de voortvluchtige gevangene gevonden en de hysterie over de verdwijning van mevrouw Ross is gekalmeerd door de stoïcijnse reactie van haar man. Men gaat ervan uit dat ze Moody en haar zoon wel zal tegenkomen. Mackinley schijnt die twee dingen niet met elkaar in verband te brengen en zit het grootste deel van de dag in zijn kamer te peinzen. Bijna drie dagen na de verdwijning hangt Mackinley nog steeds rond in het huis van Knox, als een wraakzuchtige geest. Hij kookt van machteloze woede, als een man die al meende te hebben wat hij zocht, maar het daarna toch is kwijtgeraakt.

De familie Knox noemt zijn naam niet, alsof hij zal verdwijnen als ze net doen alsof hij er niet is. Knox stelt voor dat hij teruggaat naar Fort Edgar om daar het nieuws over Moody af te wachten. Mackinley weigert. Hij is vastbesloten om te blijven, terwijl er berichten worden rondgestuurd met een persoonsbeschrijving van de voortvluchtige. Hij is geobsedeerd door zijn plicht, of door wat hij zelf als zijn plicht beschouwt – welke van de twee het is weet Knox niet meer zo goed.

Vanavond, na het eten, begint Mackinley te praten over geluk. Hij komt weer terug op een van zijn favoriete onderwerpen, helden van de Company, en hij trakteert Knox op het reeds bekende verhaal over James Stewart, die zijn mannen in de winter door de sneeuw leidde om een afgelegen handelspost te bevoorraden en daarbij verschrikkelijke omstandigheden trotseerde. Mackinley is dronken. Hij heeft een gemene schittering in zijn ogen die Knox alarmeert. Als hij dronken is, kan dat niet van de wijn komen die Knox bij het eten heeft geschonken. Dat betekent dat hij op zijn kamer drinkt.

'Maar weet u?' Mackinley praat tegen Knox, maar zijn ogen zijn gericht op de zachte, poederachtige sneeuw buiten, die hij als een persoonlijke belediging lijkt op te vatten. Zijn stem is ook zacht: hij probeert niet te schreeuwen, hij probeert niet kleingeestig te zijn. Vreemd is dat: Knox weet dat het gekunsteld is, maar het effect is toch bloedstollend.

'Weet je wat ze met hem hebben gedaan, met zo'n goeie vent als hij? En dat allemaal door een beetje pech? Hij was een geweldige dienaar van de Company, iemand die alles heeft gegeven. Hij zou nu de baas van de hele Company moeten zijn, maar in plaats daarvan hebben ze hem naar een of ander godverlaten oord in de wildernis gestuurd, waar helemaal geen pelzen zijn, alleen maar woestenij. En dat allemaal omdat hij een beetje pech had. Dat klopt toch niet? Daar klopt toch helemaal niets van?'

'Nee, dat lijkt mij ook.' En het klopt ook niet dat hij met Mackinley opgescheept zit, maar hij weet niet bij wie hij zich daarover moet beklagen. Als Mackinley zelf achter die jongen van Ross aangegaan was en Moody hier had gelaten, zou Susannah ook veel gelukkiger zijn geweest.

'Ik laat me niet zomaar opzijschuiven. Dat laat ik niet gebeuren.'

'Dat zal vast wel meevallen. Het is toch ook helemaal niet uw schuld?'

'Hoe moet ik nu weten of zij dat ook zo zien? Ik ben verantwoordelijk voor de handhaving van de wet in en rond mijn fort. Misschien zou u een brief kunnen schrijven waarin u de gebeurtenissen uitlegt...' Mackinley kijkt Knox met grote ogen aan, alsof dit idee net in zijn hoofd is opgekomen.

Knox krijgt de neiging om verbijsterd naar adem te happen, maar weet dat nog op tijd te onderdrukken. Hij had zich al afgevraagd of Mackinley zoiets zou gaan vragen, maar hij had gedacht dat het zelfs voor hem te schaamteloos was. Hij gunt zichzelf even de tijd om een antwoord te formuleren.

'Als ik zo'n brief zou schrijven, meneer Mackinley, zou het niet meer dan eerlijk zijn om alle feiten weer te geven zoals ik ze ken, zodat er geen verwarring kan ontstaan.' Hij kijkt Mackinley kalm en onverstoorbaar aan.

'Ja, natuurlijk...' begint Mackinley, maar hij maakt zijn zin niet af en kijkt met uitpuilende ogen naar Knox. 'Wat bedoelt u? Wat heeft Adam verteld?'

'Adam heeft helemaal niets verteld. Ik heb met mijn eigen ogen kunnen zien wat u onder het handhaven der wet verstaat.'

Mackinley kijkt hem woedend aan, maar hij zegt verder niets meer. Knox voelt zich heimelijk tevreden dat hij hem het zwijgen heeft opgelegd.

Als Knox eindelijk het huis verlaat, ziet hij dat er een eigenaardige lichtval is buiten, een bleke schemering die wordt versterkt door de sneeuw en de wolken, waardoor het nog kouder lijkt. Hoewel de dagen kort zijn en de zon laag staat, hangt er iets bijzonders in de lucht, misschien een voorbode van de aurora borealis, waardoor zijn tred lichter wordt. Vreemd, dat hij zich zo zorgeloos voelt terwijl hij op het punt staat in ongenade te vallen.

Thomas Sturrock doet de deur open, waardoor er een dikke, rokerige walm naar buiten komt. Hij is blijkbaar iemand die vindt dat frisse lucht buiten moet blijven.

'Ik denk dat we vanavond niet gestoord zullen worden. Mijn gastheer en gastvrouw zijn momenteel verwikkeld in een huiselijk conflict.'

Knox weet niet goed hoe hij hierop moet reageren. Hij wil niet te maken krijgen met een dronken John Scott. Misschien is het beter als die zijn frustraties afreageert op zijn vrouw en in het openbaar een brave burger speelt. Hij schaamt zich voor die gedachte en zet hem uit zijn hoofd.

'Ik heb je briefje gekregen en ik ben benieuwd wat je daarover te zeggen hebt.' Hij herinnert zichzelf eraan dat hij op zijn hoede moet blijven, zelfs bij Sturrock.

'Toen we bij de oever van het meer aan het zoeken waren, moest ik aan Jammet denken.' Sturrock schenkt twee glazen whisky in en laat de goudgele vloeistof in zijn glas walsen. 'En toen dacht ik aan een man die ik vroeger kende, toen ik nog een speurder was. Hij heette Kahon'wes.'

Knox wacht af.

'Ik wist niet goed of ik daar wel over moest beginnen... Ik vroeg mezelf af waarom iemand een eenvoudige pelshandelaar zoals Jammet zou willen vermoorden. Wat het motief kon zijn. En ik heb het vermoeden, al heb ik daar natuurlijk geen enkele zekerheid over, dat het misschien te maken heeft met dat benen voorwerp.'

'Dat stuk bot waarover je al eerder hebt verteld?'

'Ja. Ik heb je verteld dat ik dat nodig heb voor een onderzoek waarmee ik mij momenteel bezighoud en misschien is de gedachte bij je opgekomen dat als ik bereid ben om zo veel moeite te doen om dat voorwerp te bemachtigen, anderen daar ook het een en ander voor over hebben. Van de andere kant... ach, verdomme, ik weet niet eens zeker of het wel is wat het is.' Zijn gezicht lijkt in het lamplicht dor en oud.

'Wat denk je dan dat het is?'

Sturrock drinkt de inhoud van zijn glas op en zijn gezicht vertrekt, alsof het een medicinaal drankje is.

'Dit zal wel idioot klinken, maar... ik denk dat dit het bewijs vormt dat de indianen een oude, geschreven taal hadden.'

Knox barst bijna in lachen uit. Het klinkt ook zo belachelijk, net iets uit een jongensboek. Zelden heeft hij zoiets idioots gehoord.

'Waarom denk je dat?' Hij heeft Sturrock nooit dom gevonden, ondanks zijn tekortkomingen. Misschien heeft hij dat aldoor mis gehad en is de man toch niet helemaal in orde, is dat de reden waarom hij een ouderwetse jas draagt met gerafelde manchetten.

'Ik zie wel dat je het een belachelijke gedachte vindt, maar ik heb er mijn redenen voor. Ik verdiep me hier al meer dan een jaar in.'

'Iedereen weet toch dat zoiets onmogelijk is!' Knox kan zich niet meer inhouden. 'Er is geen greintje bewijs voor. Als de indianen ooit een geschreven taal hebben gekend, dan zou daar toch iets van moeten zijn overgebleven; documenten, bewijzen, er zou op zijn minst iets over moeten worden gezegd in de overlevering... maar er is helemaal niets van dat alles!'

Sturrock kijkt hem ernstig aan. Knox gaat op verzoenende toon verder: 'Het spijt me als ik zo geringschattend doe, maar het klinkt zo... bizar.'

'Misschien. Maar er zijn mensen die het voor mogelijk houden. Dat moet je toch erkennen.'

'Ja. Ja, natuurlijk, dat kan.'

'En als ik ernaar op zoek ben, dan zijn er misschien ook anderen die het graag willen hebben.'

'Dat is ook mogelijk.'

'Juist. En mijn theorie luidt als volgt. Die man die ik net noemde, Kahon'wes, was een soort journalist, een schrijver. Een indiaan, maar een zeer begaafde. Goed opgeleid, intelligent, in staat tot fraai formuleren enzovoort. Ik heb altijd gedacht dat hij misschien gedeeltelijk van blanke afkomst is, maar dat heb ik nooit gevraagd. Hij was heel trots en heel fanatiek: hij was geobsedeerd door het idee dat de indianen een eigen, grote cultuur hebben die in elk opzicht gelijkwaardig is aan de blanke. Daar was hij heel gedreven in, zoals sommige godsdienstige fanatiekelingen dat ook kunnen zijn. Hij dacht dat ik met hem sympathiseerde en dat was tot op zekere hoogte ook zo... Maar hij was labiel, die arme kerel, en toen hij niet de roem kreeg waarop hij had gehoopt, is hij gaan drinken.'

'Wat wil je daarmee zeggen?'

'Dat hij, of iemand die net als hij hartstochtelijk geloofde in een indiaanse natie en in de indiaanse cultuur, er bijna alles voor over zou hebben om een dergelijk bewijsstuk te bemachtigen.'

'En die man kende Jammet ook?'

Sturrock kijkt een beetje verbaasd. 'Dat weet ik eerlijk gezegd niet. Maar het kan zijn dat hij over dat voorwerp heeft gehoord. Hij hoefde Jammet natuurlijk niet persoonlijk te kennen om te weten dat hij dat ding had. Ik kende Jammet ook niet, totdat ik hem in een koffiehuis in Toronto hoorde praten over dat voorwerp. Hij hield dat bepaald niet geheim.'

Knox haalt zijn schouders op. Hij vraagt zich af of Sturrock hem echt helemaal hier heeft laten komen voor dat bizarre verhaal. 'En waar woont die Kahon'wes nu?'

'Dat kan ik je niet vertellen. Ik heb hem jaren geleden voor het laatst gezien. In die periode reisde hij door het land en schreef artikelen. Zoals ik zei is hij gaan drinken en toen ben ik hem uit het oog verloren. Ik heb alleen nog gehoord dat hij de grens over is gegaan, daarna niets meer.'

'Vertel je me dit nu omdat je denkt dat hij het gedaan zou kunnen hebben? Daar heb je wel heel weinig reden voor, vind je ook niet?'

Sturrock kijkt naar zijn lege glas. Nu al is er stof op de vloeistof gedwarreld, die daardoor vertroebeld wordt.

'Kahon'wes heeft me ooit eens verteld over een oude, geschreven indianentaal. Dat zoiets eventueel bestaan zou kunnen hebben, bedoel ik. Ik had daar voordien nog nooit van gehoord.' Sturrock glimlacht gespannen en vreugdeloos. 'Ik verklaarde hem natuurlijk voor gek.' Hij haalt zijn schouders op met een gebaar dat Knox erg pathetisch vindt.

'Toen kwam ik dat voorwerp op het spoor. En ik herinnerde me wat hij had gezegd. Misschien is het voor mezelf niet verstandig dat ik je dit vertel, maar ik vind dat je alle feiten moet weten. Ik wil niet dat de dader ongestraft blijft alleen omdat ik mijn mond heb gehouden.'

Knox slaat zijn ogen neer en voelt dat bekende gevoel van absurditeit in hem opwellen. 'Wel jammer dat je dat niet eerder hebt verteld, voordat de gevangene ontsnapte. Misschien had je hem kunnen identificeren.'

'Echt? Dus jij denkt...? Tjonge...'

Knox gelooft absoluut niets van dat plotselinge begrip van Sturrock. Eigenlijk gelooft hij het hele verhaal niet. Misschien heeft Sturrock wel een reden om de verdenking weer op die halfbloed te laten vallen, bijvoorbeeld om de aandacht van hemzelf af te leiden. Hoe langer hij erover nadenkt, hoe idioter hij het verhaal begint te vinden. Dat stuk bot bestaat natuurlijk niet eens: hij heeft niemand daar ooit iets over horen zeggen, alleen Sturrock.

'Nou, bedankt dat je me het hebt verteld, Sturrock, dat zou nog wel eens goed van pas kunnen komen. Ik zal het bespreken met Mackinley.'

Sturrock spreidt zijn handen. 'Ik wil alleen maar dat de moordenaar zijn verdiende straf krijgt.'

'Natuurlijk.'

'Er is ook nog iets anders...'

Aha, nu komt de aap uit de mouw, denkt Knox.

'Ik vroeg me af of u misschien nog wat van het slijk der aarde zou kunnen missen?'

Tijdens de korte, koude wandeling terug naar huis herinnert Knox zich ineens tot zijn schrik wat hij eerder die avond tegen Mackinley heeft gezegd: 'Ik heb met mijn eigen ogen gezien wat u verstaat onder het handhaven der wet.'

Eerder had hij tegen Mackinley gezegd (of althans de indruk gewekt) dat hij na de ondervraging van Mackinley niet meer bij de gevangene is geweest. Hij kan alleen maar hopen dat Mackinley te dronken of te geagiteerd was om dat te merken.

Maar dat lijkt gezien de omstandigheden ijdele hoop.

Bij het ontbijt begint Parker over de nachtelijke bezoeker. Het was een jonge wolvin die we de afgelopen nacht hebben gezien, waarschijnlijk ongeveer twee jaar oud en nog niet helemaal volwassen. Hij denkt dat ze ons al een paar dagen volgt, uit nieuwsgierigheid. Het zou kunnen dat ze met Sisco wilde paren en dat ook heeft gedaan.

'Zou ze ons ook zijn gevolgd als we geen honden bij ons hadden?' vraag ik.

Parker haalt zijn schouders op. 'Misschien.'

'Hoe wist u dat ze er vannacht was?'

'Ik wist het niet. Ik dacht alleen dat het zou kunnen.'

'Ik ben blij dat u me hebt gewaarschuwd.'

'Een paar jaar geleden...' Parker zwijgt even, alsof hij verbaasd is dat hij zomaar uit zichzelf iets vertelt. Ik wacht af.

'Een paar jaar geleden heb ik een in de steek gelaten wolfspup gevonden. Ik denk dat de moeder dood was, of dat de pup uit het nest was verstoten. Ik heb geprobeerd die pup op te voeden als een hond. Dat ging een tijd goed. Hij was tevreden, en... aanhankelijk, als een huisdier. Hij likte mijn hand, ging op zijn rug liggen om te spelen. Maar toen hij ouder werd, hield hij op met spelen. Alsof hij wist dat hij een wolf was, geen hond. Hij staarde vaak in de verte, en op een dag was hij verdwenen. De Chippewa hebben daar een woord voor, dat betekent: "de ziekte van lang denken". Je kunt een wild dier niet temmen, want het zal zich altijd herinneren waar het vandaan komt en er altijd naar verlangen om terug te gaan.'

Ik probeer me uit alle macht een jongere Parker voor te stellen die met een wolvenpup speelt, maar dat lukt me niet.

Vier dagen lang blijft de lucht grijs; het voelt alsof we door dikke, laaghangende wolken lopen. Het terrein loopt geleidelijk maar onmiskenbaar omhoog en de begroeiing verandert: de bomen worden steeds minder hoog, er staan meer naaldbomen en wilgen, en minder ceders. Dan dunt het bos langzamerhand uit, de bomen krimpen tot spaarzaam struikgewas en we komen vreemd genoeg aan de rand: de rand van het bos dat geen einde leek te hebben.

Op het moment dat de zon door de wolken breekt en de wereld overspoelt met licht, lopen we een enorme vlakte op. We staan aan de rand van een witte zee, met golven van sneeuw die naar de horizon in het noorden, oosten en westen rollen. Ik heb zulke vertes niet meer gezien sinds ik aan de oever van Georgian Bay stond. Ik word er duizelig van. Achter ons het bos en vóór ons een ander land, dat ik nog nooit heb gezien: wit, glinsterend in de zon, onmetelijk. De temperatuur is enkele graden gezakt, er is geen wind, maar de kou is als een hand die zacht en onvermurwbaar op de sneeuw ligt en die dwingt te blijven liggen.

Ik voel dezelfde paniek in me opkomen die ik voelde toen ik voor het eerst in het maagdelijke bos van Dove River stond: dit is te groot, te leeg voor mensen, en als we ons op die vlakte wagen, zijn we zo kwetsbaar als mieren op een etensbord. Hier kun je ondanks de ruimte geen kant op. Ik probeer mijn verlangen te bedwingen om terug te gaan naar de beschutting van de bomen terwijl ik in de voetsporen van Parker steeds verder van het vertrouwde, vriendelijke bos verwijderd raak. Ik voel me plotseling verwant met de dieren die zich 's winters ingraven in de sneeuw, die ondergronds leven, in tunnels.

Het plateau is niet echt vlak, maar er zijn glooiingen en oneffenheden in de sneeuw die struiken en heuveltjes en rotsen verbergen. Het hele plateau bestaat uit moeras, vertelt Parker, en als het niet bevroren is, is het een verschrikking om over te steken. Hij wijst op een verstoorde kuil waar volgens hem iemand weggezakt is: de mannen van wie we nog steeds het spoor volgen. Wij hebben het blijkbaar gemakkelijk. Maar desalniettemin is het terrein zo ongelijkmatig dat ik na twee uur bijna geen stap meer kan verzetten. Ik klem mijn kaken op elkaar en concentreer me op het optillen en vooruitbewegen van mijn voeten, maar ik raak steeds verder achter. Parker blijft staan en wacht tot ik hem heb ingehaald.

Ik ben kwaad. Dit is te moeilijk. Mijn gezicht en mijn oren zijn ijskoud, maar onder mijn kleren transpireer ik. Ik wil beschutting en rust. Ik heb zo'n dorst dat mijn tong als een droge spons in mijn mond ligt.

'Ik kan het niet!' schreeuw ik.

Parker loopt terug naar mij toe.

'Ik kan niet meer! Ik moet rusten.'

'We zijn nog niet ver genoeg om te rusten. Het weer kan omslaan.'

'Dat kan me niet schelen, ik kan niet meer vooruit.' Ik laat me uit protest op mijn knieën in de sneeuw zakken. Het is zo'n heerlijk gevoel om even niet meer op mijn voeten te staan dat ik in extase mijn ogen sluit.

'Dan moet u maar hier blijven.'

Parkers gezicht en zijn stem blijven onverstoorbaar en hij draait zich om en loopt door. Dat kan hij niet menen, denk ik. Hij loopt naar de slede en de honden, die ongeduldig staan te springen en verstrikt raken in hun tuig. Hij kijkt niet eens om. Hij geeft de honden een tikje en ze lopen door.

Ik ben woest. Hij is dus in staat om gewoon weg te lopen en mij hier alleen achter te laten. Met tranen in mijn ogen ga ik weer op mijn voeten staan en dwing ze achter de slee aan te lopen, hoe veel pijn het ook doet.

Mijn woede drijft me nog een uur verder, waarna ik zo moe ben dat ik helemaal niets meer voel. En dan blijft Parker eindelijk staan. Hij zet thee, herschikt de spullen op de slee en gebaart dat ik erop moet gaan zitten. De tassen liggen nu zo dat ze een soort rugleuning vormen. Mijn ontroering is even groot als mijn woede van daarnet.

'Kunnen de honden dat wel trekken?'

'Dat kunnen we wel,' zegt hij, maar ik begrijp pas wat hij bedoelt als hij nog een touw aan de slede bindt, om de honden te helpen. Hij legt de leren lus tegen zijn voorhoofd, zet zich schrap en schreeuwt tegen de honden, tot de slee, die al in de sneeuw vastvriest, loskomt. Hij trekt en spant zich in, maar loopt dan met een slaafse regelmaat verder. Ik schaam me omdat ik een deel van zijn last vorm, omdat ik iets wat al bijna onverdraaglijk moeilijk is nog zwaarder maak. Hij klaagt niet. Ik heb ook geprobeerd om niet te klagen, maar mij is dat niet gelukt.

Terwijl ik me aan de slee vastklamp, die met horten en stoten over de sneeuwhopen voortglijdt, dringt het tot me door hoe mooi de vlakte is.

Mijn ogen tranen door het felle licht en ik kijk verbluft naar deze immense, pure leegte. We passeren struiken met spinnenwebben van sneeuw en klompjes ijs die het zonlicht vangen en breken tot regenbogen. De hemel is glanzend metaalblauw, er staat geen zuchtje wind en ik hoor geen enkel geluid. De stilte is verpletterend.

In tegenstelling tot sommige anderen heb ik me in de wildernis nooit vrij gevoeld. Ik vind de leegte verstikkend. Ik herken de voortekenen van een hysterische aanval en probeer die af te wenden. Ik denk aan de donkere nacht die me van dit verblindende licht zal bevrijden. Ik denk aan hoe klein en nietig ik ben, hoe onbeduidend. Ik vind het altijd vertroostend om over mijn eigen onbelangrijkheid na te denken, want als ik zo onaanzienlijk ben, waarom zou iemand dan de moeite nemen om mij iets aan te doen?

Ik heb ooit een man gekend die beweerde dat God tot hem gesproken had. Er waren natuurlijk heel veel van zulke mannen en vrouwen in de gestichten waarin ik heb gewoond; het was zelfs zo erg dat ik me voorstelde dat als er een vreemdeling uit een ander land zou arriveren, hij zou denken dat hij op een plaats was gekomen waar de allerheiligste mensen van onze maatschappij verzameld waren. Matthew Smart werd gekweld door dat gesprek met God. Hij was ingenieur en hij had bedacht dat de kracht van stoom zo groot was dat die de wereld van alle zonden kon bevrijden. Hij had van God zelf de opdracht gekregen om een machine te bouwen waarmee dat zou kunnen en hij had daar al een aanzienlijk kapitaal aan besteed. Toen het geld opraakte, werd duidelijk aan wat voor waanzinnig plan hij had gewerkt. Dat hij vervolgens van zijn machine werd gescheiden en er niet meer aan kon werken, was voor hem ondraaglijk, omdat hij dacht dat de hele wereld daardoor naar de verdoemenis zou gaan. Hij was ervan overtuigd dat hij een belangrijke rol te vervullen had en hij smeekte iedereen om hem te helpen ontsnappen, zodat hij zijn belangrijke werk kon voortzetten. Van alle gekwelde mensen die ik daar heb meegemaakt, en die bijna allemaal gebukt gingen onder een smartelijk verdriet, waren zijn smeekbedes het hartverscheurendst. Een paar keer had ik de neiging om mijn injectiespuit in zijn lichaam te duwen om hem uit zijn lijden te verlossen (maar die neiging kon ik natuurlijk wel onderdrukken). Zo martelend kan het zijn om je eigen nietigheid in te zien.

Parker schreeuwt naar de honden en we komen met een schok tot stilstand. We zijn nog steeds nergens, maar het bos is nu uit het zicht verdwenen en ik vraag me af of ik nog wel in de juiste richting zou kunnen wijzen.

Hij loopt naar me toe. 'Volgens mij weet ik waar ze naartoe zijn gegaan.'

Ik kijk om me heen, maar zie natuurlijk niets. De vlakte reikt zover ik kan kijken, in alle richtingen. Het is net alsof we op zee zijn. Als de zon er niet was, zou ik niet weten welke kant we op gingen.

'Daar,' zegt hij, 'is een handelspost van de Company, Hanover House.' Hij wijst in de tegenovergestelde richting van de zon, die nu links van ons naar de horizon zakt. 'Dat is een paar dagen reizen. Het spoor leidt deze kant op, naar Himmelvanger, een soort religieus dorp. Daar zitten buitenlanders, Zweden geloof ik.'

Ik kijk in de richting die hij aanwijst, naar het westen, en denk aan het gesticht en de fanatieke godsdienstige patiënten.

'Dus Francis...' Ik durf het hoopvolle gevoel dat me nu naar de keel vliegt nauwelijks onder woorden te brengen.

'We kunnen daar tegen het vallen van de nacht zijn.'

'O...'

Ik kan geen woord meer uitbrengen, bang dat ik dit grote geluk verpest. In het zonlicht zie ik plotseling dat het haar van Parker helemaal niet pikzwart is, maar dat er hier en daar wat donkerbruin en kastanjerood tussen zit en geen spoortje grijs.

Hij schreeuwt opnieuw tegen de honden, met een woeste kreet die als een dierlijk gebrul over de vlakte klinkt, en stort zich met zijn volle gewicht in het tuig, waardoor de slee vanuit stilstand wegglijdt. De lucht wordt uit mijn lijf geperst, maar dat kan me niet schelen.

Ik zeg dank, op mijn eigen manier.

Espen is tot de conclusie gekomen dat zijn vrouw, Merete, iets vermoedt. Hij stelt Line voor dat ze elkaar een tijdje niet meer ontmoeten totdat alles weer tot bedaren is gekomen. Line voert woedend haar dagelijkse karweitjes uit, schopt naar de kippen als ze haar voor de voeten lopen, prikt driftig met haar naald in de quilts, trekt de draad te hard aan en verkreukelt de zomen. Het enige wat ze leuk vindt is het verzorgen van de gewonde jongen. Iedereen weet natuurlijk wel dat hij is gearresteerd vanwege een vreselijke misdaad. Vandaag, als ze de lakens van zijn bed verschoont, ziet hij er bleek en lusteloos uit.

'Bent u niet bang voor me?'

Line kijkt uit het raam. Hij merkt dat ze treuzelt. Ze glimlacht.

'Nee, natuurlijk niet. Ik geloof niet eens dat je het hebt gedaan. Ik denk dat ze allemaal getikt zijn.'

Ze zegt dat zo heftig dat hij haar geschrokken aankijkt.

'Dat heb ik ook tegen die Schot gezegd, maar hij denkt dat hij gewoon zijn plicht doet. Hij denkt dat dat geld voldoende bewijs is.'

'Ze zullen me wel mee terugnemen, voor een proces. Dus dan hoeft hij niet te bepalen of ik schuldig ben of niet.'

Line is klaar met het opmaken van het bed en hij gaat weer liggen. Ze ziet hoe dun zijn enkels en polsen zijn. Steeds dunner worden ze. Hij is zo jong en weerloos, haar bloed kookt gewoon van woede.

'Als ik kon, zou ik hier weggaan. Je gaat echt dood vanbinnen als je hier woont.'

'Ik dacht dat jullie hier zo'n mooi leven hadden, ver weg van alle verleiding en zonde.'

'Onzin.'

'Zou u dan teruggaan naar Toronto?'

'Dat kan helemaal niet. Ik heb geen geld. Daarom ben ik hier ook naartoe gegaan. Het is niet zo gemakkelijk voor een vrouw alleen, met kinderen.'

'Maar stel dat u wel geld had? Zou u dan wel weggaan?'

Line haalt haar schouders op. 'Het heeft geen zin om daarover na te denken. Tenzij mijn man plotseling terugkomt met een zak vol goud. Maar dat gebeurt toch niet.' Ze glimlacht verbitterd.

'Line...' Francis pakt haar hand vast. 'Mag ik je zo noemen?' Ze houdt op met glimlachen. Hij heeft iets ernstigs, waardoor haar hart overslaat. Als mannen die blik in hun ogen krijgen, betekent dat meestal maar één ding.

'Line, neem dat geld van mij maar. Ik kan er toch niets mee. Per wilde niet dat die mannen van de Company het van me afnamen, daarom heb ik het nog. Als jij het meeneemt en goed verbergt, kun je misschien een keer ontsnappen, in het voorjaar bijvoorbeeld.'

Line kijkt hem verbaasd aan. 'Nee, dat meen je niet. Dat is... nee, dat kan ik niet doen.'

'Ik meen het wel. Neem het nu mee, anders gaat het toch verloren. Het was van Laurent en ik weet zeker dat hij liever had gewild dat jij het kreeg dan die mannen. Want waar zou het dan terechtkomen? Waarschijnlijk in hun eigen zak.'

Haar hart bonst in haar keel. Wat een kans!

'Je weet niet wat je zegt.'

'Ik weet heel goed wat ik zeg. Ik zie dat je hier niet gelukkig bent. Gebruik het om een nieuw leven te beginnen. Je bent jong en mooi, je past hier niet tussen al die getrouwde mannen... Je verdient het om gelukkig te zijn.' Francis zwijgt, uitgeput. Line legt haar andere hand op de zijne.

'Vind je mij echt mooi?'

Francis glimlacht, een beetje opgelaten. 'Natuurlijk. Dat vindt iedereen.'

'Echt?'

'Dat zie je aan de manier waarop mensen naar je kijken.'

Ze voelt een prettig gevoel door haar lichaam stromen en op dat moment buigt ze zich voorover en legt haar lippen op de zijne. Zijn mond is warm maar bewegingloos en ondanks haar gesloten ogen weet ze meteen dat ze een vreselijke fout heeft gemaakt. Zijn mond lijkt te vertrekken van afschuw, alsof er een slak of een worm op gedrukt wordt. Ze doet haar ogen open en trekt verward haar hoofd naar achteren. Hij kijkt weg, met een blik van geschokte afschuw op zijn gezicht. Ze probeert zich te verontschuldigen.

'Ik...' Ze begrijpt niet wat ze verkeerd heeft gedaan. 'Ik dacht dat je zei dat je me mooi vond.'

'Dat ben je ook. Maar zo bedoelde ik het niet... Daarom wil ik je het geld niet geven.'

Hij probeert zo ver mogelijk bij haar uit de buurt te blijven, voor zover dat in het bed mogelijk is.

'O... *Ah Gott.*' Line voelt zich warm worden van schaamte. Nu heeft ze het allemaal verpest. Hoe heeft ze zo stom kunnen zijn? Toen ze vanmorgen opstond, schoten haar allerlei idiote dingen te binnen die ze vandaag zou kunnen doen: tijdens het ochtendgebed roepen wat ze voor Espen voelt, haar naald in het dikke achterwerk van Britta steken (allebei heel verleidelijke mogelijkheden), maar in plaats daarvan heeft ze een jongen gekust die verdacht wordt van moord. Ze begint te lachen, maar dan, net zo plotseling, te huilen.

'Sorry. Ik weet niet waarom ik dat deed. Ik ben niet helemaal mezelf, ik doe steeds van die rare dingen.' Ze draait zich om, van het bed af.

'Line, toe, ga nou alsjeblieft niet huilen. Ik vind je heel leuk en ik vind je ook mooi. Maar ik ben niet... het is mijn schuld. Niet huilen.'

Line veegt haar ogen en haar neus af aan haar mouw, net zoals Anna zou doen. Er wordt haar ineens iets duidelijk. Ze draait zich niet weer om, want ze zou het niet kunnen verdragen als hij nog steeds verafschuwd naar haar kijkt.

'Het is heel aardig van je. Als je het echt meent, zal ik het geld van je aannemen, want ik geloof niet dat ik het hier kan uithouden. Dat weet ik wel zeker.'

'Goed. Neem het maar.'

Nu draait ze zich wel om. Francis zit rechtop in bed en houdt de leren tas vast. Ze pakt de opgerolde bankbiljetten van hem aan en onderdrukt de neiging om die te gaan tellen, want dat zou wel een erg ondankbare indruk maken. Maar ze denkt dat het minstens vijftig dollar is (vijftig dollar! Amerikaanse nog wel!) en stopt het rolletje weg in haar blouse. Het maakt nu toch niet meer uit of hij dat ziet.

Later staat ze in de keuken stiekem een stuk kaas in haar mond te proppen als Jens binnenstormt, rood van opwinding.

'Moet je nou eens horen! Er komen nog meer bezoekers!'

Jens en Sigi rennen naar buiten; Line loopt ze mokkend achterna en ziet de gedaantes van twee mensen en een hondenslee. De Noren gaan naar buiten en helpen de figuur die op de slee zit overeind, wat veel moeite kost. Line vangt een glimp op van een woest, donker gezicht en kijkt dan naar de ander, die, ziet ze, een blanke vrouw is. Het is zo ongebruikelijk om zo'n vrouw, die ondanks de dikke lagen kleding iets verfijnds uitstraalt, in het gezelschap te zien van zo'n wilde indiaan, dat niemand aanvankelijk weet wat te doen of te zeggen. De vrouw is zo uitgeput dat Per zich tot de indiaan richt. De eerste woorden verstaat Line niet, maar dan hoort ze, in het Engels: 'We zijn op zoek naar Francis Ross. Deze vrouw is zijn moeder.'

Lines eerste gedachte is, merkt ze tot haar schande, dat Francis dat geld nu wel terug zal willen. En ze voelt een steek van jaloezie. Zelfs na de gênante gebeurtenissen van die middag heeft ze het gevoel dat ze een bijzondere band met de jongen heeft: hij is haar vriend, haar bondgenoot, de enige in Himmelvanger die niet neerbuigend tegen haar doet. Ze wil niet van die plaats verdrongen worden, ook al gaat het om een potentiële moordenaar.

Line drukt haar hand op de rol met geld en houdt die stevig op zijn plaats.

Niemand, zweert ze in stilte, niemand zal haar dat nu nog afnemen.

Mannen en vrouwen met geestdriftige, opgewonden gezichten trekken me overeind en houden me vast als ik wankel. Ik begrijp niet waarom ze zo blij zijn ons te zien, maar dan slaat de uitputting toe en word ik overvallen door een vreemd getril en een fluittoon in mijn oren. Terwijl de mensen om ons heen staan en knikken en lachen en praten over iets wat Parker heeft gezegd, hoor ik alleen een verwarrend, zoemend lawaai en merk ik dat mijn ogen gloeiend heet zijn, maar toch helemaal droog blijven. Misschien ben ik uitgedroogd, of misschien ziek. Maar dat doet er niet toe: Francis leeft en we hebben hem gevonden, dat is het enige wat telt. Ik merk zelfs dat ik God bedank, in de hoop dat die roestige communicatiekanalen nog open staan.

Ik geloof dat ik erin slaag om de gevoelens die in me opwellen als ik hem zie de baas te blijven. Het is twee weken geleden dat hij is vertrokken; hij ziet er bleek uit, zijn haar lijkt zwarter en hij is mager. Het lijkt wel een kinderlichaam dat daar tussen de lakens ligt. Het is alsof mijn hart steeds verder opzwelt, tot het bijna openbarst en me dreigt te verstikken. Ik kan niets zeggen, maar ik buig me voorover om hem vast te houden, waarbij ik de scherpe botten vlak onder de huid voel. Hij slaat zijn armen stevig om mijn schouders; ik ruik hem en dat wordt me bijna te veel. Dan moet ik me losmaken, want ik kan hem zo niet zien en ik moet hem bekijken. Ik streel zijn haar, zijn gezicht, ik pak zijn handen vast. Ik kan niet ophouden hem aan te raken.

Hij kijkt me aan; ze hebben hem op mijn komst voorbereid, maar hij kijkt toch verbaasd. Dan glijdt er een schaduw van een glimlach over zijn gezicht.

'Mama. U bent er. Hoe hebt u dat gedaan?'

'Francis, we zijn zo bezorgd geweest...'

Ik streel zijn schouders en zijn armen en probeer te vechten tegen de tranen. Ik wil hem niet in verlegenheid brengen. Bovendien heb ik nu nooit meer reden om te huilen, nooit meer.

'En u hebt zo'n hekel aan reizen.'

We beginnen allebei beverig te lachen. Ik denk eraan dat we helemaal opnieuw kunnen beginnen als we weer thuis zijn; dat er nooit meer gesloten deuren zullen zijn, geen sombere stiltes. Vanaf nu zullen we gelukkig zijn.

'Is papa er ook?'

'O... hij kon de boerderij niet in de steek laten. Het leek ons beter als één van ons tweeën zou gaan.'

Francis kijkt naar de dekens. Het klinkt als een mager excuus, en dat is het ook. Had ik maar een meer overtuigende leugen bedacht, maar tegen de veelzeggende afwezigheid van zijn vader kan ik toch niet op. Francis laat zijn handen in de mijne liggen, maar ik voel dat hij ze een heel klein beetje terugtrekt. Hij is teleurgesteld, ondanks alles.

'Wat zal hij blij zijn als hij je weer ziet.'

'Wat zal hij boos zijn.'

'Nee, doe niet zo raar.'

'Hoe bent u hier gekomen?'

'Met een pelsjager, meneer Parker. Hij heeft aangeboden om me te brengen en...' Hij weet natuurlijk helemaal niet wat er in Dove River is gebeurd sinds hij is vertrokken. En ook niet wie Parker is en wat hij misschien heeft gedaan.

'Ze denken dat ik Laurent Jammet heb vermoord. Dat weet je toch wel, hè?' Zijn stem klinkt vlak.

'Lieverd, dat is een vergissing. Ik heb hem gezien... Ik weet dat jij dat niet hebt gedaan. Meneer Parker kende monsieur Jammet. Hij heeft een idee...'

'Heb jij hem gezien?' Hij kijkt me met wijd open ogen aan, geschokt of medelijdend, dat weet ik niet. En hij is natuurlijk verbaasd. In het begin heb ik wel duizend keer per dag teruggedacht aan het moment waarop ik in de deuropening van de blokhut van Jammet stond, totdat de herinnering aan die verschrikkelijke aanblik vervaagde. Ik vind het nu niet schokkend meer.

'Ik heb hem gevonden.'

Francis knijpt zijn ogen een beetje toe, alsof hij plotseling overmand wordt door een heftig gevoel. Heel even lijkt het alsof hij kwaad is, maar daar is helemaal geen reden voor.

'Ik heb hem gevonden,' zegt hij dan.

De klemtoon is subtiel maar onmiskenbaar.

'Ik heb hem gevonden,' zegt hij nog eens, 'en ik ben de man gevolgd die het heeft gedaan, maar toen ben ik dat spoor kwijtgeraakt. Meneer Moody gelooft me niet.'

'Francis, dat komt nog wel. Wij hebben die sporen ook gezien. Als je hem alles vertelt, zal hij het wel geloven.'

Francis zucht geïrriteerd, met die minachtende zucht die ik thuis ook vaak van hem hoor als ik weer eens blijk heb gegeven van mijn grenzeloze domheid. 'Ik heb hem alles al verteld.'

'Waarom ben je eigenlijk niet naar huis gegaan toen je hem had gevonden? Waarom ben je die man in je eentje achterna gegaan? Stel dat hij je iets had gedaan?'

Francis haalt zijn schouders op. 'Ik was bang dat ik hem kwijt zou raken als ik nog langer wachtte.'

Ik zeg maar niet dat hij hem nu ook is kwijtgeraakt, want dat weet hij zelf ook wel.

'Denkt papa dat ik het heb gedaan?'

'Francis... natuurlijk niet. Hoe kun je zoiets nou zeggen?'

Hij glimlacht weer, met een verwrongen, ongelukkige grijns. Hij is te jong om zo te lachen, en ik weet dat dat mijn schuld is. Ik ben er niet in geslaagd om hem een gelukkige jeugd te geven, en nu hij volwassen is, kan ik hem niet beschermen tegen de zorgen en problemen van het leven.

Ik steek mijn hand uit en leg die tegen zijn wang. 'Het spijt me.'

Hij vraagt niet eens waarvoor ik mijn verontschuldigingen aanbied.

Ik dwing mezelf te blijven praten. Ik zeg dat ik meneer Moody duidelijk zal maken dat hij het mis heeft. Ik praat over de toekomst, zeg dat hij zich nergens zorgen over hoeft te maken. Maar zijn ogen staren naar het plafond, hij luistert niet naar me, en hoewel ik zijn handen vast blijf houden, weet ik dat ik hem kwijt ben. Ik glimlach, ik blijf vrolijk doen, ik klets over koetjes en kalfjes, want wat moet ik anders?

De baai is rustig vandaag. Gisteren, tijdens de sneeuwstorm, klonk het gebrul van het water dat tegen de rotsen beukte in het dorp na als een boos gemurmel. Knox heeft wel eens gedacht dat de rotskust merkwaardig gevormd moet zijn, omdat hij onder bepaalde omstandigheden dat zachte maar onmiskenbare gegrom voortbrengt. Zo ver als door het wervelende sneeuwgordijn te zien was, en dat was maar een klein eindje, was de baai grijs en wit en werd het wateroppervlak hevig opgezweept en neergesmeten door de wind. Op zo'n dag is het duidelijk waarom de eerste kolonisten hun huis liever in Dove River bouwden, weg van deze immense, onvoorspelbare massa.

Er zijn nu, bij het invallen van de duisternis, maar weinig mensen op. De sneeuw is bijna een halve meter diep maar heel nat, waardoor de laag verder inzakt. Er lopen ingetrapte paden kriskras over straat, waarvan sommige, die het meest belopen zijn, diepe en smerige voren trekken door het wit. De minst gebruikte zijn vage, aarzelende schetsen. Ze voeren van een huis naar de winkel, of van huis naar huis. Je kunt zien wie in Caulfield populair is en wie zelden buiten komt. Knox volgt nu een van de vagere paden en zijn voeten worden bij elke stap natter en kouder. Waarom is hij in godsnaam zonder zijn overschoenen naar buiten gegaan? Hij probeert terug te denken aan de minuten voordat hij het huis verliet, om zich te herinneren wat hij toen dacht, maar hij weet het niet meer. Het is een zwart gat in zijn herinnering. Dat heeft hij de laatste tijd wel vaker, maar hij vindt het niet echt verontrustend.

Thuis is alles rustig. Hij loopt de huiskamer in en vraagt zich af waar de meestal zo luidruchtige Susannah is. Tot zijn verbazing ziet hij Scott en Mackinley samen op de bank zitten. Verder is er niemand. Hij krijgt de indruk dat ze op hem zaten te wachten.

'Heren... John, het spijt me, maar we hadden vanavond geen gezelschap verwacht.'

Scott slaat zijn ogen neer en kijkt zeer ongemakkelijk, waarbij hij de lippen van zijn kleine mond tuit.

Mackinley neemt het woord. Zijn stem klinkt nu nuchter en doortastend. 'We zijn hier vanavond niet voor de gezelligheid.'

Knox begrijpt het en doet de deur achter zich dicht. Even overweegt hij om alles te ontkennen en vol te houden dat Mackinley in zijn dronkenschap dingen meent te hebben gehoord die niet kloppen, maar hij wijst dat meteen van de hand.

'Een paar dagen geleden,' begint Mackinley, 'zei u dat u niet meer was teruggegaan naar het pakhuis en dat Adam en ik de laatsten waren die de gevangene hebben gezien. Adam is gestraft omdat hij de deur niet had afgesloten. Maar vandaag vertelde u me dat u de gevangene met eigen ogen hebt gezien nadat ik hem had ondervraagd.'

Hij leunt achterover in zijn stoel, met de tevredenheid van een jager die een zeer ingenieuze val heeft gezet. Knox kijkt naar Scott, die hem even in de ogen kijkt, maar dan zijn blik neerslaat. Knox krijgt opnieuw die verraderlijke neiging om in lachen uit te barsten. Misschien is het dan toch waar dat hij gek aan het worden is. Hij vraagt zich af of hij, als hij nu de waarheid zal vertellen, daar nog wel mee op kan houden.

'Ik zei dat ik uw idee van rechtvaardigheid met eigen ogen heb gezien.'

'Dus u ontkent het niet?'

'Ik heb het gezien en ik walgde ervan. En daarom heb ik stappen ondernomen om uw gerechtelijke schijnvertoning te dwarsbomen. Want dat zou u er anders van hebben gemaakt.'

Scott kijkt hem aan alsof hij het eerst niet wilde geloven, maar nu toch de moed heeft om het hem rechtstreeks te vragen. 'Dus u beweert dat u... de gevangene hebt laten gaan?' Hij klinkt vooral erg verontwaardigd.

Knox haalt diep adem. 'Ja. Ik ben tot de conclusie gekomen dat dat het beste was.'

'Bent u gek geworden? U bent helemaal niet gemachtigd om zoiets te doen!' Dit laatste komt uit de mond van Scott, die er nogal ziek uitziet, alsof hij groene aardappels heeft gegeten.

'Ik ben hier nog steeds magistraat, als ik me niet vergis.'

Mackinley maakt een zacht geluid in zijn keel. 'Het is een zaak van de Company. Ik heb daar de leiding over. U hebt bewust de rechtsgang verstoord.'

'Het is helemaal geen zaak van de Company, dat is alleen wat u graag zou willen. Als dat wel zo was, dan zou de rechtspraak nog veel onpartijdiger moeten zijn. En dat was niet het geval zolang u die man vasthield.'

'Ik ga hier werk van maken.' Mackinleys gezicht kleurt en hij haalt sneller en dieper adem. Knox bestudeert een barstje in zijn vingernagel terwijl hij antwoord geeft. 'U moet maar doen wat u het beste lijkt. Ik blijf waar ik ben. Maar u... ik denk dat het tijd wordt dat u een ander onderkomen zoekt in de stad. Ik neem aan dat meneer Scott u daarbij van dienst kan zijn, zoals met zo veel andere zaken. Goedenavond, heren.'

Knox staat op en doet de deur open. De twee mannen staan ook op en lopen langs hem heen. Mackinley staart voor zich uit en Scott loopt achter hem aan en kijkt naar de grond.

Knox doet de voordeur achter hen dicht en luistert naar de krakende stilte. Hij is zich er vaag van bewust dat de twee mannen buiten nog even zacht met elkaar blijven staan praten voordat ze doorlopen. Hij heeft geen spijt van wat hij heeft gedaan en hij is niet bang. Als Andrew Knox in zijn onverlichte hal staat, is hij zich van drie dingen bewust: een soort trillend gevoel van vrijheid, alsof hij ergens van is losgeraakt; de behoefte om Thomas Sturrock te spreken, die op dit moment de enige man lijkt die hem zou kunnen begrijpen, en het feit dat de pijn in zijn gewrichten voor het eerst in weken helemaal is verdwenen.

De twee dagen daarna sneeuwt het onophoudelijk, en het is elke dag kouder dan de dag ervoor. Jacob en Parker gaan op een ochtend weg en komen terug met drie vogels en een haas. God mag weten hoe ze die in dit weer hebben gevonden. Het is niet veel, maar het is een gebaar, want de Noren hebben nu extra veel monden te voeden.

Ik breng mijn tijd vooral bij Francis door, hoewel hij veel slaapt, of doet alsof. Ik maak me zorgen om hem, en om zijn knie, die opgezwollen is en hem duidelijk veel pijn doet. Per, die beweert over medische kennis te beschikken, zegt dat hij niet gebroken is, alleen ernstig gekneusd, en dat het in de loop der tijd wel zal genezen. Na veel geduldige vragen – Francis zegt uit zichzelf niets – weet ik een soort verslag van zijn reis van hem te krijgen, en ik ben verbaasd en ontroerd dat hij zo ver is gekomen. Ik vraag me af of Angus ook trots op hem zou zijn als hij het wist. Voordat ik er was, werd Francis voornamelijk verzorgd door een vrouw die Line heet, maar ik heb haar taken overgenomen. Ze leek niet blij met mijn komst en ik heb het idee dat ze mij ontwijkt, al zag ik wel dat ze heel nieuwsgierig met Parker stond te praten in de schuur aan de overkant. Ik vraag me af wat die elkaar te vertellen hebben.

Ik moet toegeven dat er een erg hardvochtige gedachte in me opkwam: zij is hier tenslotte de enige vrouw zonder man, al kan zij daar niets aan doen. En ze is zonder twijfel knap, met haar donkere, buitenlandse trekken. Toen we aan elkaar werden voorgesteld, keek ze me met een vijandige blik aan. Ik bedankte haar omdat ze zo goed voor Francis had gezorgd en zij maakte tegenwerpingen, in uitstekend Engels, maar met een nukkig-heid die ik niet begreep. Totdat het tot me doordrong dat ik haar door mijn komst van haar plaats had verstoten en zij weer veroordeeld was tot het gewone dagelijkse werk, dat haar, omdat ze weduwe is, naar alle waar-schijnlijkheid door de getrouwde vrouwen wordt opgedragen. Francis zegt dat ze heel aardig is geweest voor hem en dat hij haar erg graag mag.

Moody, of nog vaker Jacob, houdt voor de deur de wacht, alsof ze den-ken dat ik elk moment om hulp kan schreeuwen omdat Francis me te lijf gaat en zij vervolgens mijn leven moeten redden. Ik heb mijn eerste in-druk van meneer Moody herzien. In Dove River leek hij me vriendelijk en timide, een wetshandhaver tegen wil en dank. Nu wekt hij een humeu-rige, ongeduldige indruk. Hij heeft zich een autoritaire manier van doen aangemeten die niet aangenaam is. Ik heb gevraagd of ik hem onder vier ogen kan spreken. Tot nu toe heeft hij dat weten te ontwijken met drin-gende werkzaamheden als excuus. Maar na twee dagen onophoudelijk sneeuwen weet iedereen dat hem niets anders te doen staat dan afwachten, en als ik dat tegen Moody zeg, zie ik in zijn ogen dat hij tevergeefs een an-der excuus probeert te bedenken.

'Goed, mevrouw Ross, misschien kunnen we even naar eh... mijn kamer gaan.'

Ik loop achter hem aan de gang in. We komen die vrouw tegen, Line, die Moody in het voorbijgaan een vervelende blik toewerpt.

Moody's kamer heeft dezelfde kloosterachtige sfeer als de mijne, alleen liggen zijn bezittingen overal verspreid over de meubels en de grond alsof hij zojuist is overvallen. Hij veegt zijn kleren van de stoelen en gooit ze op het bed. Als ik ga zitten zie ik op het bureautje naast me een enveloppe die is geadresseerd aan juffrouw S. Knox. Dat vind ik interessant. Ik weet zeker dat het niet zijn bedoeling was dat ik dat zou zien en dat wordt later be-vestigd als hij alle papieren op het bureau bij elkaar harkt tot een grote hoop. Hij rommelt nog wat verder in de kamer en ik bedenk me dat ik onder andere omstandigheden misschien met hem te doen zou hebben gehad. Hij is maar een paar jaar ouder dan Francis, hij is nog maar pas in dit land en helemaal alleen.

Hij schraapt een paar keer zijn keel en begint dan te praten.

'Mevrouw Ross, ik begrijp uw bezorgdheid om Francis volkomen. Het is niet meer dan natuurlijk dat een moeder die voelt.'

'En het is ook niet meer dan natuurlijk dat u de man zoekt die deze verschrikkelijke misdaad op zijn geweten heeft,' zeg ik op heel vriendelijke toon; dat denk ik tenminste, maar toch verschijnt er een blik van gekwelde irritatie op zijn gezicht. 'Francis wil ook graag dat de moordenaar wordt gevonden, zoals hij ook tegen u heeft gezegd.'

Moody trekt een gezicht dat geduld en tolerantie onder zeer moeilijke omstandigheden verraadt.

'Mevrouw Ross, ik kan u niet alle redenen vertellen waarom uw zoon wordt vastgehouden als verdachte, maar neemt u van mij aan dat het om zeer gewichtige redenen gaat.'

'Ik had gedacht dat u mij dat juist wel zou gaan vertellen.'

'Het is een zaak van het gerecht, mevrouw Ross. Ik heb er werkelijk goede redenen voor. Moord is een ernstig misdrijf.'

'En die voetsporen?' vraag ik. 'Dat andere spoor? Hoe zit het daarmee?'

Hij zucht. 'Dat is toeval. Een spoor dat de... dat uw zoon heeft gevolgd om een veilige plaats te bereiken.'

'Of de voetsporen van de moordenaar.'

'Ik begrijp dat u het liefste wilt dat uw zoon onschuldig is. Dat is heel natuurlijk en begrijpelijk. Maar hij is na de moord uit Dove River gevlucht, met het geld van het slachtoffer, en daar heeft hij vervolgens over gelogen. Die feiten duiden maar op één ding, en ik zou mijn plicht niet goed vervullen als ik daar niet naar handelde.'

Ik hou mijn adem in en probeer niet te laten merken dat ik verbaasd ben. Francis heeft me helemaal niets over dat gestolen geld verteld.

'Het is uw plicht om ook de andere mogelijkheden te onderzoeken. Dat spoor kan van de moordenaar zijn, maar dat weet u pas zeker als u erachteraan gaat.'

Moody zucht door zijn neusgaten en wrijft daarna over de brug van zijn neus, waar zijn bril twee rode deukjes heeft gemaakt. Hij heeft helemaal geen zin om iets met dat andere spoor te doen.

'In de huidige omstandigheden is het mijn taak om de verdachte naar een veilige plaats te brengen. Nader onderzoek zal moeten wachten tot het weer dat toelaat.'

Hij lijkt nogal tevreden over zijn speech, waarin hij vooral zijn plicht heeft benadrukt in plaats van zijn vrije wil. Hij glimlacht zelfs flauwtjes, alsof het hem ook spijt dat hij niet anders kan. Ik glimlach terug, maar ik voel geen sympathie meer voor hem, of hij nu een eenzame jongeman is of niet.

'Meneer Moody, dat is helemaal geen excuus. We moeten dat spoor volgen, want als we wachten tot het weer het toelaat, zoals u het formuleert, is er helemaal geen spoor meer over. Het is uw plicht om te proberen de waarheid te achterhalen, meer niet. Francis is hier in goede handen, en als u deze mensen niet vertrouwt, kunt u uw collega hier achterlaten. Parker kan dat spoor vast volgen en dan zullen wij eens zien waar het naartoe leidt.'

Moody kijkt verstoord en boos. 'Mevrouw Ross, u hoeft mij niet te vertellen hoe ik mijn plicht moet doen.'

'Het is de plicht van iedere burger om plichtsverzuim te rapporteren, zeker in zo'n belangrijke zaak als deze.'

Hij kijkt me aan, verbaasd dat hij zo door mij wordt toegesproken. Ik merk dat ik een teer punt raak: misschien heeft hij ook al over dat spoor nagedacht en zit het hem dwars. Ik verdenk hem ervan dat hij een ordelijke geest heeft en dat het hem ergert dat hij niet weet van wie dat spoor is dat de wildernis in leidt.

'Maar als u toch gelijk hebt...' Ik krijg het nauwelijks over mijn lippen. 'Als u gelijk hebt, dan weet u zeker dat u alle andere mogelijkheden hebt uitgesloten. Dan hebt u een schoon geweten. Bovendien zouden uw conclusies in een rechtszaak op losse schroeven komen te staan als u niet alle mogelijkheden hebt onderzocht, denkt u niet? Moody kijkt me lange tijd aan. Dan richt hij zijn blik op het raam, maar ook daar lijkt hij geen antwoord te kunnen vinden.

Als ik Francis naar het geld vraag, wil hij er niets over zeggen. Hij zucht geïrriteerd, alsof het antwoord voor de hand ligt en ik gek ben dat ik dat niet zie. Ik voel dat de oude irritaties weer in hem naar boven komen.

'Ik probeer alleen maar om je te helpen, maar dat kan niet als je me niet vertelt wat er is gebeurd. Moody is ervan overtuigd dat jij het hebt gestolen.'

Francis kijkt naar het plafond, naar de muren, naar alles, behalve mijn gezicht. 'Ik heb het ook gestolen.'

'Hè? Maar waarom in vredesnaam?'

'Ik had dat geld nodig omdat ik op reis ging, omdat ik misschien hulp nodig had om de moordenaar op te sporen.'

'Je had thuis ook hulp kunnen vragen. En geld. Waarom heb je dat niet gedaan?'

'Ik heb toch verteld waarom ik niet meer terug kon gaan.'

'Maar... zo snel verdwijnen sporen toch niet?'

'Dus u denkt ook dat ik het heb gedaan?'

Hij glimlacht, met die oude, verbitterde lach.

'Nee, natuurlijk niet. Maar ik zou wel graag willen dat je me vertelde waarom je daar midden in de nacht was.'

De glimlach verdwijnt van zijn gezicht. Hij zegt lange tijd niets, zo lang dat ik denk dat ik maar gewoon moet opstaan en weglopen.

'Laurent Jammet...' hij zwijgt even, '...was de enige met wie ik kon praten. Nu heb ik niemand meer. Het kan me niet schelen als ik nooit meer terug kan.'

Na een paar ogenblikken merk ik dat ik ben gestopt met ademhalen. Ik hou mezelf voor dat hij het zegt zonder nadenken, of dat hij me wil kwetsen. Francis heeft me altijd het meest kunnen kwetsen van iedereen.

'Ik vind het erg dat je een vriend hebt verloren. En dan nog wel op zo'n manier. Ik zou er alles voor willen geven als jij dat niet had gezien.'

Zijn woede vliegt me aan, kinderlijke woede. Hij is bijna in tranen.

'Is dat alles wat u kunt zeggen? Dat u wilde dat ik dat niet had gezien? Wat doet dat er nou toe? Waarom denkt niemand aan Laurent? Hij is toch degene die is vermoord? Waarom zegt u niet dat u wilde dat hij niet vermoord was?'

Hij laat zich terugvallen in de kussens, met droge ogen. De woede is even plotseling weer verdwenen als hij is gekomen.

'Het spijt me, lieverd, sorry. Natuurlijk zou ik dat het liefste willen. Niemand verdient het om zo te sterven. Laurent was een aardige man. Hij hield volgens mij erg van het leven.'

Ik word eraan herinnerd dat ik hem eigenlijk nauwelijks kende, maar dit lijkt me wel een veilige uitspraak. Maar als ik dacht dat ik Francis hiermee kan troosten, of iets zeg wat hij wil horen, dan heb ik het zoals gewoonlijk mis.

'Hij was helemaal niet aardig,' zegt hij zacht. 'Hij was gevoelloos. Hij zocht je zwakke plek en maakte daar grappen over. Als hij mensen maar aan het lachen kon maken, het maakte niet uit waarover. Dat kon hem niets schelen.'

Die plotselinge omslag kan ik niet volgen. Ik word overvallen door de verschrikkelijke angst dat Francis mij iets gaat opbiechten. Ik streel zijn voorhoofd en zeg 'ssst', alsof hij nog een kind is, maar ik weet niet wat ik ervan moet denken. En daarom kraam ik maar wat onzin uit, praat ik maar door om te voorkomen dat Francis zijn mond zal openen en iets zal zeggen dat mij zal spijten.

Parker is met Jacob en een van de Noren in de schuur. Ze lijken zich te hebben afgeschermd van het drama aan de andere kant van het erf en ze praten over ringworm, voor zover ik kan horen. Ik vind het vervelend om tegen Parker te zeggen dat ik hem onder vier ogen wil spreken nu we weer in de min of meer beschaafde wereld verkeren. Ik merk dat de Noor naar mij kijkt en zich waarschijnlijk afvraagt waar mijn echtgenoot is en waarom ik zo'n merkwaardige metgezel heb gekozen. In die donkere schuur denk ik terug aan dat koude pakhuis. Dat lijkt alweer erg lang geleden.

'Meneer Moody wil dat andere spoor niet volgen. Misschien moeten we alleen gaan.'

'Dat zal erg zwaar worden. Het is beter dat u hier blijft, bij uw zoon.'

'Maar er moet toch een getuige bij zijn?'

Ik vind dat ik dat keurig heb geformuleerd, zonder te laten doorschemeren dat ik hem niet vertrouw; hij lijkt in elk geval niet beledigd.

'U denkt dat ik anders niet terugkom.'

'We moeten Moody laten inzien... wat we dan ook maar ontdekken. Konden we Francis maar meenemen...'

Parker haalt zijn schouders op. 'Als uw zoon de moordenaar is, dan heeft hij er alleen maar belang bij dat iemand anders de schuld krijgt. Moody zou hem daarom nooit geloven.'

Ik weet dat Parker gelijk heeft. Voor het eerst overvalt me een gevoel van hopeloosheid en van hevige vermoeidheid. Ik heb geworsteld om een steile, gladde helling te beklimmen en dat is me ook gelukt. Nu begint de grond onder mijn voeten weg te zakken en weet ik niet meer wat ik moet doen. Ik weet niet of ik erop kan rekenen dat Parker me helpt. Ik zou niet weten waarom hij dat zou doen. Als ik in zijn ogen kijk, zie ik geen enkele blijk van compassie, zelfs geen enkele blijk van iets herkenbaars. Maar als smeken de prijs is die ik moet betalen, dan heb ik dat er graag voor over. Dat en nog veel meer.

'U moet me meenemen. Ik moet het bewijs vinden dat hij onschuldig is. Die anderen interesseert het niets wie ze arresteren, zolang ze maar iemand hebben. Ik smeek het u.'

'En als er niets te vinden valt? Hebt u daar wel aan gedacht?'

Daar heb ik zeker aan gedacht, maar ik heb er geen antwoord op. Ik kijk naar zijn onbewogen gezicht, naar die ogen waarin geen onderscheid lijkt te zijn tussen de iris en de pupil en die alleen maar donker zijn. Ik voel een koude rilling door mijn lichaam trekken.

Er is geen druppel alcohol in de Hemelse Velden. De uitverkorenen hebben geen kunstmatige stimulerende middelen of wegen naar de vergetelheid nodig. Na de preek van mevrouw Ross zou Donald heel wat over hebben voor een glas van die smerige rum die ze in Fort Edgar in zulke grote hoeveelheden achteroverslaan. De winter is het seizoen voor de drank: het verzacht de eindeloze avonden en nachten als warmte alleen nog iets uit een ver verleden is. Het maakt de vreselijke grappen draaglijk die je makkers vertellen en blijven herhalen. Het maakt die makkers zelf draaglijker. Donald heeft nog een halve heupfles whisky; hij heeft gezworen dat hij die voor de terugreis zal bewaren, maar hij komt nu wel in de verleiding om die aan te spreken. Hij heeft het gevoel dat hij voorlopig toch nog niet teruggaat.

De sneeuw is overgegaan in regen. De temperatuur stijgt en de sneeuwvlokken zijn zwaar van het water; ze dwarrelen niet meer, maar vallen sneller op de grond. De sneeuw die er al ligt verandert ook: hij is niet meer zo licht en donzig als een dekbed, maar doorweekt en instabiel. Door al dat vocht heeft de sneeuw geen kracht meer: van de sneeuwlaag op het dak tegenover Donalds kamer breken grote brokken af, glijden naar beneden en komen met een zachte, zware plof op de grond terecht. De sombere kleuren van de daken worden langzaam onthuld: roestbruin, steenblauw. De sneeuw zelf is niet meer wit, maar doorzichtig grijs. Er drupt voortdurend water van de goten. Het is een onontkoombaar geluid, zacht maar onophoudelijk, zoals het geweten.

Hij ziet dat de lange indiaan, Parker, het erf oversteekt. Het lijkt wel of hij aan het inpakken is om te vertrekken. Donald heeft het gevoel dat hij met Parker en mevrouw Ross mee zal gaan. Alleen al om er zeker van te zijn dat dat verhaal niet klopt. Hij vraagt zich af of hij daar dapper genoeg voor is; het idee om die verschrikkelijke vlakte over te trekken maakt hem doodsbang. Maar als hij de jongen mee terug neemt als verdachte en hij blijkt het toch niet te hebben gedaan, dan zal hij een reprimande krijgen, misschien een officiële berisping, en zal er in drinklokalen over hem worden gefluisterd. Plichtsverzuim is niet goed voor zijn carrière. Als hij moet kiezen tussen de wildernis en schending van zijn beroepseer, dan weet hij wel wat hem de meeste angst inboezemt.

Parker heeft hem verteld dat de handelspost maar zes dagen lopen is vanaf hier, bij gunstige weersomstandigheden. Het biedt hem de kans om de factor te ontmoeten, misschien een man die hem verder kan helpen. Hij draagt Jacob op om de jongen te bewaken. Voorlopig zit de gevangene hier wel veilig.

Jacob kijkt heel ernstig. 'Neem me niet kwalijk, maar het lijkt me beter dat ik met hen meega. Het zal een erg zware tocht worden, en ik weet waar ik op moet letten.'

Donald zou niets liever willen dan hier in Himmelvanger blijven terwijl Jacob door de natte sneeuw en het ijs naar dat godverlaten oord trekt, maar daar kan geen sprake van zijn.

'Bedankt, Jacob, maar ik moet echt zelf gaan om te beslissen wat er moet gebeuren. En iemand moet hier blijven.' Hij glimlacht naar Jacob, die hem opnieuw ernstig aankijkt.

'Het is beter als ik meega. Dan kan ik... voor u zorgen.'

Donald glimlacht, geroerd door zijn loyaliteit. En ook door de manier waarop Jacob hem kennelijk ziet, althans in de wildernis: als een weerloos kind.

'Dat is niet nodig. Parker moet in elk geval weer terug hierheen, want hij moet mevrouw Ross terugbrengen. En het lijkt me wel interessant om eens een andere handelspost van de Company te zien.'

Hij doet zich vrolijker voor dan hij zich voelt. Hij is bezorgd en erg bang als hij denkt aan de koude wildernis die hun te wachten staat. Jacob kijkt bedachtzaam, een beetje alsof hij een strijd voert met zichzelf.

'Maar ik heb een droom gehad. Misschien vindt u dat stom, maar ik vertel het toch: ik droomde dat u helemaal alleen was. Er dreigde gevaar. Ik vind dat ik met u mee moet gaan.'

Donald onderdrukt het vervelende gevoel dat hij in zijn maag krijgt en verheft zijn stem, om het bijgeloof van Jacob, en van hemzelf, te verjagen. Dat onzinnige indianengedoe ook, hij had niet gedacht dat Jacob zich door zulke dingen liet meeslepen.

'Het verbaast me niets dat je zulke rare dromen hebt, dat komt vast van die smerige geitenkaas die ze hier eten, daar zou iedereen nachtmerries van krijgen.'

Jacob lacht niet mee. Hij weet dat Moody hem een reprimande geeft.

'Denk eraan dat je goed op die jongen let. Het kan zijn dat hij iets... belangrijks zegt. Probeer zijn vertrouwen te winnen.'

Jacob kijkt aarzelend, maar hij knikt.

'Wil je tegen meneer Parker zeggen dat ik met hen mee zal gaan?'

Als Jacob weg is, heeft Donald plotseling de neiging om hem na te roepen dat hij hem dankbaar is voor zijn bezorgdheid, ook al is die misplaatst, en voor zijn vriendschap. Jacob is de enige die het iets kan schelen wat er met hem gebeurt. Maar hij houdt zich in, hij is tenslotte een volwassen man. Hij hoeft geen indiaanse bediende als bewaker te hebben, zelfs Jacob niet.

Donald denkt na over de verandering die er in hun relatie is opgetreden. Na de reis naar Dove River en de akelige nasleep daarvan, is er een hechte band tussen hen ontstaan die hij meer koesterde dan hij dacht en die hij nu erg mist. Donald wijt dit aan het feit dat hij nu de leiding heeft, terwijl ze daarvoor door Mackinley met dezelfde lichte minachting werden behandeld, een minachting die ze (althans Donald) in afgezwakte vorm ook voor hem voelden. Nu ziet hij Mackinley in een ander licht en heeft hij meer begrip voor de gecompliceerde aspecten van het leidinggeven. Zijn vader zei tenslotte al dat het leven geen lolletje is en dat het niet bedoeld is om van te genieten. Hij vond dat vroeger een idioot en pervers idee, maar de laatste tijd begrijpt hij wel wat zijn vader bedoelde. Als volwassene krijg je te maken met moeilijke en angstige situaties en moet je soms vriendschap uit de weg gaan ten gunste van je verantwoordelijkheden. Soms moet je er niet op uit zijn om aardig gevonden te worden, maar om te worden gerespecteerd. En hij bedenkt zich ook nog iets anders: iets wat in overeenstemming is met hoe hij over Susannah denkt. Want alleen door respect af te dwingen kan een man een geliefde voor zich winnen, want voor een vrouw bestaat de liefde altijd voor een deel uit ontzag.

Hij bekijkt zijn brieven: liefdesbrieven, veronderstelt hij, hoewel ze zeker niet sentimenteel van aard zijn. Daar is het nog te vroeg voor, maar misschien, op een dag... Hij heeft er vier geschreven, keurig opgevouwen en geadresseerd. Hij zal ze aan Per geven en vragen of die ze naar Dove River wil laten brengen als het weer het toelaat. Hij is tevreden over de brieven, die hij in zijn kamer heeft overgeschreven en heeft verfraaid met omslachtige filosofische uitweidingen, die hem twee alcoholvrije avonden hebben gekost. Hij stelt zich voor dat Susannah ze leest en ze in haar jurk bewaart, of op haar kamer in een geparfumeerde zakdoek (de zijne misschien?).

Hij probeert zich haar gezicht voor de geest te halen op het moment waarop ze in de bibliotheek naar hem lachte, maar tot zijn consternatie lukt hem dat niet. Hij heeft alleen een vaag beeld van haar glimlach, van haar zachte, donkerblonde haar, van haar bleke, stralende huid en haar blauwe ogen, maar al die delen verschuiven steeds en laten zich niet samenvoegen tot een herkenbaar menselijk geheel. Hij kan zich om de een of andere reden wel het gezicht van haar zus, Maria, voor de geest halen en dat van haar vader, heel perfect en helder en driedimensionaal, maar het voorkomen van Susannah blijft buiten zijn bereik.

Hij gaat zitten om een kort briefje aan haar te schrijven waarin hij haar op de hoogte brengt van de reis die hij gaat maken. Hij wil het aan de ene kant graag avontuurlijk en gevaarlijk laten klinken, maar hij wil haar ook weer niet al te ongerust maken, voor het geval ze de brief ontvangt voordat hij is teruggekeerd. Uiteindelijk houdt hij de toon licht en zegt hij dat hij waarschijnlijk binnen twee weken terug zal zijn in Caulfield en dat het een mooie gelegenheid is om de Company te vertegenwoordigen en een andere factor te ontmoeten, terwijl hij intussen probeert zekerheid te krijgen over de vraag of Francis wel of niet schuldig is. Hij verzekert haar van zijn beste wensen en hij vraagt in een PS dat hem zelf enigszins verbaast of ze zijn hartelijke groeten wil overbrengen aan haar zuster. Dan blijft hij een tijdje naar het papier staren en vraagt zich af of dat niet raar lijkt, maar er is geen tijd meer om de hele brief over te schrijven, dus hij stopt hem in een envelop en legt die bij de andere op het stapeltje.

Het is donderdagavond tien uur, drie weken nadat het lichaam van Laurent Jammet is gevonden. Maria staart uit het raam van haar vaders studeerkamer, ook al valt daar weinig te zien. De slagregens striemen neer op wat eigenlijk de tuin is, maar nu meer lijkt op een modderig weiland. Daarachter alleen inktzwarte duisternis, waarin regengordijnen door de wind heen en weer gejaagd worden en soms het licht vangen dat ergens vandaan komt.

Binnen is het niet veel beter. Na de gebeurtenissen van die middag ligt mevrouw Knox uitgeteld in haar slaapkamer, onder invloed van een middeltje dat dokter Gray haar een uur geleden heeft gegeven. Ze was minder van streek dan Maria had gedacht, maar volgens de dokter komt de schok soms pas later en is dat niet zonder gevaren. Daarom heeft Maria haar moeder overgehaald om het drankje in te nemen. Susannah was veel meer van streek, maar dat hoorde nu eenmaal bij haar karakter: een plotselinge storm die werd gevolgd door een opgeklaarde lucht. Tot nu toe is die storm echter nog niet geluwd, al kan Maria hiervandaan niets horen. Het is in het hele huis doodstil.

Na enige beraadslagingen – veel beraadslagingen, omdat de stadsbestuurders het niet eens konden worden en zoiets nooit eerder is voorgekomen, werd haar vader gevangengenomen omdat hij de loop van het recht had gedwarsboomd. Omdat hij per slot van rekening geen schooier van een halfbloed was, werd hij niet in het pakhuis gezet, maar mocht hij in het pension van John Scott worden vastgehouden. Hij zit nu in de kamer naast Sturrock en zijn maaltijden worden op zijn kamer gebracht.

Het is ongeveer dezelfde kamer als die van Sturrock en de prijs is gelijk, al hoeft Maria's vader niet voor het voorrecht te betalen.

Om halfvijf die middag kwamen John Scott, meneer Mackinley en Archie Spence bij hun huis en klopten aan. Maria deed open en bracht ze naar de zitkamer, waarna ze haar vader ophaalde. De mannen praatten een tijdje met elkaar en vervolgens kwam haar vader naar buiten en verklaarde dat hij was gearresteerd. Er speelde een klein glimlachje om zijn mond, alsof hij zich vrolijk maakte om een binnenpretje. Terwijl zijn vrouw woedend begon te protesteren en Susannah in tranen uitbarstte, stond Maria er maar wat bij en wist niet wat ze moest zeggen. Haar moeder beende vuurspuwend de zitkamer in en verbijsterde de mannen die daar zaten met haar vernietigende kritiek. John Scott had geaarzeld over het plan om haar vader in zijn huis te laten vasthouden, maar Mackinley had erop gestaan, waarbij zijn ogen en mond zijn opgetogenheid verrieden. Haar vader had een einde gemaakt aan het meningsverschil door te zeggen dat hij alleen maar een eindje verderop in dezelfde straat zou verblijven totdat de magistraat van Coppermine was gearriveerd om de zaak officieel over te nemen. Hij vroeg zonder spoor van ironie of ze ook een borgsom zouden vragen. Kennelijk waren de mannen het bestaan van die mogelijkheid vergeten. John Scott deed zijn mond open, maar er kwam geen geluid uit. Mackinley schraapte zijn keel en zei dat ze daar nog even over zouden nadenken en morgen een bedrag zouden vaststellen. De moeilijkheid was dat ze zoiets eigenlijk aan haar vader zouden willen vragen.

Uiteindelijk had Knox een einde gemaakt aan het getwijfel door voor te stellen dat ze zouden vertrekken; het was etenstijd, zei hij, en ze lieten de koks maar wachten. Hij doelde natuurlijk op Mary in de keuken, maar het klonk een beetje alsof hij de mannen die hem kwamen arresteren de mantel uitveegde omdat hij door hun toedoen te laat kwam voor het eten. Mackinley had zijn wenkbrauwen gefronst, maar haar vader scheen dat niet te merken. Er was iets luchtigs aan zijn manier van doen, vond Maria: het was bijna alsof hij blij was dat hij werd gearresteerd, alsof hij in een val was gelopen die hij zelf had gezet. De drie vrouwen keken toe terwijl hun echtgenoot en vader door de andere mannen het huis uit werd geleid, nadat ze nog hadden gevraagd of ze misschien een paraplu of overschoenen wilden lenen. Mackinley en de anderen hadden dat aanbod afgeslagen, hoewel het nu hard regende en ze thuis meerdere paraplus en overschoenen in reserve hadden.

Sturrock luistert naar het geluid van voetstappen op de trap. Hij heeft liggen rusten op zijn bed en heeft zich afgevraagd of mevrouw Ross haar zoon al heeft ingehaald, die, daar twijfelt hij niet aan, het benen voorwerp bij zich heeft. De chaotische gebeurtenissen van de afgelopen dagen hebben hem ervan overtuigd dat hij hier niet langer moet blijven. Nu de sneeuw aan het smelten is, is het misschien tijd om te ontsnappen. Alleen ligt elke plaats waar hij naartoe kan gaan verder verwijderd van het object van zijn verlangen, en bovendien zullen ze de jongen als ze hem hebben gevonden vrijwel zeker hierheen brengen. Hij zucht; de whiskyfles die hem de laatste dagen zo prettig gezelschap heeft gehouden, is bijna leeg. Dit is het verhaal van zijn leven, om zo dicht bij iets van blijvende waarde te zijn en er tegelijk zo ver vanaf, en ook om zonder drank te zitten.

Op dit punt in zijn overpeinzingen staat hij op om te kijken wat dat lawaai te betekenen heeft. Misschien krijgt hij een nieuwe buurman. Hij doet de deur open en ziet meneer Mackinley van de Company en John Scott, met een man die hij niet kent. Scott komt naar hem toe, nadat hij de deur van de kamer aan de overkant van de gang heeft gesloten.

'Ah, meneer Sturrock, ik wilde u net vertellen...'

'Nieuwe buren?' vraagt Sturrock met een glimlach. Het vooruitzicht op een goed gesprek is altijd reden tot optimisme.

'Nee, dat niet.' Sturrock ziet hoe minachtend Mackinley naar Scott kijkt. 'Nee, we zitten met de moeilijke kwestie dat we de magistraat, meneer Knox, eh... hebben moeten arresteren. En omdat we hem niet in het pakhuis kunnen opsluiten, ha ha, leek ons dat dit huis voorlopig een goede plek om hem vast te houden.'

Scott zwijgt even. Zijn voorhoofd is licht bezweet. Hij wekt de indruk onder grote druk te staan en zijn gezicht is rozer dan anders.

'Ik hoop dat ik u daarmee niet ontrief, meneer Sturrock,' zegt Mackinley.

'U bedoelt dat u Knox in die kamer daar gaat opsluiten?' vraagt Sturrock, bijna vrolijk. 'Wat heeft hij dan in godsnaam gedaan?'

De mannen kijken elkaar aan, alsof ze zich afvragen of Sturrock wel recht heeft op zulke informatie.

'Het blijkt dat de ontsnapping van de gevangene geen toeval was. Knox heeft hem vrijgelaten, waarmee hij zand heeft gestrooid in de raderen der gerechtigheid.'

Het valt Sturrock op dat zijn wenkbrauwen over zijn voorhoofd naar zijn haar proberen te kruipen. 'Goeie god, is hij helemaal gek geworden?'

Ineens realiseert hij zich dat Knox waarschijnlijk staat te luisteren, want iets anders heeft hij in die kamer niet te doen. 'Ik bedoel, wat een buitengewone actie.'

'Buitengewoon, ja.'

Mackinley wil zich omdraaien en plotseling voelt Sturrock een golf van afkeer in zich opkomen.

'Nou nou.'

'Inderdaad.'

Scott zegt op conversatietoon: 'Het eten is bijna gereed, meneer Sturrock.'

'Ah, dank u. Dank u zeer.'

Na een teken van Mackinley gaan de andere mannen naar beneden, terwijl Sturrock naar de afgesloten deur blijft kijken. Als het geluid van de voetstappen is weggestorven, zegt hij op zachte toon: 'Knox? Hoor je mij?'

'Ja, ik kan je horen, Sturrock.'

'Is dat waar?'

'Ja, het is waar.'

'Juist... gaat het wel met je?'

'Ja, uitstekend, dank je. Ik denk dat ik nu ga slapen.'

'Een goede nacht dan maar. Roep maar als je... nou ja, als je met iemand wilt praten.'

Er komt geen antwoord meer. Sturrock vraagt zich af of dit betekent dat zijn bron van inkomsten nu is opgedroogd.

Sturrock zit beneden in de winkel van Scott, die 's avonds na het invallen van de duisternis fungeert als bar, als Maria Knox binnenkomt. Caulfield wordt al urenlang door regen geteisterd en de sneeuw is helemaal verdwenen. De burgers van Caulfield waden tot hun enkels door de modder. Het is laat, hij weet niet precies hoe laat; hij vermoedt dat ze nog even naar haar vader wil. Maar in plaats daarvan loopt ze recht op hem af. Hij weet wie ze is, hoewel ze elkaar nooit gesproken hebben.

'Meneer Sturrock? Ik ben Maria Knox. Hij neigt gewichtig zijn hoofd uit respect voor haar positie. Die gewichtigheid wordt nog versterkt door de glazen whisky die hij heeft gedronken, een stuk of vijf, en de herinneringen waar hij het afgelopen uur in op is gegaan.

'Ik weet dat het laat is, maar ik hoopte dat ik u nog even kon spreken.'

'Mij spreken?' Hij neigt opnieuw het hoofd – hij moet haast wel dronken zijn – maar deze keer hoffelijk. 'Dat is een onverwacht en onverdiend genoegen.'

'U hoeft me niet te vleien. Ik wilde met iemand spreken... nou, u bent een buitenstaander en iedereen in de stad lijkt helemaal gek geworden.'

Ze praat zacht, hoewel er niemand binnen gehoorsafstand is. 'U doelt op de hachelijke situatie waarin uw vader verkeert.'

Ze kijkt hem aan met een blik die tegelijk vermoeid en berekenend is. 'Ik weet eigenlijk niet precies wat ik hier doe. Misschien komt het doordat meneer Moody, die man van de Company, het over u had en een gunstige indruk van u heeft gekregen, ondanks... alles. God mag weten wat ik had verwacht...'

Hij merkt nu pas – de drank maakt hem traag van begrip – dat ze bijna in tranen is en dat haar ergernis haarzelf geldt. 'Ik weet niet met wie ik anders zou moeten praten. Ik maak me zorgen, grote zorgen. U bent een man van de wereld, meneer Sturrock, wat zou u in mijn situatie doen?'

'Wat betreft uw vader? Is er dan iets wat u kunt doen, behalve afwachten? Ik geloof dat ze de magistraat uit Coppermine laten komen, morgenochtend, als de wegen het toelaten.'

'Denkt u niet dat de wegen nog begaanbaar zijn?'

'Met dit weer? Dat betwijfel ik ten zeerste.'

'Ik wilde er eigenlijk vanavond zelf naartoe gaan, om er als eerste te zijn. Ik heb geen idee wat zij over hem zullen vertellen.'

'Maar lieve meid, dat kunt u toch niet menen. Vanavond die reis ondernemen, in die regen... dat zou een krankzinnige onderneming zijn. Uw vader zou het verschrikkelijk vinden. Nee, dat is het ergste wat u hem kunt aandoen.'

'Denkt u? Misschien hebt u wel gelijk. Ik ben trouwens ook veel te laf om zoiets in mijn eentje te doen. O, god!' Ze verbergt haar gezicht in haar handen, al is het maar even. Ze laat zich niet door haar verdriet overmeesteren. Sturrock voelt bewondering voor haar. Hij bestelt nog een borrel en ook één voor haar.

'U hebt monsieur Jammet toch ook gekend? Wat denkt u dat er met hem is gebeurd?'

'Zo goed kende ik hem nu ook weer niet. Maar hij was een man met vele geheimen, en mannen met vele geheimen hebben nu eenmaal meer vijanden dan anderen.'

'Waar hebt u het in vredesnaam over?'

'Eh... nou, alleen maar dat... Ik ben naar Caulfield gegaan, en ik ben hier nog steeds, omdat ik iets van Jammet wilde kopen. Hij wist dat. Alleen is dat voorwerp nu verdwenen.'

'Gestolen?'

'Dat lijkt me wel waarschijnlijk. Misschien door Francis Ross. En daarom wacht ik op zijn terugkeer.'

'En denk u dat Francis hem daarom heeft vermoord?'

'Zo goed kende ik hem niet. Dat kan ik dus niet zeggen.'

'Ik kende hem wel goed... Ken, bedoel ik.'

'En wat denkt u?'

Maria zwijgt en kijkt naar haar glas, dat tot haar verbazing nu al leeg is. 'Het is onmogelijk te zeggen waar mensen toe in staat zijn. Ik heb in het verleden wel eens gedacht dat ik mensen goed kende, maar daar heb ik me soms deerlijk in vergist.'

Op de ochtend waarop de anderen zullen vertrekken, komt Jacob binnen en gaat naast het bed staan. Hij spreekt tegen Francis, maar kijkt naar de muur.

'Ik denk niet dat jij van plan bent om weg te gaan, maar als je dat toch doet, kom ik je achterna en breek ik je andere been. Heb je dat begrepen?'

Francis knikt en denkt aan het litteken dat Donald hem heeft laten zien.

'Dan hoef ik hier niet de hele dag te zitten.'

Francis schudt zijn hoofd.

Hij is dus verbaasd als Jacob even later terugkomt. Hij heeft een stuk hout bij zich dat hij in de houtschuur heeft gevonden: de stam van een jonge berk, recht en sterk, met precies de juiste lengte. Hij stroopt de bast eraf, snijdt onregelmatigheden weg en rondt het gevorkte uiteinde af tot er een gladde Y-vorm ontstaat. Francis kijkt met aarzelende fascinatie naar zijn handen; het is verbazingwekkend hoe snel die boomstam de eigenschappen van een kruk krijgt. Jacob wikkelt repen van een oude deken om de bovenkant heen, als een verband.

'Dit moet eigenlijk met leer, anders wordt het nat.'

'Als ik toch ontsnap, bedoel je.'

Jacob leek aanvankelijk niet goed te weten of Francis serieus was of een grap maakte als hij iets stoms of ondoordachts zei, en keek hem dan met een uitdrukkingsloos gezicht aan, maar nu glimlacht hij. Hij is eigenlijk niet eens zoveel ouder dan ik, denkt Francis.

Het zal een opluchting zijn, voor hen allebei, denkt hij, om verlost te zijn van die gespannen en zorgelijke Moody. En voor hem om bevrijd te zijn van zijn moeder, al voelt hij zich schuldig als hij daaraan denkt. Steeds als ze in de kamer is, hangt er een geladen stilte die zo zwaar en vol onuitgesproken woorden is dat hij nauwelijks kan ademhalen. Het zou jaren duren om die allemaal uit te spreken, alleen om ze daardoor uit de weg te ruimen.

Vlak voordat ze weggaat, komt zijn moeder zijn kamer binnen en kijkt Jacob aan, die opstaat en zonder iets te zeggen vertrekt. Ze gaat naast zijn bed zitten en vouwt haar handen.

'We gaan. We zullen het spoor volgen dat jij ook hebt gevolgd, meneer Parker weet waar dat naartoe leidt. Jammer dat je niet mee kunt, voor het geval we die man vinden, maar we zullen hem in elk geval goed bekijken.'

Francis knikt. Het gezicht van zijn moeder staat bars en vastberaden, maar ze ziet er ook moe uit en de rimpeltjes rond haar ogen vallen meer op dan anders. Hij voelt zich plotseling enorm dankbaar dat ze gaat doen wat hij had willen doen, terwijl ze zo bang is voor de wildernis.

'Bedankt. Het is heel dapper van je.'

Ze trekt haar schouders op, alsof ze geïrriteerd is, maar dat is niet zo, ze is blij. Ze raakt met haar hand zijn gezicht aan, streelt langs zijn wang. Er is iemand anders die dat soms ook deed. Francis probeert daar niet aan te denken.

'Doe niet zo gek. Ik ga met Parker en Moody, dus er is niets dappers aan.'

Ze glimlachen stijfjes naar elkaar. Francis vecht tegen de plotselinge aandrang om haar de waarheid te vertellen. Het zou zo'n opluchting zijn om het aan iemand te vertellen, om eindelijk van die last bevrijd te zijn. Maar terwijl hij zich die luxe voorstelt, weet hij tegelijkertijd dat hij dat toch niet zal doen.

Dan zegt ze, tot zijn verbazing: 'Je weet toch dat ik van je hou?'

Francis voelt zich opgelaten. Hij knikt, maar kan haar om de een of andere reden niet in de ogen kijken.

'Je vader houdt ook van je.'

Nee, dat is niet zo, denkt Francis. Je hebt geen idee hoezeer hij mij haat. Maar hij zegt niets.

'Heb je me verder niets te vertellen?'

Francis zucht. Er zijn zo veel dingen die zij niet weet.

'Meneer Moody denkt dat dat benen voorwerp misschien belangrijk is. Als het zo waardevol is, dan zou het misschien een... een reden geweest kunnen zijn. Mag ik het meenemen?'

Francis wil het niet afgeven, maar hij kan eigenlijk geen goede reden bedenken waarom hij dat niet zou doen, dus hij geeft zijn moeder de leren tas met het stuk bot. Ze haalt het eruit en bekijkt het. Ze heeft veel gelezen en ze weet heel veel, maar ze kijkt fronsend naar de kleine, hoekige tekens.

'Wees er voorzichtig mee,' zegt hij zacht.

Ze kijkt hem aan, zij, die altijd zo voorzichtig met alles is.

De vorige zomer, voor de vakantie, die altijd vroeg in het jaar valt zodat de jongens hun vaders kunnen helpen als die niet genoeg mankracht hebben, overkwam hem iets wat hij nog nooit eerder had meegemaakt. Francis, die nooit veel aan zulke dingen dacht, werd net als iedere jongen in de wijde omtrek verliefd op Susannah Knox.

Ze zat een klas hoger en ze was zonder twijfel het mooiste meisje van de school; slank, met ronde vormen, en een lief, uitzonderlijk mooi gezicht. 's Nachts droomde hij over Susannah, en overdag stelde hij zich voor dat ze samen waren in allerlei vage maar romantische situaties; ze roeiden op de Bay, of hij liet haar zijn geheime schuilplaatsen in de bossen zien. Als hij haar langs het lokaal zag lopen, of als hij haar met haar vriendinnen op het schoolplein zag, ging er een heerlijke schok van opwinding door zijn lichaam, zijn huid tintelde, zijn adem stokte en het bloed bonsde in zijn hoofd. Hij wendde zijn hoofd af, deed alsof hij niet geïnteresseerd was, en omdat hij geen hartsvrienden had, bleef zijn geheim goed bewaard. Hij was zich ervan bewust dat hij niet de enige was met deze passie en dat ze kon kiezen uit oudere en populairdere kandidaten, maar ze scheen aan niemand speciale gunsten te verlenen. Dat had waarschijnlijk toch niets uitgemaakt, want hij verwachtte niet dat er echt iets zou gebeuren. Het was genoeg dat hij zich haar in zijn dromen kon toe-eigenen.

Eens per jaar, aan het einde van het schooljaar, werd er een schoolpicknick gehouden op een smalle strook zandstrand aan de Bay. Onder het toeziend oog van twee verveelde leraren aten de leerlingen daar hun boterhammen, dronken gemberbier en zwommen gillend en spetterend in het water tot het donker werd. Francis, die altijd een hekel had aan zulke geforceerde uitgelatenheid en erover had gedacht om niet mee te gaan, deed dat uiteindelijk toch omdat Susannah er ook zou zijn. Omdat ze bijna van school ging, wilde hij nog zo veel mogelijk snelle, heerlijke blikken op haar werpen om in de vakantie zijn passie te voeden.

Hij koos een plekje in de buurt van Susannah en een paar andere meisjes uit de hoogste klas en kreeg even later gezelschap van Ida Pretty, zijn buurmeisje. Ida was twee jaar jonger dan Francis. Zij was de enige van het grote gezin die hij aardig vond: ze had een scherpe tong, ze was grappig, maar ze kon soms ook heel lastig zijn. Ze mocht Francis graag en ze zat hem altijd te pesten; nu zat ze hem al een tijd net zo aandachtig (maar niet net zo onopvallend) te bekijken als hij dat met Susannah deed.

Ze ging zitten, zette haar mandje neer en keek met haar hand boven haar ogen uit over het water.

'Het zal zo wel gaan regenen. Moet je die wolk zien. Ze hadden beter een andere dag kunnen kiezen, vind je ook niet?'

Ze klonk hoopvol. Ze was net als hij een misnoegde einzelgänger en ze deelde zijn afschuw van evenementen die geacht werden gemeenschappelijk en plezierig te zijn.

'Ik weet het niet. Misschien wel.'

Francis hoopte dat Ida weer weg zou gaan als hij niet veel zei. Hij vroeg zich af wat er het minst aantrekkelijk uitzag: dat hij hier chagrijnig in zijn eentje zat, of dat hij in het gezelschap verkeerde van een vervelend meisje uit een lagere klas. Maar aan de ingespannen fluistergesprekken te oordelen die Susannah met haar vriendinnen voerde, was het onwaarschijnlijk dat ze ook maar iets opmerkte van wat hij deed. En er waren nog wel meer jongens die in de buurt rondhingen en zogenaamd hun eigen gang gingen, maar dan wel binnen gehoorsafstand van de oudere meisjes, waar ze lol trapten, schreeuwden, of deden wie het verste steentjes in het water kon gooien.

Toen de zon feller begon te schijnen, werden de activiteiten steeds rustiger: de kinderen aten hun boterhammen, verjoegen vliegen en trokken kleren uit. Het groepje van Susannah was opgesplitst in groepjes van twee en drie en ze was zelf een eindje gaan wandelen met Marion Mackay. Francis lag op zijn rug met zijn hoofd tegen een rots en zijn hoed over zijn ogen. De zon prikte door het losse weefsel, wat hem op aangename wijze verblindde. Ida zweeg nors en deed alsof ze 'Puddenhead Wilson' las.

Door zijn hoofd een klein beetje van de ene naar de andere kant te be-

wegen, liet hij het zonlicht in zijn ogen schijnen en daarna weer verdwijnen. Ineens vroeg Ida: 'Wat vind je eigenlijk van Susannah Knox?'

'Hè?'

Hij dacht natuurlijk de hele tijd aan haar en probeerde haar schuld-
bewust uit zijn hoofd te zetten.

'Susannah Knox. Wat je van haar vindt.'

'Wel leuk, geloof ik.'

'Iedereen op school vindt haar het mooiste meisje dat ze ooit hebben
gezien.'

'O ja?'

'Nou, ja.'

Hij wist niet of Ida naar hem keek of niet. Zijn hart bonsde, maar zijn
stem klonk gelukkig verveeld genoeg.

'Ze is ook best mooi.'

'Vind je?'

'Ik geloof van wel.'

Het begon hem te irriteren. Hij haalde zijn hoed van zijn gezicht en
keek met toegeknepen ogen naar haar. Ze zat met opgetrokken knieën en
haar schouders tegen haar oren gedrukt. Haar kleine gezicht was vertrokken tegen het zonlicht en ze zag er ellendig en kwaad uit.

'Hoezo?'

'Maakt het iets uit?'

'Maakt wat iets uit? Dat ze mooi is?'

'Ja.'

'Dat weet ik niet. Dat hangt er denk ik vanaf.'

'Waarvan dan?'

'Van wie je bedoelt. Ik denk dat het voor haar wel iets uitmaakt. Tjeezus,
Ida.'

Hij trok de hoed weer over zijn ogen en even later hoorde hij haar opstaan en beledigd weglopen. Hij was waarschijnlijk in slaap gevallen, want
hij werd wakker toen ze weer ging zitten. Hij voelde zich een beetje verward, wist even niet waar hij was en waarom hij het zo warm had. De hoed
was van zijn gezicht gegleden en hij was verblind door rode vuurballen
voor zijn ogen. De huid van zijn gezicht voelde strak en pijnlijk. Hij was
aan het verbranden.

'Mag ik hier even gaan zitten?'

Dat was niet Ida's stem. Francis kwam overeind en zag dat Susannah Knox glimlachend naar hem stond te kijken. De schrik gleed als ijskoud water langs zijn ruggengraat.

'Ja, natuurlijk.'

Hij keek om zich heen. Het strand was leger dan daarvoor en de meisjes waar ze bij had gezeten waren verdwenen.

'Ik ben geloof ik in slaap gevallen.'

'Sorry dat ik je wakker heb gemaakt.'

'Dat hindert niet. Juist goed. Ik ben geloof ik aan het verbranden.'

Hij raakte voorzichtig zijn voorhoofd aan. Susannah boog zich naar hem toe, van heel dichtbij naar het scheen. Hij zag elke gekrulde oogwimper en de kleine blonde haartjes op haar wang.

'Ja, het ziet er wel een beetje rood uit. Maar niet heel erg. Je hebt geluk, met zo'n huid. Dat-ie al een beetje donker is bedoel ik. Ik krijg alleen maar sproeten en ik word zo rood als een kreeft.'

Ze glimlachte met die betoverende glimlach van haar. De zon stond achter haar en wierp een stralenkrans om haar hoofd, waardoor er lokken goud en platinablond tussen haar donkerblonde haar verschenen. Francis kon bijna geen adem halen. Als hij nu bloosde zou ze dat in elk geval niet merken.

'En, vind je het leuk?' wist hij uit te brengen, nadat hij tevergeefs had geprobeerd om iets intelligenters te bedenken.

'Wat, hier? Ja, ik geloof het wel. Sommige jongens zijn heel vervelend. Emlyn Pretty heeft Matthew met kleren en al in het water geduwd en heeft hem toen ongeveer een uur staan uitlachen. Heel gemeen.'

'O ja?'

Francis jubelde inwendig. Hij had al heel wat vervelende dingen meegemaakt met Emlyn. Hij had geluk dat hij niet in het water gegooid was.

Daarna kon hij niets meer bedenken, wat hij ook probeerde. Hij keek lange tijd naar het water en bad om inspiratie. Susannah scheen het niet erg te vinden; ze prutste aan haar haar en was ogenschijnlijk diep in gedachten verzonken.

'Is Ida jouw vriendin?'

Die vraag kwam zo totaal onverwacht dat Francis van pure verbijstering even geen woord kon uitbrengen. Toen begon hij te lachen. Wat een idioot idee. En wat een typische vraag.

'Nee! Ze is gewoon een vriendin van me. Ze woont op de boerderij naast ons. Een stuk verder stroomopwaarts. Ze is twee jaar jonger dan ik.' Dat laatste voegde hij er voor de zekerheid nog aan toe.

'O... woon jij naast de familie Pretty?'

Ze wist natuurlijk best waar hij woonde, want dat wist iedereen hier van elkaar. Nu begon ze nog geconcentreerder aan haar haar te prutsen. Wat ze er precies mee deed, wist hij niet, maar blijkbaar was het iets pietepeuterigs waar je heel goed bij moest opletten.

'Weet je...' ze gooide de lok haar met een gedecideerd gebaar naar achteren. 'Wij gaan zaterdag met een paar mensen picknicken, op het zwemstrandje. Als je wilt, mag je ook wel mee. We gaan alleen met Maria, mijn zus, weet je wel, en Marion en Emma, en misschien Joe...'

Eindelijk keek ze hem aan, met een ondoorgrondelijke blik. Francis zag haar als een donkere vorm afgetekend tegen de zon, met wazige, schitterende contouren, als een engel van de zondagsschool.

'Zaterdag? Eh...' Hij kon zijn oren bijna niet geloven. Maar het was toch echt zo dat Susannah, de enige echte Susannah Knox, hem uitnodigde voor een picknick, een exclusieve picknick, waarvoor alleen haar beste vriendinnen waren uitgenodigd (en Joe Bell, maar het was bekend dat die met Emma Spence ging). Toen kwam plotseling de gedachte in hem op dat dit misschien een vreselijke grap was. Stel dat ze hem uitnodigde voor een picknick die er helemaal niet zou zijn? Als hij daar komende zaterdag naartoe zou gaan, zou er natuurlijk niemand zijn, of, erger nog, zouden er hordes ouderejaars op de loer liggen en zich helemaal rot lachen om wat hij zich wel verbeeldde. Maar ze keek helemaal niet alsof ze hem voor de gek hield. Ze keek hem nog steeds aan en begon toen nerveus te lachen.

'Tjeezus, je laat een meisje wel lang wachten, zeg!'

'Sorry. Eh... dat komt omdat ik het eerst aan mijn vader moet vragen, want misschien moet ik hem zaterdag helpen. Maar toch bedankt, het lijkt me heel leuk.'

Zijn hart bonsde van ontzetting. Had hij dat werkelijk gezegd?

'Nou, dat is goed. Laat je nog even weten of je kunt?' Ze stond een beetje aarzelend op.

'Ja, zal ik doen. Bedankt.'

Ze zag er op dat moment nog prachtiger uit dan anders. Haar gezicht was zo ernstig en mooi. Ze streek haar haar glad, lachte nog even en draaide zich om. Hij vond dat ze een beetje een verdrietige indruk maakte. Hij leunde achterover en duwde de hoed weer naar voren, zodat hij haar door de gaatjes weg kon zien lopen naar een ander stuk van het strand, waar ze weer bij een paar ouderejaars ging zitten. Ineens werd hij overspoeld door een gevoel van verwondering. Ze had hem uitgenodigd voor een picknick. Zij, die nog geen tien woorden met hem had gewisseld, had hem uitgenodigd voor een picknick!

Francis keek naar een paar jongere jongens die een stuk wrakhout over het ondiepe water keilden en het gevaarlijk dicht langs elkaars benen lieten zeilen en wegsprongen voor het opspattende water. Hun gelach en gejoel klonk vreemd ver weg. Hij dacht aan komende zaterdag. Zijn vader vroeg hem allang niet meer of hij hem in het weekend wilde helpen, dus dat zou hij zaterdag vast ook niet doen. Hij dacht aan de picknick bij het zwemstrand aan de rivier, waar het zonlicht door de eiken en wilgen vlekkerig op het theekleurige water valt, aan de meisjes die daar in hun dunne zomerjurken in vijvers van lichte katoen zouden zitten.

En hij wist dat hij niet zou gaan.

De winterpartners

De directeur van het gesticht, dokter Watson, was van het voortvarende soort. Hij wilde naam maken, monografieën schrijven en uitgenodigd worden om lezingen te houden, waar hij zich omringd zou weten door bewonderende jonge vrouwen. Maar intussen waren de enige jonge vrouwen in zijn nabijheid in meer of mindere mate krankzinnig en te midden van die vrouwen koos hij mij om de tijd te verdrijven, tot hij beroemd genoeg was om weer te vertrekken.

Toen hij bij ons kwam, zat ik al een paar maanden in het openbare gesticht en al die tijd gonsde het er van de geruchten over een nieuwe directeur. Het leven in een gesticht is over het algemeen verschrikkelijk saai en elke verandering van omstandigheden leidt tot felle discussies; bijvoorbeeld een ander soort havermout bij het ontbijt, of het verplaatsen van het naaiuurtje van drie naar vier uur 's middags. Een nieuwe directeur was dus een belangrijke gebeurtenis: stof voor wekenlang roddelen en speculeren. En bij aankomst stelde hij niet teleur. Hij was jong en knap, met een vrolijk, vriendelijk gezicht en een aangename bariton. Alle vrouwen werden gelijk verliefd op hem. Ik zal niet beweren dat ik totaal onverschillig was, maar het was grappig om te zien hoe sommige vrouwen zich optuigden met linten en bloemen om zijn aandacht te trekken. Watson was altijd hoffelijk en complimenteus; hij nam hen bij de hand en gaf complimentjes, zodat ze giechelden en bloosden. Die zomer werd er op de vrouwenslaapzaal heel wat afgezucht.

Aangezien ik me van die algehele aanbidding afzijdig had gehouden, was ik verbaasd toen ik werd ontboden in Watsons kantoor en ik vroeg me af wat ik verkeerd had gedaan. Toen ik binnenkwam drentelde hij heen en weer rondom een groot apparaat in het midden van de kamer. Ik nam onmiddellijk aan dat het net zoiets was als dat apparaat waarmee ze mensen koude overgietingen geven, bedoeld om een krankzinnige een onrustbarende sensatie te bezorgen, maar ik kon niet bedenken wat het was en voelde me tamelijk nerveus.

'Ah, goedemorgen juffrouw Hay.' Watson keek op en glimlachte. Hij scheen erg met zichzelf te zijn ingenomen. Ik was feitelijk meer overrompeld door de veranderde kamer, die onder de vorige directeur donker en deprimerend was geweest en enigszins zuur had geroken. Het was een prachtige kamer (in zijn neoklassieke stijl was het hele gesticht indrukwekkend): het had een hoog plafond en een breed erkerraam met uitzicht over het park. Watson had de zware gordijnen voor de ramen weggehaald en de kamer kreeg volop licht vanuit het zuiden. De muren waren lichtgeel geverfd, er stonden bloemen op tafel en tegen een muur stond een schilderachtige rotspartij met varens.

'Goedemorgen,' zei ik, niet in staat om op te houden met glimlachen.

'Vind je mijn kantoor leuk?'

'Ja, heel leuk.'

'Prima. Je hebt net zo'n smaak als ik. Ik vind het belangrijk om mijn omgeving aantrekkelijk te maken. Hoe kan een mens gelukkig zijn als hij wordt omringd door lelijkheid?'

Ik nam hem niet helemaal serieus en mompelde iets nietszeggends terug. Hij bofte dat hij de macht had om zijn omgeving naar eigen believen aan te passen.

'Natuurlijk,' ging hij verder, 'is de kamer nog aantrekkelijker met jou erin.'

Hoewel ik zijn maniertjes kende voelde ik een lichte blos opkomen, maar die probeerde ik te verbergen door uit het raam naar een paar patiënten te kijken, die op dat moment zelfstandig of onder begeleiding door de tuin wandelden.

We praatten een poosje over koetjes en kalfjes en ik vermoedde dat hij zich een idee probeerde te vormen over mijn geestelijke tekortkomingen en wilde weten of ik vaak last had van heftige uitbarstingen. Wat ik zei leek hem te bevallen, want daarna begon hij de machine uit te leggen. Het was in wezen een doos om foto's mee te maken en hij zei dat hij studies wilde maken van de patiënten. Hij dacht dat dit zou bijdragen aan het begrip voor krankzinnigheid en de behandeling daarvan, al heb ik nooit zo goed begrepen hoe dat dan zou moeten gebeuren. En vooral, zo leek het, wilde hij foto's van mij maken.

'Je gezicht is geknipt voor de camera, helder en expressief, en dat is precies wat ik nodig heb.'

Ik was gevleid door de gedachte dat hij mij had opgemerkt en me zo veel aandacht schonk en het bood een welkome afleiding van de dagelijkse routine. Zoals ik al zei was het leven in het gesticht, afgezien van een enkele stuiptrekking of zelfmoordpoging, extreem eentonig.

'Waar ik aan zat te denken,' legde hij uit, met zijn blik omlaag op zijn bureau gericht, 'is een serie studies van, nou... jou zogezegd, in poses die karakteristiek zijn voor een bepaalde zenuwziekte. Eh, bijvoorbeeld... er bestaat zoiets als het Opheliacomplex, dat is genoemd naar een bedroefd personage in een beroemd toneelstuk...' Hij keek me even aan, om te zien of ik tekenen van herkenning vertoonde.

'Ik ken het,' zei ik.

'Ah, uitstekend. Nou... zie je, dat zou je dus kunnen illustreren met een... een pose van iemand met liefdesverdriet, met een bloemenkroon en zo. Begrijp je wat ik bedoel?'

'Ik geloof het wel.'

'Het zal me veel steun bieden bij het schrijven van mijn monografie. Met die foto's kan ik mijn hypothese illustreren, vooral voor mensen die nog nooit in een gesticht zijn geweest en het moeilijk vinden om zich daar een voorstelling van te maken.'

Ik knikte beleefd en toen hij hier niet op doorging vroeg ik: 'Hoe luidt uw hypothese dan?'

Hij keek een beetje geschrokken. 'O. Mijn hypothese is, nou... dat krankzinnigheid bepaalde patronen heeft. Patiënten hebben vaak bepaalde fysieke houdingen en bewegingen met elkaar gemeen, die iets vertellen over hun innerlijke gesteldheid. Iedere patiënt heeft natuurlijk zijn eigen individuele geschiedenis, maar ze kunnen worden onderverdeeld in groepen met bepaalde gemeenschappelijke trekken en gedragingen. En ook denk ik dat...' hij zweeg, blijkbaar diep in gedachten verzonken, 'we door een voortdurend herhaalde, geconcentreerde studie van dit gedrag meer te weten kunnen komen over de manier waarop we deze arme zielenpoten kunnen genezen.'

'Aha,' zei ik, terwijl ik me afvroeg wat voor soort gedrag ik, als een van die zielenpoten, doorgaans vertoonde. Er drongen zich allerlei ongepaste beelden naar voren.

'En,' ging hij verder, 'misschien kun je samen met me lunchen, op die dagen dat je zo vriendelijk bent mij wat van je tijd te schenken?'

Bij die gedachte liep het water me in de mond. Het eten in het gesticht was voedzaam maar flauw, zwaar te verteren en eentonig. Ik denk dat er een theorie (misschien zelfs een hypothese) was dat bepaalde smaken op een gevaarlijke manier stimulerend zouden werken en dat te veel vlees, bijvoorbeeld, of iets overdreven machtigs of kruidigs, delicate gevoelens zou doen ontvlammen en een opstand zou ontketenen. Ik was al blij met het vooruitzicht dat ik model zou worden, maar alleen al de belofte van goed, aantrekkelijk eten zou me over de streep hebben getrokken.

'En,' glimlachte hij, en ik besefte dat hij zowaar nerveus was. 'Klinkt dat... jou aangenaam in de oren?'

Ik werd nieuwsgierig waarom hij nerveus was – vanwege mij? Vanwege de mogelijkheid dat ik nee zou zeggen? – en knikte. Ik kon met geen mogelijkheid bedenken hoe het staren naar foto's van met bloemen bedekte vrouwen kon leiden tot een behandeling tegen krankzinnigheid, maar wie was ik om nee te zeggen?

Bovendien was hij een knappe, vriendelijke jongeman en was ik een wees in een krankzinnigengesticht, met niemand om me te steunen en weinig vooruitzichten om hier weg te komen. Hoe ongebruikelijk de gebeurtenissen die op mij af kwamen ook mochten zijn, ze zouden mijn leven waarschijnlijk niet nadelig beïnvloeden.

En zo begon het. Aanvankelijk zou ik misschien één of twee keer per week naar zijn kantoor komen. Watson had daar dan een aantal kostuums en rekwisieten verzameld om het scenario op te bouwen. Het eerste zou blijkbaar Melancholie gaan heten en ik voelde me ruim bij machte om dit uit te beelden. Hij had een stoel bij een raam geplaatst waar ik op moest zitten, terwijl ik gekleed in een sombere jurk een boek vasthield en verlangend naar buiten staarde, alsof, zoals hij het formuleerde, ik droomde over mijn verloren liefde. Ik had hem kunnen vertellen dat er ergere dingen zijn in het leven dan een ontrouwe minnaar, maar ik hield mijn mond, staarde uit het raam en droomde van gesmoord wildbraad met portsaus, kip met kerriesaus en trifle met nootmuskaat.

Toen de lunch kwam bleek die minstens even lekker als de maaltijden die ik in mijn fantasie had bedacht. Ik ben bang dat ik at met de bevalligheid van een boerenknecht en hij keek glimlachend toe hoe ik van een perentaart met kaneel een tweede en derde portie nam. Ik propte mezelf niet vol omdat ik zo'n enorme honger had, maar omdat ik lange tijd te weinig smaken had geproefd, te weinig pikants en subtiels. Het was zalig om voor het eerst in vier of vijf jaar (afgezien van Kerstmis) weer specerijen en blauwschimmelkaas en wijn te proeven. Ik geloof dat ik ook zoiets zei, en hij lachte en leek bijzonder in zijn sas. Terwijl hij met me naar de deur van zijn studeerkamer liep, hield hij mijn hand met beide handen vast en toen hij me bedankte keek hij me diep in de ogen.

Zoals ik al verwachtte, werd ik steeds vaker in zijn studeerkamer ontboden en naarmate we aan elkaar gewend raakten werden de poses minder formeel. Daarmee bedoel ik dat ik steeds minder ging dragen: ik eindigde leunend tegen de varentuin, ten dele gehuld in een doorschijnende lap mousseline. Ik geloof dat al in een vroeg stadium alle pretenties over de bijdrage aan de vooruitgang van de medische wetenschap ter zijde werden geschoven. Watson, of Paul zoals ik hem ging noemen, maakte de studies zoals ze hem welgevallig waren en soms knipperde hij schuldig met zijn ogen en ontweek mijn blik, alsof hij zich ervoor schaamde dat hij me zulke dingen liet doen.

Hij was vriendelijk en attent en was geïnteresseerd in mijn mening, iets wat veel mannen die me buiten het gesticht hebben gekend nooit geweest zijn. Ik vond hem aardig en toen hij op een dag aan het eind van de maaltijd trillend zijn hand op de mijne legde was ik gelukkig. Hij was lief en bang, doodsbang dat hij iets fout deed, en hij verontschuldigde zich elke keer dat we elkaar zagen dat hij mij verleidde en toegaf aan zijn verachtelijke natuur. Ik vond het nooit erg. Voor mij was het een spannend geheim, een zoete begeerte, ook al was hij altijd nerveus en schichtig als we, na de zoveelste spectaculaire lunch, achter de gesloten deur van de studeerkamer snel onze liefde consummeerden.

En hij rook naar de kas, naar tomatenbladeren en vochtige aarde, scherp en bevredigend. Zelfs nu kan ik me die geur niet herinneren zonder daarbij ook te denken aan vruchtentaarten met room, of rundvlees in brandewijn. Zelfs afgelopen nacht, jaren later in een ijskoude tent in het bos, liep het water me in de mond toen ik die geur bij Parker rook en moest ik denken aan een taart van pure chocola.

Ik denk niet dat ik er ooit nog achterkom wat er toen is gebeurd. Om de een of andere reden viel Watson in ongenade. Niet door mij, voor zover ik weet, en er is absoluut nooit iets over gezegd, maar op een ochtend deelde de hoofdzuster mee dat dokter Watson plotseling weg moest en dat een andere directeur over een paar dagen zijn plaats zou innemen. De ene dag was hij er nog, de andere niet meer. Hij moet het apparaat en de foto's die we samen hadden gemaakt hebben meegenomen. Sommige waren prachtig; donkere, zilverachtige schakeringen op glas, die flikkerden als je ze naar het licht draaide. Ik vraag me af of ze nog bestaan. Als ik me neerslachtig voel, en dat is vrij vaak tegenwoordig, herinner ik mezelf eraan dat hij trilde als hij me aanraakte; dat ik ooit iemands muze was.

We lopen nu al drie dagen over de vlakte zonder einde of verandering in zicht. De regen die de dooi inluidde hield twee dagen aan en maakte het erg moeilijk om vooruit te komen. We waadden tot onze enkels door de modder en als dat niet zo erg klinkt, kan ik alleen maar benadrukken dat het wel degelijk heel zwaar is. Aan elke voet hing een paar pond kleverig slijm en mijn rok, zwaar van het water, hinderde me. Parker en Moody, die niet met een rok waren belast, ploeterden een eind voor me uit met de slee.

Aan het eind van de tweede dag hield de regen op, en juist toen ik de goden die zich nog om me bekommerden bedankte, stak er een wind op die sindsdien is blijven waaien. De grond is daardoor opgedroogd en het lopen is gemakkelijker geworden, maar de wind komt uit het noordoosten en is zo koud dat ik nu een tot dusverre ongehoord verschijnsel ervaar, waarbij de tranen bevriezen in mijn ooghoeken. Na een uur zijn mijn ogen pijnlijk rood.

Nu wachten Parker en de honden tot we ze hebben ingehaald. Hij staat op een flauwe helling, en als we ten slotte strompelend bij hem aankomen zie ik waarom hij heeft gewacht: een paar honderd meter verderop ligt een gebouwencomplex, het eerste teken van menselijke beschaving sinds het verlaten van Himmelvanger.

'We zitten op de goede weg,' zegt Parker, al zou ik hier zelf het woord 'weg' nooit hebben gebruikt.

'Wat is dat voor gebouw?' Moody tuurt door zijn bril. Zijn ogen zijn slecht en zien nog minder in het kleine beetje grijs licht dat tussen de wolken door valt.

'Dat was vroeger een handelspost.'

Vanaf hier kan ik zien dat er iets mee aan de hand is; het heeft de onheilspellende uitstraling van een gebouw in een nachtmerrie.

'We moeten er eens even gaan kijken. Voor het geval hij er is geweest.'

Als we dichter zijn genaderd besef ik wat er is gebeurd. De post is afgebrand tot een skelet; dakspanten steken naargeestig af tegen de lucht en gebroken balken steken uit in foute, verontrustende hoeken. Muren die nog overeind staan zijn zwartgeblakerd en buigen door. Maar het allervreemdste is dat het gebouw nog onlangs met sneeuw was bedekt en dat die sneeuw overdag is weggesmolten, om vervolgens 's nachts weer te bevriezen; de ene na de andere laag smeltwater is bevroren, zodat de kale botten van het skelet zijn gezwollen en bedekt met een laag ijs. Het is een vreemd gezicht: het zwarte, stompe, glinsterende ijs overspoelt de gebouwen alsof ze door een amorf schepsel zijn verzwolgen. Het vervult mij, en Moody volgens mij ook, met een soort afschuw.

Ik wil hier zo snel mogelijk weg. Parker loopt tussen de muren door naar binnen en bestudeert de grond.

'Iemand heeft kleren achtergelaten.' Hij wijst op een vormeloze bundel in een hoek op de grond. Ik vraag hem niet wat de reden daarvoor zou kunnen zijn. Ik heb zo'n vermoeden dat ik het liever niet wil weten.

'Dit is Elbow Ridge. Hebt u daar wel eens van gehoord?'

Ik schud mijn hoofd, in de overtuiging dat ook dat iets is wat ik beter niet kan weten.

'Elbow Ridge is gebouwd door de XY Company. De Hudson Bay Company vond het maar niks dat zij probeerden hier een handelspost te stichten, dus hebben ze de zaak platgebrand.'

'Hoe weet u dat?'

Parker haalt zijn schouders op. 'Dat weet iedereen. Zulke dingen deden ze.' Door een verdwenen deur dertig meter verderop kijk ik in de richting van Moody, die staat te rommelen bij een berg hout die misschien ooit, lang geleden, een piano is geweest.

Ik kijk weer naar Parker om te zien of hij iets kwaads bedoelde, maar van zijn gezicht valt niets af te lezen. Hij heeft de stijve, bevroren stof opgepakt en rekt hem uit – het ijs kraakt en versplintert bij wijze van protest – en er komt een overhemd tevoorschijn dat waarschijnlijk ooit blauw is geweest, maar nu zo vies is dat je dat nauwelijks meer met zekerheid kunt zeggen. Het is doorweekt en besmeurd en ligt hier nu weg te rotten. Plotseling, met enige vertraging, besef ik wat dat betekent.

'Is dat bloed?'

'Ik weet het niet. Misschien.'

Hij snuffelt nog wat rond en slaakt een kreet van voldoening. Ditmaal begrijp ik zelfs waarom: er zijn sporen van een vuur, zwart en beroet, vlak bij een muur.

'Zijn die sporen recent?'

'Een week oud ongeveer. Onze man is hier dus langsgekomen en heeft hier overnacht. Het is voor ons ook zo'n gekke plaats nog niet.'

'Wilt u hier blijven? Maar het is nog vroeg. We moeten toch verder?'

'Kijk eens naar de lucht.'

Ik kijk omhoog: de wolken, die door de zwarte balken zijn verdeeld in vierhoeken, zijn laag en donker. Ze hebben de kleur van storm.

Als Moody hoort van het plan, houdt hij koppig voet bij stuk. 'Maar het is toch nog maar een dag of twee naar Hanover House? Ik vind dat we verder moeten.'

Parker antwoordt rustig: 'Er komt een storm aan. We zullen blij zijn dat we een schuilplaats hebben.'

Ik zie hoe Moody's hersenen krampachtig overwegen of het wel of niet de moeite waard is hierover in discussie te gaan, of Parker zal buigen voor zijn gezag. Maar de wind trekt aan en de moed zakt hem in de schoenen; de lucht is dreigend en drukkend geworden. Deze verlaten post mag er dan griezelig uitzien, hij is heel wat beter dan niets.

Dus slaan we binnen de ruïnes ons kamp op. Parker bouwt een groot afdak tegen een van de resterende muren en versterkt het met geblakerd hout. Ik schrik als ik zie hoe veel steviger deze schuilplaats is dan wat ik hem daarvoor heb zien bouwen, maar ik volg zijn instructies op en pak de slee uit. De afgelopen dagen ben ik behendiger geworden met de taken die omwille van het comfort en om te overleven moeten worden verricht. Ik berg binnen het voedsel op (verwacht hij werkelijk dat we dagenlang opgesloten zullen zitten?), terwijl Moody hout verzamelt – dat is tenminste ruimschoots voorhanden – en ijs van de muren krabt voor water. We werken hard door, bevangen door angst voor de invallende duisternis en de snel aantrekkende wind.

Tegen de tijd dat we klaar zijn met onze voorbereidingen, striemt de sneeuw ons als een bijenzwerm in het gezicht. We kruipen in de tent, Parker steekt een vuur aan en kookt water. Moody en ik zitten met ons gezicht naar de met balken verstevigde deur, waaraan wordt geduwd en getrokken alsof wanhopige mannen trachten binnen te komen. In de loop van een uur neemt de wind toe in kracht en volume, tot we onszelf nauwelijks meer kunnen verstaan. Hij maakt een griezelig, knarsend geluid, dat wordt versterkt door het schrille klapperen van het zeildoek en een vreselijk gekraak van de muurbalken. Ik vraag me af of ze dit kunnen weerstaan, of dat ze zullen instorten onder het geweld en het gewicht van het boven ons opgestapelde ijs. Parker lijkt zich geen zorgen te maken, al durf ik te wedden dat Moody mijn angsten deelt; zijn ogen zijn wijd opengesperd achter zijn bril en bij iedere variatie in de geluiden om ons heen schrikt hij op.

'Gaat het daar wel goed met die honden?' vraagt hij.

'Ja. Ze kruipen bij elkaar en houden elkaar warm.'

'Aha. Goed idee.' Eventjes lacht Moody, met een blik naar mij, maar als ik niet met hem mee lach slaat hij zijn ogen neer.

Moody slurpt zijn thee naar binnen en trekt zijn laarzen en sokken uit, zodat er voeten tevoorschijn komen die zijn bedekt met opgedroogd bloed. De vorige avonden heb ik toegekeken hoe hij zelf zijn voeten verzorgde, maar vanavond bied ik aan het voor hem te doen. Misschien komt het door de gedachte aan Francis: het leeftijdsverschil tussen hen is niet zo groot. Of misschien door de storm en de gedachte dat ik alle vrienden kan gebruiken die ik maar kan krijgen. Hij leunt achterover en strekt één voor één zijn voeten uit, zodat ik ze kan reinigen en verbinden met repen linnen, het enige wat we hebben. Ik ben niet zachtzinnig, maar terwijl ik de wonden reinig met ethanol en ze strak verbind, geeft hij geen kik. Hij houdt zijn ogen dicht. Uit mijn ooghoeken meen ik te zien dat Parker naar ons kijkt, maar ik kan me vergissen, want door de rook van het vuur en van zijn pijp is het zicht in de tent praktisch nihil. Nadat ik zijn voeten heb verbonden haalt Moody een heupfles tevoorschijn en biedt mij die aan. Het is de eerste keer dat ik die fles zie. Ik neem hem dankbaar aan; het is whisky, niet bijzonder lekker, maar het brandt helder en vurig in mijn keel, zodat de tranen me in de ogen springen. Hij biedt ook Parker de heupfles aan, maar die schudt slechts zijn hoofd. Nu ik erover nadenk, bedenk ik me dat ik hem nog nooit een slok alcohol heb zien nemen. Moody trekt de bloeddoorweekte sokken en laarzen weer aan; het is te koud om ze uit te laten.

'Mevrouw Ross, als u dit zonder blaren kunt volhouden moet u wel een taaie vrouw uit de wildernis zijn.'

'Ik heb mocassins,' leg ik uit. 'Die schuren de voeten niet zo. Als we bij Hanover House komen moet u er ook een paar op de kop tikken.'

'O. Ja.' Hij wendt zich tot Parker. 'En wanneer denkt u dat dat zal zijn, meneer Parker? Zal deze storm vannacht uitrazen?'

Parker haalt zijn schouders op. 'Dat kan. Maar zelfs dan zal de sneeuw onze voortgang belemmeren. Het gaat ons misschien meer dan twee dagen kosten.'

'Bent u er al eerder geweest?'

'Al een hele tijd niet meer.'

'U lijkt de route prima te kennen.'

'Ja.'

Er valt een korte, vijandige stilte. Ik weet niet zeker waar die vijandigheid vandaan komt, maar hij is er.

'Kent u de factor daar?'

'Hij heet Stewart.'

Ik merk dat hiermee zijn vraag niet voldoende is beantwoord.

'Stewart... Weet u zijn voornaam ook?'

'James Stewart.'

'Aha, ik vraag me af of dat dezelfde is... Ik heb onlangs een verhaal gehoord over een zekere James Stewart, die erom bekendstond dat hij onder afschuwelijke omstandigheden een lange winterse reis had gemaakt. Een hele prestatie, geloof ik.'

Van Parkers gezicht is, zoals gewoonlijk, niets af te lezen. 'Dat zou ik niet met zekerheid kunnen zeggen.'

'O, nou...' Moody klinkt enorm voldaan. Als je in een land niemand kent en je ontmoet iemand over wie je wel eens hebt gehoord, is dat zo ongeveer hetzelfde als een oude vriend tegenkomen.

'Kent u hem dan?' vraag ik aan Parker.

Hij kijkt me even aan. 'Ik heb hem ontmoet toen ik voor de Company werkte. Jaren geleden.'

Op de een of andere manier waarschuwt zijn toon mij dat ik verder geen grapjes moet maken. Moody merkt dat natuurlijk niet.

'Nou nou, dat wordt vast fantastisch... Een reünie.'

Ik glimlach. Moody heeft werkelijk iets vertederends, zoals hij daar rond stampt als een olifant in een porseleinkast... maar vervolgens herinner ik me waar hij op uit is en verdwijnt mijn glimlach.

De sneeuw houdt niet op en de gierende wind evenmin. Met onuitgesproken eensgezindheid toveren we ditmaal het zeildoek niet om tot een gordijn. Ik ga tussen de twee mannen in liggen, opgerold in lagen dekens, en ik voel de hitte van de gloeiende as die mijn gezicht schroeit, maar ik wil niet ergens anders gaan liggen. Dan gaat Moody naast me liggen en ten slotte smoort Parker de vonken en gaat ook liggen, zo dichtbij dat ik hem kan voelen en de geur van de kassen ruik die hij met zich mee draagt. Het is pikdonker, maar ik vermoed dat ik de hele nacht geen oog dicht zal doen. Hoe kan het ook anders, met het geloei van de wind en het gebeuk tegen het tentdoek: het bolt en trilt als een levend wezen. Ik ben als de dood dat we worden begraven in de sneeuw, of dat de muren zullen instorten en wij daaronder komen vast te zitten. Terwijl ik daar lig met opengesperde ogen, gaat mijn hart als een razende tekeer en stel ik me de afschuwelijkste scenario's voor. Maar ik moet geslapen hebben, want ik droom, al heb ik dat volgens mij in geen weken meer gedaan.

Plotseling word ik wakker en zie – dat denk ik althans – dat de tent is verdwenen. De wind huilt als een stel losgeslagen geesten en de lucht is vol sneeuw, zodat ik word verblind. Ik schreeuw, geloof ik, maar het geluid gaat verloren in het geraas van de storm. Parker en Moody zitten allebei geknield op de grond en proberen uit alle macht de tent weer dicht te krijgen op de plaats waar hij is losgerukt. Uiteindelijk slagen ze erin om hem weer vast te zetten, maar in de tent hebben zich bergen sneeuw verzameld. Er zit sneeuw op onze kleren en in ons haar. Moody steekt de lamp aan; hij is overstuur. Zelfs Parker ziet er wat minder zelfverzekerd uit dan normaal.

'Zo.' Moody schudt zijn hoofd en veegt de sneeuw van zijn benen. We zijn allemaal klaarwakker en verkleumd. 'Ik weet niet hoe het met jullie staat, maar ik moet iets te drinken hebben.'

Hij haalt de heupfles tevoorschijn en drinkt eruit alvorens hem aan mij te geven. Ik geef de fles aan Parker, die hem na enig aarzelen aanneemt.

Moody grijnst alsof dit een persoonlijke overwinning is. Parker maakt het vuur aan voor thee en met schroeiende vingers kruipen we er allemaal dankbaar omheen. Ik beef, zonder te weten of het komt door de kou of de schrik, en dat houdt pas op als ik een mok zoete thee heb gedronken. Jaloers kijk ik toe hoe de mannen een pijp roken; nog iets warms en troostrijks, dat zou welkom zijn, evenals een pijpensteel van rozenhout om tussen mijn klapperende tanden te klemmen.

'Er ligt daar al een dikke laag sneeuw,' zegt Moody als de whisky op is. Parker knikt. 'Hoe hoger de sneeuw, hoe warmer het hier binnen wordt.'

'Nou, dat is een mooie gedachte,' zeg ik. 'Terwijl we worden gesmoord, hebben we het lekker warm.'

Parker grijnst. 'We kunnen onszelf gemakkelijk uitgraven.'

Ik grijns terug naar Parker, verbaasd dat hij dit zo grappig vindt. Daarna herinner ik me door iets kleins de droom waaruit ik wakker ben geschrokken en ik verberg mijn gezicht in de mok. Het is niet dat ik me precies herinner wat ik droomde, maar het gevoel eromheen overspoelt me met een plotselinge, vreemde warmte en daarom draai ik me om onder het mom van een hoestbui, zodat de mannen in de duisternis niet kunnen zien dat ik bloos.

Aan het eind van de ochtend is de storm bijna uitgeraasd. Als ik weer wakker word is het licht en in de hoeken van de tent en op de plekken tussen ons in is meer sneeuw gewaaid. Als ik met moeite de tent uitkom is de dag nog steeds stormachtig en grijs, maar na de nacht die we daarbinnen hebben doorgebracht lijkt hij schitterend. Onze tent is half verborgen in een sneeuwhoop van bijna een meter hoog en alles ziet er onder deze deken van sneeuw heel anders uit; om de een of andere reden beter, minder dreigend. Pas na een paar minuten dringt het tot me door dat ondanks Parkers beloftes een deel van de muur vannacht omver is gewaaid, al zijn we daardoor niet in gevaar gebracht. Ik probeer er niet aan te denken wat er gebeurd zou zijn als we onze schuilplaats zes meter verder naar het oosten hadden gebouwd. Dat hebben we niet gedaan en daar gaat het om.

Aanvankelijk ben ik bang dat de honden zijn verdwenen, voorgoed begraven, want als ik rondkijk zijn ze nergens te bekennen, terwijl ze meestal de longen uit hun lijf blaffen om eten te krijgen. Dan komt Parker ergens vandaan met een lange houten stok die hij in de sneeuwhopen steekt, en hij roept zijn honden met de vreemde, schrille kreten waarmee hij met ze communiceert. Plotseling vindt er vlak bij hem een soort explosie plaats, en Sisco springt tevoorschijn uit een hoge sneeuwhoop, gevolgd door de andere honden. Sisco en Lucie springen woest blaffend tegen hem op. Ze kwispelen met hun hele lijf en eventjes aait Parker ze. Hij is vast en zeker opgelucht ze te zien, want normaal gesproken raakt hij ze helemaal niet aan en nu glimlacht hij met een opgetogen blik. Ik heb hem nog nooit zo naar mij zien glimlachen. En ook niet naar iemand anders natuurlijk.

Ik loop naar Moody, die onhandig het tentmateriaal aan het opladen is. 'Laat mij dat maar doen.'

'O, als u wilt, heel graag, mevrouw Ross. Al is het beschamend voor me. Hoe gaat het met u vanochtend?'

'Ik voel me opgelucht, dank u.'

'Ik ook. Dat was een interessante nacht, vindt u niet?'

Hij grijnst en ziet er bijna guitig uit. Ook hij lijkt vanochtend heel opgetogen. Misschien waren we gisternacht allemaal banger dan we wilden toegeven.

En als we later weer naar het noordoosten lopen, ploeterend door een laag opgewaaide sneeuw van zo'n dertig centimeter hoog, blijven we dicht bij elkaar. Parker past zijn tempo aan het onze aan, alsof we drie mensen zijn die troost putten uit elkaars gezelschap.

Espens stem is dwingend.

'Ik moet je spreken.'

Nu ze hem haar naam hoort noemen, probeert Line het wilde bonzen van haar hart te laten bedaren. Ze hebben dagenlang geen woord tegen elkaar gezegd.

'Wat? Ik dacht dat je vrouw te veel argwaan had.'

Door zijn smekende blik moet ze bijna huilen van vreugde.

'Ik kan er niet meer tegen. Je hebt me dagenlang geen blik waardig gekeurd. Geef je zo weinig om mij? Heb je ooit nog aan me gedacht?'

Line geeft toe en glimlacht; hij omhelst haar, sluit haar in zijn armen, drukt haar lichaam tegen het zijne en kust haar gezicht, haar mond, haar hals. Daarna trekt hij haar met zich mee, opent een deur – die leidt naar een opbergkast – en doet hem achter hen dicht.

Terwijl ze worstelen met hun kleren in de totale duisternis van de kast, geduwd tegen stapels zeep en iets wat voelt als een bezem, heeft Line een ontnuchterend, verward visioen. Het is of het gebrek aan licht hen vrijspreekt. Ze zou niet eens kunnen zeggen wie er hier bij haar binnen is. Dat geldt ongetwijfeld ook voor hem; ze zouden iedere willekeurige man en vrouw kunnen zijn, waar dan ook, in Toronto bijvoorbeeld. En dan weet ze wat ze gaat doen.

Line haalt haar mond lang genoeg van zijn huid om te kunnen zeggen: 'Ik kan hier niet blijven. Ik moet weg. Zo gauw als ik kan.'

Espen doet een stap naar achteren. Ze hoort zijn ademhaling, maar ze kan hem in deze duisternis niet zien.

'Nee, Line, ik kan niet zonder jou. We kunnen voorzichtig zijn. Niemand komt het te weten.'

Line voelt het rolletje geld in haar zak en wordt vervuld van de macht daarvan. 'Ik heb geld.'

'Wat bedoel je daarmee?'

Espen heeft nog nooit in zijn leven geld gehad, heeft altijd van de hand in de tand geleefd, totdat hij Himmelvanger bouwde en daar is gebleven. Stiekem glimlacht Line.

'Ik heb vijftig dollar. Yankee dollars.'

'Wat?'

'Behalve jij weet niemand ervan.'

'Hoe kom je daaraan?'

'Dat is geheim!'

Op Espens gezicht verschijnt een ongelovige glimlach. Op de een of andere manier weet ze dat. Onder haar handen voelt ze hem schudden van het lachen.

'We kunnen twee van de paarden meenemen. Het kost ons maar drie dagen om naar Caulfield te rijden, we kunnen al onze kleren aantrekken en de kinderen achter ons zetten. Daarna nemen we een stoomboot naar Toronto... of Chicago. Ik heb geld genoeg om een huis te betalen terwijl we werk zoeken.'

Espen klinkt licht verontrust. 'Maar Line, het is midden in de winter. Kunnen we niet beter wachten tot het voorjaar – met de kinderen en zo?'

Line voelt een vlaag van ongeduld. 'Het sneeuwt niet eens, het is bijna warm! Waar wil je op wachten?'

Espen zucht. 'Bovendien, met 'de kinderen' bedoel je zeker Torbin en Anna?'

Daar heeft Line op zitten wachten. Eigenlijk is het allemaal de schuld van Merete. Was zij maar dood. Ze deugt nergens voor en niemand mag haar, zelfs Per niet, die altijd iedereen aardig vindt.

'Ik weet dat het moeilijk is, schat, maar we kunnen de kinderen niet allemaal meenemen. Misschien kun je ze later ophalen, als we een huis hebben.'

Zelf acht ze dat onwaarschijnlijk. Ze kan zich niet voorstellen dat Merete, en Per evenmin, zal toestaan dat Espen de kinderen ophaalt om bij deze slet te gaan wonen. Maar Espen aanbidt zijn drie kinderen.

'We kunnen gauw weer allemaal bij elkaar zijn. Maar nu... ik moet nu weg. Ik kan niet blijven.'

'Waarom die haast?'

Het is haar laatste troef en Line speelt hem voorzichtig uit. 'Nou, ik weet bijna zeker... nee, ik weet zeker dat ik zwanger ben.'

Het wordt helemaal stil in de kast. Mijn god, denkt Line bij zichzelf, hij weet toch zeker wel dat die dingen kunnen gebeuren.

'Hoe kan dat nou? We zijn zo voorzichtig geweest!'

'Nou... we zijn niet altijd voorzichtig geweest.' Hij al helemaal niet; als hij zijn zin had gekregen, kon het al veel eerder gebeurd zijn, denkt ze. 'Je bent toch niet boos, Espen?'

'Nee, ik hou van je. Het is alleen nogal...'

'Ik weet het. Maar daarom kan ik niet tot het voorjaar blijven. Binnenkort gaan de anderen het zien. Hier...' Ze pakt zijn hand en schuift hem onder haar ceintuur.

'O, Line...'

'Dus moeten we weg, vind je niet, voordat de sneeuw blijft liggen. Anders...'

Anders is het alternatief onaanvaardbaar.

Aan het eind van de middag gaat Line naar de kamer van de jongen. Ze wacht tot ze Jacob naar buiten ziet komen en in de stal ziet verdwijnen, dan gaat zij naar binnen. De sleutel zit nog in de buitenkant van de deur, want nu Moody weg is neemt niemand het afsluiten van de deur erg serieus.

Als ze binnenkomt kijkt Francis verbaasd op. Na de komst van zijn moeder is ze niet meer met hem alleen geweest; niet sinds de dag dat ze hem probeerde te kussen en hij haar het geld gaf. Ze moet nog steeds blozen als ze eraan terugdenkt. Francis heeft zijn eigen kleren aan en zit in een stoel bij het raam. Hij heeft een stuk hout en een mes in zijn hand: hij is iets aan het uitsnijden. Line deinst terug. Ze had gedacht dat hij nog in bed lag, slap en bleek.

'O,' flapt ze er onwillekeurig uit. 'Je bent op.'

'Ja, het gaat al veel beter. Jacob vertrouwt me zelfs met zijn mes.' Hij gebaart ermee en glimlacht naar haar. 'Je loopt geen enkel gevaar.'

'Kun je nu lopen?'

'Ik kan me prima redden, met de kruk.'

'Dat is mooi.'

'Gaat het goed met je? Ik bedoel, gaat het goed daar achter die deur?' Hij klinkt bezorgd.

'Ja... dat wil zeggen, nee, niet echt. Ik kwam je iets vragen – ik heb je hulp nodig. Over je reis vanuit Caulfield... Beloof je me dat je niets zult zeggen? Zelfs niet tegen Jacob?'

Hij staart haar verbaasd aan. 'Ja, oké.'

'Ik ga weg. Ik moet nu gaan, voordat de sneeuw terugkomt. We nemen paarden mee en gaan naar het zuiden. Jij moet me de weg wijzen.'

Francis kijkt verbaasd. 'De weg naar Caulfield?'

Ze knikt.

'Maar als het onderweg sneeuwt?'

'Je moeder heeft het ook gedaan. In de sneeuw. Op een paard kan het niet zo moeilijk zijn.'

'Je bedoelt jij en je kinderen?'

'Ja.' Ze houdt het hoofd recht en voelt hoe de blos langs haar hals omhoog trekt naar haar haren. Francis wendt zich af en kijkt waar hij het hout en het mes kan neerleggen. Nu heb ik je alweer in verlegenheid gebracht, denkt ze, terwijl ze het potlood en het papier dat ze heeft meegenomen tevoorschijn haalt. Nou ja, soms is er niets aan te doen. Jaloers zul je in elk geval niet zijn.

De magistraat uit St. Pierre zit tegenover Knox in zijn slaapkamer annex gevangenis en zucht. Het is een oudere man, gedrongen, van minstens zeventig jaar en met schuchtere ogen die gevangen zitten achter dikke brillenglazen, die te zwaar lijken voor zijn fragiele neus.

'Als ik u goed begrijp...' hij kijkt naar zijn aantekeningen, 'hebt u gezegd dat u "niet kon instemmen met Mackinleys wrede pogingen om een bekentenis af te dwingen van William Parker", dus hebt u hem laten gaan.'

'We hadden geen redenen meer om hem vast te houden.'

'Maar meneer Mackinley zegt dat hij geen rekenschap kon afleggen over zijn verblijfplaats gedurende de periode in kwestie.'

'Dat heeft hij wel gedaan. Er was niemand die het kon bevestigen, maar dat is niet zo vreemd bij een pelsjager.'

'Bovendien zei meneer Mackinley dat de gevangene hem te lijf was gegaan. Alle door de gevangene geleden schade was toegebracht uit zelfverdediging.'

'Mackinley had geen schrammetje, en als hij echt was aangevallen zou hij dat aan iedereen verteld hebben. Ik heb de gevangene gezien. Hij was lelijk onder handen genomen. Ik was ervan overtuigd dat hij de waarheid vertelde.'

'Mmm. Ik ken een zekere William Parker. Misschien bent u ervan op de hoogte dat diezelfde William Parker een zekere reputatie heeft voor het aanvallen van werknemers van de Hudson Bay Company.'

O nee, denkt Knox.

'Het is een poosje geleden, maar de aanval waarvan hij werd verdacht was tamelijk ernstig. Ziet u, als u net even iets langer had gewacht, dan hadden we dit allemaal aan het licht kunnen brengen.'

'Ik geloof nog steeds niet dat hij de moordenaar is die we zoeken. Alleen omdat iemand één ding verkeerd heeft gedaan – een tijd geleden – betekent dat nog niet dat hij ook een ander vergrijp heeft gepleegd.'

'Dat is waar. Maar als iemand gewelddadig van aard is, komt die neiging meestal steeds weer naar boven. Iemand is niet eerst gewelddadig en daarna vredelievend.'

'Ik weet niet of ik het daarover wel met u eens ben. Vooral niet als het geweld in de jeugd wordt gepleegd.'

'Nee. Nou. En er is ook nog een andere verdachte op vrije voeten?'

'Zo zou ik het niet direct willen noemen. Ik heb twee mannen op pad gestuurd om een jongen uit de buurt te zoeken die sinds die tijd wordt vermist. Ze zijn nog niet teruggekeerd.'

En waar zijn ze in godsnaam? vraagt hij zich af. Ze zijn al bijna twee weken weg.

'En de moeder van de jongen wordt geloof ik ook vermist?'

'Ze is haar zoon gaan zoeken.'

'Inderdaad.' Hij maakt zijn bril los, die glimmende rode deuken in de brug van zijn neus heeft gemaakt, en wrijft met zijn duim en wijsvinger over de plek. Zijn blik naar Knox suggereert duidelijk dat die een vreselijke puinhoop van deze stad heeft gemaakt.

'Wat bent u met mij van plan?'

De magistraat uit St. Pierre schudt zijn hoofd. 'Het is werkelijk zeer tegen de voorschriften.' Zijn hoofd blijft zachtjes heen en weer schudden, alsof de beweging zichzelf in stand houdt zodra hij in gang is gezet. 'Zeer tegen de voorschriften. Ik weet echt niet wat ik ervan moet denken, meneer Knox. Maar ik denk dat we er intussen op kunnen vertrouwen dat u naar huis gaat. Zolang u maar niet – ha ha – het land verlaat!'

'Ha ha. Nee. Ik denk niet dat ik dat ga proberen.' Knox staat op en weigert de vreugdeloze glimlach van de man te beantwoorden. Hij ziet dat hij minstens een hoofd boven de andere ambtenaar uittorent.

Als hij mag vertrekken voelt Knox een vreemde tegenzin om meteen weer naar huis te gaan. Hij blijft staan op de overloop en klopt in een opwelling op de kamerdeur van Sturrock. Vrijwel meteen gaat de deur open.

'Knox! Ik ben blij om te zien dat je weer vrij bent... naar ik aanneem, of ben je ontsnapt?'

'Nee, ik ben vrij, voorlopig tenminste. Ik voel me als herboren.'

Ondanks zijn glimlach en zijn poging grappig te klinken, weet hij niet zo zeker of Sturrock wel beseft dat hij een geintje maakt. Hij is nooit zo sterk geweest in het maken van grapjes, zelfs niet in zijn jeugd; hij vermoedt dat het te maken heeft met zijn strenge gelaatstrekken. Als jonge advocaat merkte hij dat de emotie die hij het vaakst bij mensen opriep paniek was, plus een soort preventief schuldgevoel. Dat is wel eens van pas gekomen.

'Kom binnen.' Sturrock leidt hem naar binnen alsof Knox degene is die hij het allerliefste van de hele wereld wilde zien. Knox laat zich deze vleierij aanleunen en neemt een glas whisky aan.

'Nou, proost!'

'Proost! Het spijt me dat het geen malt is, maar het is niet anders... Vertel me eens, hoe is die nacht achter de tralies je bevallen?'

'Nou...'

'Ik wou dat ik kon zeggen dat ik dat genoegen nooit heb mogen smaken, maar helaas is dat niet het geval. Lange tijd geleden, in Illinois. Maar omdat daar bijna iedereen een misdadiger is, bevond ik me er in uitstekend gezelschap...'

Ze praten een poosje en voelen zich op hun gemak bij elkaar. Terwijl het buiten donker wordt, daalt het niveau in de fles. Knox kijkt naar de lucht, die, voor zover hij dat boven de daken kan zien, donker en zwaar is, wat duidt op nog meer slecht weer. Beneden haast een klein figuurtje zich diagonaal de straat over, de winkel in. Hij kan niet zien wie het is. Hij vermoedt dat het weer gaat sneeuwen.

'Blijf je hier dan wachten tot de jongen terugkomt?'

'Daar ga ik van uit.'

Er volgt een lange stilte: de whisky is op. Ze denken allebei hetzelfde.

'Je moet wel veel waarde hechten aan dat... bot.'

Sturrock werpt hem een zijdelingse, berekenende blik toe. 'Daar kon je wel eens gelijk in hebben.'

Op de avond van de zesde dag komt voor het eerst hun bestemming in zicht. Donald blijft achter; zelfs mevrouw Ross kan harder lopen dan hij, met zijn gehavende voeten. Hij kan de kwellende laarzen onmogelijk helemaal uit laten, maar zelfs als zijn voeten verbonden zijn is elke stap een marteling. Bovendien, en dit heeft hij voor de anderen verborgen gehouden, is zijn litteken pijn gaan doen. Gisteren was hij ervan overtuigd dat het weer open was gegaan en onder het voorwendsel van een sanitaire stop knoopte hij zijn overhemd los om een kijkje te nemen. Het litteken was nog heel, maar enigszins gezwollen en er kwam wat heldere vloeistof uit. Hij betastte het voorzichtig, om te zien waar de vloeistof vandaan kwam. Waarschijnlijk was het gewoon de uitputtende reis, waardoor hij verzwakt was; als ze zouden stoppen zou het wel overgaan.

En dus is het zien, in de verte, van de handelspost – waarvan hij het bestaan in momenten van spanning in twijfel heeft getrokken – reden tot grote vreugde. Op dit moment kan Donald niets heerlijkers bedenken dan lange tijd op een bed liggen. Het geheim van het geluk, bedenkt hij vrolijk, is duidelijk een variatie op het algemene principe van eerst met je hoofd tegen een muur bonzen en er daarna weer mee ophouden.

Hanover House staat op een heuveltje dat aan drie kanten wordt omsloten door een rivier. Erachter staat een stel bomen op een kluitje, de eerste bomen die ze in dagen hebben gezien: kromme, niet goed uitgegroeide berken en lariksen, weliswaar nauwelijks groter dan een mens, maar desondanks bomen. De rivier is vlak en traag, maar niet bevroren – daarvoor is het nog niet koud genoeg – en steekt zwart af tegen de besneeuwde oevers. Als ze heel dichtbij zijn en nog steeds nergens uit blijkt dat iemand ze heeft gezien, voelt Donald een knagende angst dat er helemaal niemand is.

De post is gebouwd volgens dezelfde principes als Fort Edgar, maar is duidelijk veel ouder. De palissade helt voorover en de gebouwen zelf zijn grijs en verweerd. In zijn geheel maakt het fort een vervallen indruk; er zijn weliswaar pogingen gedaan om het te restaureren, maar het gebouw straalt verwaarlozing uit. Donald is zich er vaag van bewust hoe dat komt. Ze zijn nu diep doorgedrongen in Shield, het gebied ten zuiden van de Hudsonbaai. Dit was ooit een rijke bron van pelzen voor de Company, maar dat is lang geleden. Hanover House is een herinnering aan oude glorie, een soort rudimentair orgaan. Maar buiten de omheining en wijzend over de vlakte staat een kring van kleine kanonnen, en iemand heeft – na de sneeuwstorm – de moeite genomen om naar buiten te komen en de sneeuw eraf te vegen. De plompe zwarte vormen, die grimmig afsteken tegen de sneeuw, vormen het enige teken van menselijke activiteit.

De poort in de palissade staat op een kier en hier en daar zijn sporen van mensen. En hoewel zij drieën en de hondenslee tegen de sneeuw al minstens een uur zichtbaar moeten zijn, komt niemand hen begroeten.

'Het ziet er verlaten uit,' begint Donald, en hij kijkt naar Parker om dat te horen bevestigen. Parker geeft geen antwoord maar duwt tegen de poort, die door het gewicht van opgewaaide sneeuw al na een paar centimeter blijft steken. De binnenplaats is niet geveegd: in Fort Edgar geldt dat als een afschuwelijke misdaad.

'Weet u zeker dat dit de goede plek is?' vraagt Donald, en vervolgens kan hij zichzelf er niet langer van weerhouden op de grond te gaan zitten en eerst de ene en dan de andere laars uit te trekken. Hij kan de pijn geen seconde langer verdragen.

'Ja,' zegt Parker.

'Misschien is dit fort verlaten.' Donald kijkt om zich heen naar de uitgestorven binnenplaats.

'Nee, niet verlaten.' Parker tuurt naar een dunne pluim rook, die opstijgt van achter een laag pakhuis. De rook heeft dezelfde kleur als de lucht. Donald hijst zichzelf overeind – een bovenmenselijke krachtsinspanning – en strompelt een paar meter voort.

Dan komt er om de hoek van een gebouw een man aanlopen, die als aan de grond genageld blijft staan: een lange man met een donkere huid, krachtige schouders en lang, wild haar. Ondanks de ijzige wind draagt hij alleen een flanellen hemd, dat openhangt tot zijn middel. Hij staart hen aan met open mond en een nors gebrek aan bevattingsvermogen en zijn grote lijf is slap en schijnbaar ongevoelig voor de kou. Mevrouw Ross staart hem aan alsof ze een geest ziet. Parker begint hem te vertellen dat ze van ver komen en dat Donald van de Company is, maar voordat hij zijn verhaal kan afmaken draait de man zich om en loopt dezelfde weg terug als hij gekomen is, zodat Parker halverwege de zin blijft steken. Hij kijkt mevrouw Ross aan en haalt zijn schouders op. Donald hoort haar tegen hem fluisteren: 'Volgens mij is die man dronken', en op zijn gezicht verschijnt even een cynische glimlach. Ze heeft duidelijk weinig ervaring met waar men zich 's winters op een stille handelspost mee bezighoudt.

'Moeten we hem volgen?' vraagt mevrouw Ross. Zoals gewoonlijk richt ze zich tot Parker, maar Donald hobbelt naar ze toe, met ijskoude voeten maar dolblij dat hij geen pijn meer heeft. Dit is een post van de Company en hij voelt dat hij daarom nu de leiding moet nemen.

'Ik weet zeker dat er zo meteen iemand naar buiten komt. Weet u, mevrouw Ross, 's winters op een post, vooral eentje die zo geïsoleerd is als deze, zijn de mannen geneigd elke vorm van troost waarmee ze de tijd kunnen doorkomen aan te grijpen.'

De honden, die in hun tuig buiten de poort zijn achtergelaten, blaffen en jutten zichzelf op tot razernij. Ze schijnen niet in staat om stil te staan zonder te gaan vechten. Nu bijvoorbeeld lijkt het of ze elkaar willen vermoorden. Parker loopt naar ze toe en schreeuwt tegen ze, zwaaiend met een stok: een tactiek die niet leuk is om te zien, maar wel effectief is. Na een paar minuten klinken er voetstappen in de sneeuw en komt er een andere man de hoek om. Tot opluchting van Donald is dit een blanke, misschien iets ouder dan Donald, met een bleek, bezorgd gezicht en warrig, roodachtig haar. Hij ziet er afgemat maar nuchter uit.

'Mijn hemel,' zegt hij, duidelijk geïrriteerd. 'Dus het is waar...'

'Hallo!' Donald wordt zelfs nog vrolijker bij het horen van een Schots accent.

'Nou... welkom.' De andere man herstelt zich een beetje. 'Vergeef me, het is zo lang geleden dat we bezoek hadden, en dan nog wel 's winters... buitengewoon. Ik ben helemaal vergeten hoe ik me moet gedragen...'

'Donald Moody, Company-boekhouder in Fort Edgar.' Donald steekt wankelend zijn hand uit.

'Aha, meneer Moody. Eh, Nesbit. Frank Nesbit, assistent-factor.' Donald is even verward door de term 'assistent-factor, want het is geen functie waar hij ooit van heeft gehoord, maar hij komt voldoende tot bezinning om een zwierig gebaar naar mevrouw Ross te maken. 'Dit is mevrouw Ross en dat is...' Parker verschijnt weer in de poort: een dreigende figuur met een grote stok. '...eh, Parker, die ons hierheen heeft geleid.'

Nesbit schudt hun de hand en staart dan met afgrijzen naar Donalds voeten. 'Mijn god, uw voeten... hebt u geen laarzen?'

'Jawel, maar ik heb wat ongemak gehad, dus heb ik ze daarginds uitgedaan... maar het stelt niets voor. Alleen wat blaren, u kent het wel...'

Donald voelt zich op aangename wijze licht in het hoofd en vraagt zich af of hij om zal vallen. Nesbit maakt geen aanstalten hen mee naar binnen te nemen, hoewel het bijna donker is en hard vriest. Hij lijkt nerveus en schichtig en vraagt zich hardop af of hij ze de vreselijk verwaarloosde logeerkamer moet laten gebruiken, of dat hij zelf zijn kamer af moet staan... Ten slotte, nadat hij naar het Donald toeschijnt urenlang heeft geaarzeld, zodat zijn voeten, die al koud waren, het laatste beetje gevoel kwijtraken, leidt hij hen de hoek om en door een deur. Hij gaat hen voor over een onverlichte gang en opent de deur van een grote, onverwarmde kamer.

'Misschien wilt u zo vriendelijk zijn hier even te wachten. Ik ga iemand halen om het vuur aan te steken en jullie iets warms te brengen. Neemt u me niet kwalijk...'

Nesbit trekt zich terug en slaat de deur achter zich dicht. Donald hobbelt naar de lege open haard en ploft in een stoel die ernaast staat.

Parker verdwijnt, omdat hij naar zijn zeggen naar de honden moet. Donald denkt aan Fort Edgar, waar bezoek altijd een reden vormt voor festiviteiten en waar gasten vorstelijk worden behandeld. Misschien is de helft van het personeel ervandoor gegaan; hij ziet dat de haard extreem vuil is. Vervolgens, zodra de uitputting die al die tijd op de loer heeft gelegen hem als een fluwelen hand de ogen sluit, valt hij in slaap

'Meneer Moody!'

Haar stem is schril en hij slaat zijn ogen op.

'Mmm? Ja, mevrouw Ross?'

'Laten we niets zeggen over waarom we hier zijn, vanavond niet. Laten we eerst even kijken hoe de zaken ervoor staan. We willen niet dat ze op hun hoede zijn.'

'Zoals u wilt.' Hij doet zijn ogen weer dicht. Hij kan zich niet voorstellen dat hij een samenhangend gesprek zou kunnen voeren voordat hij wat slaap heeft gehad. Alleen al het feit dat hij weg is uit de gure, snijdende kou is een zegen.

Het voelt of hij zijn ogen maar heel even dicht heeft gehad, maar als hij ze weer opent is het vuur aangestoken en is mevrouw Ross nergens te bekennen. Het raam is zwart geworden en hij heeft geen idee hoe laat het is. Maar het is zo'n luxe om in deze warmte te zitten dat hij zich er niet toe kan zetten in beweging te komen. Alleen als er een bed was; dat zou hem waarschijnlijk wel in beweging krijgen. Dan beseft hij, ondanks die enorme vermoeidheid, dat er nog iemand anders in de kamer is. Hij draait zich om en ziet een halfbloedvrouw, die een kom water en wat verband heeft binnengebracht. Ze knikt naar hem en gaat aan zijn voeten op de grond zitten, waar ze het met bloederige korsten bedekte linnen begint los te wikkelen.

'O, dank u.' Door deze aandacht en door de walgelijke staat van het verband voelt Donald zich in verlegenheid gebracht. Tevergeefs tracht hij een enorm wijde gaap te onderdrukken. 'Ik heet... Donald Moody, Company-boekhouder in Fort Edgar. Hoe heet u?'

'Elizabeth Bird.'

Ze kijkt hem nauwelijks aan, maar begint de wonden aan zijn voeten te reinigen. Donald laat zijn hoofd achterovervallen tegen de stoel, blij dat hij niet hoeft te praten of zelfs maar te denken. Zijn verplichtingen kunnen wel tot morgen wachten. Tot het zover is kan hij, op het ritme van de handen van de donkere vrouw, slapen en slapen en slapen.

De binnenplaats is helemaal donker en vreemd genoeg hoor ik nergens honden. Als honden ergens aankomen, breekt er normaal gesproken een uitzinnige strijd uit van geblaf en gegrom, maar toen wij hier kwamen was het stil. Ik roep Parker. De wind striemt om me heen en een paar sneeuwvlokken bijten me in het gezicht. Er komt geen antwoord en ik voel een plotselinge angst opkomen; misschien is hij, nu we zijn aangekomen, verdergegaan naar waar zijn verplichtingen hem heenvoeren. Juist als ik achter mijn ogen tranen voel prikken, opent er links van mij iemand een deur, zodat er een rechthoek van licht over de sneeuw schijnt. Er wordt een gehaaste, dwingende discussie gevoerd en ik hoor de stem van Nesbit.

'Als je niet wilt kennismaken met de kracht van mijn hand, kun je beter je mond over hem houden. In feite zou je hier beter helemaal uit de buurt kunnen blijven!'

De andere stem is onduidelijk, maar het is een vrouwenstem die tegenwerpingen maakt. Zonder helder na te denken ben ik dieper in de schaduw van een overhangende dakrand gaan staan. Maar verder is er niets te verstaan, totdat Nesbit de discussie, als het dat inderdaad is, afrondt met een verongelijkt: 'O in godsnaam, doe dan maar wat je wilt. Wacht maar tot hij terugkomt!'

De deur slaat dicht en Nesbit loopt de binnenplaats over, waarbij hij met een hand door zijn haar strijkt zonder dat het daar netter van wordt. Ik open de deur, doe hem achter me dicht en betreed de binnenplaats om naar hem toe te gaan, alsof ik juist naar buiten kom lopen.

'O meneer Nesbit, daar bent u...'

'Ah, mevrouw...' Hij zwijgt abrupt en zijn hand tast in de lucht. 'Ross.'

'Mevrouw Ross, natuurlijk. Vergeeft u me. Ik was juist...' Hij lacht even. 'Het spijt me dat ik u in de steek heb gelaten. Heeft niemand het vuur aangestoken? U moet het ons even vergeven. Ik ben bang dat we een beetje onderbezet zijn, en in deze tijd van het jaar...'

'U hoeft zich niet te verontschuldigen. We hebben ons tamelijk plotseling aan u opgedrongen.'

'U hebt zich niet opgedrongen. Helemaal niet. Het bedrijf gaat prat op zijn gastvrijheid en zo... U bent meer dan welkom, dat verzeker ik u.' Hij glimlacht naar me, al lijkt hem dat enige moeite te kosten. 'U moet vanavond beslist met mij eten... en meneer Moody en meneer Parker ook, natuurlijk.'

'Meneer Moody lag te slapen toen ik naar buiten ging. Ik ben bang dat hij veel last van blaren heeft gehad.'

'En u niet? Dat is opmerkelijk moet ik zeggen. Waar komt u ook alweer vandaan zei u?'

'Waarom gaan we niet naar binnen? Het is zo koud...'

Ik weet niet zeker hoe ik hierover moet beginnen. Ik wilde er met Parker over praten, maar die is nergens te bekennen. Ik volg Nesbit door nog een gang – die een oneindig aantal deuren lijkt te hebben – naar een kleine, warme kamer waar een haardvuur brandt. In het midden staat een Sutherland-tafel met twee stoelen. Aan de wanden zijn gekleurde plaatjes geprikt van renpaarden en vuistvechters, afkomstig uit tijdschriften.

'Neemt u plaats alstublieft. Ja. Hier is het wat warmer, hè? In dit godverlaten oord gaat er niets boven een lekker vuur...'

Plotseling loopt hij zonder iets te zeggen de kamer uit, zodat ik me afvraag wat er zojuist is gebeurd. Ik heb mijn mond nog niet opengedaan.

Tussen de vuistvechters en de paarden zitten een paar fraaie prenten, en ik zie dat ook de meubels van goede kwaliteit zijn; ze hebben ze laten overkomen en niet hier laten maken. De tafel is van mahoniehout en glimt door gebruik en ouderdom; de stoelen, misschien Italiaans, zijn van vruchtenhout en hebben een lier in de rugleuning. Boven de haard hangt een klein jachttafereel in een kostbare, vergulde lijst; het schilderij is donker, maar de jagersjassen geven het een rode gloed. En er staan glazen op tafel van zwaar loodkristal, met fijne graveringen van vogels. Hier woont een man met smaak en beschaving, vermoedelijk niet Nesbit.

Nesbit komt de kamer weer in met nog een stoel. 'Ziet u, normaal gesproken...' hij praat alsof hij de kamer niet uit is geweest, 'zijn we hier maar met z'n tweeën, officieren bedoel ik, dus dan is het erg stil. Ik heb gevraagd om wat eten, dus... aha, natuurlijk!' Hij springt weer overeind, terwijl hij net was gaan zitten. 'Ik neem aan dat u wel een glas brandewijn lust. We hebben aardig goede in huis. Ik heb hem zelf meegebracht, vanuit Kingston, twee zomers geleden.'

'Een klein glaasje maar. Ik ben bang dat ik ter plekke in slaap val als ik meer neem.' Dat is de waarheid. Voor het eerst in dagen zakt de warmte mijn ledematen in en mijn ogen worden zwaar.

Hij schenkt twee glazen in, waarbij hij aanzienlijk zijn best doet om ze beide even vol te maken, en geeft er één van aan mij.

'Nou, proost. En wat brengt u en uw vrienden hier; vanwaar dit onverwachte, maar welkome genoegen?'

Ik zet voorzichtig mijn glas neer. Het is vervelend dat we, voor we hier aankwamen, geen tijd hebben gehad om ons verhaal te bespreken; of eigenlijk is het niet zozeer dat we geen tijd hebben gehad, want we hadden zes dagen, maar dat het op een of andere manier nooit het juiste moment leek om erover te beginnen. Ik repeteer nog eenmaal mijn verhaal om te kijken of er geen zwakke plekken in zitten. Ik hoop dat Moody pas na een hele tijd wakker wordt.

'We komen uit Himmelvanger. Kent u dat?'

Nesbit staart me met zijn bruine ogen aandachtig aan. 'Nee, ik geloof het niet.'

'Er woont een groep lutheranen. Noren. Ze proberen een gemeenschap te stichten waar ze in de ogen van God een goed leven kunnen leiden.'

'Bewonderenswaardig.'

De vingers van zijn rechterhand friemelen onophoudelijk met een potloodstompje. Hij schudt het heen en weer, draait het in het rond en tikt er zachtjes mee op de tafel. Plotseling begrijp ik wat er aan de hand is. Laudanum, of misschien strychnine. God mag weten wat voor tegenspoed hem helemaal hierheen heeft gebracht; ver verwijderd van dokters en apothekers.

'We hebben deze reis ondernomen omdat...' Ik zwijg en slaak een diepe zucht. 'Dit is pijnlijk om te vertellen... mijn zoon van huis is weggelopen. Hij is voor het laatst gesignaleerd in Himmelvanger en vandaar leidde een spoor deze kant uit.'

Het gezicht van Nesbit, wiens ogen zo strak op me zijn gericht dat ik er kippenvel van krijg, ontspant een beetje. Misschien had hij toch iets anders verwacht.

'Een spoor deze kant uit? Helemaal hierheen?'

'Daar leek het op, al konden we er na de sneeuwstorm niet meer zo zeker van zijn.'

'Nee.' Hij knikt nadenkend.

'Maar meneer Parker vond dit de meest waarschijnlijke plaats. Er zijn niet veel nederzettingen in dit deel van het land, geloof ik; heel weinig, eigenlijk.'

'Nee, we zijn behoorlijk geïsoleerd. Is hij... erg jong, uw zoon?'

'Zeventien.' Ik sla mijn ogen neer. 'U zult begrijpen hoe ongerust ik ben.'

'Ja, natuurlijk. En meneer Moody...?'

'Meneer Moody was zo vriendelijk om aan te bieden met ons mee te gaan, omdat we naar een post van de Company gingen. Volgens mij wil hij heel graag uw factor ontmoeten.'

'O, ja. Ik ben ervan overtuigd... nou, meneer Stewart is eventjes op reis, maar hij komt vast een dezer dagen terug.'

'Hebt u buren?'

'Nee, hij is op jacht gegaan. Hij is een hartstochtelijk jager.'

Nesbit heeft zijn glas al leeggedronken en weer bijgevuld. Ik nip langzaam aan het mijne. 'Dus... u hebt niets gehoord of gezien over een vreemdeling?'

'Nee, helaas. Helemaal niets. Maar misschien is hij een groep indianen tegengekomen, of een paar pelsjagers... Het is hier een komen en gaan van allerlei soorten mensen. U zou erover verbaasd staan hoe mensen soms ronddwalen, zelfs 's winters.'

Ik zucht weer en ik werp hem een moedeloze blik toe, wat niet zo moeilijk is. Hij pakt mijn glas en vult het bij.

De deur gaat open en er komt een kleine, brede indiaanse vrouw van onbestemde leeftijd met een dienblad binnen.

'Die andere man, die wil slapen,' zegt ze, met een onheilspellende blik in de richting van Nesbit.

'Ja, prima Norah. Nou, zet maar neer... dank je wel. Zou je misschien kans zien om de andere bezoeker op te sporen?'

Er zit een vleugje sarcasme in zijn stem. Met een klap kwakt de vrouw het dienblad op tafel.

Met onhandig vertoon haalt Nesbit het deksel van het dienblad en serveert me een bord met elandenbiefstuk en maïspuree. Het bord zelf is prima, Engels, maar de biefstuk is oud en vreselijk; het geheel is niet veel beter dan het spul dat we onderweg aten. Ik moet mijn best doen om mijn ogen open te houden en alert te blijven. Nesbit eet weinig maar drinkt stevig door en neemt dus gelukkig niet al te nauwkeurig meer waar. Ik voel een dringende behoefte om hem nu, vanavond, aan de praat te krijgen, terwijl hij nog geen reden heeft om achterdochtig te zijn.

'Wie woont er hier dan? Zijn jullie een groot bedrijf?'

'O god, nee! We zijn heel klein. Dit is niet bepaald het hart van pelzenland. Niet meer.' Hij glimlacht verbitterd, maar niet, heb ik het idee, omdat er een persoonlijke ambitie van hem is gedwarsboomd. 'We hebben hier meneer Stewart, de factor; hij is een van de meest fantastische mensen die u ooit zou kunnen ontmoeten. Dan hebben we uw nederige dienaar, het manusje van alles...' Hij maakt een ironische buiging, '...En dan hebben we hier in de buurt nog een aantal indiaanse en halfbloed families.'

'Dus die vrouw die zojuist binnenkwam, Norah, is zij de vrouw van een van uw mannen?'

'Dat klopt.' Nesbit neemt een slok brandewijn.

'En wat doen de pelsjagers 's winters?' Ik denk aan de halfgeklede man op de binnenplaats. Hij kon nauwelijks meer op zijn benen staan. Nesbit lijkt mijn gedachten te raden.

'Nou, als er weinig te doen is, zoals nu, ben ik bang dat ze... ten prooi vallen aan verleidingen. De winters zijn heel lang.'

Zijn ogen staan niet meer zo scherp en zien er glazig en bloeddoorlopen uit, maar ik weet niet of dat komt door de alcohol of door iets anders.

'Maar mensen blijven toch rondtrekken...'

'O ja, er is de jacht en zo, voor de mannen en voor meneer Stewart... maar dat is niets voor mij.' Hij laat op een elegante manier zijn afkeer blijken. 'Wat vallen zetten, natuurlijk. We pakken wat we kunnen krijgen.'

'En is er onlangs ook iemand van hier uit het zuidwesten gekomen? Ik vraag me af of het spoor dat we zagen van een van uw mannen kon zijn en niet van mijn zoon. Dan zouden we weten dat we... elders moeten zoeken.' Ik probeer mijn toon zo neutraal mogelijk te houden, maar met een vleugje droefheid.

'Een van ons...?' Er verschijnt een uitzonderlijk vage uitdrukking op zijn gezicht en zijn voorhoofd is op een bijna komische manier gerimpeld. Maar hij is dan ook dronken. 'Ik kan niet bedenken... nee, niet naar ik weet. Ik zou kunnen vragen...'

Hij glimlacht vrijmoedig. Volgens mij liegt hij, maar ik ben zo moe dat ik nauwelijks meer iets zeker meen te weten. Het verlangen om te gaan slapen is plotseling even onontkoombaar geworden als lichamelijke pijn. Nog een minuut later kan ik me er niet meer tegen verzetten.

'Het spijt me, meneer Nesbit, maar ik... moet me terugtrekken.'

Nesbit staat op en pakt me bij de arm, alsof hij denkt dat ik zal vallen, of wegrennen. Zelfs de plotselinge kou op de gang kan me niet wakker schudden.

Ik word ergens wakker van. Het is bijna donker en afgezien van de wind is het stil. Heel even denk ik dat er nog iemand anders in de kamer is en als ik overeind kom slaak ik een kreet die ik niet kan onderdrukken. Terwijl mijn ogen eraan wennen dat het vrijwel donker is, besef ik dat er niemand is. Het is nog geen dageraad. Maar iets heeft me wakker gemaakt, en waakzaam, met een bonzend hart, luister ik met gespitste oren naar het minste of geringste geluid. Ik glijd mijn bed uit en ik trek de paar kleren aan die ik heb uitgetrokken voordat ik in slaap viel. Ik pak de lamp, maar om de een of andere reden wil ik hem niet aansteken. Op mijn tenen loop ik naar de deur. Er is ook niemand op de gang.

De balken van het dak kraken en piepen en de wind zoemt zwaar onder de dakspanen. Ik hoor een vreemd, knisperend geluid, heel zacht en onduidelijk. Ik luister een poosje aan elke deur alvorens de klink om te draaien en naar binnen te kijken. Één kamer zit op slot; de meeste andere zijn leeg, maar door een raam in een van die lege kamers zie ik buiten een groenig schijnsel, een flikkerend gordijn van licht in het noorden dat door de duisternis heen dringt, zodat ik een blik kan werpen in de schemering.

Ik open een deur en zie Moody: zonder zijn bril is zijn gezicht jong en kwetsbaar. Snel doe ik de deur weer dicht. Parker, denk ik. Ik moet Parker vinden. Ik moet met hem praten. Over wat ik aan het doen ben, en voordat ik iets ongelofelijk stoms ga doen. Maar achter de volgende deuren vind ik niets, op eentje na. Er gaat een schok door me heen. Nesbit ligt in een onpeilbaar diepe slaap, of verdoving, en naast hem ligt de indiaanse vrouw die het avondeten serveerde, donker afstekend tegen zijn melkwitte huid. Hun ademhaling klinkt zwaar. Ik had de indruk gekregen dat ze hem haatte, maar hier zijn ze dan; van hun bezoedelde slaap gaat vreemd genoeg een ontroerende onschuld uit. Ik kijk langer dan ik eigenlijk wil en vervolgens doe ik de deur heel voorzichtig weer dicht, al verwacht ik niet dat ze plotseling wakker zullen worden.

Ten slotte vind ik Parker, daar waar ik hem min of meer verwachtte: in de stal bij de honden. Hij ligt in een deken gerold en slaapt met zijn gezicht naar de deur. Plotseling weet ik niet meer wat ik moet doen en ik steek de lamp aan en ga zitten wachten. Hoewel we nachtenlang hebben geslapen onder hetzelfde stuk tentdoek, lijkt het onder een houten dak onfatsoenlijk om te zitten kijken hoe hij daar ligt te slapen, terwijl ik als een dief naast hem gehurkt zit in het stro.

Na korte tijd wordt hij wakker door het licht.

'Meneer Parker, ik ben het, mevrouw Ross.'

Hij lijkt snel bij zijn positieven te komen, zonder last te hebben van de ondoordringbare mist die mij altijd bij het wakker worden omhult. Zijn gezicht is even ondoorgrondelijk als anders: blijkbaar is hij noch boos noch verbaasd om mij hier te zien.

'Is er iets gebeurd?'

Ik schud mijn hoofd. 'Ik werd ergens wakker van, maar ik kon niet ontdekken waarvan. Waar bent u gisteravond heengegaan?'

'Ik heb voor de honden gezorgd.'

Ik wacht af of hij nog meer gaat zeggen, maar er komt niets.

'Ik heb gegeten met Nesbit. Hij vroeg waar we mee bezig waren. Ik heb gezegd dat we mijn zoon zochten, die is weggelopen en voor het laatst is gezien in Himmelvanger. Ik heb hem gevraagd of er hier onlangs iemand is teruggekeerd van een reis en hij zei dat hij dat niet wist. Maar ik geloof niet dat hij helemaal oprecht was.'

Parker leunt tegen de muur van de stal en kijkt me bedachtzaam aan. 'Ik heb met een man en zijn vrouw gesproken. Ze zeiden dat er de laatste tijd niemand weg is geweest. Ze maakten een ongelukkige indruk. Terwijl ze praatten tuurden ze in de verte, of over mijn schouder.'

Ik weet niet wat ik hiervan moet denken. Vervolgens, heel zacht maar wel duidelijk, alsof het van ver komt, hoor ik een geluid waardoor de koude rillingen langs mijn ruggengraat lopen. Een ijl gehuil, somber maar tegelijkertijd onverschillig. Een symfonie van gehuil. De honden worden wakker en uit de hoek van de stal klinkt een zacht gegrom. Ik kijk naar Parker, naar zijn zwarte ogen.

'Wolven?'

'Ver weg.'

Ik weet dat we zijn omringd door sterke muren en dat die muren zijn bewapend met kanonnen, maar desondanks jaagt het gehuil me de stuipen op het lijf. Ik krijg heimwee naar de benauwde ruimte van de tent. Ik voelde me daar veiliger. Ik geloof zelfs dat ik huiver en ik ga dichter bij Parker zitten.

'De mensen hier lijden gebrek. De jacht is slecht. Er is niet veel eten.'

'Hoe is dat mogelijk? Het is een post van de Company.'

Hij schudt zijn hoofd. 'Sommige posten worden slecht bestuurd.'

Ik denk aan de bedwelmde Nesbit in zijn verdoofde slaap. Als hij de post en de voorraden moet beheren, verbaast het me niet wat Parker zegt.

'Nesbit is verslaafd. Opium of zoiets. En...' Ik kijk naar het stro. 'Hij... heeft een verhouding met een van de indiaanse vrouwen.'

Ik weet zeker dat ik probeer om het niet te doen, maar ik kijk Parker een seconde lang in de ogen en die seconde wordt langer en groeit uit tot een minuut. We zeggen allebei niets; het is alsof we gebiologeerd zijn. Ik ben me er plotseling van bewust dat mijn ademhaling heel luid klinkt en ik weet zeker dat hij mijn hart kan horen kloppen. Zelfs de wolven zijn stil: ze luisteren. Ten slotte maak ik mijn blik van hem los, met een duizelig gevoel.

'Ik kan beter teruggaan. Ik kwam u alleen opzoeken om te... bespreken wat we morgenochtend moeten doen. Het leek me verstandig om de ware reden waarom we hier zijn geheim te houden. Zoiets heb ik ook tegen meneer Moody gezegd, al weet ik niet wat hij morgen wil doen.'

'Ik denk dat we pas meer weten als Stewart terugkomt.'

'Wat weet u over hem?'

Parker is even stil en schudt dan zijn hoofd. 'Dat weet ik pas als ik hem zie.'

Ik blijf nog even wachten, maar ik heb geen reden meer om te blijven. Als ik op wil staan, strijkt mijn arm langs zijn been in het stro. Ik wist niet dat zijn been daar was, dat zweer ik, of dat hij het had verplaatst om het tegen mij aan te wrijven. Ik spring overeind alsof ik me heb gebrand en pak de lamp op. In het flikkerende licht kan ik niets van zijn gezicht aflezen.

'Nou, welterusten dan.'

Ik loop snel de binnenplaats op en voel me gekwetst dat hij niets terugzei. De kou verkilt ogenblikkelijk mijn huid, maar kan niets uitrichten tegen mijn turbulente gedachten; ik voel voornamelijk een intens verlangen om de stal weer in te gaan en naast hem in het stro te gaan liggen. Om mezelf te verliezen in zijn geur en zijn warmte. Wat gebeurt er met me; word ik door mijn angst en mijn hulpeloosheid overvallen? Het was een vergissing dat zijn lichaam in het stro langs het mijne streek. Een vergissing. Er is een man overleden en Francis heeft mijn hulp nodig. Daarom ben ik hier; een andere reden is er niet.

In het noorden glinstert het poollicht als een prachtige droom en de wind is verdwenen. De hemel is duizelingwekkend hoog en helder en de diepe koude is terug; een strakke, gonzende kou die zegt dat er niets is tussen mij en de onbegrensde diepte van de ruimte. Nog lang nadat het me duizelig maakt strek ik mijn hals uit naar de hemel. Ik besef dat ik over een gevaarlijk pad loop, dat aan alle kanten wordt omgeven door onzekerheid en door de mogelijkheid dat er een ramp gebeurt. Ik heb nergens controle over. Boven me gaapt de hemel als een afgrond en er is helemaal niets wat mijn val kan breken, afgezien van het grillige doolhof van sterren.

Als Donald wakker wordt, ziet hij daglicht door het raam. Een tijd lang kan hij zich niet herinneren waar hij is, maar dan schiet het hem weer te binnen: het einde van het voetspoor. Een onderbreking van die helse reis. Ieder plekje van zijn lichaam doet pijn, alsof hij een zwaar pak slaag heeft gehad.

God... is het echt waar dat hij gisteravond gewoon bewusteloos is geraakt, is uitgegaan als een lamp? Die vrouw die zijn voeten verzorgde... hij steekt een voet onder de dekens uit en ziet dat daar een vers verband om zit; zij was dus echt en geen droom. Heeft ze hem ook uitgekleed? Hij herinnert zich niets, maar wordt overspoeld door een prikkelend schaamtegevoel. Hij is, zonder enige twijfel, volledig uitgekleed. Zijn litteken is ingesmeerd met zalf en verbonden. Hij zoekt op de tast rondom het bed, tot hij zijn bril vindt. Nu die weer op zijn neus staat, voelt hij zich rustiger, alsof hij de zaak beter in de hand heeft. Binnen: een kleine kamer, spaarzaam gemeubileerd, zoals de gastenverblijven in Fort Edgar. Buiten: guur, het sneeuwt niet, maar dat zal het wel gauw gaan doen. En ergens in dit gebouwencomplex: mevrouw Ross en Parker, die vragen stellen zonder hem erbij. God mag weten wat ze tegen meneer Stewart zullen zeggen, nu ze aan hun lot zijn overgelaten. Hij doet zijn best om zijn bed uit te komen en pakt zijn kleren, die netjes over een stoel zijn gelegd. Hij kleedt zich aan met stijve bewegingen, als een oude man. Vreemd (maar in zekere zin ook gunstig) hoeveel slechter hij zich voelt nu ze eindelijk zijn aangekomen.

Hij schuifelt de gang op en loopt moeizaam langs twee kanten van de binnenplaats zonder ook maar iemand te zien. Dit is de vreemdste post van de Company die hij kent: er is niets te bespeuren van de bedrijvigheid die hij gewend is in Fort Edgar. Hij vraagt zich af waar Stewart is, wat voor soort regime die aanhoudt. Zijn horloge is stil blijven staan en hij weet niet of het vroeg of laat is. Dan vliegt er verderop in de gang een deur open en komt Nesbit tevoorschijn, die de deur weer achter zich dichtslaat. Hij is ongeschoren en zijn ogen staan hol.

'Ah, meneer Moody! Ik hoop dat u uitgerust bent. Hoe gaat het met uw, eh, voeten?'

'Veel beter. De... Elizabeth is zo vriendelijk geweest ze voor mij te verbinden. Ik ben bang dat ik te moe was om haar te bedanken.'

'Kom mee ontbijten. Ze hebben nu vast wel een vuur aangestoken en iets klaargemaakt. God weet hoe moeilijk het is om die duvels 's winters aan het werk te krijgen. Hebben jullie die problemen ook?'

'In Fort Edgar?'

'Ja. Waar ligt dat?'

Donald is verbaasd dat hij dat niet weet. 'Aan Georgian Bay.'

'Wat beschaafd. Ik droom ervan om nog eens ergens te worden gepost binnen gehoorsafstand van... nou ja, ergens waar mensen wonen. U zult ons in vergelijking met uw eigen post wel heel arm vinden.'

Nesbit leidt Donald de kamer in waar ze eerst waren binnengebracht, maar nu brandt het vuur en zijn er een tafel en stoelen van elders gehaald; in het stof op de vloer ziet Donald sleepsporen. Het huishouden heeft hier duidelijk geen prioriteit. Hij vraagt zich af wat er wel prioriteit heeft.

'Zijn mevrouw Ross en meneer Parker in de buurt?'

Als Nesbit naar de deur loopt komt mevrouw Ross binnen. Het is haar gelukt iets aan haar kleren te doen, waardoor ze enigszins toonbaar zijn en haar haren zijn netjes gekapt. De lichte dooi die hij na de sneeuwstorm bespeurde lijkt weer ten einde.

'Meneer Moody.'

'Voortreffelijk! U bent hier... en meneer Parker?'

'Dat weet ik niet zeker.' Ze slaat haar ogen neer en Nesbit loopt naar buiten en roept de indiaanse. Mevrouw Ross loopt snel op Donald af, met een strak gezicht.

'We moeten praten voordat Nesbit terugkomt. Gisteravond heb ik hem verteld dat we hier zijn gekomen omdat we op zoek zijn naar mijn weggelopen zoon, niet om een moordenaar te zoeken. We moeten geen slapende honden wakker maken.'

Donald staat versteld. 'Mijn beste mevrouw, had u mij maar geraadpleegd voordat u een onwaarheid vertelde...'

'Daar was geen tijd voor. Zorg dat u niet iets anders zegt, want dan wordt hij achterdochtig. Het is voor ons het beste als ze niets vermoeden, dat vindt u toch ook?' Haar kaak staat strak gespannen en haar ogen zijn hard als steen.

'En wat doen we als...?' Hij stopt met fluisteren als Nesbit weer binnenkomt, gevolgd door Norah, die een dienblad draagt. Ze glimlachen naar hem en Donald denkt dat het wel duidelijk moet zijn dat ze stiekem met elkaar zaten te fluisteren. Met een beetje geluk zal Nesbit denken dat hun geheim romantisch van aard is... Vervolgens moet hij blozen bij die gedachte. Misschien heeft hij een beetje koorts. Terwijl hij aan tafel zit probeert hij zich Susannah voor de geest te halen. Vreemd, dat hij een poosje niet aan haar heeft gedacht.

Parker komt binnen, en als ze allemaal gegrilde biefstuk en maïsbrood zitten te eten – Donald alsof hij dagenlang niets heeft gehad – legt Nesbit uit dat Stewart met een van de mannen op jacht is en verontschuldigt hij zich voor hun gebrek aan gastvrijheid. Maar op één ding is hij heel trots: hij onderhoudt Norah over de koffie die ze hun heeft gebracht, waarop zij de pot zwijgend weer meeneemt en terugkomt met een pot waar iets heel anders in zit. Al voordat ze binnenkomt dringt de geur de kamer binnen: het aroma van echte koffiebonen, dat wekenlang niemand van hen heeft geroken. En als Donald een slok neemt, beseft hij dat hij misschien nog nooit zoiets heeft gedronken. Nesbit leunt achterover in zijn stoel en grijnst breed.

'Bonen uit Zuid-Amerika. Ik heb ze onderweg gekocht in New York. Ik maal ze alleen voor bijzondere gelegenheden.'

'Hoe lang bent u hier al, meneer Nesbit?' vraagt mevrouw Ross.

'Vier jaar en vijf maanden. U komt toch uit Edinburgh?'

'Oorspronkelijk.' Op de een of andere manier klinkt het alsof ze hem berispt.

'En u komt uit Perth, als ik me niet vergis?' Donald glimlacht naar hem, in een poging het weer goed te maken. Hij kijkt mevrouw Ross boos aan: als zij geen argwaan wil wekken, moet ze vriendelijker zijn.

'Kincardine.'

Er valt een stilte. Mevrouw Ross beantwoordt Donalds hint met een koele blik.

'Het spijt me dat we u niet kunnen helpen met de weggelopen zoon van mevrouw Ross. Dat moet een zorg voor u zijn.'

'Aha. Ja.' Donald knikt verward: toneelspelen is niet zijn sterkste kant. En hij is boos omdat zij hem het gras voor de voeten heeft weggemaaid, terwijl hij bij dingen die te maken hebben met de Company de leiding zou moeten hebben. Hij weet even niet hoe hij verder moet gaan.

'Dus u denkt...' begint Donald, maar dan klinken er vlugge voetstappen in de gang en wordt er buiten iets geschreeuwd. Nesbit is plotseling alert, als een dier; zijn zintuigen werken op volle toeren en hij komt met een schichtige beweging overeind. Hij richt zich tot hen met een halve glimlach, die meer lijkt op een grimas.

'Beste mensen, dat zou meneer Stewart wel eens kunnen zijn.'

Hij rent bijna de kamer uit. Donald en de anderen staren elkaar aan. Donald voelt zich afgewezen: waarom heeft Nesbit hun, of op zijn minst hem, niet gevraagd mee naar buiten te komen? Hij wordt van zijn stuk gebracht door een knagend gevoel van onrechtvaardigheid. Na een kort stilzwijgen mompelt Donald een verontschuldiging en aarzelend volgt hij Nesbit naar de binnenplaats.

Vier of vijf mannen en vrouwen staan op een kluitje rondom een man met een slee en een roedel honden. Uit allerlei richtingen komen nog meer mensen tevoorschijn; sommige blijven dralen bij de gebouwen, terwijl andere recht op de nieuwkomer af lopen. Donald heeft de tijd om zich af te vragen waar ze allemaal vandaan komen; de meesten van hen heeft hij nog nooit gezien, al herkent hij de lange vrouw die gisteren zijn voeten heeft gewassen. De nieuwkomer, dik door alle bont en met zijn gezicht verborgen onder een bontmuts, praat tegen de groep. Dan valt er een stilte. Donald loopt in zijn eentje op hen af en een paar gezichten draaien zich naar hem toe en staren hem aan alsof hij een zonderling is. Hij blijft verward staan en dan ontsnapt er aan de lange vrouw, die al die tijd in de eerste groep heeft gestaan, een langgerekte, hoge jammerklacht. Ze zijgt ineen in de sneeuw, onder het maken van een hoog, dun, buitenaards geluid dat het midden houdt tussen een gil en een snik. Het gaat maar door. Niemand probeert haar te troosten.

Een van de mannen lijkt zijn beklag te doen bij Stewart, die hem af-wimpelt en naar de gebouwen loopt. Nesbit spreekt de mannen streng toe en volgt zijn superieur. Als hij Donald ziet werpt hij hem een boze blik toe, maar vervolgens herstelt hij zich en gebaart hem mee naar binnen te gaan. Zijn gezicht heeft dezelfde kleur als de vieze sneeuw.

'Wat is er aan de hand?' mompelt Donald als ze buiten gehoorsafstand van de mannen op de binnenplaats staan.

Nesbits mond is vertrokken tot een dunne, harde lijn. 'Zeer betreurens-waardig. Nepapanees heeft een ongeluk gehad. Hij is dood. Dat was zijn vrouw daarbuiten.'

Hij klinkt vooral boos. Alsof hij denkt: wat nu?

'U bedoelt de vrouw op de grond... Elizabeth? Is haar man dood?'

Nesbit knikt. 'Soms denk ik dat we vervloekt zijn.'

Die woorden mompelt hij, half tegen zichzelf. Vervolgens draait Nesbit zich plotseling om, zodat hij in feite Donald de weg blokkeert. Maar hij probeert te glimlachen.

'Dit is zeer betreurenswaardig, maar... waarom voegt u zich niet weer bij de anderen? Geniet van uw ontbijt... ik moet nu meneer Stewart spreken, gezien de omstandigheden. We komen later bij u.'

Donald voelt dat hem geen andere keuze rest dan te knikken en hij kijkt Nesbit na tot die om een hoek verdwijnt. Op de gang blijft hij staan treu-zelen, verward en verontrust. Het was bijna obsceen hoe Nesbit en Stewart het verdriet van de anderen negeerden, alsof ze er niets mee te maken wil-den hebben.

In plaats van terug te gaan naar de ontbijtkamer keert hij terug naar de binnenplaats, waar de sneeuwvlokken in een geconcentreerde stilte om-laag vallen, alsof ze willen zeggen: nu is het winter, dit is geen grapje. De vlokken zijn klein en vlug en lijken vanuit alle richtingen op hem af te komen, waarbij ze het zicht tot een paar meter beperken. Alleen de diep-bedroefde vrouw zit nog steeds buiten op de grond en schommelt heen en weer. De anderen zijn nergens te bekennen. Donald is boos op ze, omdat ze haar alleen hebben gelaten. De vrouw draagt niet eens buitenkleren; goeie genade, alleen een jurk, die haar armen onder de elleboog onbedekt laat. Hij gaat naar haar toe.

Ze zit half geknield, schommelend, en zwijgt nu; haar ogen zijn wijd opengesperd maar zijn nergens op gericht en ze trekt aan haar haren. Ze kijkt hem niet aan. Vol afschuw ziet hij hoe de naakte, geaderde huid boven haar mocassin afsteekt tegen de sneeuw.

'Neemt u me niet kwalijk... mevrouw Bird.' Hij voelt zich opgelaten, maar kan geen andere manier bedenken om haar aan te spreken. 'U krijgt het ijskoud hier. Komt u alstublieft naar binnen.'

Ze geeft er geen blijk van hem gehoord te hebben.

'Elizabeth. U bent gisteravond zo vriendelijk voor mij geweest... Komt u alstublieft binnen. Ik weet dat u bedroefd bent. Sta me toe u te helpen.'

Hij steekt een hand uit, in de hoop dat ze die zal aannemen, maar er gebeurt niets. Sneeuwvlokken kleven aan haar wimpers en haar haren, smelten op haar armen. Ze veegt ze niet weg. Als Donald naar haar kijkt wordt hij getroffen door haar smalle gezicht, haar fijne, bijna Engelse gelaatstrekken. Maar zo zijn sommige halfbloeden, meer blank dan indiaans.

'Alstublieft...' Hij legt een hand op haar arm en plotseling klinkt weer het ijle, doordringende geweeklaag. Hij deinst geschrokken achteruit: wat een vreemd, spookachtig geluid, als van een dier. De moed zinkt hem in de schoenen. Wat weet hij per slot van rekening over haar, of over haar overleden echtgenoot? Wat kan hij zeggen om haar verdriet te verlichten?

Donald kijkt om zich heen, op zoek naar hulp of getuigen. Nergens in de duizelingwekkende sneeuw is een teken van beweging, al ziet hij in een tegenoverliggend raam een vage figuur die toe lijkt te kijken.

Hij komt overeind – hij zat op zijn hurken – en besluit iemand anders te zoeken. Misschien kan een vriendin haar overhalen om binnen te komen; hij vindt niet dat het zijn taak is om haar te dwingen of naar binnen te dragen. Hij weet zeker dat Jacob raad zou weten, maar Jacob is hier niet. Hij veegt de sneeuw van zijn broek en loopt bij de weduwe vandaan, al kan hij het niet laten daarbij achterom te kijken. Ze is een zwarte gedaante, half verborgen door de sneeuw, als een krankzinnig personage op een Japanse prent. Hij heeft een mooi idee: hij gaat wat van die koffie naar haar toe brengen, dat is wel het minste wat Nesbit voor haar kan doen. Hij weet zeker dat ze die niet zal opdrinken, maar misschien zal ze het waarderen dat hij het deed.

Line ligt wakker, geheel en al gekleed, en staart naar het gordijnloze venster. Torbin en Anna liggen naast haar te slapen. Ze heeft niets tegen ze gezegd, omdat ze niet weet of ze zo'n geheim wel kunnen bewaren. Zo meteen gaat ze hen wakker maken en aankleden, zodat het op een avontuur lijkt. Ze weten niets van haar plannen. Ze gaat het pas aan hen vertellen als ze een flink eind van Himmelvanger vandaan zijn. Ze wou dat ze deze afspraak eerder hadden gepland; iedereen ligt al een uur te slapen. Een uur reistijd verspeeld. Ze heeft het onaangenaam warm, omdat ze onder twee rokken een heleboel lagen pettycoats heeft aangetrokken en al haar hemden, de een over de ander, tot haar armen eruitzien als volgepropte worsten. Espen gaat hetzelfde doen. Gelukkig maar dat het winter is. Ze kijkt weer op de klok en draait aan de wijzers tot ze de gewenste tijd aangeven, want ze kan niet langer wachten. Ze buigt zich voorover en maakt haar kinderen wakker.

'Luister eens, we gaan op vakantie. Maar jullie moeten absoluut stil zijn, echt stil. Oké?'

Anna knippert knorrig met haar ogen. 'Ik wil slapen.'

'Je kunt later nog slapen. Nu gaan we een avontuur beleven. Kom op, trek dit aan, zo snel als je kan.'

'Waar gaan we naartoe?' Torbin lijkt opgewondener. 'Het is donker buiten.'

'Het is bijna dageraad, kijk: vijf uur 's ochtends. Jullie liggen al urenlang te slapen. Als we vandaag willen aankomen moeten we vroeg op pad.'

Ze trekt Anna's jurk over haar hoofd.

'Ik wil blijven.'

'Ach, Anna.' Ze is nauwelijks vijf; hoe komt ze zo koppig? 'Trek deze jurk eroverheen. Het wordt koud. En op deze manier hoef je minder mee te zeulen.'

'Waar gaan we naartoe?'

'Naar het zuiden. Waar het warmer is.'

'Mag Elke ook mee?' Elke is Torbins beste vriendin en de dochter van Britta.

'Misschien later. Misschien komen er ook nog andere mensen.'

'Ik heb honger.' Anna is niet tevreden en dat moet iedereen weten. Line geeft haar en Torbin ieder een koekje, dat ze voor deze ene keer heeft gestolen, om hun zwijgen af te kopen.

Om tien voor bezweert ze hun stil te zijn en op de gang blijft ze wel een minuut staan luisteren voor ze hen met zich mee trekt. Ze sluit de deur van de kamer waar ze de afgelopen drie jaar hebben gewoond. Alles is stil. De zware tas met voedsel en de paar persoonlijke bezittingen die ze niet wil achterlaten, bonkt tegen haar rug. Ze steken het erf over naar de stal. Het is pikdonker, zonder maan, en ze struikelt en vloekt. Torbin staat paf over het woord dat ze gebruikt, maar er is geen tijd om zich daarover zorgen te maken. Line voelt duizend ogen in haar rug en knijpt door de angst hun handen te stevig vast, totdat Anna begint te jammeren.

'Het spijt me, schat. We zijn er, kijk.' Ze opent de deur naar de stal. Het is er nog donkerder, maar warmer, en ze horen de paarden stampen in het hooi. Ze wacht en luistert of ze hem hoort.

'Espen?'

Hij is er nog niet, maar zij zijn een paar minuten te vroeg. Ze hoopt dat hij niet in tijdnood komt. Ze hadden hier al een uur geleden weg kunnen rijden en zich met elke stap verder van Himmelvanger kunnen verwijderen. Ze laat de kinderen plaatsnemen in een lege paardenbox.

Nog een paar minuten, dan komt Espen.

Ze bezit geen horloge, maar kan aardig afmeten hoe lang ze hier al zijn aan de verkleumdheid van haar vingers en tenen, die koud zijn als ijs. De kinderen waren eerst een tijdje onrustig, maar nu heeft Anna zich genesteld in een hoekje en is in slaap gevallen; Torbin leunt tegen haar aan in een half wakende sluimertoestand. Ze moeten hier al minstens een uur zijn en er is nog niemand de stal in gekomen. Eerst hield ze zichzelf voor dat hij altijd te laat is. Dat hij daar niets aan kan doen. Daarna bedacht ze dat hij misschien meende dat ze om twee uur hadden afgesproken, dat hij zich had vergist. En toen het uur voortkroop en er nog steeds niemand kwam, fantaseerde ze dat Merete niet kon slapen, of dat de baby ziek was geworden en dat hij daardoor niet kon vertrekken. Misschien lag hij wakker, vloekend en zich zorgen makend over haar.

Maar nu denkt ze dat hij misschien helemaal niet van plan is geweest om te komen.

Ze overweegt deze akelige mogelijkheid. Nee. Hij zou haar niet zo laten zitten. Dat zou hij niet doen. En zoiets zal hij ook nooit doen.

Ze zal hem nog één kans geven, of hem anders ten overstaan van iedereen te schande maken. Ze schudt de kinderen wakker, ruiger dan noodzakelijk is.

'Luister. Er is vertraging. We kunnen vanavond toch niet vertrekken. We moeten morgenavond gaan. Het spijt me...' Hun voorspelbare jammerklachten kapt ze af. 'Het spijt me, maar zo is het nu eenmaal.'

Ze herinnert zich dat ze die woorden ook gebruikte toen ze hun vertelde dat hun vader nooit meer terug zou komen en dat ze weg moesten en ergens in een uithoek moesten gaan wonen. 'Het heeft geen zin je te beklagen. Zo is het nu eenmaal.'

Ze laat hen zweren dit geheim te houden; als ze iemand hierover vertellen kunnen ze helemaal niet op vakantie en ze heeft een beeld geschetst van het warme zuiden dat hen allebei aanspreekt. Hopelijk kunnen ze daar ooit echt naartoe.

Als ze opstaat en de kinderen terugbrengt naar hun slaapkamer – het is gelukkig nog donker – beweegt er iets bij de deur. Ze verstijft en de kinderen verstijven eveneens, aangestoken door haar plotselinge angst. Dan klinkt er een stem: 'Is daar iemand?'

Heel even – nog minder dan een seconde – meent ze dat het Espen is en ze veert op. Dan beseft ze dat de stem niet van hem was. Ze zijn ontdekt.

De man loopt naar hen toe. Line staat roerloos van schrik. Wat kan ze nog zeggen? Meteen daarna beseft ze dat hij Engels sprak, geen Noors. Het is de halfbloed, Jacob. Ze is niet verloren, nog niet. Hij steekt een lamp aan en houdt die tussen hen in.

'O, mevrouw...' dan beseft hij dat hij haar naam niet kent, of niet kan uitspreken. 'Hallo Torbin. Hallo Anna.'

'Het spijt me als we u hebben gestoord,' zegt Line stijfjes. Wat doet hij hier? Slaapt hij in de stal?

'Nee hoor, helemaal niet.'

'Nou, welterusten dan.' Ze glimlacht en loopt langs hem heen, maar vervolgens, als de kinderen voor haar uit over het erf lopen, draait ze zich om.

'Alstublieft, het is heel belangrijk dat u hier niets over zegt, tegen niemand. Helemaal niemand. Ik smeek u... anders is mijn leven niets meer waard. Ik kan dit niet voldoende benadrukken. Kan ik u vertrouwen?'

Jacob heeft de lantaarn gedoofd, alsof hij de noodzaak van geheimhouding begrijpt. 'Ja,' zegt hij eenvoudig. Hij klinkt niet eens nieuwsgierig. 'U kunt me vertrouwen.'

Line helpt de kinderen met uitkleden en kijkt toe hoe ze in slaap vallen. Ze is te opgewonden om te slapen. Ze duwt de tas achter een stoel. Ze kan het niet over haar hart verkrijgen hem weer uit te pakken, dat lijkt te veel alsof ze toegeeft dat het mislukt is. Morgenochtend moet ze er maar wat kleren overheen leggen in de hoop dat niemand de tas zal zien. O, kon ze maar ergens heen waar ze haar eigen huis heeft, met deuren die je op slot kan doen. Ze haat dit gebrek aan privacy: het schuurt als een tuig.

Bij het ontbijt is ze op haar hoede en aan de andere leden van de gemeenschap toont ze een vriendelijk, vrolijk masker. Pas halverwege de maaltijd keurt ze Espen een blik waardig en dan buigt hij zijn hoofd. Hij kijkt haar kant niet uit. Ze probeert te beoordelen of hij of Merete er heel moe uitziet, maar dat is moeilijk te zien. De baby huilt, dus misschien heeft hij krampjes. Ze zal even geduld moeten hebben.

's Middags krijgt ze haar kans. Als ze de kippen staat te voeren komt hij naar haar toe. Opeens staat hij daar, zonder dat ze hem heeft zien aankomen. Ze wacht tot hij begint te praten.

'Line, het spijt me. Het spijt me zo. Ik weet niet wat ik moet zeggen... Merete kon urenlang niet slapen en ik wist niet wat ik moest doen.' Hij beweegt rusteloos heen en weer en kijkt alle kanten uit, behalve naar haar. Line zucht.

'Oké, geen probleem. Ik heb iets verzonnen voor de kinderen. We gaan vannacht. Om één uur.'

Even is hij stil.

'Ben je van gedachten veranderd?'

Hij zucht. Ze ziet dat hij trilt.

'Want als dat zo is, ga ik niet zonder jou. Dan blijf ik en dan vertel ik iedereen dat ik jouw kind draag. Ik zal je bij iedereen te schande maken. Bij je vrouw en kinderen. Het kan me niets schelen als Per me de deur uit zet. Misschien vriezen we wel dood. Dan gaan jouw kind en ik allebei dood. En dan ben jij verantwoordelijk. Ben je bereid om dat op je te nemen?'

Espen wordt bleek. 'Line, zulke dingen moet je niet zeggen! Dat is afschuwelijk... ik wilde helemaal niet zeggen dat ik niet zou komen. Het valt alleen niet mee. Ik moet alles achterlaten... jij niet.'

'Hou je van haar?'

'Van wie? Van Merete? Je weet dat dat niet zo is. Ik hou van jou.'

'Vannacht om één uur dan. Als Merete niet kan slapen moet je gewoon een smoes bedenken.'

Hij kijkt berustend. Het komt allemaal goed. Hij is gewoon een man die gestuurd moet worden, zoals zo velen.

Desondanks weet Line niet hoe ze de rest van de dag moet doorkomen. Ze kan niet stilzitten, en als Britta ziet hoe rusteloos ze is als ze aan hun quilts werken, vraagt ze: 'Wat is er toch, meisje? Heb je geen rust in je kont?' Met grote moeite slaagt Line erin te glimlachen.

Maar eindelijk, natuurlijk, eindelijk is het één uur en zijn ze op weg naar de stal. Zodra ze de deur dicht duwen voelt ze dat Espen er is. Zijn stem fluistert haar naam in de duisternis.

'Wij zijn het,' antwoordt ze.

Hij steekt een lamp aan en glimlacht naar de kinderen, die hem aankijken met weifelende, achterdochtige verlegenheid.

'Verheugen jullie je op je vakantie?'

'Waarom moeten we midden in de nacht vertrekken? Lopen we weg?' vraagt de schrandere Torbin.

'Natuurlijk niet. We moeten vroeg weg, zodat we een flink eind kunnen afleggen voordat het weer donker wordt. Zo reizen mensen 's winters.'

'Opschieten, geen geklets meer. Jullie zien het wel als we er zijn.' Line is bezorgd en haar stem klinkt schel.

Espen gespt hun tassen achter de zadels; hij heeft de paarden al klaargemaakt. Line voelt een vlaag van genegenheid voor de stevige, traag bewegende dieren. Ze doen wat er van ze wordt gevraagd, zonder ophef of discussie, zelfs om één uur 's nachts. Ze lopen met de paarden naar buiten, het erf op, dat zo modderig is dat hun hoeven geen lawaai maken. Nergens in Himmelvanger brandt licht, maar ze leiden de paarden naar een kreupelbos met lage berken, buiten het zicht van ramen. Pas daar helpt Espen de kinderen en Line op de paarden en springt hij achter Torbin in het zadel. Line houdt het gestolen kompas in haar hand.

'Om te beginnen gaan we naar het zuidoosten.' Ze kijkt omhoog naar de lucht. 'Kijk, er zijn sterren. Die zullen ons helpen. We gaan naar die daarginds, zie je wel?'

'Gaat u God niet vragen onze reis te zegenen?' Torbin wringt zich in een bocht om zijn moeder aan te kijken. Soms is hij een pedant kereltje, dat alles altijd precies wil doen zoals het hoort, en hij woont al drie jaar in Himmelvanger, waar je nauwelijks een stap kunt doen zonder een gebed op te zeggen.

'Natuurlijk. Dat wilde ik net gaan doen.'

Espen laat zijn paard halt houden en buigt zijn hoofd. En hij mompelt vlug, alsof Pers vrome oren mijlenver een gebed kunnen horen: 'Moge de Here God, de koning van alles in de hemel en op aarde, die alles ziet en beschermt, over ons waken tijdens onze reis, ons veilig wegleiden van gevaar en ons op het rechte pad houden. Amen.'

Line duwt haar hakken in de flanken van haar paard. Achter hen wordt de donkere massa van Himmelvanger kleiner en kleiner. Omdat de hemel zo helder is, is het koud geworden. Veel kouder dan de avond daarvoor. Ze zijn net op tijd vertrokken.

Sinds haar vader terug is uit gevangenschap lijkt hij een ander mens. Hij zit in zijn eentje in zijn studeerkamer en houdt zich niet bezig met lezen, brieven schrijven of wat dan ook, maar staart lang achter elkaar roerloos uit het raam. Maria weet dat omdat ze naar binnen heeft gegluurd door het sleutelgat, nadat het haar was verboden hem te storen. Het is niets voor hem om zich voor haar af te sluiten, en ze is ongerust.

Susannah is ook ongerust, maar om andere redenen. Natuurlijk is ze bezorgd over haar vader en zijn vreemde gedrag, maar hij gebruikt nog steeds al zijn maaltijden met het gezin en is aardig opgewekt. Hij kan, zegt ze tegen haar zuster, op het ogenblik toch niet verder gaan met zijn taken als magistraat, en wat zou hij dan moeten doen? Nee, Susannah heeft besloten zich hevig bezorgd te maken over Donald. Hij en Jacob zijn al drie weken weg, hetgeen niet bijzonder lang is, al hadden ze verwacht eerder terug te zijn. Maria en Susannah hebben gespeculeerd over de reden. Het meest voor de hand liggende antwoord is dat ze Francis Ross niet gevonden hebben. Als hij dood was, waren ze teruggekomen. En ook wanneer ze hem ergens dichtbij hadden gevonden.

'Maar stel dat ze Francis hebben gevonden en hij hen heeft vermoord om zijn straf te ontlopen?' vraagt Susannah met grote ogen en op het punt in tranen uit te barsten.

Maria antwoordt smalend: 'Kun jij je voorstellen dat Francis Ross meneer Moody en Jacob vermoordt, terwijl zij allebei gewapend zijn? Daar zou hij ook de kracht niet voor hebben. Hij is niet eens langer dan jij. Dat is het echt het meest absurde wat ik ooit heb gehoord.'

'Maria...' protesteert haar moeder vanuit de stoel waarin ze zit te naaien. Susannah haalt geïrriteerd haar schouders op. 'Ik denk gewoon dat ze langzamerhand wel eens bericht hadden moeten sturen.'

'Als er niemand is om berichten over te brengen is dat onmogelijk.'

'Maar ze zitten toch niet ergens midden in... Buiten-Mongolië.'

'In feite is Mongolië veel dichter bevolkt dan Canada,' kan Maria niet nalaten te zeggen.

'Als je denkt dat ik daardoor gerustgesteld ben... nou, dat ben ik dus niet!' Susannah staat op, loopt de zitkamer uit en slaat de deur achter zich dicht.

'Je zou misschien wat vriendelijker kunnen zijn,' zegt mevrouw Knox voorzichtig. 'Ze is ongerust.'

Maria slikt een vinnig antwoord in. Zij is misschien ook wel ongerust, maar zoals gewoonlijk maakt iedereen zich meer zorgen over de gemoedstoestand van Susannah dan over die van haar.

'Het blijft een feit dat het verontrustend is. Je zou toch verwachten dat we langzamerhand wel een bericht hadden ontvangen. In zekere zin verbaast het me dat de Company nog niet iemand heeft gestuurd om ze te zoeken.'

'Nou, voor zover ik weet...' Mevrouw Knox bijt met een knap de draad door, 'is geen nieuws altijd goed nieuws.'

In huis hangt een verstikkende sfeer: haar vader zit als een sfinx in zijn studeerkamer, Susannah is constant in tranen en haar moeder straalt een vreemd soort kalmte uit. Maria besluit dat ze daar weg moet. In feite was ze enigszins ontdaan door haar eigen reactie op de discussie over Moody. Zij heeft zich ook afgevraagd wat er met hen is gebeurd en ze hoopt dat het hem goed gaat; zoals je je zorgen maakt over iedere vriend over wie je een tijdlang niets hebt gehoord. Dat heeft niets te betekenen. Maar toen ze weer aan zijn gezicht dacht, was ze verbaasd over de details die haar nog voor de geest stonden: de sproeten, hoog op zijn jukbeenderen, de manier waarop zijn bril altijd van zijn neus glijdt en de humoristische glimlach als iemand hem een vraag stelt, alsof hij twijfelt aan zijn vermogen om die te beantwoorden, maar bereid is hoe dan ook een poging te doen.

Als ze bij de winkel komt, kleeft er aan haar laarzen en haar rok een paar centimeter bevroren modder. Mevrouw Scott staat achter de toonbank en als Maria binnenkomt kijkt ze alleen heel even op. Terwijl ze haar begroet, ziet Maria een gezwollen, geel verkleurende blauwe plek hoog op haar linkerjukbeen, die de volmaakte symmetrie van haar gezicht verstoort. Mevrouw Scott – ofwel Rachel Spence, zoals ze vroeger heette – speelde in het kerstspel op school de maagd Maria. Oudere stadsbewoners herinneren haar daar nog wel eens aan, maar het is lang geleden dat ze informeerden naar een van de ongelukken die haar tegenwoordig veelvuldig schijnen te overkomen.

Meneer Sturrock zit op zijn kamer, dus wacht Maria beneden bij de kachel. Ze weet niet zeker of hij haar wel wil zien, maar het duurt niet lang voordat hij beneden komt.

'Mejuffrouw Knox. Waar heb ik dit genoegen aan te danken?'

'Meneer Sturrock. Aan verveling, vrees ik.'

Hij haalt met een elegant gebaar zijn schouders op en vat de opmerking op zoals hij werd bedoeld. 'Als dat u hier brengt, ben ik daar blij om'

Er is iets in zijn blik waardoor ze zich niet helemaal op haar gemak voelt. Als hij jonger was, zou ze hem ervan verdenken dat hij haar het hof maakte. Misschien doet hij dat ook wel. Het zou wel heel typerend zijn dat de enige mannelijke interesse die zij oproept afkomstig is van een man die ouder is dan haar vader.

Sturrock roept om koffie en zegt vervolgens: 'Zou u het heel onfatsoenlijk vinden als ik u boven op mijn kamer uitnodigde? Daar zou ik u namelijk dolgraag iets laten zien.'

'Nee, dat zou ik niet onfatsoenlijk vinden.' En het vreemde is dat ze dat ondanks haar verdenkingen ook echt niet vindt.

Zijn kamer is muf, maar schoon. Van de tafel bij het raam haalt hij een stapel papier en hij zet twee stoelen klaar. Maria neemt plaats en geniet van zijn aandacht. In zijn jonge jaren moet hij een opvallend knappe man zijn geweest, en dat is hij inderdaad nog steeds, met zijn dikke, zilverkleurige haar en heldere blauwe ogen. Ze glimlacht om haar eigen dwaze gedachten.

Het raam kijkt uit over de straat voor de winkel: ideaal voor iemand die graag naar voorbijgangers kijkt. Iedereen in Caulfield komt vroeg of laat naar de winkel. Zelfs haar eigen huis is in de verte gedeeltelijk zichtbaar, en schuin daarachter de grijze watervlakte, dreigend onder de lage wolken.

'Niet echt vorstelijk, maar het kan ermee door.'

'Werkt u hier?'

'Zo zou je het kunnen noemen.' Hij neemt plaats en schuift een stuk papier naar haar toe. 'Wat vindt u hiervan?'

Maria pakt de bladzijde op, die niet al te kort geleden uit een blocnote is gescheurd. Er staan potloodtekens op, maar aanvankelijk kan ze niet besluiten welke kant er boven moet. Er staan kleine, hoekige tekens, hoofdzakelijk lijntjes in allerlei configuraties: diagonalen, evenwijdige lijnen, enzovoort. Rond deze tekens zijn een paar kleine stokfiguurtjes geschetst, maar niet in een waarneembaar patroon. Ze bestudeert het geheel aandachtig.

'Het spijt me dat ik u moet teleurstellen, maar ik kan er niets van maken. Is het compleet?'

'Ja, voor zover ik weet. Het is overgeschreven van een compleet stuk, maar er kunnen uiteraard ook nog andere zijn.'

'Overgeschreven waarvan? Het is geen Babylonisch, toch, al lijkt het in veel opzichten op spijkerschrift.'

'Dat was ook mijn eerste gedachte. Maar het is geen Babylonisch, of lineair Grieks, en het zijn ook geen hiëroglyfen. En het is ook geen Sanskriet, Hebreeuws, Aramees of Arabisch.'

Maria glimlacht; hij legt haar een puzzeltje voor en ze houdt van puzzels. 'Nou, het is ook geen Chinees of Japans. Ik weet het niet, ik herken het niet, deze figuren... is het een of andere Afrikaanse taal?'

Hij schudt zijn hoofd. 'Ik zou onder de indruk zijn als u het wel herkende. Ik heb dit papier meegenomen naar musea en universiteiten en het laten zien aan allerlei taaldeskundigen en geen van hen had enig idee wat het was.'

'En is er iets wat u het idee geeft dat het meer is dan een... een abstract patroon? Ik bedoel, deze figuren zien er heel kinderlijk uit.'

'Ik ben bang dat dat meer te maken heeft met mijn gebrekkige vakkundigheid om ze te reproduceren. De originelen zijn heel karakteristiek. Zoals u al zei, is dit slechts een gedeelte daarvan. Maar inderdaad, ik denk dat het meer is dan een paar krassen.'

'Krassen?'

'Het origineel is in een stuk bot gekerfd en ingekleurd met zwart pigment, mogelijk een roetmengsel. Het is heel zorgvuldig gedaan. Die figuren staan in een kring langs de rand. Volgens mij zijn het tekens uit een bepaalde taal waarmee een of andere gebeurtenis wordt vastgelegd en dienen de figuren ter illustratie.'

'Werkelijk? Hebt u dat allemaal afgeleid? Waar is het origineel?'

'Wist ik dat maar. Het is me beloofd door de man die het in eigendom had, maar...' Hij haalt zijn schouders op. Maria kijkt hem aandachtig aan.

'Die man... was dat Jammet?'

'Goed zo.'

Ze voelt een golf van voldoening. 'Dan bevindt het zich dus tussen zijn eigendommen?'

'Het is weg.'

'Weg? Gestolen, bedoelt u?'

'Dat weet ik niet. Het is ofwel gestolen, ofwel hij heeft het verkocht of aan iemand anders gegeven. Maar die laatste twee mogelijkheden zijn onwaarschijnlijk, want hij zei dat hij het voor mij zou bewaren.'

'Dus... u zit te wachten of meneer Moody het terugbrengt?'

'Die hoop is misschien tevergeefs, maar ja, inderdaad.'

Maria kijkt weer naar het papier. 'Weet u, het doet me ergens aan denken... althans, die figuren. Maar ik weet niet precies wat. Ik kan het me niet herinneren.'

'Ik zou u dankbaar zijn als u het zou proberen.'

'Alstublieft, meneer Sturrock, verlos me uit mijn lijden. Wat is het?'

'Het spijt me dat ik daar niet toe in staat ben. Ik weet het niet.'

'Maar u hebt wel een idee.'

'Ja. Dit klinkt misschien bizar, maar... ik heb, nou, ik denk dat ik het beste kan zeggen: ik hoop dat het een indianentaal is.'

'Bedoelt u... van Amerikaanse indianen? Maar er bestaan geen geschreven indianentalen, dat weet iedereen.'

'Misschien vroeger wel.'

Maria laat zijn woorden helemaal tot zich doordringen. Hij lijkt het serieus te menen.

'Hoe oud is het origineel?'

'Om dat te kunnen zeggen zou ik het eerst in handen moeten hebben.'

'Weet u waar het vandaan komt?'

'Nee, en daar kunnen we nu moeilijk meer achter komen.'

'Dus...' Ze denkt zorgvuldig over haar woorden na, omdat ze hem niet wil kwetsen. 'U hebt natuurlijk de mogelijkheid overwogen dat het om een vervalsing gaat?'

'Jazeker. Maar vervalsingen worden meestal alleen gemaakt als men daar winst mee kan maken. Waar een markt bestaat voor zulke artefacten. Waarom zou iemand zich zo veel moeite getroosten om iets te maken wat geen waarde heeft?'

'Maar het is de reden dat u hier bent, in Caulfield, toch? U moet er dus wel in geloven.'

'Ik ben niet rijk.' Hij glimlacht, met enige zelfspot. 'Maar er bestaat altijd een mogelijkheid – hoe klein ook – dat het echt is.'

Maria glimlacht opnieuw: ze weet niet wat ze hiervan moet denken. Haar kritische houding is een hindernis die ze heeft opgeworpen om te voorkomen dat men de draak met haar steekt en het is haar gewoonte om de advocaat van de duivel te spelen. Maar ze is bang dat hij op een vals spoor zit.

'Die figuren... ze doen me denken aan indiaanse tekeningen die ik heb gezien. Op kalenders en zo, weet u wel.'

'U bent niet overtuigd.'

'Ik weet het niet. Misschien als ik het origineel zou zien...'

'Dat zou u natuurlijk nodig hebben. U hebt gelijk, daarom ben ik ook hier. Het is iets waarvoor ik me interesseer, het doen en laten en de geschiedenis van de indianen. Vroeger schreef ik artikelen. Ik genoot enige bekendheid, op kleine schaal. Ik geloof...' hij zwijgt even en kijkt uit het raam, 'ik geloof werkelijk dat de indianen als ze een geschreven cultuur hadden gehad anders door ons zouden zijn behandeld.'

'Misschien hebt u gelijk.'

'Ik had een vriend, een indiaanse vriend, die vaak over die mogelijkheid sprak. Ziet u, die theorie is niet geheel onbekend.'

Als Sturrock al teleurgesteld is door haar reactie, dan laat hij dat niet merken. Ze heeft het gevoel dat ze hardvochtig is geweest en strekt haar hand uit naar het papier.

'Mag ik het natekenen? Als u het goed vindt... zou ik het mee kunnen nemen en... een paar dingen uitproberen.'

'Wat voor soort dingen?'

'Schrift is een code, nietwaar? En elke code kan ontcijferd worden.' Ze haalt haar schouders op, alsof ze daarmee elke vorm van deskundigheid op dat gebied ontkent. Sturrock glimlacht en schuift het papier naar haar toe.

'U bent uiteraard meer dan welkom. Ik heb het zelf ook geprobeerd, maar zonder noemenswaard succes.'

Maria betwijfelt ten zeerste of zij van enig nut kan zijn, maar het kan haar tenminste afleiden van de frustraties en zorgen die haar aan alle kanten omringen.

Hij is van middelbare leeftijd en gemiddelde lengte, met opvallende blauwe ogen in een verweerd gezicht en met kortgeknipt haar dat het midden houdt tussen blond en grijs. Afgezien van zijn ogen is zijn uiterlijk onopvallend, maar de algehele indruk die hij wekt is bescheiden, aantrekkelijk, betrouwbaar. Ik kan me hem voorstellen als een dorpsadvocaat of dokter, een of andere overheidsbeambte die zijn intelligentie inzet voor het nut van het algemeen; afgezien misschien van die ogen, die doordringend, vooruitziend, helder maar ook dromerig zijn. De ogen van een profeet. Ik ben verbaasd, zelfs betoverd. Om de een of andere reden had ik een monster verwacht.

'Mevrouw Ross. Het doet me genoegen u te ontmoeten.' Stewart pakt mijn hand en maakt een kleine buiging. Ik knik.

'En u bent vast meneer Moody. Aangenaam u te ontmoeten. Frank heeft me verteld dat u in Georgian Bay werkt. Een prachtig deel van het land.'

'Ja, inderdaad,' zegt Moody, terwijl hij hem glimlachend de hand schudt. 'En het is mij een groot genoegen u te ontmoeten, meneer. Ik heb veel over u gehoord.'

'O, nou...' Stewart schudt grijnzend zijn hoofd en lijkt in verlegenheid gebracht. 'Meneer Parker. Ik geloof dat ik u moet bedanken dat u deze mensen op zo'n moeilijke reis hebt begeleid.'

Een fractie van een seconde aarzelt Parker, maar dan schudt hij de hem toegestoken hand. Voor zover ik kan zien vertoont Stewarts gezicht geen teken van herkenning.

'Meneer Stewart. Ik ben blij u weer te ontmoeten.'

'Weer?' Stewarts blik is verward en enigszins verontschuldigend. 'Het spijt me, ik herinner me niet...'

'William Parker. Clear Lake. Vijftien jaar geleden.'

'Clear Lake? U moet het me vergeven, meneer Parker, mijn geheugen is niet meer wat het geweest is.' Op zijn gezicht staat een vriendelijke glimlach. Parker glimlacht niet.

'Misschien helpt het als u uw linkermouw opstroopt.'

Stewarts gezichtsuitdrukking verandert en heel even kan ik er niets aan aflezen. Dan barst hij in lachen uit en slaat Parker op de schouder.

'Mijn god! Hoe kon ik dat vergeten? William! Ja, natuurlijk. Nou inderdaad, lang geleden, zoals je zegt.' Dan wordt zijn gezicht weer ernstig. 'Het spijt me dat ik jullie na mijn aankomst niet meteen kon begroeten. Er is een tragisch ongeluk gebeurd, dat hebben jullie vast wel gehoord.'

We knikken, zoals kinderen tegen hun schoolhoofd.

'Nepapanees was een van mijn beste mannen. We waren bij een rivier niet ver hier vandaan aan het jagen.' Zijn stem sterft weg, en ik meen, al weet ik het niet zeker, dat ik in zijn ogen tranen zie glinsteren. 'We volgden een paar sporen en... ik kan nog steeds nauwelijks geloven wat er is gebeurd. Nepapanees was een heel bekwame, ervaren pelsjager. Niemand wist méér over de wildernis dan hij. Maar terwijl hij een spoor volgde dat langs de rivier leidde, trapte hij op een stuk zwak ijs en zakte erdoorheen.'

Hij zwijgt en zijn ogen staren naar iets wat zich niet in deze kamer bevindt. Ik zie dat zijn gezicht, dat bij een eerste indruk zo veel vertrouwen inboezemt, gerimpeld en vermoeid is. Hij zou veertig kunnen zijn. Maar ook vijftien jaar ouder. Ik heb geen idee.

'Het ene moment was hij er nog, het volgende was hij verdwenen. Hij zakte door het ijs; ik ben er nog zo ver mogelijk heen gekropen, maar er was geen spoor van hem te bekennen. Ik heb mijn hoofd zelfs onder water gestoken, maar tevergeefs. Ik blijf mezelf afvragen: had ik misschien nog meer kunnen doen?'

Hij schudt zijn hoofd. 'Soms kun je iets duizend keer doen zonder ergens bij stil te staan. Over ijs lopen bijvoorbeeld. Je raakt er vertrouwd mee, hoe dik het is, of de stroom sterk of zwak is. En de volgende keer dat je erop gaat staan, na al die keren dat je wist dat het veilig was, maak je een fout en houdt het ijs je niet.'

Moody schudt meelevend zijn hoofd. Parker houdt Stewart nauwlettend in de gaten en bekijkt hem met de blik die ik ook op zijn gezicht zag toen hij de grond bestudeerde, op zoek naar het spoor. Ik weet niet wat hij tracht te doorgronden: Stewart geeft slechts blijk van spijt en verdriet.

'Was dat zijn vrouw daarginds?' vraag ik.

'Arme Elizabeth. Ja. Ze hebben ook nog vier kinderen; vier kinderen zonder vader. Een vreselijke toestand. Ik zag dat u naar haar toe liep.' Hij praat nu tegen Moody. 'Misschien vond u het harteloos dat we haar alleen lieten, maar dat is de gewoonte bij deze mensen. Ze geloven dat niemand op zo'n moment iets kan zeggen. Ze moeten op hun eigen manier rouwen.'

'Maar ze konden toch wel even tegen haar zeggen dat ze er niet alleen voor stond? En met dit weer...'

'Maar met haar individuele verdriet staat ze in feite toch alleen, nietwaar? Hij had slechts één vrouw en zij slechts één man.' Hij kijkt me met zijn schrikwekkende, blauwe ogen aan en ik kan hier niets tegen inbrengen. 'Het is bijzonder zwaar voor haar dat ik zijn lichaam niet mee terug kon brengen. Weet u, indianen denken dat verdrinken ongeluk brengt. Ze geloven dat de geest dan niet uit het lichaam kan ontsnappen. Zij is in elk geval gedoopt, dus misschien put ze daar wat troost uit. En de kinderen ook. Dat is een zegen.'

Ondanks de bedrukte sfeer staat Stewart erop dat hij ons rond wil leiden. De bezichtiging, die alle bezoekers bij wijze van gunst krijgen aangeboden, straalt iets stijfs en onwerkelijks uit, alsof we de rol spelen van goedkeurend mompelende gasten.

Eerst laat hij ons het hoofdgebouw zien, het driezijdige plein. Een houten gebouw zonder verdiepingen, waar in het midden een gang doorheen loopt met aan weerskanten kamers. Tijdens onze wandeling komt het verschil tussen Hanovers verleden en heden steeds duidelijker naar voren. Er is een hele vleugel ingericht als gastenverblijf, voor minstens een stuk of tien mensen. De kamers die wij hebben gekregen liggen aan de buitenkant, met uitzicht over de rivier en de vlakte. Nu bestaat het uitzicht geheel uit witte en grijze horizontale vlakken, die onmerkbaar in elkaar overgaan en in tweeën worden gedeeld door de viesbruine kleur van de palissade. Maar 's zomers moet het prachtig zijn. Dan is er de eetkamer, die er zonder een lange tafel leeg en verloren uitziet. Vroeger, vertelt Stewart ons, toen Hanover zich in het centrum van het rijke pelsgebied bevond, woonden er hier ongeveer honderd mannen met hun gezinnen en men vierde er de vette winsten met feesten die de hele nacht duurden. Maar dat alles was jaren geleden, lang voor de benoeming van Stewart. De afgelopen twintig jaar heeft het fort met een kleine kern van personeel gewerkt. Dankzij hen heeft de Company zijn kwetsbare houvast op de wildernis kunnen handhaven, meer ter ere van het verleden dan om een logische financiële reden. De lange centrale vleugel is grotendeels leeg; vroeger bevonden zich hier de officiersverblijven, nu wonen er spinnen en muizen. In plaats van een tiental functionarissen van de Company zijn nu alleen Stewart en Nesbit er nog. Het enige andere personeelslid dat in dit gebouw woont is de hoofdtolk, Olivier, een jongen die niet ouder is dan Francis. Stewart roept hem om kennis met ons te komen maken. Als de jongen al bedroefd is, dan verbergt hij dat goed. Het is een schrandere jongeman die het je graag naar de zin lijkt te maken en Stewart vertelt ons trots dat hij vier talen spreekt en het voordeel heeft dat hij is geboren uit een Franstalige en een Engelstalige ouder, ieder van een verschillende indianenstam.

'Olivier gaat het ver schoppen in de Company,' zegt Stewart, en verlegen als hij is straalt Olivier van genoegen. Ik vraag me af of het waar is; hoe ver kan een jongen met een bruine huid opklimmen in een bedrijf dat in handen is van buitenlanders? Maar misschien is hij niet zo slecht af. Hij heeft een baan en een gave, en in Stewart een soort mentor.

Vanuit de derde vleugel, die uit kantoren bestaat, neemt Stewart ons mee naar het pakhuis waar de handelswaar ligt. Ze hebben de meeste pelzen in de loop van de zomer verstuurd, verklaart hij, dus de voorraad is beperkt. Pelsjagers jagen 's zomers, en in het voorjaar komen ze naar de handelspost om hun vangst te verkopen. Donald stelt vragen over uitrustingen en opbrengsten en Stewart geeft geïnteresseerd antwoord, zodat Donald zich gevleid voelt. Ik kijk naar Parker om zijn reactie te peilen, maar hij beantwoordt mijn blik niet. Ik voel me onheus bejegend. Zonder dat de anderen het merken, valt mijn oog ergens op. Ik buk me en raap een stukje papier op. Er staan wat cijfers en letters op geschreven: 66HBPH, gevolgd door een aantal dierennamen. Het doet me eraan denken dat ik het stukje papier nog heb dat Jammet, misschien, zo zorgvuldig had verborgen in zijn hut.

'Wat is dit?' Ik geef het papier aan Stewart.

'Dat is een paklijst. Als we de pelzen inpakken...' hij richt zich alleen tot mij, omdat ik de enige ben die de gang van zaken bij de Company niet kent, 'stoppen we bovenin een lijst met de inhoud, zodat we het merken als we iets verliezen. De code bovenaan verwijst naar de partij, hier uit het afgelopen jaar tot de maand mei; naar de Company natuurlijk, naar het district, namelijk Missinaibi, aangeduid met de letter P, en naar de post: Hanover, H. Van elk pakket vermelden we dus waar het vandaan komt en wanneer.'

Ik knik. Ik herinner me de letters op Jammets papiertje niet meer, maar ik weet nog wel dat het van een paar jaar geleden was, misschien uit de tijd toen hij daar voor het laatst werkte. Als verklaring laat dit veel te wensen over.

Achter het pakhuis liggen de stallen, die afgezien van de honden en een paar gedrongen pony's leeg zijn. En daarachter de zeven of acht houten hutjes waar de pelsjagers met hun gezinnen wonen, en de kapel.

'Normaal gesproken zou ik jullie aan iedereen voorstellen, maar vandaag... Het is een hechte gemeenschap, vooral nu we niet meer met zoveel zijn. Er heerst veel verdriet.' Hij draait zich om, en opnieuw lijkt hij zich meer tot mij dan tot de anderen te richten. 'Maar gaat u gerust de kapel binnen, wanneer u maar wilt. Hij is altijd open.'

'Meneer Stewart, ik weet dat u op dit moment veel aan uw hoofd hebt, maar weet u dat we hier zijn om een bepaalde reden?' Het kan me niet schelen als dit niet het juiste moment is om erover te beginnen, maar ik wil niet dat Moody me voor is.

'Natuurlijk, ja. Frank heeft zoiets gezegd... u bent naar iemand op zoek, klopt dat?'

'Naar mijn zoon. We hebben zijn spoor gevolgd. Het heeft ons hier gebracht... of hier in de buurt, tenminste. Hebt u de laatste tijd geen vreemdelingen gezien? Hij is een jongen van zeventien jaar, zwart haar...'

'Nee, het spijt me ontzettend. We hebben hier niemand ontvangen, totdat jullie kwamen. Ik ben bang dat ik er even niet meer aan heb gedacht, met al deze ellende... Ik zal het aan de anderen vragen. Maar voor zover ik weet is er hier echt niemand geweest.'

Dat is het dus voorlopig. Moody lijkt me dit erg kwalijk te nemen, maar dat is wel het laatste waar ik mee zit.

Stewart laat ons alleen omdat hij wat zaken moet regelen voor de Company, en ik wend me tot Parker en Moody. We zijn achtergebleven in Stewarts zitkamer, waar het door een haardvuur redelijk aangenaam is. Boven de haard hangt een olieverfschilderij, met engelen.

'Gisteravond, vlak nadat we aankwamen, hoorde ik Nesbit een vrouw bedreigen. Hij zei dat ze zou kennismaken met de kracht van zijn hand als ze zich niet stilhield 'over hem'. Dat zei hij: 'over hem'. Zij gaf hem weerwoord: ze weigerde volgens mij. En toen zei hij dat er iets met haar zou gebeuren als 'hij' terugkwam. Die 'hij' moet Stewart geweest zijn.'

'Wie was dat dan?' vraagt Moody.

'Dat weet ik niet. Ik heb haar niet gezien en zij praatte zachter dan hij.'

Ik aarzel of ik Moody moet vertellen over Nesbit en Norah. Door wat ik heb gezien heb ik het idee dat zij het was; ze lijkt me wel een type om weerwoord te geven. Maar dan gaat de deur open en komt de jonge tolk, Olivier, binnen; hij lijkt gestuurd te zijn om ons te onderhouden.

Maar ik heb het gevoel dat iemand ons via hem in de gaten wil houden.

Ze had eens gehoord over een vrouw die in de problemen zat omdat haar echtgenoot haar dreigde te vermoorden. De vrouw was naar de dichtstbijzijnde post van de Company gelopen, was voor de poort gaan staan en had haar bezittingen voor zich op een hoop gelegd. Die stak ze het eerst in brand. Daarna hield ze de lucifer bij een tas die om haar hals hing. Hij zat vol met buskruit en ontplofte, zodat ze blind werd en haar gezicht en borst verbrandde. Omdat ze op onverklaarbare wijze nog in leven was, pakte ze een touw en probeerde zich op te hangen aan de tak van een boom. Toen ze dat ook overleefde, pakte ze een lange naald en stak die in haar rechteroor. Zelfs toen de naald helemaal in haar hoofd zat ging ze niet dood. Het was haar tijd nog niet en haar geest wilde haar niet laten gaan. Dus gaf ze het op en ze vertrok om elders een nieuw leven op te bouwen, waar ze helemaal opbloeide. Ze heette Vogel-die-vliegt-in-de-zon.

Vreemd dat ze zich dat verhaal zo gedetailleerd herinnert. De naam van de vrouw, het rechteroor. Misschien is die naam haar bijgebleven omdat hij een beetje op die van haarzelf lijkt: Bird. Verder weet ze niets van die vrouw, maar ook zij weet wat het is om te willen sterven. Als haar kinderen er niet waren, zou ze waarschijnlijk proberen om zich op te hangen. Alec zou zich wel redden: dertien jaar, slim en al aan het werk, als tolk in de leer bij Olivier. Josiah en William zijn weliswaar jonger, maar hebben minder last van fantasie, die hen zou kunnen beangstigen en verwarren. Amy is daarentegen nog maar klein en meisjes hebben in deze wereld meer steun nodig; daarom moet zij hier op zijn minst nog een poosje blijven, tot het haar tijd is. Maar zonder haar echtgenoot aan haar zijde zal het altijd winter zijn.

Zonder zich ervan bewust te zijn dat ze uit het raam kijkt, ziet ze hoe de bezoekers komen aanlopen, een paar meter voor haar huis blijven staan en dan haar kant op kijken. Ze voelt dat ze over haar praten. Hij praat natuurlijk over haar man, vertelt hoe hij is gestorven. Ze vertrouwt hem niet meer: als hij met je praat, dwingt hij je om geheimen te bewaren. Hij dwong ook haar man om geheimen te bewaren en dat vond hij niet prettig, ook al schudde hij ze van zich af. Als hij terugkwam van hun jachtpartijen liet hij ze achter bij de voordeur.

Die ochtend verwachtte ze hem terug zodra ze wakker werd en toen Amy vroeg of papa vandaag terug zou komen, zei ze ja. Ze liep naar de westelijke poort en ze glimlachte stilletjes toen ze in de verte de honden hoorde blaffen. Ze had zo'n scherp gehoor dat ze meende dat ze de ribben van de slee over de sneeuw kon horen glijden. Als hij terugkeerde van een reis moest ze nog steeds glimlachen, ook al waren ze al zo lang getrouwd. Ze hoorde de honden en liep naar het heuveltje vanwaar je over de schutting kon kijken. En ze zag slechts één man bij de slee. Ze bleef staan kijken tot hij bij de palissade kwam en liep toen naar de binnenplaats om te horen wat hij te zeggen had, ook al wist ze het al. Anderen, William en George en Kenowas en Mary, hadden gezien dat hij alleen was en kwamen horen wat er aan de hand was, maar hij had haar rechtstreeks aangesproken; zijn blauwe ogen hield hij strak op haar gericht alsof hij haar betoverde, zodat ze niets kon zeggen. Verder herinnerde ze zich er niets meer van, tot het moment waarop de bezoeker, de moonias met de steekwond en de zere voeten, naar buiten kwam en met haar probeerde te praten. Maar zijn stem klonk als bijengezoem en ze kon hem niet verstaan. Even later bracht hij een kop koffie en zette die naast haar in de sneeuw. Ze kon zich niet herinneren dat ze daarom gevraagd had, maar misschien was dat wel zo. Het rook lekker, beter dan alle koffie die ze ooit had gedronken, en ze zag hoe kleine sneeuwvlokjes landden op het olieachtige, zwarte oppervlak en daarna verdwenen. Ze landden en smolten, zodat ze voor altijd weg waren. En daarna kon ze alleen nog maar denken aan het gezicht van haar man die met haar probeerde te praten, maar ze kon hem niet verstaan omdat hij gevangen zat onder een dikke laag rivierijs en bezig was te verdrinken.

Ze pakte de kop koffie en goot hem leeg over de binnenkant van haar onderarm. Dat was heet, maar niet heet genoeg. De huid werd roze, dat was alles, en haar arm rookte als vlees in de koude lucht.

Ze brachten haar terug naar het huis en Mary bleef bij haar, stookte het vuur op en bracht eten voor de kinderen. Ze is er nog steeds, alsof ze bang is dat Elizabeth zich in het vuur zal werpen als ze haar alleen laat. Alec kwam en sloeg zijn armen om haar heen, en hij zei tegen haar dat ze niet moest huilen, ook al huilde ze niet. Haar ogen zijn zo droog als een stuk hout. Amy huilt ook niet, maar dat is omdat ze te jong is om het te begrijpen. De andere jongens huilen tot ze uitgeput in slaap vallen. Mary komt bij haar zitten en zegt niets: ze weet wel beter. Een keer kwam George binnen en hij zei dat hij zou bidden voor de ziel van haar man; George is een christen en erg vroom. Mary joeg hem weg: zij en Elizabeth zijn christenen, maar Nepapanees was dat niet. Hij was Chippewa, zonder een druppel blank bloed in zijn aderen. Hij was een paar maal naar de kerk geweest en had daar naar een priester geluisterd, maar hij zei dat het niets voor hem was. Elizabeth knikte naar George, want ze was ervan overtuigd dat hij wilde helpen. En misschien helpt het ook wel: wie weet of Onze Hemelse Vader kan bemiddelen voor het lot van haar man? Misschien bestaat er een wederzijds akkoord.

'Mary,' zegt Elizabeth nu, met een stem die krast als een sleutel in een roestig slot. 'Vertel me eens of het sneeuwt.'

Mary kijkt op. Amy ligt te slapen op haar schoot, en heel even verbeeldt Elizabeth zich dat Mary de moeder is en Amy een kind dat zij niet kent.

'Nee, het is een uur geleden gestopt. Maar nu wordt het donker. Morgen moet het gebeuren.'

Elizabeth knikt. Het sneeuwen is maar om één reden gestopt en ze weet wat ze morgenochtend gaat doen. Ze zou het al eerder hebben gedaan als er geen sneeuw was geweest, die viel zodat zij een poosje konden nadenken en niet onbezonnen te werk zouden gaan. Morgenochtend gaan zij terug naar de rivier om hem te zoeken en terug te brengen.

Amy wordt wakker en kijkt naar haar moeder. Ze is van haar, tenslotte, met haar grijsbruine ogen en bleke huid. Ze hadden nog een meisje gewild. Nepapanees zei voor de grap dat hij een meisje wilde dat op hém leek, in plaats van op haar.

Nu komt er geen meisje meer. Als het waar is wat Nepapanees geloofde, zal ze moeten wachten tot haar geest op een andere plaats en op een ander moment wordt herboren.

Het probleem is dat ze nergens meer in gelooft.

Na het avondeten trekt Donald zich terug om Susannah te schrijven. Onder het eten is er nog meer sneeuw gevallen. Als Stewart gelijk heeft, is dit een storm die dagen kan duren, en voordat hij voorbij is kunnen ze onmogelijk verder reizen. Maar Donald heeft meerdere redenen om daar dankbaar voor te zijn. Hij is onrustbarend moe. Ondanks de mocassins doen zijn voeten vreselijk pijn, en de wond aan zijn buik is rood en vochtig. In de eetkamer bleef hij even wachten totdat hij Stewart alleen kon spreken en hij zei toen zachtjes dat hij misschien wat medische zorg nodig had. Stewart knikte naar hem en beloofde dat hij iemand zou sturen met enige kennis van zaken. Daarna, tamelijk onverwacht, had hij geknipoogd.

Hoe dan ook, terwijl hij aan de wankele tafel zit waarom hij had gevraagd, met zijn pak papier en wat ontdooide inkt, voelt hij zich zo slecht nog niet. Voordat hij begint, probeert hij zich Susannahs ovale gezicht voor te stellen, maar ook ditmaal valt dat niet mee. Opnieuw verschijnt Maria's gezicht hem volkomen helder voor de geest en hij bedenkt dat het interessant zou zijn om haar te schrijven en de problemen van hun situatie aan haar voor te leggen, iets wat haar zuster vast en zeker zou vervelen. Om maar niet te spreken van die verontrustende kwestie met de weduwe. Om de een of andere reden zou hij graag willen weten wat Maria over dit alles te zeggen zou hebben. Morgen, of de dag daarna, het heeft niet echt haast, moet hij zich daar maar eens goed over informeren. Maar voorlopig kan hij zijn plichten uit zijn hoofd zetten.

'Beste Susannah,' schrijft hij, behoorlijk zelfverzekerd. Maar daarna valt hij stil. Waarom zou hij niet naar beide zusters schrijven? Tenslotte kent hij ze allebei. Hij tikt een paar keer met de pen op tafel, pakt een nieuw vel papier en schrijft: 'Beste Maria.'

Na ongeveer een uur wordt er zachtjes op de deur geklopt. 'Kom binnen,' zegt hij, terwijl hij doorgaat met schrijven.

De deur gaat open en geruisloos sluipt er een jong indiaans meisje naar binnen. Ze hadden hem al eerder op haar gewezen: ze heet Nancy Eagles en ze is de vrouw van de jongste pelsjager. Ze kan niet ouder dan twintig zijn en ze heeft een beeldschoon gezicht en een stem die zo zacht is dat hij zijn best moet doen om haar te verstaan.

'O, Nancy, nietwaar? Dank u...' zegt hij, verbaasd en verheugd.

'Meneer Stewart zegt dat u gewond bent.' Haar stem is zacht en toonloos, alsof ze tegen zichzelf spreekt. Ze houdt een kom water en wat repen stof omhoog; ze is ongetwijfeld gekomen om hem te verzorgen. Zonder verder nog iets te zeggen gebaart ze dat hij zijn overhemd uit moet trekken en ze zet de kom op de grond. Donald legt wat vloeipapier op de brief en knoopt zijn overhemd los, zich plotseling bewust van zijn magere, witte bovenlijf.

'Het is niets ernstigs, maar... hier, ziet u, heb ik twee, drie maanden geleden een wond opgelopen die niet goed is genezen.' Hij trekt het verband eraf, dat roze en vochtig is door de wondvloeistof.

Nancy steekt een hand uit en duwt zachtjes tegen zijn borst, zodat hij op het bed komt te zitten. 'Dat moet een mes geweest zijn.' Ze zegt het op vlakke toon, niet als een vraag.

'Ja. Maar het was een ongeluk...' Donald lacht en begint haar lang en breedvoerig te vertellen over de voetbalwedstrijd.

Nancy knielt voor hem neer, zonder erin geïnteresseerd te zijn hoe de wond is ontstaan. Als ze met een spons de wond schoonmaakt, haalt hij diep adem, houdt op met praten en slikt zijn uitleg over een tackle in. Nancy buigt zich voorover en ruikt aan de wond. Donald voelt zijn wangen gloeien en houdt zijn adem in, want plotseling is hij zich ervan bewust dat haar hoofd bijna op zijn schoot ligt. Haar haar is blauwzwart, fijn en zacht als zijde, en niet grof, zoals hij veronderstelde. Haar lichte, zachtbruine huid heeft bovendien een zijdeachtige glans; het is een zacht, innemend meisje, lenig en ongekunsteld. Hij vraagt zich af of ze zich bewust is van haar schoonheid. Hij stelt zich voor dat haar echtgenoot Peter – een lange, stevig gebouwde pelsjager – op dit moment binnen zou komen en hij verbleekt bij die gedachte. Nancy lijkt niet van haar stuk gebracht. Ze maakt een schoon verband klaar, brengt wat geurige kruidenpasta aan en gebaart vervolgens dat hij zijn armen omhoog moet steken. Ze bindt het verband zo strak vast dat Donald bang is dat hij 's nachts zal stikken.

'Dank u. Dat is heel aardig van u...' Hij vraagt zich af of hij haar iets kan geven en gaat in gedachten na wat hij allemaal heeft meegenomen. Hij kan niets geschikts bedenken.

Nancy toont hem een zweem van een glimlach en haar mooie zwarte ogen kijken voor het eerst in de zijne. Hij ziet dat haar wenkbrauwen de elegante welving hebben van een meeuwenvleugel, en vervolgens, volledig tot zijn verrassing, pakt ze zijn hand en drukt die tegen haar borst. Voordat hij iets kan zeggen of zijn hand kan wegtrekken, drukt ze zijn lippen op de zijne en grijpt met haar andere hand het niet onverschillige orgaan tussen zijn benen. Hortend stoot hij een geluid uit – hij weet niet precies wat – en na een kort ogenblik waarin zijn zintuigen zo worden overladen dat hij niet meer weet wat er gebeurt, duwt hij haar resoluut van zich af. (Zeg eens eerlijk, Moody: hoe lang duurde dat ogenblik? Lang genoeg.)

'Nee! Het... het spijt me. Dat niet. Nee.'

Zijn hart bonst en het geluid van zijn hartslag beukt als golven tegen zijn trommelvliezen. Nancy kijkt hem aan: haar amandelkleurige lippen zijn gespreid. Daarvóór was het nooit bij hem opgekomen dat indiaanse vrouwen net zo mooi zouden kunnen zijn als blanke, maar op dit moment kan hij zich niets mooiers voorstellen dan het meisje dat voor hem staat. Donald doet zijn ogen dicht om haar niet te hoeven zien. Haar vingers liggen nog op zijn armen, die hij een eindje van zich af houdt; alsof ze danspartners zijn, die midden in een pas zijn versteend.

'Ik kan het niet. Je bent mooi, maar... nee, ik kan het niet.'

Ze kijkt even omlaag naar zijn broek, die het niet met hem eens lijkt te zijn.

'Je man...'

Ze haalt haar schouders op. 'Maakt niet uit.'

'Mij maakt het wel uit. Het spijt me.'

Hij slaagt erin zich af te wenden en verwacht min of meer dat er nog een aanval zal komen. Maar er gebeurt niets. Als hij omkijkt, pakt ze juist de kom met vies water op, plus de lappen en het gebruikte verband.

'Dank je, Nancy. Wees alsjeblieft niet... beledigd.'

Nancy kijkt hem vlug even aan, maar zegt niets. Donald zucht en ze sluipt net zo stilletjes weer naar buiten als ze is binnengekomen. Vloekend kijkt hij naar de gesloten deur. Hij vervloekt zichzelf en haar en dit hele vervallen, godverlaten oord. De brief op tafel is een verwijt. De koele, goedgeconstrueerde zinnen, de humoristische uitweidingen... waarom schrijft hij Maria eigenlijk? Hij pakt de brief en verfrommelt hem tot een prop, maar krijgt daar ogenblikkelijk spijt van. Dan pakt hij zijn reserveoverhemd en smijt dat op de grond, gewoon omdat hij iets op de grond wil gooien (maar wel iets wat niet kan breken). De vloer is smerig. Waarom is hij zo boos, als hij gedaan heeft wat juist is? (Omdat het hem spijt, misschien? Omdat hij een slappe, sentimentele lafaard is, die iets wat hij graag wil niet durft te pakken als het hem worden aangeboden?)

Verdomme, verdomme, verdomme.

Vlak nadat Moody zich heeft verontschuldigd en van tafel is gegaan, staat Parker ook op en vraagt toestemming om zich terug te trekken. Als hij weg is vraag ik me af of ze samen iets van plan zijn, maar Moody ziet er zo uitgeput uit dat het best mogelijk is dat hij al is gaan slapen. Bij Parker ben ik daar niet zo zeker van. Ik hoop dat hij bezig is met het trekken van mysterieuze, wonderbaarlijke conclusies, waar ik op dit moment slechts naar kan raden. Stewart stelt voor dat Nesbit me meeneemt naar de zitkamer om iets te drinken. Hij zegt dat hij over een paar minuten bij ons komt, maar op zo'n manier dat ik me ogenblikkelijk afvraag wat hij in zijn schild voert. Het lijkt heel mooi om zo'n achterdochtig karakter te hebben, maar ik kan niet zeggen dat het tot nog toe tot nuttige ontdekkingen heeft geleid.

Nesbit schenkt twee glazen malt whisky in en geeft er een aan mij. We klinken. Hij is vanavond gespannen en prikkelbaar; zijn ogen branden en hij friemelt voortdurend met zijn handen of trommelt ermee op tafel. Hij heeft bijna niets gegeten. Daarna, voor de koffie, verontschuldigde hij zich. Stewart gaf een of andere gepaste reactie, maar zijn ogen hadden een harde blik. Hij weet het, dacht ik. Norah heeft ons de hele maaltijd bediend en hoewel ik haar goed in de gaten heb gehouden, heb ik bij haar niet diezelfde spanning bespeurd. Nu Stewart hier is, is ze veel volgzamer en vertoont ze niet meer de stuursheid van de eerste avond. Toen Nesbit tien tot vijftien minuten later terugkwam, was zijn houding veranderd: zijn bewegingen waren futloos, zijn ogen slaperig. Parker en Moody lieten niet merken dat ze iets vreemds aan hem zagen.

Ik loop naar het raam en trek de gordijnen open. Het sneeuwt niet, maar er ligt wel een laag van een paar centimeter.

'Denkt u dat we nog meer sneeuw krijgen, meneer Nesbit?'

'Ik wil niet beweren dat ik het weer hier begrijp, maar het lijkt wel waarschijnlijk, vindt u niet?'

'Ik vroeg me alleen af wanneer we weer zouden kunnen vertrekken. Als we verder moeten zoeken...'

'Ah, natuurlijk. Het is niet de beste tijd van het jaar daarvoor.' Hij schijnt zich niet te bekommeren om het lot van mijn zeventienjarige zoon, die zich in zijn eentje in de wildernis bevindt. Of misschien is hij sluwer dan ik had gedacht.

'Afschuwelijke plaats. Ideaal voor gevangenen, vind ik altijd. Ze kunnen ze beter hierheen sturen dan naar Tasmanië, want voor zover ik weet is het daar een gezellige boel. Zoiets als het Lake District.'

'Maar dit is niet zo geïsoleerd. En ook niet zo ver van huis.'

'Het voelt behoorlijk geïsoleerd. Weet u, een paar jaar geleden heeft een groepje werknemers – buitenlanders, volgens mij – geprobeerd te ontsnappen vanuit Moose Factory. In januari! Natuurlijk heeft niemand ze ooit weer gezien. Ergens op een afgelegen plek zijn ze doodgevroren, die arme kerels.' Hij lacht zachtjes, verbitterd. 'Let u alstublieft niet op mijn taalgebruik, mevrouw Ross. Het is zo lang geleden dat ik in het gezelschap van een dame heb verkeerd dat ik ben vergeten hoe ik me dan moet uitdrukken.'

Ik mompel iets in de zin van dat ik wel ergere dingen heb gehoord.

Hij kijkt me peinzend aan, op een manier die me niet bevalt. Hij is niet dronken vanavond, maar zijn pupillen zijn erg klein, zelfs in het schemerige licht. Zijn handen zijn nu rustig en ontspannen: gekalmeerd. Ik heb jou wel door, denk ik. Ik weet hoe het voelt.

'Verdwenen, zegt u? Wat vreselijk.'

'Ja. Trek het u niet te veel aan; zoals ik al zei, waren het buitenlanders. Moffen of zo.'

'Houdt u niet van buitenlanders?'

'Niet speciaal. Geef mij maar een Schot.'

'Zoals meneer Stewart?'

'Precies. Zoals meneer Stewart.'

Ik drink mijn glas leeg. Zo drink ik mezelf moed in, maar het is beter dan niets.

Als Stewart binnenkomt gloeit mijn gezicht van de whisky, maar mijn hoofd is nog helder. Nesbit schenkt een glas in voor Stewart en een paar minuten lang zitten we ontspannen te praten. Dan richt Stewart zich tot mij.

'Ik zat net te denken aan die meneer Parker van u. Weet u, ik kan nauwelijks geloven dat ik me die naam niet meteen herinnerde, maar het is ook al zo lang geleden. Vertelt u me eens, hoe hebt u elkaar ontmoet?'

'We hebben elkaar pas onlangs leren kennen. Hij was in Caulfield, en toen we een gids nodig hadden raadde iemand hem aan.'

'U kent hem dus niet goed?'

'Niet bijzonder goed, nee. Hoezo?'

Stewart glimlacht als iemand die belangrijk nieuws te vertellen heeft. 'O... Hij is, althans dat was hij, een tamelijk kleurrijke figuur. Er hebben zich bij Clear Lake bepaalde incidenten voorgedaan... Laten we zeggen dat sommige pelsjagers nogal onbesuisd zijn, en hij... was ook zo iemand.'

'Wat fascinerend! Vertelt u alstublieft verder.' Ik glimlach, alsof het alleen maar wat roddels zijn.

'Zo fascinerend is het niet. Het waren een paar vervelende incidenten. William was in zijn jeugd een echte vechtjas. Midden in de winter – ik heb het nu over meer dan vijftien jaar geleden – zijn we een keer samen op reis gegaan. Er waren ook andere mannen bij, maar... het was een zware reis en er braken ruzies uit. Over of we verder moesten gaan of om moesten keren, dat soort dingen. Het voedsel was bijna op en zo. Hoe het ook zij, we gingen op de vuist.'

'Op de vuist! Lieve hemel!' Ik leun naar voren in mijn stoel en glimlach aanmoedigend.

'Misschien herinnert u zich nog wat hij laatst zei, en inderdaad, hij heeft me een aandenken meegegeven.' Stewart rolt zijn linkermouw op. Over zijn onderarm loopt een lang, wit litteken van een halve centimeter breed.

Ik ben geschokt en laat dat duidelijk merken.

'Als je sommige van die halfbloeden een halve fles rum geeft, veranderen ze in een derwisj. We hadden onenigheid en hij ging me te lijf met een mes. Het was ook nog eens in een heel verlaten gebied; bepaald geen lolletje, kan ik u vertellen.'

Hij rolt de mouw weer naar beneden. Op dat moment weet ik even niets te zeggen.

'Het spijt me, misschien had ik het u niet moeten laten zien. Sommige dames vinden littekens beangstigend.'

'O nee...' Ik schud mijn hoofd. Nesbit vult mijn glas bij. Ik ben niet verontrust door het litteken, maar door het laatste beeld van Jammet, dat opflakkert in mijn herinnering. En door de eerste aanblik van Parker, de monsterlijke verschijning die de hut doorzocht: een woeste, angstaanjagende figuur.

'Het is niet de aanblik van jouw litteken,' zegt Nesbit vrolijk, 'maar meer de gedachte dat haar gids zo handig is met een mes!'

'Daar was de afgelopen weken anders weinig van te merken. Hij is een voorbeeldige gids. Misschien, zoals u al zegt, was dat geweld een gevolg van de rum. Hij drinkt nu niet meer.'

Stewart liegt misschien wel, zeg ik tegen mezelf. Ik kijk hem in de ogen en probeer zijn ziel te doorgronden. Maar hij lijkt alleen maar vriendelijk en oprecht, hoogstens een beetje weemoedig, nu hij terugdenkt aan vroeger.

'Het is fijn om te horen dat sommige mannen van hun fouten leren, vind je niet Frank?'

'Inderdaad,' mompel ik. 'Waren er maar meer die dat deden.'

Later, op mijn kamer, hou ik mijn kleren aan en ik ga op een stoel zitten om te voorkomen dat ik in slaap val. Ik zou niets liever doen dan gaan liggen en me overgeven aan de vergetelheid. Maar dat kan ik niet en ik weet ook niet zeker of die vergetelheid mij wel wil hebben; er zit me iets dwars, zou je kunnen zeggen. Ik wil Parker ondervragen over Stewart, over hun verleden, maar ik aarzel of ik hem wakker moet maken. Ik aarzel, of ik ben bang. Ik ben erg geschrokken van het beeld dat me zo pas te binnen schoot. Ik was vergeten dat de rillingen me destijds over de rug liepen toen ik Parker voor het eerst ontmoette; hoe wreed en anders hij er toen uitzag. Dat was ik natuurlijk niet vergeten, maar wel wat voor effect dat toen op me had. Vreemd hoe zoiets kan gebeuren als je iemand leert kennen.

Maar eigenlijk ken ik hem niet. Het pleit voor hem dat hij niet probeerde te verbergen dat ze elkaar al eerder hadden gezien, maar misschien liep hij daarmee slechts vooruit op het onontkoombare en probeerde hij me zo te misleiden.

Mijn ogen zijn al lang aan het donker gewend en de sneeuw geeft zijn doffe, diffuse licht af: voldoende om me de weg te wijzen als ik weer de gang op loop. Ik klop heel zacht op zijn deur, ga naar binnen en trek de deur achter me dicht. Ik vind dat ik heel stil ben geweest, maar met een schreeuw zit hij plotseling rechtop in bed.

'Mijn god... Nee! Ga weg!' Het klinkt doodsbang en boos.

'Meneer Moody, ik ben het, mevrouw Ross.'

'Wat? Wel verdorie!' Hij friemelt wat met lucifers en steekt de kaars bij zijn bed aan. Als zijn gezicht oplicht vanuit de duisternis, heeft hij zijn bril al op en puilen zijn ogen uit hun kassen.

'Het spijt me, ik wilde u niet aan het schrikken maken.'

'Waarom komt u in godsnaam midden in de nacht hier?'

Ik had wel verwacht dat hij verbaasd en geïrriteerd zou zijn, maar niet witheet van woede. 'Ik moest met iemand praten. Alstublieft... het duurt niet lang.'

'Ik dacht dat u al met Parker had gepraat.'

Er is iets in zijn toon, maar ik weet niet goed wat het is. Ik zit op de enige stoel, zodat een paar van zijn kleren worden platgedrukt.

'Ik weet niet waar ik aan toe ben, en daar moeten we over praten.'

'Kan dat niet tot morgenochtend wachten?'

'Ze willen niet dat we hier met z'n allen alleen zijn. Hebt u dat niet gemerkt?'

'Nee.'

'Nou... ik was u net aan het vertellen wat ik Nesbit had horen zeggen, toen Olivier binnenkwam, zodat we er niet meer over konden praten.'

'Dus?' Zijn stem klinkt nog scherp van woede, maar hij is minder angstig dan toen ik binnenkwam. Alsof hij bang was dat ik iemand anders zou zijn.

'Is dat niet een aanwijzing dat er hier dingen gebeuren die wij niet mogen weten? En aangezien wij een moordenaar op het spoor zijn, zouden die dingen met elkaar verband kunnen houden.'

Misnoegd kijkt hij me aan. Maar hij smijt me er niet uit. 'Stewart zei dat er de laatste tijd geen vreemden naar het fort waren gekomen.'

'Misschien was het geen vreemde.'

'Bedoelt u dat het iemand is die hier woont?' Het klinkt alsof hij geschokt is dat ik de oprechtheid van een lid van de Company in twijfel durf te trekken.

'Het zou kunnen. Een bekende van Nesbit. Misschien weet Stewart er niets van.'

Moody staart naar de hoek van de kamer, achter mijn linkeroor. 'Volgens mij hadden we veel beter open kaart kunnen spelen. We hadden eerlijk moeten zeggen waarom we hier zijn, maar in plaats daarvan hebt u dat absurde verhaal verteld.'

'Maar er is al iemand die ons verdenkt. Volgens mij zijn ze alleen al op hun hoede doordat we ze hebben verteld dat we een spoor volgen. Nesbit heeft een vrouw – Norah, volgens mij – bedreigd, omdat ze niet mocht praten over een bepaald persoon. Waarom zou hij dat doen?'

'Daar kunnen allerlei redenen voor zijn. Ik dacht dat u geen idee had wie het was.'

'Ik heb haar weliswaar niet gezien, maar Norah... Norah en Nesbit hebben een... verhouding.'

'Wat? Die vrouwelijke bediende?' Moody kijkt geschokt. Maar meer omdat het de plompe, onaantrekkelijke Norah betreft dan omdat Nesbit daarmee iets onfatsoenlijks zou doen. Zulke dingen gebeuren voortdurend. Hij knijpt zijn lippen op elkaar: misschien overweegt hij of hij een rapport zal indienen.

'Hoe weet u dat?'

'Ik heb ze gezien.' Ik zeg maar niet dat ik ze heb gezien toen ik 's nachts door het fort sloop, en gelukkig gaat hij er niet op door.

'Nou... ze is weduwe.' ·

'O ja?'

'Van een van de pelsjagers hier. Een trieste zaak.'

'Dat wist ik niet.' Ik bedenk dat werken voor de Company een gevaarlijk beroep is. 'Wat ik wilde zeggen, is dat we ons licht eens moeten gaan opsteken hier en daar... zonder dat zij het merken.'

Terwijl ik dat zeg, vraag ik me af hoe we dat in vredesnaam moeten doen. Moody lijkt weinig onder de indruk. Ik moet toegeven dat het geen briljant plan is, maar ik kan niets beters bedenken.

'Nou, als er verder niets is...' Hij werpt een veelzeggende blik op de deur. Ik denk aan Stewarts arm en overweeg of ik dat verhaal ook aan Moody moet vertellen, maar hij vertrouwt Parker toch al niet, en dan kan hij wel eens gaan vragen hoe Parker in Dove River terecht is gekomen. Vragen die ik op dit moment liever niet wil beantwoorden. 'Ik moet echt wat gaan slapen. Als u dat niet erg vindt.'

'Natuurlijk. Dank u.' Ik sta op. Ineengedoken onder het beddengoed lijkt hij op de een of andere manier kleiner. Jonger en kwetsbaarder. 'U ziet er uitgeput uit. Hebt u iemand om uw blaren te verzorgen? Er is hier vast wel iemand met medische kennis...'

Moody grijpt de deken vast en trekt hem tot over zijn kin, alsof ik met een bijl op hem afkom. 'Ja. Gaat u alstublieft gewoon weg! In godsnaam, ik heb alleen behoefte aan slaap...'

Maar de volgende dag moeten we onze plannen om met het personeel te praten op de lange baan schuiven, omdat als wij opstaan de meesten van hen al vertrokken zijn. George Cummings, Peter Eagles, William Black-feather en Kenowas – met andere woorden, alle volwassen, niet-blanke mannen die wonen en werken in Hanover House, behalve Olivier – zijn op zoek gegaan naar het lichaam van Nepapanees. Voor het ochtendgloren zijn ze in alle stilte vertrokken, te voet. Zelfs de man die we die eerste middag zagen, de verstokte dronkaard Arnaud (die de nachtwaker blijkt te zijn), zelfs hij is door het verdriet ontnuchterd en heeft zich bij de zoektocht aangesloten.

De weduwe en haar dertienjarige zoon zijn met hen mee.

Een week nadat Francis Susannahs avances had afgewezen, ging hij naar Jammets hut om iets te halen voor zijn vader. Hij dacht nog steeds aan Susannah Knox, maar de school was nu gesloten vanwege de zomervakantie en de dag op het strand leek een vage, onbestendige herinnering. Hij was niet naar de picknick gegaan en had ook geen bericht gestuurd. Hij wist niet wat hij moest zeggen. Als hij zich soms al afvroeg waarom hij versmaadde waar hij zo lang over had gedroomd, dan deed hij dat niet vaak en zonder enig zelfverwijt. Hij had haar zo lang als een onbereikbaar ideaal beschouwd dat hij haar niet meer als iets anders kon zien.

Het was laat in de middag en Laurent was binnen thee aan het zetten toen Francis floot bij de voordeur.

'Salut François,' riep hij, en Francis duwde de deur open. 'Wil je ook wat?'

Francis knikte. De hut van de Fransman, een grote chaos en totaal anders dan zijn ouderlijk huis, sprak hem wel aan. De dingen hingen aan elkaar met touwtjes en spijkers; de theepot had geen deksel, maar was er nog steeds omdat hij nog aan zijn functie, het bevatten van thee, voldeed; zijn kleren bewaarde Laurent in theekisten. Toen Francis hem vroeg waarom hij geen ladekast bouwde, waar hij toch prima toe in staat was, antwoordde hij dat die houten kisten goed genoeg waren.

Ze namen plaats op twee stoelen vlak voor de deur, die Laurent vastzette, en Francis rook aan zijn adem dat hij brandewijn had gedronken. Soms dronk hij overdag, al had Francis nooit gemerkt dat hij onder invloed was. De hut lag met de voorgevel naar het westen en de lage zon scheen hen beiden in het gezicht, zodat Francis gedwongen was zijn ogen te sluiten en zijn hoofd achterover te buigen. Toen hij weer naar Laurent keek, zag hij dat de oudere man naar hem zat te kijken, waarbij de zon diep in zijn ogen gouden lichtjes ontstak.

'Quelle visage,' mompelde hij, alsof hij in zichzelf praatte. Francis vroeg hem niet wat dat betekende, omdat hij dacht dat het niet voor hem was bedoeld.

Er hing een schitterende stilte in de lucht: het hardste geluid was nog dat van de krekels. Laurent pakte de fles brandewijn en ongevraagd goot hij er een scheutje van in Francis' thee. Francis dronk het op en voelde zich aangenaam zorgeloos. Als zijn ouders erachter kwamen, zouden ze tegen hem tekeergaan en dat zei hij ook.

'Nou ja, we kunnen het onze ouders niet ons hele leven naar de zin maken.'

'Ik maak het hun volgens mij nooit naar de zin.'

'Je wordt volwassen. Binnenkort ga je weg, toch? Trouwen, je eigen plekje krijgen enzovoort.'

'Ik weet het niet.' Dat alles leek onwaarschijnlijk en duizelingwekkend ver verwijderd van krekels en brandewijn en de lage, flikkerende zon.

'Heb je een vriendinnetje? Dat donkere meisje, is zij je vriendin?'

'O... Ida? Nee, we zijn gewoon bevriend; we wandelen soms samen van school naar huis.' Mijn god! Dacht iedereen in de buurt dat Ida zijn vriendin was? 'Nee, ik...'

Om de een of andere reden merkte hij dat hij er met Laurent over wilde praten. 'Er was een meisje dat ik leuk vond. Iedereen vindt haar leuk trouwens, ze is heel knap en ook heel aardig... Aan het eind van het jaar nodigde ze me uit voor een picknick. Ze had daarvoor nooit echt iets tegen me gezegd... en ik voelde me gevleid. Maar ik ben niet gegaan.'

Daarna viel er een heel lange stilte. Francis voelde zich niet op zijn gemak en begon het gevoel te krijgen dat hij er beter niet over had kunnen beginnen.

'Ik weet niet wat er met me aan de hand is!' Hij probeerde het af te doen met een grapje, maar dat lukte niet zo best. Laurent stak een hand uit en klopte hem op zijn been.

'Er is niets mis met jou, mon ami. Mijn god, helemaal niets.'

Toen keek Francis naar Laurent. De Fransman keek heel ernstig, bijna verdrietig. Lag dat aan hem? Maakte hij mensen verdrietig? Misschien was dat het. Ida leek de laatste tijd ook altijd zo treurig als ze bij hem in de buurt was. En zijn ouders... die waren ongelofelijk somber. Francis probeerde te glimlachen om hem op te vrolijken. En toen veranderde alles. Alles ging heel langzaam, of was het nu juist snel? Hij besefte dat Laurents hand nog steeds op zijn been lag, alleen klopte hij nu niet meer; hij aaide nu over zijn dijbeen met krachtige, ritmische bewegingen. Hij moest wel in die goudbruine ogen blijven kijken. Er hing een lucht van brandewijn en tabak en zweet, en het leek alsof hij zat vastgeplakt aan de stoel, met zware, onbeweeglijke ledematen die gevuld leken te zijn met een warme, stroperige vloeistof. Meer dan dat, hij werd naar Laurent toegetrokken en niets op de wereld had hem kunnen stoppen.

Op een gegeven moment kwam Laurent overeind en liep naar de openstaande deur om die dicht te doen. Vervolgens richtte hij zich tot Francis. 'Je weet dat je weg kunt gaan als je dat wilt.'

Francis staarde hem aan, ademloos en plotseling onthutst. Hij was bang dat hij niet meer kon praten en schudde daarom zijn hoofd, één keer maar, en Laurent trapte de deur dicht.

Naderhand besefte Francis dat hij, op een gegeven moment, weer naar huis zou moeten. Hij herinnerde zich zelfs het stuk gereedschap waarvoor hij gekomen was, al leek dat onvoorstelbaar lang geleden. Hij was bang om terug te keren, voor het geval de dingen weer normaal zouden worden. Stel je voor dat Laurent de volgende keer dat hij hem zag zou doen alsof er niets was gebeurd? Hij leek nu volkomen ontspannen en trok zijn overhemd aan, met zijn pijp tussen zijn tanden geklemd en met dwarrelende rookwolken om zijn hoofd; alsof dit iets normaals, iets alledaags was, alsof de aarde niet was verschoven om zijn as. Francis was bang om naar huis te gaan, om zijn ouders met deze ogen aan te kijken en zich vanaf dat moment te moeten afvragen of ze het wisten.

Hij stond in de deuropening met het vilmes en wist niet hoe hij moest vertrekken. Laurent kwam naar hem toe, met zijn verdorven glimlach.

'Dus...dus...' mompelde Francis. Hij had zijn hele leven nog niet gestotterd. 'Zal ik... morgen komen?'

Laurent legde zijn handen op Francis' gezicht. Zijn duimen, ruw en teder, gleden over zijn jukbeenderen. Hun ogen waren precies op gelijke hoogte. Hij kuste hem, en zijn mond voelde als het centrum van het leven zelf.

'Als je wilt.'

Francis liep over het pad naar huis, in extase en in ontzetting. Het was belachelijk: het pad, de bomen, de krekels, de verblekende lucht, de opkomende maan, alles zag er precies zo uit als daarvoor. Alsof ze het niet wisten, alsof het niet uitmaakte. En onder het lopen dacht hij: 'O god, ben ik dit?' In extase en in ontzetting: 'Ben ik dit?'

Susannah vergat hij. School en de interesses van schooljongens verdwenen naar een ver verleden. Die zomer, een paar weken lang, was hij gelukkig. Stoer en flink wandelde hij door het bos, als een man met geheimen. Hij ging met Laurent op stap om te jagen en te vissen, al deed hij dat zelf nooit. Als ze in het bos iemand tegenkwamen knikte Francis en bromde iets, terwijl hij keek naar het eind van de vislijn, of terwijl hij met zijn ogen de bomen afspeurde, op zoek naar een beweging. Laurent zei dan dat hij een geweldige schutter werd, meedogenloos en met arendsogen. Maar de mooiste momenten beleefden ze als ze aan het eind van de dag alleen waren, in het bos of bij de hut, en Laurent serieus werd. Meestal was hij ook dronken en dan nam hij Francis' gezicht in zijn handen en keek en keek, alsof hij er geen genoeg van kon krijgen

Achteraf gezien waren er niet zo veel van die momenten. Laurent drong erop aan dat hij niet te vaak in de hut moest verblijven, want dat zou argwaan wekken. Hij moest ook flink wat tijd thuis doorbrengen, bij zijn ouders. Dat vond hij moeilijk, al vanaf die eerste avond, toen ze op het moment dat hij thuiskwam aan het avondeten zaten. Hij hield het gereedschap omhoog.

'Ik moest wachten tot hij terugkwam.'

Zijn vader knikte even. Zijn moeder draaide zich om. 'Je bent heel lang weggeweest. Je vader wilde het voor het avondeten klaar hebben. Wat heb je gedaan?'

'Dat zei ik toch, ik moest wachten.' Hij legde het gereedschap op tafel en liep naar boven. Zijn moeder riep nog iets over het eten, maar dat negeerde hij.

Hij huiverde van vreugde.

Omdat zijn verhouding tot zijn ouders weinig meer voorstelde, leken ze geen verschil op te merken als hij stil of afwezig was. Tussen zijn bezoekjes aan Laurent door ging hij wandelen, lag hij op bed en voerde ongeduldig en met tegenzin zijn verplichte karweitjes uit. Wachtend. En dan volgde er weer een nacht in de hut, of een uitstapje naar een vismeer, waarbij hij echt zichzelf kon zijn. Het waren momenten die ze met beide handen aangrepen, intens en scherp van smaak; momenten waarop de tijd leek te dralen als op een zondagmiddag, of kon kolken als een stortvloed. Als hij de nachten die hij had doorgebracht in Laurents hut bij elkaar op zou tellen, waar zou hij dan op uitkomen?

Misschien op twintig. Vijfentwintig.

Te weinig.

Francis wordt weggerukt uit zijn verleden doordat Jacob zijn kamer komt binnenlopen. Hij is dankbaar voor die onderbreking. Jacob ziet er opgewondener uit dan hij hem ooit heeft gezien. Francis wrijft met zijn hand over zijn gezicht alsof hij heeft geslapen, in de hoop dat Jacob zijn tranen niet zal zien.

'Wat is er?' Jacob heeft zijn mond geopend, maar er komt nog geen geluid uit.

'Iets vreemds. Die vrouw Line en haar kinderen, en de timmerman, die zijn vannacht vertrokken. De vrouw van de timmerman dreigt er een eind aan te maken.'

Francis staat versteld. De timmerman, die hij nooit heeft ontmoet, is ontvoerd door zijn verpleegster. (Waarom had ze hém dan gekust?)

Jacob ijsbeert heen en weer. 'Het gaat sneeuwen. Het is geen goede tijd om te reizen, niet met kinderen. En eergisternacht heb ik haar in de stal gezien. Ze vroeg me om niets te zeggen. Dat heb ik dus ook niet gedaan.'

Francis haalt diep adem. 'Ze zijn volwassen. Ze kunnen doen wat ze willen.'

'Maar als ze het land niet kennen... ze weten niet hoe ze 's winters moeten reizen...'

'Hoe lang duurt het voordat het gaat sneeuwen?'

'Wat?'

'Hoe lang zal het nog duren het voordat er sneeuw komt? Een dag? Een week?'

'Een dag of twee. Gauw. Hoezo?'

'Ik weet misschien waar ze heen zijn. Ze heeft met me gepraat; ze vroeg naar Caulfield.'

Jacob denkt over die woorden na. 'Nou, misschien halen ze dat. Als ze geluk hebben.'

Een uur geleden kwamen ze bij de eerste bomen, klein en miezerig weliswaar, maar desalniettemin waren het bomen, en Line werd overspoeld door vreugde. Ze gaan werkelijk ontsnappen. Hier is het bos, en dat bos loopt helemaal door tot aan de oever van het meer. Het is bijna alsof ze er al zijn. Op haar papiertje staat dat ze naar het zuidoosten moeten tot ze bij een kleine rivier komen en dat ze die stroomafwaarts moeten volgen. Torbin zit voor haar in het zadel. Ze heeft hem een verhaal verteld over een hond die ze had als kind, toen ze in Noorwegen woonde. Ze beschrijft hem als de hond in het sprookje met de soldaat, met ogen zo groot als schoteltjes.

'Als we een plekje vinden om te wonen mag jij ook een hond hebben. Wat vind je daarvan?' Ze flapt het eruit voordat ze er erg in heeft.

'Een plekje om te wonen?' herhaalt Torbin. 'U zei dat we op vakantie gingen. Maar dat is niet zo, hè?'

Line zucht. 'Nee, we gaan ergens anders wonen. Op een fijnere plaats, waar het warm is.'

Torbin wringt zich achterstevoren in het zadel om haar aan te kijken. Zijn gezicht heeft een gevaarlijke uitdrukking, strak en gesloten. 'Waarom hebt u gelogen?'

'Het was niet echt een leugen, schat. Het was ingewikkeld en we konden het jullie niet allemaal uitleggen, niet in Himmelvanger. Niemand daar mocht het weten, anders lieten ze ons niet gaan.'

'U hebt tegen ons gelogen.' Zijn ogen hebben een harde, verwarde blik.

Per en de kerk met het rode dak hebben een pedant jongetje van hem ge-maakt. 'Liegen is een zonde.'

'In dit geval was het geen zonde. Ga niet met me in discussie, Torbin. Sommige dingen kun jij niet begrijpen, je bent nog te jong. Het spijt me dat we het zo moesten doen, maar zo is het nu eenmaal.'

'Ik ben niet te jong!' Hij is boos en zijn wangen zijn rood van de kou en van opwinding. Hij wringt zich nu achterstevoren.

'Stilzitten jongeman, anders krijg je een klap. Denk eraan, dit is geen tijd voor discussies!'

Maar doordat hij zo heen en weer zit te schuiven geeft hij haar met zijn elleboog een harde por in haar buik. Ze hapt naar adem en voelt een vlaag van woede opkomen. 'Nu is het genoeg!' Ze haalt haar hand van de teugels en mept hem op zijn been.

'U bent een leugenaar! Leugenaar! Was ik maar nooit meegegaan!' schreeuwt hij, en hij worstelt zich tussen haar armen uit en glijdt op de grond. Even bezwijkt zijn enkel onder hem, dan krabbelt hij overeind en rent weg, terug in de richting waar ze vandaan kwamen.

'Torbin! Torbin! Espen!' krijst Line; haar stem is schril en ze rukt aan de teugels om het paard te keren. Maar het dier lijkt het niet te begrijpen en blijft stokstijf staan, als een trein die is aangekomen op een station. Espen, een eind verderop met Anna, keert zijn rijdier en ziet Torbin tussen de bomen wegstuiven.

'Torbin!' Hij springt van zijn paard, met Anna in zijn armen, en geeft haar aan Line, die is afgestegen en haar paard op dezelfde plek laat staan.

'Blijf hier, ik ga hem halen! Kom niet van je plaats!'

Hij rent achter Torbin aan, springend langs bomen en struikelend over gevallen takken. In angstwekkend korte tijd zijn ze uit het zicht verdwenen. Anna kijkt Line met haar ernstige blauwe ogen aan en begint te huilen.

'Het komt wel goed schat, je broer doet gewoon raar. Ze zijn zo weer terug.' In een opwelling bukt ze zich, slaat haar armen om haar dochter heen en sluit de ogen tegen haar koude, vette haar.

Na een paar minuten duiken ze weer op tussen de bomen. Espens gezicht staat strak en hij sleurt de overdonderde Torbin aan zijn hand met zich mee. Maar op dat moment heeft Line al gemerkt dat er iets veel ergers is gebeurd.

Zij en Anna lopen al een poosje te zoeken, aanvankelijk in de veronder-stelling dat ze het snel zouden vinden; zo'n rond, hard, stalen voorwerp als een kompas hoort hier niet, dat steekt naar buiten als een zere duim. Line maakt er voor Anna een spelletje van, met een beloning voor degene die het kompas vindt. Maar het spelletje verveelt al snel. De grond is hier bijzonder verraderlijk, met rotshopen, kuilen waarin je je enkel verstuikt, verborgen konijnenholen en een wirwar van boomwortels, kriskras doorsneden door dode, rottende takken. Ze kan zich niet herinneren of ze het kompas heeft laten vallen toen Torbin haar sloeg of meteen daarna, of toen ze probeerde om het paard achter zich te trekken. Op de geteisterde bodem is niet meer te zien waar ze wel en niet zijn geweest.

Ze vertelt Espen dat ze het niet kan vinden en Torbin ziet de angst op hun gezicht en houdt zijn mond. Hij weet dat het zijn schuld is. Ze beginnen alle vier te zoeken en lopen in gebukte houding rondjes om de onverschillige paarden. Ze trekken korstmos en rottende bladeren aan de kant en steken hun handen in donkere, klamme gaten. In elke richting ziet het er hetzelfde uit, alsof ze voor de gek worden gehouden. Overal staan dwergdennen, die vaak al zijn afgestorven en omgevallen; de bomen leunen tegen elkaar aan, zodat het lijkt of er om hen heen een val is geweven van dood, samengeklit hout.

Anna is de eerste die het merkt. 'Mama, het sneeuwt.'

Line gaat rechtop staan, met een pijnlijke rug. Sneeuw. Stille, droge vlokken zweven om haar heen. Espen ziet de blik op haar gezicht.

'We blijven nog een halfuur zoeken, dan gaan we verder. We kunnen hoe dan ook de weg wel vinden. Het was belangrijker dat we wisten welke kant we op moesten naar het bos. Dit is het makkelijkste gedeelte.'

Eenmaal slaakt Torbin een kreet en springt op, maar het blijkt een ronde, grijze steen te zijn. Line is heimelijk opgelucht als Espen de zoektocht afblaast. Ze houdt van hem vanwege de manier waarop hij het bevel neemt: hij roept hen bij elkaar om ze even toe te spreken en bepaalt welke kant ze op gaan. Hij legt uit dat korstmos zich verzamelt op de noordkant van boomstronken, dus daar moeten ze op letten: waar het korstmos groeit. Line heeft het idee dat het korstmos evenredig over alle kanten is verdeeld, maar die gedachte schuift ze van zich af en ze stopt hem veilig achter slot en grendel.

Espen zal het wel weten: hij is hun beschermer. Zij is maar een vrouw.

Espen tilt Torbin op zijn paard en zwijgend zetten ze zich in beweging. De sneeuw dempt alles, zelfs het gerinkel van het hoofdstel.

Ik ga naar de stal zonder dat ik daar een goede reden voor heb, behalve dan dat ik met de vrouwen wil praten, maar eerlijk gezegd ben ik bang voor ze. Ze zien er onverzettelijk, uitheems en minachtend uit, getekend door verdriet. Wie ben ik om ze vragen te stellen; ik, die nooit heb overgelopen van naastenliefde en vriendelijkheid, of zelfs maar van nieuwsgierigheid voor mijn medemens? De honden zijn tenminste blij me te zien, gek van verveling door hun gevangenschap. Lucie springt op, met kwispelende staart en met haar kaken opengesperd in die gelukzalige hondenglimlach. Als ik haar ruige kop onder mijn hand voel, en haar tong die aanvoelt als heet zand, voel ik een absurde vlaag van genegenheid in me opkomen. Dan komt Parker eraan. Ik vraag me af of hij naar me stond uit te kijken.

Dit is de eerste keer dat hij me komt opzoeken. Dat wil zeggen, de eerste keer sinds hij midden in de nacht op mijn deur klopte en we onze afspraak maakten. Gisteren zou ik daar blij om zijn geweest, maar vandaag ben ik daar nog niet zo zeker van. Mijn stem klinkt scheller dan ik had gewild.

'Hebt u gekregen wat u wilde?'

'Wat bedoelt u?'

'Waarvoor u bent gekomen. Het had niets te maken met Francis of Jammet. U wilde Stewart weer zien. Vanwege iets wat vijftien jaar geleden is gebeurd. Vanwege een domme ruzie.'

Parker spreekt zonder me aan te kijken. Behoedzaam. 'Dat is niet zo. Jammet was mijn vriend. En uw zoon... die hield van Jammet. Volgens mij hielden ze van elkaar, is het niet?'

'Nou zeg!' Uit mijn keel ontsnapt een soort gesmoorde lach. 'Wat een vreemde formulering. Het klinkt alsof...'

Parker zegt niets. Lucie blijft mijn hand likken en ik vergeet hem weg te trekken.

'Echt, ik...' Ik merk vaag dat Parker zijn hand op mijn arm heeft gelegd, en hoewel ik die eigenlijk wil afschudden, doe ik dat niet. 'Ik weet echt niet...'

Ik kan gewoon niet geloven dat ik het niet wist.

'Wat bedoelt u?' Mijn stem ritselt als droge bladeren.

'Jammet was... nou ja, hij is getrouwd geweest, maar soms had hij ook... vrienden. Jonge mannen, knappe, zoals uw zoon.'

Op de een of andere manier heeft hij me weggeleid van de deur, naar de donkere hoek die is volgestouwd met hooibalen, en op één daarvan zit ik nu.

'Weet u, de laatste keer dat ik hem in leven heb gezien – dat was in het voorjaar – had hij het over iemand in de buurt. Hij wist dat ik hem niet veroordeelde, niet dat het hem iets kon schelen trouwens.'

Op zijn gezicht staat een halve glimlach. Hij begint op zijn dooie gemak zijn pijp aan te steken. 'Hij was heel erg op hem gesteld.'

Ik fatsoeneer mijn haar. Een aantal lokken is losgegaan en in de lange lichtstraal vanuit de deuropening zie ik dat sommige haren al wit zijn. Ik moet de feiten onder ogen zien. Ik word oud en mijn hoofd zit vol met gedachten die ik niet kan verdragen. Ik kan de gedachte niet verdragen dat ik niet begreep wat er aan de hand was. Ik kan de gedachte niet verdragen dat Angus hem daarom haatte, want ik besef nu dat hij het wel wist. Ik kan de gedachte niet verdragen dat Francis verdriet had, verdriet dat hevig, verborgen en ondraaglijk eenzaam moet zijn geweest; en misschien heeft hij dat verdriet nog steeds. En ik kan de gedachte niet verdragen dat ik hem lang niet voldoende heb getroost.

'O god, ik had bij hem moeten blijven.'

'U bent een dappere vrouw.'

Daar moet ik bijna om lachen. 'Ik ben een domme vrouw.'

'U bent helemaal hierheen gekomen voor uw zoon. Terwijl u dat vreselijk vond. Dat weet hij.'

'En het heeft nergens toe geleid. We hebben de man die het spoor achterliet niet gevonden.'

Parker brengt daar niets tegenin. Een minuut lang rookt hij in stilte.

'Heeft Stewart u het litteken laten zien?'

Ik knik. 'Hij zegt dat u dat hebt gedaan in een gevecht tijdens een reis.'

'Niet tijdens de reis. Erna. Ik zal u een paar dingen vertellen die hij waarschijnlijk niet heeft gezegd, dan kunt u zelf bepalen wat u ervan vindt. Stewart was veelbelovend. Iedereen zei dat hij het ver zou schoppen. Hij was uit het juiste hout gesneden. Tijdens een winter in Clear Lake nam hij een groep van onze mannen mee naar een andere post. Het was een reis van driehonderd mijl. Vóór de sneeuwstorm lag de sneeuw al een meter hoog. Het was vreselijk weer. Je gaat alleen midden in de winter op reis als het moet. Hij deed het om te bewijzen dat hij het kon.'

'Was dat die beroemde reis waar meneer Moody het over had?'

'Die reis was beroemd, maar niet vanwege de redenen die hij noemde. In het begin waren we met zijn vijven. Stewart, nog iemand van de Company genaamd Rae, en de zeventienjarige neef van Rae. Die jongen werkte niet voor de Company; hij bracht een bezoek aan het land. Verder was ik er, plus nog een gids: Laurent Jammet.

Zoals ik al zei, was het weer slecht: dikke lagen sneeuw, en stormen. Maar het werd nog erger. Er kwam een sneeuwstorm en bij stom toeval vonden we een hut, zo'n honderd mijl overal vandaan. Die sneeuwstorm hield maar niet op. We bleven wachten tot hij was uitgeraasd, maar het was zo'n januaristorm die wekenlang aanhoudt. Ons voedsel raakte op. Alleen sterkedrank hadden we in overvloed. Jammet en ik besloten hulp te gaan halen. Het leek onze enige kans. We vertelden de andere drie dat we zo gauw mogelijk terug zouden komen, lieten al het eten achter en gingen op weg. We hadden geluk. Na twee dagen vonden we een indianendorp; daarna verslechterde het weer, zodat we er drie dagen lang moesten blijven.

Toen we eindelijk terugkeerden was er iets gebeurd. We troffen Stewart en Rae in benevelde toestand aan. De jongen was dood: hij lag op de grond en was gestikt in zijn eigen braaksel. Zij hadden niet veel zinnigs te vertellen, maar dit was er volgens mij gebeurd: Stewart had het erover gehad om 'er glorieus uit te stappen', zoals hij het noemde. Hij maakte er grapjes over. Ik denk dat hij de moed heeft opgegeven toen we niet meteen terugkeerden. Hij besloot dat ze zich dood moesten drinken. Rae en hij kregen dat niet voor elkaar, maar de jongen stierf.'

'Hoe weet u dat het zijn idee was?' Inwendig huiver ik bij de gedachte. De jongen was van dezelfde leeftijd als Francis.

'Het was typisch iets voor hem.' Zijn stem klinkt vlak van afkeer.

'En toen? Hebben ze hem niet ontslagen?'

'Hoe konden ze het bewijzen? Het was gewoon een tragedie. Een inschattingsfout. Dat is erg genoeg. Rae keerde terug naar Schotland, Stewart ging weer verder en de jongen lag onder de grond. Ik ben weggegaan bij de Company. Sindsdien heb ik hem niet meer gezien.'

'En het litteken?'

'Ik hoorde hem op de jongen afgeven. Hij zei dat die zwak en bang was en wilde sterven. Ik dronk in die tijd.' Hij haalt zijn schouders op, zonder spijt.

Er valt een lange stilte. Desondanks weet ik dat hij nog niet is uitgepraat.

'En dat andere?'

'Ja. Vijf of zes jaar geleden had de Company een personeelstekort, dus haalden ze mannen hierheen uit Noorwegen. Gevangenen. Stewart was commandant in Moose Factory, waar ze ook een groep van die mannen hadden. Sommige Noren gingen in Canada in het leger, onder wie de man van die weduwe in Himmelvanger die voor uw zoon heeft gezorgd.'

Ik denk aan die weduwe: jong en knap, gretig en ongeduldig. Misschien is dat de verklaring.

'Ik was er niet bij, dus dit is van horen zeggen. Sommige Noren muitten en gingen ervandoor. Op de een of andere manier wisten ze een heleboel waardevolle pelzen mee te nemen. Ze trokken het land door, maar er staken sneeuwstormen op en ze verdwenen. Toen raakte Stewart in de problemen: vanwege het muiten en omdat hij zo veel kostbare voorraden was kwijtgeraakt. Iemand in het magazijn moet ervan geweten hebben.'

'Stewart?'

'Ik weet het niet. De mensen overdreven natuurlijk en zeiden dat er op de vinder een fortuin aan bont lag te wachten. Tientallen pelzen van zilvervos en zwarte vos.'

'Dat klinkt niet zozeer de moeite waard.'

'Weet u hoeveel de pels van een zilvervos opbrengt?'

Ik schud mijn hoofd.

'In Londen meer dan zijn gewicht in goud.'

Ik ben geschokt. En ik heb medelijden met de dieren. Ik ben misschien niet zo van nut, maar ik ben levend tenminste meer waard dan dood. 'Stewart werd hierheen gestuurd. Er is hier nu geen bont meer. Alleen maar hazen. Zonder enige waarde. Ik begrijp niet zo goed waarom ze Hanover House aanhouden. Voor een ambitieus man was het een belediging. Vanaf een plek als deze word je niet gepromoveerd. Het was een straf voor wat hij misschien gedaan had.'

'Wat heeft dat met Jammet te maken?' Ik ben nieuwsgierig naar het eind van het verhaal.

'Nou, vorig jaar...' Hier zwijgt hij even, om met de tabak in zijn pijp te prutsen; expres, heb ik het idee. 'Vorige winter... heb ik de pelzen gevonden.'

'De zilvervos en de zwarte vos?'

'Ja.' Ik meen geamuseerdheid in zijn stem te bespeuren, maar misschien is hij juist afwerend.

'En waren ze inderdaad een fortuin waard?' Ik verontschuldig me ervoor bij Francis, maar ik voel een golf van opwinding. Schatten bestaan in allerlei vormen, en hoe ijzingwekkend ze soms ook zijn, een oppervlakkig hart als het mijne gaat er altijd sneller door kloppen.

Parker trekt een soort grimas. 'Niet zoveel als men zei, maar... genoeg.'

'En... de Noren?'

'Die heb ik niet gevonden. Maar alle sporen zouden ook al lang verdwenen zijn. Ze waren in open land.'

'Bedoelt u wolven?' vraag ik onwillekeurig.

'Misschien.'

'Maar ik dacht dat u zei dat die... delen zouden achterlaten.'

'In de loop der jaren zouden er allerlei beesten op af zijn gekomen: vogels, vossen... Misschien waren ze verder getrokken. Ik zeg alleen dat ik niets heb gezien. De pelzen waren verstopt, alsof die Noren van plan waren terug te komen. Maar dat hebben ze nooit gedaan.

Ik vertelde het aan Laurent. Hij zou kopers regelen in de Verenigde Staten, maar als hij had gedronken kon hij nooit zijn mond houden. Hij pochte. Het gerucht deed hier blijkbaar de ronde en kwam ook bij Stewart terecht. Daarom is Laurent gestorven.'

'Waarom denkt u dat het Stewart was?'

'Stewart wilde die pelzen meer dan wie dan ook. Omdat hij ze was kwijtgeraakt. Als hij ze terugkreeg zou hij een held zijn. Dan zou de Company hem weer op zijn oude plek zetten.'

'Of hij zou rijk kunnen worden.'

Parker schudt zijn hoofd. 'Ik denk niet dat het hem om het geld gaat. Bij hem is het trots.'

'Het kan ook iemand anders geweest zijn – wie dan ook – die hem heeft horen praten en het geld wilde hebben.'

Hij kijkt me aan. 'Maar het spoor leidde hierheen.'

Hier denk ik even over na. Dat is waar. Het is waar, maar het is niet genoeg.

'Het heeft ons hierheen geleid, maar nu is het weg. En als we de man niet kunnen vinden...'

Plotseling schiet me iets te binnen en ik krijg een rood hoofd van opwinding.

'Hier, dit heb ik gevonden bij Jammet...' Ik haal het papiertje uit mijn zak en geef het aan Parker. Hij houdt het schuin naar het licht en tuurt ernaar, maar het blijft vaag.

'Eenenzestig, dat is toch het jaartal van de partij?'

'Ja. Ja, dat klopt. Hebt u dit gevonden?'

'Ja, in zijn meeltrommel.'

Parker glimlacht. Even gloei ik van trots, maar dan vervaagt dat gevoel. Het bewijst niets, alleen dat Jammet om de een of andere reden belangstelling had voor de pelzen. Daar komen we niet verder mee.

'Dit heb ik aan hem gegeven, samen met de pels van een zilvervos. Hij moest erom lachen, dus heeft hij het bewaard. De pels heeft hij verkocht, uiteraard.'

'Hou het maar,' zeg ik. 'Misschien bedenkt u nog wat u ermee kunt doen.' Ik vraag me niet eens af wat ik daarmee bedoel. Parker vraagt het ook niet, maar het papiertje is plotseling verdwenen. Ik weet nog steeds niet wat ik moet doen. Moody is natuurlijk degene die overtuigd moet worden.

'Gaat u dit allemaal aan Moody vertellen? Misschien snapt hij het dan.'

'Het is geen bewijs, zoals u al zegt. Moody is op Stewart gesteld; Stewart is er altijd goed in geweest mensen voor zich in te nemen. Bovendien is Stewart niet in Dove River geweest. Er is nog iemand anders.'

'Waarom zou iemand een moord voor iemand anders plegen?'

'Om allerlei redenen. Geld. Angst. Pas als we weten wie het is, weten we waarom.'

'Het zou een van de mannen hier kunnen zijn. Misschien was het Nepapanees, en toen... dreigde hij te gaan praten, en heeft Stewart hem vermoord.'

'Ik ben benieuwd of ze ooit zijn lijk zullen vinden.'

'Wat bedoelt u daarmee?'

'Ik bedoel dat ze de richting uit zijn gegaan die Stewart heeft aangewezen. De sneeuw heeft de sporen ongetwijfeld bedekt. Ze hebben alleen van hém gehoord hoe het gebeurd is.'

De stilte is zo intens dat zelfs het gejank van de honden hem niet kan verstoren.

Tegen de avond komen ze aan op de plaats waarover Stewart ze heeft verteld. Het licht is uit de hemel gesijpeld en alles is grijs: parelgrijze wolken, lichtgrijze sneeuw. De gladde sneeuwlaag op het ijs verraadt waar de rivier loopt; hij vormt een breed pad, dat een meter of twee onder het niveau van het land door de vlakte kronkelt. Vanaf het allereerste moment dat hij is gaan stromen, heeft de rivier zijn weg steeds dieper in de aardkorst uitgeslepen.

Er zijn tekenen dat er hier onlangs iemand is geweest, maar ze zijn verdoezeld door de verse sneeuw. Een oneffen, veel betreden pad waar de grond schuin afloopt naar een soort strand. Van boven gezien is de ijslaag vlak en zelfs wit, afgezien van één stukje, een eind verderop, waar de laag donkerder is, schaduwachtig. Het betekent dat het ijs daar gebroken is geweest en er zich nieuw ijs heeft gevormd, dunner en slechts licht met sneeuw bestrooid. Daar moet het zijn.

Alec heeft steeds naast zijn moeder gelopen, soms met zijn hand in de hare, soms niet. Het is zwaar voor hem; Elizabeth heeft zich afgevraagd of ze hem wel mee moest nemen, maar in zijn ogen stond een blik die haar aan Nepapanees deed denken. Hij was vastbesloten en ernstig. Gisteren was hij nog een jongen met een vader aan wie hij zich kon meten. Nu moet hij al een man zijn.

De mannen laten de sleden achter op de rivieroever en dalen af naar de rivier. Elizabeth neemt Alec bij de hand. Het is niet zijn taak om het lichaam van zijn vader uit het water te trekken. De mannen lopen voorzichtig weg en porren in het ijs met lange stokken, om te testen hoe sterk het is. Als het breekt, vlak bij de donkere schaduw, wordt daaronder zwart water zichtbaar. Iemand slaakt een kreet: het water is ondieper dan ze dachten. Ze bestuderen de stroom en bespreken hoe ze het gaan aanpakken. Vanaf hun hoger gelegen plek op de rivieroever tuurt Elizabeth stroomafwaarts naar de witte, bochtige weg. Ergens daar beneden ligt Nepapanees te wachten.

'Blijf hier,' zegt ze tegen Alec; ze weet dat hij zal gehoorzamen. Met grote passen loopt ze stroomafwaarts, zonder achterom te kijken. De mannen kijken zenuwachtig toe.

Dit heeft ze gezien: een onderbreking in het gladde, witte rivieroppervlak; een oneffen plek, waar takken zijn blijven haken aan een gezonken stuk ijzer en zodoende een dam vormen. Alles wat door de stroom wordt meegenomen blijft hier 's winters liggen, totdat de vloedstromen in het voorjaar het allemaal wegspoelen.

Elizabeth glijdt en klautert langs de oever omlaag naar de dam. Ergens vraagt ze zich af waarom Stewart er niet aan heeft gedacht om hier te kijken, maar de sneeuw is ongerept. Het ijs onder haar voeten is sterk. Ze knielt en schraapt met haar wanten de sneeuw weg, gooit het opzij, zodat daaronder het ijs zichtbaar wordt. Fel glanzend ijs, zo helder als glas. De duisternis van de rivier grijnst haar toe, bruinzwart en vol met gerotte materie onder het ijzige schild. Ze graait met haar handen naar het ijs, en op plaatsen waar het door de takken is doorboord en beschadigd breekt ze de randen af; ze slaat en breekt, totdat...

Daar... daar in de diepte, ze iets klem ziet zitten in het moeras, iets wat tegelijkertijd licht en donker is, iets groots en verkeerds, gevangen in de waterige duisternis.

Er klinkt geschreeuw en achter haar klauteren een paar mannen langs de oever omlaag, maar zij is zich daar niet van bewust; noch van haar adem, die in grote, sissende snikken tussen haar tanden door ontsnapt, noch van haar nu onbedekte handen, die bloedend en blauw van de kou aan de gekartelde ijsrand krabben. Dan staan ze naast haar, met hun stokken en bijlen. Ze beuken tegen het ijs en hakken het in grote, dampende brokken. Handen proberen haar weg te trekken van het gat, maar ze overrompelt hen, werpt zich naar voren en duikt in het water. Ze strekt haar handen uit, om het lichaam van haar man beet te pakken en los te rukken.

Door de plotselinge schok van de dodelijke kou ziet ze zelfs met haar ogen open in de diepte niets dan zwartheid en daarboven grijsgroen licht; totdat hetgeen daar gevangen zit uit zijn boeien ontsnapt en zich als een lugubere minnaar in haar uitgestrekte armen wil storten.

Het kadaver van een hert zwemt naar haar toe. Zijn rottende ogen zijn wijd opengesperd en leeg, zijn zwarte lippen zijn weggevreten van zijn grijnzende tanden en zijn schedel glimt zedig en wit onder zijn doordrenkte vacht. De huid drijft eromheen als een aan flarden gescheurd lijkkleed.

Als ze haar uit het water trekken, menen ze heel even dat ze dood is. Haar ogen zijn dicht en uit haar mond stroomt water. Peter Eagles slaat op haar borst en ze hoest en spuugt rivier uit. Haar ogen gaan open. Ze dragen haar al langs de oever omhoog, trekken haar natte pelsjas uit en wrijven haar warm. Iemand heeft een vuur gemaakt. Iemand anders brengt een deken. Alec huilt. Hij wil niet nog een ouder verliezen.

Elizabeth proeft de rivier in haar mond, want de smaak zit gevangen achter haar tanden, koud en doods.

'Hij is daar niet,' zegt ze, als haar tanden uitgeklapperd zijn.

George Cummings wrijft haar handen met een stuk deken.

'We moeten een lang stuk rivier doorzoeken; we slaan het ijs stukje bij beetje kapot, tot we hem hebben gevonden.'

Ze schudt haar hoofd. In gedachten grijnst de bleke, dode hertenkop haar nog steeds triomfantelijk toe. 'Hij is daar niet.'

Later, rondom het kampvuur, eten ze pemmikaan en drinken ze thee. Normaal gesproken zouden ze vissen, maar niemand wil vissen in deze rivier; niemand stelt het zelfs maar voor. Alec zit tegen Elizabeth aan, zodat ze de warmte van zijn zij en zijn dijbeen kan voelen.

Ze hebben hun kamp opgeslagen op een ander strand, buiten het zicht van de door hen aangerichte verwoesting, waar hoge oevers hen beschermen tegen de wind. Maar het is verbazend windstil en de rook van hun vuur stijgt recht omhoog, om vervolgens te verdwijnen.

William Blackfeather spreekt op zachte toon en richt zich tot niemand in het bijzonder. 'Morgen, als het licht wordt, gaan we zoeken, zowel stroomop- als stroomafwaarts. Met z'n allen kunnen we een heel stuk bestrijken.'

De anderen knikken. Dan zegt Peter: 'Vreemd hoe ondiep het water is. Je zou zeggen dat je hier moeilijk kan worden meegesleurd. Zo snel stroomt het hier niet.'

George knikt waarschuwend naar Elizabeth, maar zij lijkt niet te luisteren. Kenowas neemt fluisterend het woord.

'Waar het gebroken was, is nieuw ijs ontstaan. Wat er daarvoor zat was niet dik, half zo dik als het nieuwe ijs.'

Er valt een stilte, waarin iedereen het zijne denkt. Kenowas spreekt zijn gedachten hardop uit.

'Welk spoor ik ook volgde, ik zou nooit op dat ijs zijn gegaan.'

'Wat bedoel je?' Arnaud is bruusk en strijdlustig, zelfs als hij nuchter is. Kenowas richt het woord tot hem. Ze hebben elkaar nooit gemogen.

'Ik kan me ook niet voorstellen dat Nepapanees zich erop zou wagen. Zelfs een idioot als jij zou zich wel twee keer bedenken.'

Niemand lacht, al is het bedoeld als een grapje. Het is waar wat hij zegt en Nepapanees was de beste, meest ervaren spoorzoeker van hen allemaal.

Hoewel de meesten het wel denken, zegt niemand van hen dat de beschermgeest van Nepapanees een hert was. Omdat hij niet was gedoopt, waakte er in plaats van een baby een hertengeest over hem. Een sterke, snelle, dappere geest die vertrouwd was in de bossen en op de vlakte. Dat was beter voor hem dan een baby, zei hij. Hoe kon een mensenbaby, die lang geleden was geboren in een warm, zanderig land, weten hoe je moest overleven in de koude wildernis? Wat kon die baby hem leren? Als hij zoiets zei, schudde Elizabeth haar hoofd; zij was gedoopt en had een beschermheilige gekregen om haar gezelschap te houden, en door haar aderen stroomde blank bloed. Als ze boos was mompelde ze afkeurend en anders plaagde ze hem en trok hem aan zijn haar. Toen ze als volwassene werd bekeerd, had de gedachte van St. Franciscus haar wel aangesproken, vanwege zijn vriendelijkheid en vanwege de manier waarop hij in contact stond met vogels en andere dieren. Wat dat betreft leek hij bijna een Chippewa en daarom was hij zeer geliefd: alleen al in hun dorp hadden vier kinderen en twee volwassenen hem als beschermheilige gekozen.

Nu lijkt St. Franciscus ver weg en onbelangrijk: een vreemde, die deze dood en haar ijzige verdriet onmogelijk zou kunnen begrijpen. Elizabeth kan de aanblik van de hertenkop niet uit haar hoofd zetten. In de rivier had ze sterk het gevoel dat haar man daar helemaal niet was, en ook niet ergens in de buurt, maar misschien had ze het mis. Misschien is het geloof van haar man altijd het juiste geweest en was wat zij zag zijn geest, die was teruggekeerd om haar te bespotten vanwege haar ongelovigheid.

Ze voelt zich ver weg, bevroren door meer dan de kou alleen, en volkomen geïsoleerd van de mannen en het eten en het vuur. En zelfs van de sneeuw en de stilte en de bodemloos holle lucht. Het enige wat haar met deze wereld verbindt, is de zachte druk van het lichaam van haar zoon: een dunne draad van menselijke warmte, die gemakkelijk kan breken.

De temperatuur blijft dalen. In deze kou voelt het alsof de lucht wordt vastgeklemd in een bankschroef. Hij snijdt je de adem af, zuigt het vocht uit je huid, brandt als vuur. Op de binnenplaats hangt een diepe, bijna bewuste stilte, waarin voeten beangstigend luid door de sneeuw knerpen.

Daar wordt Donald wakker van: het piepende geluid van verse sneeuw die onder iemands voeten wordt samengeperst.

Hij is de hele dag in bed gebleven, onder het mom van een lichte verhoging, en heeft geslapen tot het eind van de middag, met een stoel onder de deurkruk geklemd. Toen het begon te schemeren, lag hij heerlijk te doezelen. Er is niets ongewoons aan de voetstappen – er zijn nog steeds mensen in de buurt om ze te maken – maar ze hebben een vreemd, onregelmatig patroon dat hem wekt uit deze aangename sluimering. Met tegenzin luistert hij hoe de persoon loopt, blijft staan en vervolgens een eindje verder loopt. Om dan weer halt te houden. Hij wacht – verdomme! – op de volgende stap. Ten slotte voelt hij zich gedwongen zich op te richten op zijn ellebogen, om door het raam naar de donker wordende binnenplaats te turen. Er straalt licht uit verderop gelegen kamers: de kantoren misschien. Aanvankelijk ziet hij de persoon die hij hoorde niet, maar dat komt doordat die in de schaduw blijft. Waarschijnlijk neemt hij aan dat Donalds kamer, omdat hij donker is, ook leeg is. Dan ziet hij hem: een in bont gehulde man met lang, donker haar. Donald vraagt zich af of de mannen die Nepapanees gingen zoeken al zijn teruggekeerd. Hij herkent deze man niet en na een poosje beseft hij dat hij niet aan die zoektocht kan hebben meegedaan. Hij doet geheimzinnig, kijkt overdreven behoedzaam om zich heen en beweegt zich voort alsof hij een mimevoorstelling geeft van heimelijk gedrag. Hij is stomdronken. Donald kijkt met toenemend plezier hoe de man in het donker ergens over struikelt en vloekt. Dan, als er op het lawaai geen reactie volgt, loopt hij naar het magazijn en verdwijnt buiten Donalds gezichtsveld. Iemand die te dronken is om bij het zoeken van enig nut te zijn. Donald zakt terug in zijn cocon en trekt de dekens over zijn kin.

Er zijn mannen in Fort Edgar die maandenlang beneveld zijn door de alcohol, die de hele winter nergens voor deugen. Het is triest als ze dat stadium bereiken en het betekent dat hun werkende leven van korte duur zal zijn. Dronkenschap is een voortschrijdende kwaal en Donald was aanvankelijk geschokt dat de bestuurders van de Company geen stappen ondernamen om het verschijnsel tegen te gaan, maar de pelsjagers daarentegen onbeperkt toegang verschaften tot hun voorraad inferieure drank. Toen hij Jacob voorzichtig over dit onderwerp uithoorde, liet die het hoofd hangen; door die alcohol had hij Donald een mes in de buik gestoken. Voor zover Donald wist, had hij daarna geen druppel meer aangeraakt. Slechts eenmaal had Donald het onderwerp aangeroerd bij Mackinley, waarop die hem met zijn bleke ogen geamuseerd, zo niet minachtend had aangekeken. 'Zo gaat het in deze wereld', daar kwam de redenatie van Mackinley zo'n beetje op neer. Alle handelaren lokken pelsjagers en personeel met sterkedrank; als de Company die drank niet leverde, zou men zijn personeel kwijtraken aan concurrerende organisaties die minder scrupules hebben en minder respect voor het welzijn van hun werknemers. Het zou naïef zijn om het op een andere manier aan te pakken. Donald voelde dat er iets niet klopte in deze redenatie, maar dat durfde hij niet te zeggen.

Na een poosje begint hij na te denken over wat mevrouw Ross hem gisternacht heeft verteld. Nesbit is net als hij een jongeman die vrij kort geleden uit Schotland is gekomen. Een ontwikkeld man, met een behoorlijke opvoeding. Een lagere beambte, maar met de intelligentie om in de Company vooruit te komen. Die overeenkomsten vindt Donald verontrustend; of liever gezegd, zodra hij zich rekenschap geeft van de overeenkomsten gaan de verschillen hem verontrusten. Nesbits zenuwtrekjes, zijn verbitterde lach, zijn flagrante afkeer van het leven. Hij is al twee keer zo lang in dit land als Donald en hoewel hij zich hier duidelijk ongelukkig voelt, lijkt hij ervan uit te gaan dat hij er nooit meer weggaat. Er trekt een lichte huivering door Donald heen als hij denkt aan Norah, met haar sterke, wantrouwige gezicht en onbeschaamde taal, in wier sterke armen Nesbit blijkbaar troost heeft gevonden. In het verleden heeft hij wel meer gemengde relaties gezien. Zelfs in Fort Edgar kwamen ze veelvuldig voor, maar Donald kon zich niet voorstellen dat hem ook zoiets zou overkomen. Al waren de details onduidelijk, hij had het gevoel dat hij was voorbestemd om te trouwen met een aardig, blank, Engelstalig meisje: iemand als Susannah, in feite, al had hij nooit durven dromen dat dat meisje zo mooi zou zijn. Tijdens zijn eerste halfjaar in Fort Edgar leek zo'n vooruitzicht steeds verder van hem af te komen staan. Maar als hij keek naar de indianenvrouwen waar het in het fort van wemelde, deinsde hij nog steeds terug, zelfs als de mannen hem plaagden met een of ander meisje dat in zijn nabijheid had gegiecheld. Hij heeft echter nog nooit zo'n mooie indiaanse vrouw gezien als Nancy Eagles. Hij voelt nog steeds de warmte van haar zachte huid, de opwindende doortastendheid van haar hand, althans, als hij zichzelf toestaat daaraan te denken. En dat doet hij maar niet. Het is nauwelijks voorstelbaar dat Norah hetzelfde prikkelende effect op Nesbit zou hebben. Maar toch.

De brief aan Maria ligt op het bureau. Gisternacht, na zijn eenzame woedeaanval, heeft hij het verfrommelde papier opgeraapt, gladgestreken en zo goed als hij kon platgedrukt onder een paar reservevelletjes met daarop zijn laarzen, maar hij is bang dat dit niet voldoende is. Misschien was het hoe dan ook onverstandig van hem om haar te schrijven. Misschien is het achteraf maar goed dat hij de brief verfrommeld heeft. Hij moet aan Susannah denken en dat doet hij ook; hij probeert zich haar ongrijpbare beeld voor de geest te halen en in zijn hoofd haar lichte, zilverachtige stem te horen.

Terwijl het laatste licht uit de hemel wegvloeit, kleedt Donald zich aan. Hij heeft honger, wat hij interpreteert als een teken van terugkerende kracht, en hij loopt de verlaten gang op. Hij treft Nesbit op zijn kantoor: het lichtbaken dat hij vanaf de overkant van de binnenplaats heeft gezien. Stewart en mevrouw Ross zijn nergens te bekennen.

Nesbit zit achter zijn bureau en strekt zich uit met een grimas, zodat de kromming in zijn rug verdwijnt. Als hij zijn mond wijd openspert in een geeuw, worden er zwarte kiezen zichtbaar. 'Die vervloekte afrekeningen.

De nagel aan mijn doodskist. Nou ja, een van de nagels. Ooit had ik hier een boekhouder, Archie Murray. Een grappig kereltje, een beetje timide. Maar sinds hij weg is moet ik het zelf doen, en het is niet mijn sterkste punt, dat mag u gerust weten. Bepaald niet mijn sterkste punt.'

Donald speelt met het idee zijn hulp aan te bieden, maar hij besluit dat hij zich niet zo fit voelt.

'Niet dat we met zo'n grote omzet te maken hebben. Er verdwijnt meer dan er binnenkomt, als u begrijpt wat ik bedoel. Hoe staat het er bij jullie voor?'

'Redelijk goed, dacht ik zo. Maar wij zijn ook meer een tussenstation dan een bron. Volgens mij zat het land vroeger vol bont, voordat er zo veel mensen waren.'

'Ik denk niet dat er hier ooit overvloed is geweest, van wat dan ook.' Nesbit kijkt somber. 'Weet u hoe de indianen deze streek noemen? Hongerland. Zelfs die vervloekte vossen kunnen hier niets te eten vinden en ze zijn ook nog eens rood, natuurlijk. Tijd voor een drankje.'

Vanuit zijn onderuitgezakte houding komt Nesbit overeind, strompelt langs Donald en haalt van achter wat grootboeken een fles malt whisky tevoorschijn. 'Kom mee.'

Donald volgt Nesbit naar zijn zitkamer, de kleine, lege kamer naast zijn kantoor, met alleen een paar goed gestoffeerde leunstoelen en een paar vrolijke prenten van het bedenkelijke soort.

'Waar is meneer Stewart vanavond?' vraagt Donald terwijl hij een groot glas malt whisky aanpakt. Gelukkig is die van betere kwaliteit dan de rum in Fort Edgar. Even vraagt Donald zich af hoe het komt dat de bewoners van Hanover House op deze afgelegen plaats drinken als vorsten, terwijl goed eten en een fatsoenlijke huishouding niet aan hen lijken besteed.

'O, overal en nergens,' zegt Nesbit vaag. 'Overal en nergens. U weet wel...' Hij leunt voorover in zijn stoel en staart Donald zo strak aan dat die van zijn stuk wordt gebracht. 'Die man... Die man is een heilige. Een absolute heilige.'

'Mmm,' zegt Donald voorzichtig.

'Het besturen van dit oord is een ondankbare taak, geloof me, maar hij klaagt nooit. Je hoort hem er nooit over mopperen, in tegenstelling tot ondergetekende. En hij is een man die alles wel had gekund: hij is van het hoogste kaliber. Het allerhoogste.'

'Ja, hij lijkt zeer bekwaam,' zegt Donald, een beetje stijfjes. Nesbit kijkt hem even berekenend aan. 'U zult misschien wel denken dat iemand die naar zo'n afschuwelijk oord als dit wordt gestuurd tweederangs moet zijn, en dat geldt misschien ook wel voor mij, maar niet voor hem.'

Donald buigt en schudt vervolgens beleefd zijn hoofd, en hoopt dat zijn instemming en afkeuring met de juiste dingen in verband worden gebracht.

'De indianen zijn dol op hem. Ze hebben weinig respect voor ondergetekende en aangezien dat wederzijds is, is dat prima, maar hem... hem behandelen ze als een soort godheid. Hij is nu daarginds met ze aan het praten. Toen hij terugkeerde met het nieuws over Nepapanees dacht ik even dat de zaken een vervelende wending zouden krijgen, maar hij liep erheen en in een mum van tijd aten ze uit zijn hand.'

'Aha. Mmm. Bewonderenswaardig,' mompelt Donald, die zich afvraagt of Jacob ooit uit iemands hand zou eten. Het lijkt onwaarschijnlijk. Hij roept zich ook – levendig – het beeld voor ogen van de weduwe die achterbleef in de sneeuw, terwijl Stewart en Nesbit naar binnen liepen. Maar ook al gaat Donald er prat op dat hij door zijn onafhankelijke geest zo'n lofzang met een korreltje zout kan nemen, dan nog is het heel aannemelijk dat Stewart ontzag inboezemt. Hij voelt zich bijna evenzeer aangetrokken tot Stewart als hij door Nesbit wordt afgestoten.

'Ik weet dat ik tweederangs ben. Veel weet ik niet, maar dat weet ik wel.' Nesbit staart naar de ambergele lichtjes in zijn glas. Donald vraagt zich af of hij een beetje de kluts kwijt is; heel even heeft hij een akelig voorgevoel dat Nesbit op het punt staat te gaan huilen. Maar in plaats daarvan glimlacht hij, met die verbitterde, cynische grijns van hem waaraan Donald zo langzamerhand gewend is geraakt. 'En hoe zit het met u, Moody, hoe past u in het algehele schema?'

'Ik geloof niet dat ik u begrijp.'

'Ik bedoel, bent u tweederangs? Of bent u uitmuntend?'

Donald lacht ongemakkelijk.

'Of misschien weet u het nog niet.'

'Ik eh... weet niet of ik dat wel een nuttig onderscheid vind.'

'Ik heb niet gezegd dat het nuttig was. Maar het ligt voor de hand. Dat wil zeggen, als je het eenmaal onder ogen durft te zien.'

'Ik vind van niet. U kunt wel beweren dat het dapper is om die inschatting van uzelf te aanvaarden, maar ik vind dat iemand die dat doet de verantwoordelijkheden van het leven van zich afschuift. Met een dergelijk cynisme geef je jezelf toestemming om op te geven en ook geen moeite meer te doen. Elke mislukking is dan bij voorbaat geëxcuseerd.'

Op Nesbits gezicht verschijnt een onaangename glimlach. Donald zou van zo'n halfserieuze discussie, die hij al eerder heeft gevoerd – meestal aan het eind van een lange winteravond – kunnen genieten, maar zijn wond begint te kloppen.

'Vindt u mij een mislukkeling?'

Donald heeft plotseling een onrustbarend visioen, waarin Nesbit wordt vastgeklemd in Norahs mahoniekleurige omhelzing, en hij voelt zich schuldig door wat hij over de ander weet. Op vrijwel hetzelfde moment verschijnt Susannahs gezicht hem voor ogen, met wonderbaarlijke helderheid. Nadat hij al die tijd had rondgetast in een nevel, vallen nu alle elementen op hun plaats, en daar is ze dan: volledig, nauwkeurig, prachtig. Maar op hetzelfde moment dringt het met een schok tot hem door dat zijn gevoelens voor haar beperkt zijn en hoofdzakelijk bestaan uit bewondering en ontzag. Hij voelt een sterke drang om terug te rennen naar zijn kamer en de brief aan Maria af te maken. De mysterieuze, onvoorspelbare Maria. Wat vreemd. Wat vreemd en tegelijkertijd bevrijdend, dit besef. Wat prachtig! Hij onderdrukt een glimlach bij deze gedachte.

'Zeg eens, vindt u dat?'

Donald moet even heel erg zijn best doen om zich de vraag te herinneren.

'Nee, helemaal niet. Maar ik kan me de frustraties in dit oord wel voorstellen. Ik zou dat vast net zo voelen. Een mens heeft gezelschap nodig en afwisseling. Ik weet hoe lang de winters duren, en ik heb er nog maar eentje meegemaakt. Één lotgenoot is niet genoeg, hoe uitmuntend hij ook mag zijn.'

'Bravo. Zeg, hoorde u ook iets?' Nesbit drinkt zijn glas leeg en tijdens het bijvullen stopt hij even, met zijn hoofd scheef naar een kant gedraaid. Donald luistert, in de veronderstelling dat het ging om voetstappen op de gang, maar zoals gewoonlijk is er niemand. Nesbit schudt zijn hoofd en giet slordig meer whisky in Donalds glas, al is dat nog niet leeg.

'U bent een fantastische kerel, Moody. Ik wou dat we u hier hadden. Misschien zou u zelfs in staat zijn de boekhouding weer kloppend te krijgen, waar ik de afgelopen twee jaar een gigantische puinhoop van heb gemaakt.' Nesbit grijnst breed en zijn verbittering is op mysterieuze wijze verdwenen.

'Ik zag zo pas een van uw mannen buiten,' zegt Donald, zonder dat die opmerking veel verband met het voorafgaande houdt. 'Blijkbaar was hij niet meegegaan op de zoektocht, maar hij leek me ook zo beneveld dat hij alleen maar in de weg zou hebben gelopen.'

'Aha.' Nesbit krijgt een afwezige blik. 'Ja. Dat probleem hebben we hier 's winters, zoals u ongetwijfeld maar al te goed weet.'

'Is hij pelsjager?' Donald zou graag rechtstreeks willen vragen wie het is, maar voelt dat zo'n vraag te bot zou zijn.

'Ik heb geen idee over wie u het hebt, kerel. Voor zover ik weet zijn alle mannen, behalve Olivier, stroomopwaarts gegaan. Misschien hebt u hem gezien.'

'Nee, nee, het was beslist een oudere man. Zwaarder, weet u wel. En met lang haar.'

'Dit schemerige licht kan iemand op het verkeerde been zetten. Stelt u zich eens voor, ik keek een keer uit het raam – het was vorige winter en ik zat hiernaast achter mijn bureau – en ik kreeg zowat een hartaanval. Vlak voor het raam stond een eland – op de kop af twee meter hoog – me aan te staren. Ik gaf een vreselijke brul en rende de deur uit, maar toen ik op de binnenplaats kwam, was hij nergens meer te bekennen. En er waren ook geen pootafdrukken. Natuurlijk kon hij onmogelijk over de palissade naar binnen zijn geklommen, maar ik had kunnen zweren op een stapel bijbels dat hij daar stond. Stelt u zich eens voor!'

U was waarschijnlijk dronken, denkt Donald zuur. Donald weet maar al te goed dat de man op de binnenplaats niet Olivier was en hij is zich er steeds meer van bewust – werkelijk, het is alsof zijn geest de afgelopen paar dagen heeft zitten slapen – dat een onbekende man voor hen interessant zou kunnen zijn.

Zozeer zelfs dat hij een excuus bedenkt om zodra hij de kans heeft, een poosje later, naar buiten te glippen en de sneeuw voor zijn raam te onderzoeken. Dan ontdekt hij dat om de een of andere reden de huishoudelijke normen zijn verhoogd en dat de sneeuw op de binnenplaats is weggeveegd.

Sault St. Marie is heel iets anders dan Caulfield. Het is in allerlei opzichten een ontmoetingsplaats: er vloeien twee meren samen, waarbij het ene tussen weerbarstige rotsen binnendringt in het andere; het is een kruispunt van wegen vanuit het noordwesten en het oosten en het vormt de grens tussen twee landen. Scheepsroutes komen hier samen vanuit het noorden, het oosten en diep vanuit de Verenigde Staten, vanuit Chicago en Milwaukee: steden die uitheemser en verdorvener zijn dan de meest barbaarse voorpost. Maar de voornaamste reden waarom mensen naar deze plaats lijken te komen is het Grand Western Opera House, dat de familie Knox gisteravond heeft bezocht vanwege een veelbesproken productie van Le Nozze di Figaro. De grootste trekpleister was de rol van Cherubino, die werd vertolkt door Delilah Hammer, en het idee dat een Mohawkvrouw Mozart zong hield bepaalde columnisten al maandenlang bezig. Iedereen moest haar zien. En dus kocht mevrouw Knox kaartjes voor de stoomboot en trotseerde het hele gezin de winterse wateren.

Maria, die niet muzikaal is, vond de zangeres er charmant en tamelijk merkwaardig uitzien, vooral door haar jongenskostuum en haar haren, die ze had opgestoken onder een slappe pet. Ze had een kwajongensgezicht, met grote, door make-up geaccentueerde ogen en een grote mond met hagelwitte tanden. Ze was aantrekkelijker dan de andere zangeressen, die een neiging hadden tot overgewicht, en Maria vroeg zich af of mevrouw Hammer niet liever een vrouwenrol zou hebben gezongen. Het publiek – een mengeling van operaliefhebbers, die zich voor de gelegenheid piekfijn hadden gekleed, en eenzelvige types die gewoon wat ontspanning wilden – genoot van de voorstelling en liet dat luidkeels blijken, maar op een plaats als deze gebeurde dat waarschijnlijk al vrij snel. Haar vader mompelde iets over de zangeres, dat ze ongeschikt was voor haar rol (waarbij hij meer haar stem dan haar ras bedoelde) en hij en haar moeder voerden een discussie over de dirigent. Een tijdlang was hij weer net zoals vroeger.

Mevrouw Knox maakt zich al een poosje zorgen over haar man. Het is al erg genoeg dat hij in ongenade is gevallen – of gedwongen met pensioen is gegaan, niemand weet precies hoe de vork in de steel zit – maar het is nog veel erger dat hij in zijn studeerkamer urenlang voor zich uit zit te kijken. Hij heeft niets meer om handen en ze is ervan overtuigd dat zijn nobele geest daardoor dichtslibt en wegkwijnt. Toen ze zaten te discussiëren voelde ze de spanning wat afnemen. Al met al leek het uitstapje de moeite waard.

Maar vanochtend is hij weer even zwijgzaam en onverschillig als daarvoor. En Maria merkt hoe ze zelf in gedachten alweer bezig is met de code.

Na het bezoek aan Sturrock sloot Maria zich op in haar kamer met haar kopie van de tekens op het bot, en toen ze zat te puzzelen over de betekenis kon ze de huiselijke problemen even van zich afzetten. Eerst probeerde ze de figuurtjes onder te verdelen in groepen, maar dan moest ze er wel vanuit gaan dat Sturrock ze nauwkeurig had nagetekend. Dankzij een artikel in de *Edinburgh Review*, en ook door haar eigen inzichten, besefte ze van het begin af aan dat een teken of een groep tekens niet altijd een letter in het Romeinse alfabet voorstelde, maar misschien een heel woord, of een klank. Maar toen ze de clusters meermalen had geordend en een aantal klanken en letters had vervangen, leidden die inspanningen alleen maar tot een betekenisloze wirwar van klanken (da-ya-no-ji-te! ba-lo-re-ya-no?). Ze schoof het papier aan de kant met nog minder hoop dan waarmee ze begonnen was. Er was ook geen enkele reden om te verwachten dat Maria Knox deze raadseltjes zou kunnen oplossen: ze was dan wel geabonneerd op een paar kranten, maar ze bleef een onontwikkeld plattelandsmeisje, dat als uitgangspunt alleen een artikel over het ontcijferen van de steen van Rosetta tot haar beschikking had. Maar de kleine, hoekige tekentjes dwarrelden door haar hoofd, drongen haar dromen binnen en tergden haar door hun betekenis net buiten haar gezichtsveld te houden.

Ze voelde een ziekelijk verlangen om het originele stuk been te zien en haar gedachten dwaalden af naar het noorden, waar Francis en ook meneer Moody misschien in het bezit waren van de sleutel.

Ze schuift de restanten van haar ontbijt over haar bord. Gestold ei en het sap van een biefstuk vormen samen een grillig kunstwerk op het blauw-witte porselein.

'Als u het niet erg vindt...' ze verschuift haar stoel en komt overeind, 'zou ik graag een eindje gaan wandelen.'

Mevrouw Knox kijkt haar oudste dochter streng aan. 'Nou, vooruit dan maar. Zul je voorzichtig zijn?'

'Ja moeder.' Maria is al halverwege de deur. Het is echt heel grappig hoe haar moeder ervan overtuigd lijkt dat de wereld buiten Caulfield een oord van verderf is, waar het wemelt van de handelaren in blanke slavinnen. Ze zal wel moeten wennen als Maria naar Toronto gaat verhuizen, want dat gaat ze de volgende zomer vast en zeker doen.

Als ze uit het hotel komt slaat Maria rechtsaf, naar het water. Slordig verspreid langs de meeroever staan werven en pakhuizen, verzamelplaatsen voor goederen uit het hele noorden. Het is hier opwindend en het gonst van de handel, van zaken; het is vies en luidruchtig en om de een of andere reden echt, iets wat Caulfield en de winkel van John Scott niet zijn. Ze is gewaarschuwd voor dit deel van de stad, maar daar wordt het alleen maar aantrekkelijker door. Mannen lopen haar voorbij en spoeden zich naar de plaats waar een stoomboot aankomt, naar een afspraak over prijzen van scheepsvoorraden, of naar een vakbondsbijeenkomst. Een beschermd opgegroeid plattelandsmeisje krijgt hier het gevoel dat ze zich in het middelpunt van de wereld bevindt.

In dit deel van de stad staan ook enkele hotels en pensions die minder fatsoenlijk zijn dan het Victoria en Alberthotel, en verder van het operahuis verwijderd liggen. Uit een hotel ziet ze een man en een vrouw naar buiten komen, en terwijl ze die een ogenblik doelloos observeert, dringt het plotseling met een schok tot haar door dat ze een van hen kent. De man is Angus Ross, de boer uit Dove River. De vader van Francis. Als hij zijn hoofd omdraait, kan ze zijn gezicht goed zien: het stompe profiel, het blonde haar. Ze is geschokt omdat de vrouw die hem vergezelt niet mevrouw Ross is. Mevrouw Ross heeft men al wekenlang niet meer gezien. Maria voelt zich rood worden van plaatsvervangende schaamte. Iets is hier niet helemaal juist, ook al lopen meneer Ross en de vrouw alleen maar over straat. Hij heeft haar niet gezien en instinctief duikt ze weg en begint de etalage van de dichtstbijzijnde winkel te bestuderen. Er liggen alleen wat artikelen uitgestald waar ze in haar verwarring kop nog staart van kan maken. Ze wacht tot het stel veilig uit haar gezichtsveld is verdwenen. Ze heeft nog nooit iets gezien wat niet deugt, maar om de een of andere reden is ze ervan overtuigd dat hier een luchtje aan zit. En waar is mevrouw Ross toch? Volgens haar man is ze op zoek gegaan naar haar zoon en dat moeten ze dan maar geloven. Plotseling bedenkt Maria, die naast stichtelijke boeken ook een paar choquerende romannetjes heeft gelezen, dat meneer Ross zijn vrouw misschien wel van kant heeft gemaakt. En hoe zit het met Francis? Meneer Moody en zijn vriend zijn achter hem aangegaan, maar misschien hebben ze hem helemaal niet gevonden. Misschien zijn ze daarom niet teruggekeerd. Misschien heeft meneer Ross meneer Jammet ook wel vermoord...

Hier roept Maria zichzelf tot de orde en ze zegt tegen zichzelf dat ze niet ten prooi mag vallen aan wilde fantasieën. Maar desondanks is ze van de wijs gebracht. Misschien had ze toch haar ontbijt moeten opeten. Misschien – ze kijkt om zich heen, om te zien of er iemand naar haar kijkt – misschien moet ze, vanwege uitzonderlijke omstandigheden, maar even iets gaan drinken.

Opgebeurd door haar eigen moed kiest Maria een rustig uitziende bar die iets verder van het water vandaan ligt en gaat naar binnen. Ze haalt diep adem, maar ze ziet alleen een kastelein en een man die met zijn rug naar de deur aan een tafel zit te eten.

Ze bestelt een glas sherry en een stuk frambozentaart en ze neemt plaats aan een tafel achter in de zaak, voor het geval er iemand binnenkomt die ze kent. Zoals meneer Ross. Bij die gedachte gaat haar hart sneller kloppen. Tot nu toe heeft ze nooit enige reden gehad om mevrouw Ross bijzonder aardig of onaardig te vinden – de vrouw is tamelijk gereserveerd – maar nu heeft ze met haar te doen. Ze bedenkt dat juist zij en mevrouw Ross wel eens het een en ander met elkaar gemeen zouden kunnen hebben.

Haar bestelling wordt gebracht en om iets omhanden te hebben pakt ze de papieren waarop ze heeft geprobeerd de code te ontcijferen. Ze is zich ervan bewust dat de andere klant haar heeft opgemerkt en ze is bang dat hij misschien wel bij haar wil komen zitten. Ook ziet ze iets wat haar daarvoor nog niet was opgevallen: hij is een indiaan met een tamelijk sjofel uiterlijk. Ze besluit daarom om niet meer zijn kant op te kijken. Vlak daarna pakt ze een potlood, waarmee ze aantekeningen maakt naast haar eerdere pogingen, die bestaan uit een lange regel met onzinwoorden en lettergrepen. Ze gaat hier zo in op dat ze pas merkt dat de kastelein naast haar staat als hij zijn keel schraapt.

'Neemt u me niet kwalijk, mevrouw. Wilt u misschien nog een glas?' Hij houdt de sherryfles in zijn hand.

'O ja, graag, dank u wel. De taart was heel lekker.' Tot haar verbazing was dat ook zo.

'Dank u. Bent u met een puzzel bezig?'

'Zoiets.'

Hij heeft vriendelijke ogen, de kastelein, en lange, bruine bakkebaarden. Tot haar verbazing maakt hij ook een intelligente indruk.

'Ik probeer een code te ontcijferen. Maar het is hopeloos, want ik weet niet eens in welke taal dit is geschreven.'

'U bedoelt bijvoorbeeld Frans, of Italiaans?'

'Ja... maar ik denk dat het hier gaat om een indianentaal en daar zijn er zoveel van.'

'Aha. Dan hebt u wat hulp nodig.'

'Ja. Van iemand die al die talen vloeiend spreekt.' Ze haalt haar schouders op en glimlacht, omdat zoiets erg onwaarschijnlijk is.

'Mevrouw, als ik u een voorstel mag doen. Ziet u daarginds die meneer zitten? Hij kent een heleboel indianentalen. Als u wilt, kan ik u aan hem voorstellen.'

Hij ziet haar weifelende blik, die is gericht op de opgetrokken schouders en het vette haar dat over de kraag krult. 'Hij is bijzonder... sympathiek.'

Hij glimlacht, alsof hij niet helemaal het juiste woord kon vinden, maar heeft besloten dat ze het hier dan maar mee moeten doen. Maria voelt een blos opkomen. Dat krijg je er nu van als je een onfatsoenlijke zaak binnenloopt: ze is gespietst aan het zwaard van haar eigen dapperheid. Ze staart naar haar papieren en voelt zich een onnozel schoolmeisje.

'Natuurlijk, dat wilt u liever niet. Vergeet u alstublieft dat ik het heb gezegd. Het was vrijpostig van me.'

Maria gaat rechtop zitten. Als ze een geleerde wil zijn, een denker, kan ze niet afdwalen van het pad der kennis vanwege een vette kraag.

'Nee hoor, het zou juist heel... prettig zijn. Dank u wel. Als hij dat tenminste niet te veel moeite vindt.'

De kastelein loopt naar de andere tafel en zegt iets tegen de man. Maria vangt een glimp op van bloeddoorlopen ogen en ze krijgt meteen spijt van haar besluit. Maar hij staat op en loopt met zijn glas in de hand naar haar tafel. Ze glimlacht even naar hem, professioneel naar ze hoopt.

'Hallo. Ik ben juffrouw Knox. En u bent meneer...?'

Hij neemt plaats. 'Joe.'

'O ja. Dank u wel dat u...'

'Fredo zegt dat u iemand zoekt die indianentalen kent.'

'Ja, ik heb hier een deel van een code en een vriend van me vermoedt dat het om een indianentaal gaat. Ik heb de code geprobeerd te ontcijferen, maar omdat ik niet weet om wat voor taal het gaat...'

Ze glimlacht te veel en haalt ondertussen haar schouders op; nu ze tegenover elkaar zitten, is ze nog wat angstiger. De man is ouder dan ze eerst dacht, want ze ziet grijze strepen in zijn haar. Hij heeft wallen onder zijn ogen en zijn wangen zijn slap. Door zijn oogwit lopen rode draden. Hij ruikt naar rum.

Maar desondanks is het ooit een intelligent gezicht geweest.

'Er bestaan geen geschreven indianentalen. Waarom denkt uw vriend dat?'

'Dat weet ik, maar... hij heeft het onderzocht. En deze figuurtjes... ziet u, dit is gewoon een kopie, maar ze lijken op indiaanse tekeningen die ik wel eens heb gezien.'

Om de een of andere reden schuift ze haar kopie naar hem toe, hoe afstotend hij ook mag zijn. Ze wil dat hij haar op zijn minst serieus neemt.

Lange tijd bestudeert hij het papier, maar hij zegt niets. Maria zou het liefst weer terug zijn in het hotel.

'Waar is dit van overgeschreven?'

'Van een stuk been.'

Hij pakt haar andere papieren, die met de experimentele uitwerkingen.

'Wat zijn dit voor namen?'

'O, dat zijn geen namen; het zijn bepaalde letters en klanken waardoor ik deze tekens heb vervangen...'

Hij bestudeert de vellen en houdt ze in het licht om ze beter te kunnen zien. Met een priemende vinger wijst hij de woorden aan. 'Deganawida. Ochinaway. Staat dat er volgens u?'

Zijn houding is agressiever geworden. Maria steekt uitdagend haar kin in de lucht. Er is niets mis met haar methode. Ze heeft hem geleerd van de *Edinburgh Review*.

'Nou, het was een veronderstelling. Je moet eerst bedenken welke klanken de tekens zouden kunnen voorstellen en die aanname vervolgens uitproberen. Ik heb heel veel dingen geprobeerd. Dit is een van mijn uitkomsten... een combinatie van...'

De man leunt achterover in zijn stoel en glimlacht naar haar: een spottende, vijandige grimas. 'Mevrouw, is dit een grap? Wie heeft u verteld dat ik hier was?'

'Nee, natuurlijk is het geen grap. Ik had geen idee... ik weet niet eens wie u bent!' Ze kijkt nerveus om zich heen of ze Fredo ook ziet, maar die is net een paar nieuwe klanten aan het bedienen.

'Wie was het? Was het die dikzak, McGee? Nou? Of Andy Jensen? Was het Andy?'

'Ik weet niet waar u het over hebt. Ik weet niet waarom u denkt dat ik lieg, maar dit is zeer ongepast!'

Nu hoort Fredo de toon van haar stem. Hij kijkt haar kant uit... en komt eindelijk naar haar tafel.

'Hoe heet die vriend van u, mevrouw?' dringt Joe aan.

'Mevrouw, het spijt me verschrikkelijk. Joe, je moet hier weg.'

'Ik wil gewoon weten hoe hij heet.'

'Meneer... Joe... schijnt te denken dat ik hem voor de gek hou.'

'Joe, bied je excuses eens aan. Vooruit nou.'

Joe sluit zijn ogen en buigt zijn hoofd: een merkwaardig etherisch en enigszins gekunsteld gebaar. Het geeft zijn beschadigde gezicht weer een bepaalde fijnzinnigheid, die door de tijd en de alcohol zijn vervaagd.

'Het spijt me. Ik wil alleen graag de naam weten van uw vriend, de eigenaar van dit... hoe heette het ook alweer.'

Maria voelt zich dapperder nu Fredo bij haar tafel staat. En toen de man zijn ogen sloot, had zijn gezicht iets lijdzaams en gekwelds, iets verdrietigs zelfs. Daarom wil ze hem wel antwoord geven.

'Nu u ernaar vraagt, hij heet meneer Sturrock. En het is geen grap. Ik haal geen grapjes uit.'

'Sturrock?' Joe kijkt ernstig. Plotseling wordt hij alert, alsof alle verbindingsdraadjes aan elkaar zijn geknoopt en hij daardoor is getransformeerd. 'Tom Sturrock? De speurder?'

'Ja... dat was hij vroeger. Kent u hem?'

'Vroeger wel. Nou mevrouw, ik wens u succes en zeg maar tegen uw vriend dat hij de groeten krijgt van Kahon'wes.'

Maria fronst haar voorhoofd en struikelt over het woord. 'Ka-hoewees?'

De man, hoe hij ook heten mag, staat op en loopt de bar uit. Maria kijkt Fredo vragend aan. Maar hij is al even verbaasd als zij.

'Het spijt me vreselijk, mevrouw, ik wist niet dat hij zich zo zou gedragen. Normaal gesproken is hij heel rustig. Dan komt hij hier gewoon binnen om wat te drinken en gedraagt zich bijzonder vriendelijk. Ik zal u nog een glas sherry brengen, of een stuk...'

'Nee, dank u wel. Ik moet er echt vandoor. Mijn vader staat op me te wachten. Hoe veel krijgt u...?'

'Nee nee, ik kan u niet laten betalen.'

Ze dringen allebei een poosje aan, maar uiteindelijk krijgt Maria haar zin; het leek haar niet verstandig zich te verplichten aan een vreemde. Ze gaat weg met ritselende papieren en een heleboel bedankjes, en met haar blik strak vooruit gericht loopt ze snel bij het water vandaan.

De ochtend is avontuurlijker geweest dan ze had verwacht en het pad der kennis blijkt wankel en verontrustend. Maar ze heeft tenminste iets wat ze aan meneer Sturrock kan vertellen, iets waarmee ze misschien ook haar vader kan wakker schudden uit zijn apathie. Maria voelt zich opgelucht nu ze de kade achter zich heeft gelaten en ze gaat langzamer lopen om de gebeurtenissen op een rijtje te zetten. En terwijl ze haar avontuur ombouwt tot een spannend verhaal met in de hoofdrol een onverschrokken heldin, weet ze zichzelf bijna wijs te maken dat ze helemaal niet bang was.

Onder de bomen is het al schemerig en het wordt vroeg donker, dus stoppen ze omdat de kinderen zo vreselijk jengelen. Espen probeert zijn angst te verbergen, maar hij weet niet goed hoe hij een sneeuwhut moet bouwen en hoe hij een vuur moet maken als er zo veel sneeuw ligt. Hij maakt een stukje grond in het bos sneeuwvrij en slaagt er na een poosje in met vochtig hout een vuur te maken, maar voordat hun water kookt zijn de sneeuwhopen om hen heen gesmolten en de vlammen gedoofd. De kinderen kijken toe door tranen van teleurstelling en kou. Line blijft maar praten en aanmoedigen, terwijl haar keel droog is van de dorst en haar lippen gebarsten zijn van de kou. Ze heeft haar leven lang nog niet zoveel gepraat; ze is vastbesloten niet op te geven, niet bang te lijken, niet te huilen.

Als Torbin en Anna ten slotte uitgeput in slaap zijn gevallen, zegt ze: 'Morgen komen we vast en zeker bij de rivier. De sneeuw heeft ons vertraagd, maar we komen er wel.'

Een tijd lang zegt Espen niets. Ze heeft hem nog nooit zo ongelukkig gezien. 'Jij hebt het niet gezien, hè?' vraagt hij.

'Wat gezien? Waar heb je het over?' Haar fantasie bevolkt het bos met beren, met indianen die met bijlen zwaaien, met wolven met lichtgevende ogen. Espen kijkt haar nors aan.

'Ons spoor. Vanochtend kwamen we weer op ons eigen spoor terecht. Ik zag het en ik ben erbij weggedraaid. We hadden een rondje gereden.'

Line staart hem aan en vraagt zich even af wat dit betekent.

'Line, we hadden rondjes gereden. Ik weet niet welke kant we op gaan.

Zonder het kompas en zonder dat we de zon kunnen zien, heb ik geen idee.'

'Wacht. We zijn verkeerd gereden.' Ze moet hem bij de hand nemen, hem kalmeren, hem laten weten dat hij nog steeds de leiding heeft. 'We zijn dus een keer verkeerd gereden. Waarschijnlijk was het geen groot rondje. We draaien geen rondjes. Het bos is veranderd. De bomen veranderen, ze worden groter, dus moeten we meer naar het zuiden komen. Dat heb ik gemerkt, heel duidelijk. We moeten gewoon doorgaan. Ik weet zeker dat we morgen de rivier vinden.'

Hij wekt niet de indruk dat hij haar gelooft. Hij slaat de ogen neer, als een opstandig kind dat niet wil toegeven maar nergens anders heen kan. Ze houdt zijn gezicht tussen haar gehandschoeide handen: het is te koud om zich te wagen aan grotere intimiteiten.

'Espen... mijn schat. Geef het nu niet op. We zijn zo dichtbij. Als we in Caulfield komen en een paar kamers kunnen krijgen, zitten we straks voor een zinderend haardvuur en lachen we hier om. Wat een avontuur om zo ons leven samen te beginnen!'

'En als we niet in Caulfield komen? Mijn paard is ziek. De dieren hebben lang niet genoeg te eten en te drinken. Hij eet schors en ik weet zeker dat dat niet normaal is.'

'We komen er wel. We komen altijd wel ergens terecht. In drie dagen kun je door het bos rijden. Misschien komen we morgen wel bij het meer! Wat zul je je dan stom voelen!'

Ze kust hem. Daar moet hij om lachen.

'Je bent een Vargamor. Ongelofelijk. Geen wonder dat jij altijd krijgt wat je hebben wilt.'

'Ha.' Line glimlacht, maar ze vindt die opmerking oneerlijk en ook onjuist. Had zij gewild dat Janni verdween in de wildernis? Wilde zij in Himmelvanger gaan wonen? Maar hij is nu tenminste wat opgevrolijkt en daar gaat het om. Zolang ze er maar voor zorgt dat hij doorgaat, dat ze allemaal doorgaan, dan komt het wel goed.

Als ze samen in hun armzalige schuilplaats liggen, met de kinderen tussen hen in geklemd, hoort Line geluiden door haar vermoeidheid heen: de scherpe knal van bevriezend spinthout, het geruis van sneeuw die van de takken glijdt. En eenmaal, heel ver weg, meent ze wolven te horen, huilend in de lege nacht, en ondanks de kou prikt haar huid van het zweet.

's Ochtends weigert Espens paard in beweging te komen. Hij heeft schors gegeten en dunne diarree druppelt langs zijn billen en bezoedelt de sneeuw. Zijn houding straalt diepe ellende uit. Espen probeert hem een mengsel te voeren van warm water en havermout, maar het beest wendt zich af. Ten slotte, als ze vertrekken, voert Espen hem aan de teugel mee en de kinderen zitten allebei vóór Line op haar paard. Het paard meevoeren – of eigenlijk meesleuren – is zwaarder dan gewoon lopen en na een uur roept hij Line bij zich.

'Dit is gekkenwerk. Het zou sneller gaan als we hem achterlieten. Maar dat zou afschuwelijk zijn. Wat doen we als we bijna bij de rivier zijn?'

'Laten we nog even volhouden. Misschien trekt hij nog bij. Het sneeuwen is opgehouden en het is wat warmer.'

Dat is waar: het sneeuwt bijna niet meer en op sommige plaatsen lijkt de sneeuw zelfs minder hoog te liggen.

'Het wordt steeds zwaarder. Hij wil gewoon stilstaan. Misschien gaat hij wel gauw liggen. Dit is uitputtend.'

'Zal ik hem een poosje nemen? Dan kun jij op het paard zitten met Torbin en Anna tot je een beetje bent uitgerust.'

'Doe niet zo onnozel. Dat kun jij niet. Niet... Jij kunt dat niet.'

Het paard, Bengi – al heeft Line zichzelf aangeleerd om het dier in haar gedachten geen naam te geven – legt zijn oren plat. Zijn rug lijkt erger doorgezakt dan gisteren en zijn ogen staan dof.

'Als we hem eens achterlieten? We kunnen hem altijd later weer ophalen.'

'Dat denk ik niet.'

Line zucht. Ze had zich allerlei dingen voorgesteld, maar niet dat ze zouden worden belemmerd door een ziek paard. Een paar meter verderop zijn de kinderen afgestegen en omdat ze hebben gehoord dat ze veel moeten bewegen om warm te blijven, doen ze een tamelijk mistroostig spelletje.

'Arme oude Bengi.' Line klopt hem op de hals. Het paard draait zijn ogen waarschuwend haar kant uit. Ze hakt de knoop door. 'We laten hem achter. Als hij ons niet kan bijhouden, hebben we geen keus. We zeggen tegen de kinderen dat we later terugkomen om hem op te halen, of zoiets.'

Espen knikt somber. Op een andere plaats zou een andere Line moeten huilen als het paard zo aan zijn lot werd overgelaten. Maar deze Line huilt niet.

Ze lopen terug naar de kinderen. Precies op dat moment, als Line haar mond opendoet om het uit te leggen, klinkt er tussen de bomen een harde knal. Zo hard dat Anna achteruit deinst en bijna omvalt. Ze staren elkaar aan.

'Een jager!' roept Espen opgewonden.

'Weet je zeker dat het niet gewoon spinthout was?' vraagt Line, omdat iemand die vraag toch moet stellen.

'Nee, het was te hard en het klinkt anders. Het is een geweer. Iemand is hier in de buurt aan het jagen.'

Hij lijkt heel zeker van zijn zaak. De kinderen zijn opgelucht en ze juichen zo vrolijk dat Line haar twijfels laat varen. Er zijn hier mensen. De beschaving is plotseling binnen handbereik.

'Ik zal kijken of ik hem kan vinden... Alleen om te controleren of we op de goede weg zitten,' voegt Espen daar vlug aan toe.

'Hoe kom je hier weer terug?' zegt Line vinnig.

'Maak maar een vuur. Het duurt niet lang. Hij moet hier vlakbij zijn.' Espen begint te roepen in het Engels. 'Hallo! Hé. Wie is daar? Hallo!'

Zonder antwoord af te wachten draait hij zich naar hen om. 'Volgens mij kwam het daar vandaan. Ik ben er zo weer. Als ik hem niet kan vinden kom ik meteen terug, dat beloof ik.'

Espen kijkt hen nog eenmaal aan met een brede, zelfverzekerde grijns en verdwijnt dan tussen de bomen. Zijn voetstappen sterven weg in de stilte. Het andere paard, Jutta, slaakt een lange paardenzucht.

Het is interessant om te zien wat zich onder het personeel op de post alle-maal afspeelt. De manier waarop mensen onenigheid krijgen of juist naar elkaar toe trekken. Vanuit mijn eigen waarneming zijn bepaalde dingen heel duidelijk. Olivier is niet geliefd bij de andere werknemers. Hij blijft in de buurt van Stewart, doet boodschappen voor hem en imiteert zelfs een aantal van zijn maniertjes. Bij de anderen bestaat er een zekere afstand tussen blanken en niet-blanken en het is alsof Olivier een afvallige is die is overgelopen naar de andere partij. Aanvankelijk dacht ik dat ze respect hadden voor Stewart en zelfs op hem gesteld waren. Nu ben ik daar niet meer zo zeker van. Er is weliswaar respect, maar van een terughoudend soort, zoiets wat je voelt voor een dier dat wel eens gevaarlijk zou kunnen zijn. Norah haat hem, en al is ze op Nesbit waarschijnlijk wél gesteld, ze gedraagt zich tegen hen allebei even onbeschoft. Ze behandelt Stewart zo laatdunkend dat ik me afvraag of ze een bepaalde macht over hem heeft; ik kan me anders niet voorstellen hoe ze hier ongestraft mee weg kan komen. En een paar maal heb ik het knappe meisje – Nancy – hier op de gang gezien. Omdat ik niet de indruk heb dat ze schoonmaakt of bedient, vraag ik me af wat ze dan wél aan het doen was. Misschien was ze aan het koken.

Ik wacht af tot er iets gebeurt. Sinds de terugkeer van de mannen die Nepapanees gingen zoeken zijn er twee uur verstreken. Ik heb rondgehan-gen tussen mijn kamer, de keuken en de eetkamer en ik bedenk voort-durend kleine dingen om te doen, zoals aanmaakhoutjes halen (omdat ik die naar buiten heb gegooid), of gemorste koffie opvegen. Daardoor neem ik Norah tegen me in, maar even na zessen word ik beloond als ik uit Stewarts kantoor geschreeuw hoor komen. De stemverheffing is afkomstig van Nesbit en heeft een hysterische bijklank.

'In godsnaam, moet ik nou steeds blijven zeggen dat ik het niet weet! Het is weg, dat staat vast.'

Er klinkt zacht gemompel van Stewart.

'Jezus, dat kan me niet schelen. Je hebt het beloofd! Je moet me helpen!' Nog meer gemompel: iets over 'onachtzaamheid'.

Ik sta op de gang en sluip op mijn tenen dichterbij, biddend tot de god van de krakende vloerplanken.

'Het moet wel een van hen zijn. Wie zou het anders doen? En er is nog iets... halfmens; je moet hem beter onder de duim houden.'

Het gemompel wordt nog zachter. Om de een of andere reden vind ik dit heel beklemmend. Ik durf niet dichterbij te komen. Wat bedoelt Nesbit met 'halfmens'? Beledigt hij Stewart? Of iemand anders?

Zware voetstappen naderen de deur. Ik stuif erlangs, en voordat er iemand naar buiten komt bereik ik veilig de eetkamer. Als ik binnenkom, kijkt Moody op vanaf zijn stoel bij het haardvuur.

'Mevrouw Ross. Er is iets wat ik graag met u wil bespreken...'

'Een ogenblik alstublieft...' Ik zet de koffiepot neer. Op de gang lijkt alles rustig. 'Het spijt me meneer Moody, ik ben iets vergeten geloof ik. Een ogenblik alstublieft.'

Terwijl ik de deur achter me dichttrek, zie ik in de smaller wordende deuropening dat zijn gezicht betrekt.

Ik loop terug over de lege gang. Stewarts deur is dicht. Ik klop aan.

'Wat is er?' Het is de stem van Nesbit. Zeer slecht geluimd.

'O, ik ben het, mevrouw Ross. Mag ik binnenkomen?'

'Ik heb het momenteel nogal druk.'

Desondanks doe ik de deur open. Nesbit kijkt op; ik heb de indruk dat hij zo-even nog onderuitgezakt over zijn bureau hing. Zijn gezicht is bleek en bezweet en zijn haar zit nog meer in de war dan anders. Ik voel een vlaag van medeleven. Ik weet nog hoe het voelt.

'Ik zei...'

'Ik weet het, het spijt me. Maar ik voel me gewoon vreselijk. Ik heb net de melkkan gebroken, het spijt me verschrikkelijk.'

Nesbit kijkt me aan met een frons die het midden houdt tussen onbegrip en irritatie. 'In vredesnaam, dat maakt echt niet uit. Als u het niet erg vindt...'

Ik kom nog een stap verder de kamer in en doe de deur achter me dicht. Nesbit krimpt in elkaar. Zijn ogen hebben een moordzuchtige blik, als die van een in het nauw gedreven dier.

'Bent u iets kwijt? Ik weet hoe vervelend dat kan zijn. Kan ik u misschien helpen?'

'U? Waar hebt u het over?'

Maar toen ik de deur achter me dicht deed, begreep hij vrijwel direct waar het om ging. Ik heb nu zijn volledige aandacht.

'Waarom denkt u dat ik iets kwijt ben?'

'Hij bewaart het voor u, toch? Hij laat u erom smeken.'

Het is alsof ik een masker heb afgetrokken: zijn gezicht is zo bleek dat het haast blauw lijkt. Hij balt zijn vuisten. Hij wil me slaan, maar heeft daar het lef niet voor.

'Waar is het? Wat hebt u ermee gedaan? Geef het aan mij.'

'Ik zal het teruggeven, als u me iets vertelt.'

Hij fronst zijn voorhoofd, maar hij krijgt hoop. Hij komt overeind en doet een stap in mijn richting, zonder te dichtbij te komen.

'Vertel me wie u onder de duim moet houden. Over wie mag niet gesproken worden?'

'Wat?'

'Die eerste avond hoorde ik u tegen een vrouw zeggen dat ze niet over hem mocht praten. Over wie hadden jullie het? Zonet zei u tegen Stewart dat die hem beter onder de duim moest houden. U zei dat hij halfmens was. Wie? Als u me zegt wie het is, geef ik het terug.'

De spanning vloeit in één keer uit hem weg. Zijn hoofd draait alle kanten op. Op zijn gezicht verschijnt zelfs een soort glimlach. Iets in hem lijkt opgelucht.

'O. We wilden niet dat Moody erachter kwam. Als zoiets bij de Company terechtkomt... Een van onze mannen is krankzinnig geworden. Nepapanees. Stewart probeert hem te beschermen, vanwege zijn gezin...'

'Nepapanees? Bedoelt u dat hij niet dood is?'

Nesbit schudt zijn hoofd.

'Hij woont op zichzelf, als een wilde. Tot een paar weken geleden ging het prima, maar nu is hij echt krankzinnig. Misschien zelfs gevaarlijk. Het zou een vreselijke schande voor zijn gezin betekenen. Stewart vond het beter als ze dachten dat hij dood was.' Hij schudt zijn hoofd. 'Dat is alles. Ha...! Ik bedoel, het is afschuwelijk.'

'En hij is weggeweest... toch, de laatste tijd?'

'Hij komt en gaat.'

'Drie weken geleden...'

'Ik weet niet waar hij heen gaat. Zo'n tien dagen geleden kwam hij terug.'

Ik weet niet wat ik nog meer moet zeggen. Of vragen. Hij kijkt me schichtig aan. 'Mag ik het nu terug?'

Even gaat het door me heen om de fles op de vloer kapot te gooien, want er is iets misgegaan, al weet ik niet precies wat.

'Alstublieft.' Hij doet nog een stap mijn richting uit.

Ik haal hem uit mijn zak en hou hem voor me uit: de fles die ik gisteren van onder zijn matras heb weggenomen toen hij bij Moody was. Hij pakt hem aan en kijkt heel even of ik er iets uit heb gestolen, als een reflex, een kortstondige actie. Daarna draait hij zich om en neemt een slok. Hij heeft nog net de waardigheid om op die manier wat privacy te bewaren. Het duurt wel een tijdje voor je zo ver bent afgegleden. In die houding blijft hij staan en staart naar de gordijnen.

'En waar is hij nu?' vraag ik.

'Ik weet het niet. Ver hier vandaan, hoop ik.'

'Is dit echt waar?'

'Ja.'

Ik zie alleen nog maar de fles in zijn hand. Wat zou ik er niet voor geven om die van hem af te pakken en eruit te drinken.

Hij kijkt me niet meer aan. Zijn stem is zacht en weer onder controle. Ik kom weer tot mezelf. Als ik wegga staat hij met zijn rug naar me toe bij het bureau, opstandig, met rechte schouders.

Ik loop terug naar de eetkamer. Nepapanees een krankzinnige. Is Nepapanees de krankzinnige moordenaar van Jammet? Dit lijkt de oplossing waarnaar ik op zoek was. Maar ik voel geen triomf. Geen voldoening. Ik weet niet wat ik ervan moet denken, maar ik kan het beeld van Elizabeth Bird niet vergeten, die zittend in de sneeuw doelbewust haar huid verbrandt van verdriet.

Als ze terug zijn, komt Stewart naar haar huis. Hij lijkt bezorgd, als een vader met een nukkig kind: bereid om toegeeflijk te zijn, maar slechts tot een bepaald punt.

'Elizabeth, het spijt me zo.'

Ze knikt. Dat is gemakkelijker dan praten.

'Ik heb geprobeerd te bedenken wat er gebeurd kan zijn. Hebben jullie de plaats gevonden?'

Weer knikt ze.

'Ik weet zeker dat zijn geest rust heeft, waar hij ook mag zijn.'

Nu knikt ze niet. Vermoorde mensen hebben geen rust.

'Mocht je je zorgen maken... natuurlijk kun je hier blijven. Je hoeft je geen zorgen te maken over je toekomst. Je zult hier altijd een thuis hebben, zolang je maar wilt.'

Zelfs zonder hem recht aan te kijken is ze zich bewust van zijn angstaanjagende blauwe ogen, die lijken op de glimmende lijven van aasetende vliegen. Hij kijkt haar strak aan, in een poging haar krachten te ondermijnen, haar naar zijn hand te zetten. Zij kijkt hem niet aan: ze maakt het hem niet gemakkelijk. Ze maakt een zijdelingse beweging met haar hoofd, in de hoop dat hij weg zal gaan.

'Ik laat je alleen. Als je ergens behoefte aan hebt, kom het dan alsjeblieft vragen.'

Voor de derde maal knikt ze.

Maar ze denkt: over mijn lijk.

Buiten hoort ze Engelse stemmen: Stewart en de moonias.

'Ik zou haar maar alleen laten als ik u was. Ze is nog in een shocktoestand.'

De stemmen zetten zich in beweging. Elizabeth springt op, uit pure tegendraadsheid, en loopt naar buiten.

'Meneer Moody... kom alstublieft binnen, als u wilt.'

De beide mannen draaien zich om, geschokt. Moody's gezicht is een vraagteken. Elizabeth weet niet meer waarom ze zo naar buiten stoof en voelt zich onnozel.

Moody wil per se op de vloer zitten, net zoals zij, ook al beweegt hij zich een beetje stijfjes.

'Hoe is met u? Gaat het al wat beter?' Ze kijkt naar zijn middenrif, waar ze vier avonden geleden zijn wond heeft verbonden. Een mensenleven terug, toen ze nog een man had. 'Het was een lelijke wond. Had iemand geprobeerd u te vermoorden?'

'Nee.' Hij lacht. 'Of, nou ja, iemand had me gestoken in een ogenblik van drift, maar daar had hij naderhand heel veel spijt van. Een lang verhaal. En ik kwam kijken hoe het met u ging. Als ik iets voor u kan doen...'

'Dank u. U bent laatst heel aardig voor mij geweest.'

'Nee...'

Elizabeth schenkt thee in geëmailleerde mokken. Opnieuw proeft ze het rivierwater, verbitterd door het verraad. Misschien was het hert een teken: ik ben vermoord. En jij moet me zoeken.

Kon ze maar bidden om raad, maar ze kan niet naar de houten kerk. Het is de kerk van Stewart en ze voelt er weerzin tegen. Daarvoor heeft ze nooit zoveel over haar geloof nagedacht. Ze nam aan dat het ergens onder de oppervlakte zat en dat het er wel zou blijven zitten zonder dat ze daar bewust moeite voor hoefde te doen, net zoals haar longen ademhaalden. Misschien heeft ze het te veel verwaarloosd. Nu ze het nodig heeft, lijkt het te zijn verschrompeld.

'Bidt u wel eens?'

Moody kijkt haar verbaasd aan. Hij overweegt zijn antwoord. Dat vindt ze prettig aan hem: hij zegt niet gewoon wat hij denkt dat er van hem verwacht wordt, maar hij lijkt er daadwerkelijk over na te denken. Dat vindt ze prettig, evenals het feit dat hij geen haast maakt om alle kleine stiltes op te vullen.

'Ja. Maar niet zo vaak als zou moeten. Lang niet.'

Op dat moment komt haar dochtertje struikelend naar binnen door de voordeur. Ze kan nog maar net lopen.

'Amy, ga terug naar Mary. Ik zit te praten.'

Het kind staart Donald aan en waggelt dan naar buiten.

'Ik denk dat we alleen...' Zijn stem sterft weg. 'Ik bedoel: we wenden ons alleen tot God als we in moeilijkheden of behoeftige omstandigheden zijn en dat ben ik nooit geweest. Nog niet, godzijdank.'

Hij glimlacht. Hij ziet er nu bezorgd uit, verward. Hij gaat langzamer praten, alsof het hem moeite kost zijn gedachten te ordenen. Er is iets gebeurd.

'Ik kan het niet.'

Hij kijkt haar vragend aan.

'Bidden.'

'Bent u altijd al christen geweest?'

Ze glimlacht. 'Ik ben op mijn twintigste gedoopt door de missionarissen.'

'Dus u hebt ook... andere goden gekend. Bidt u tot hen?'

'Ik weet het niet. Ik heb vroeger nooit echt gebeden. U hebt gelijk. Ik heb nooit de noodzaak gehad.'

Moody zet zijn thee neer en slaat zijn lange armen om zijn knieën. 'Toen ik klein was ben ik een keer hopeloos verdwaald, in de heuvels vlak bij mijn huis. Ik ben een dag en een nacht weggeweest. Ik was bang dat ik zou moeten rondzwerven in de heuvels tot ik stierf van de honger. Toen heb ik gebeden. Ik bad dat God me de weg naar huis zou wijzen.'

'En?'

'Mijn vader heeft me gevonden.'

'Dus uw gebeden werden verhoord.'

'Ja. Maar ik neem aan dat sommige gebeden niet verhoord kunnen worden.'

'Ik zou ook niet bidden dat mijn man weer levend moest worden. Ik zou alleen bidden om rechtvaardigheid.'

'Rechtvaardigheid?' Zijn ogen worden groot en hij staart naar haar, alsof ze een vlek op haar gezicht heeft. Hij lijkt gefascineerd, alsof ze plotseling iets heeft gezegd van groot en doorslaggevend belang.

Elizabeth zet haar beker neer. Lange tijd zeggen ze allebei niets en staren in het vuur, dat ploft en sist.

'Amy. Dat is een mooie naam.'

'Ze begrijpt niet waarom haar vader hier niet is.'

Moody slaakt een diepe zucht en vervolgens glimlacht hij. 'Het spijt me. U zult me wel brutaal vinden. Er kwam zojuist een hele rare gedachte in me op. Zeg het me alstublieft als ik het mis heb, maar ik kan dit niet voor me houden.' Hij lacht verlegen, zonder zijn blik van haar af te wenden. 'Ik weet dat dit niet het juiste moment is. Maar onwillekeurig denk ik... Die naam van uw dochter. En uw... Ik weet niet hoe ik dit moet zeggen... Bent u vroeger... bent u vroeger een Seton geweest?'

Elizabeth staart in de vlammen en een luid zingen in haar oren overstemt wat hij hierna nog te zeggen heeft. Een vlaag van iets wat op lachen lijkt, dreigt haar te verstikken.

Zijn mond beweegt: hij verontschuldigt zich, denkt ze vanuit de verte. Dingen waarvan ze meende dat ze al lang geleden vergeten waren, zijn plotseling glashelder. Een vader. Een zuster. Een moeder. Nee, haar zuster niet. Haar zuster is ze nooit vergeten.

Langzaam wordt zijn stem weer hoorbaar. 'Bent u Amy Seton?' Moody buigt zich naar voren, met een kleur van opwinding, van spanning, omdat hij op het punt staat een belangrijke ontdekking te doen. 'Ik zal het aan niemand vertellen, als u dat niet wilt. Ik geef u mijn erewoord dat ik het geheim zal houden U hebt hier uw leven, uw kinderen... ik wil het alleen graag weten.'

Dat plezier gunt ze hem niet. Hij verdient het niet. Ze is geen premie die je kunt vinden en opeisen.

'Meneer Moody, ik weet niet wat u bedoelt. Mijn naam is Elizabeth Bird. Mijn echtgenoot is met opzet gedood. Wat moet ik doen? Wat gaat u doen?'

'Met opzet? Hoe komt u daarbij?'

Ze ziet hoe hij met moeite van de ene opwinding in de andere rolt. Dat ligt hem niet, hij kan er niet goed tegen. Van grote afstand lijkt ze toe te kijken hoe hij naar adem hapt en naar zijn buik grijpt, met een pijnlijk verwrongen gezicht. Zijn gezicht is rood. Hij had niet zo'n persoonlijke vraag moeten stellen. Ten slotte herstelt hij zich, hijgend als een hond.

'Wat zegt u? Dat Stewart... uw man heeft vermoord?'

'Ja.'

'Waarom zou hij dat doen?'

'Ik weet niet waarom.'

Ze staart hem aan. Hij moet ergens vanaf weten: ze ziet dat hij nadenkt. Dan doet hij zijn mond open.

'Neemt u me niet kwalijk dat ik dit vraag... maar was uw man krankzinnig?'

Elizabeth staart en ze voelt zich heel klein en zwak. Ze krimpt ineen, stort in elkaar.

'Heeft hij dat gezegd?' De tranen stromen haar over de wangen, van verdriet of boosheid, dat weet ze niet, maar plotseling is haar gezicht nat. 'Hij was niet krankzinnig. Dat is een leugen. Vraag het maar aan de anderen. Halfmens is de enige krankzinnige.'

'Halfmens? Wie is Halfmens?'

'Degene over wie we van hem niet mogen praten!' Elizabeth komt overeind. Het is te veel, zo allemaal ineens. Ze loopt rondjes om het vuur. 'Als u zo slim bent en zoveel ziet, waarom doet u uw ogen dan niet open?'

'Als het weer het toelaat, vertrek ik morgen.'

Ik staar Parker met open mond aan. Ik voel meteen een zware druk op mijn borst, alsof ik last heb van kroep: een onaangename vernauwing van de luchtwegen die de ademhaling belemmert. Ik ben al kortademig sinds hij op de deur van mijn kamer klopte en ik hem binnenliet, me afvragend wat hij wilde.

'Dat kan niet! We zijn nog niet klaar.'

Even beantwoordt hij mijn blik; hij voelt dat zijn beslissing in twijfel wordt getrokken, maar daar is hij niet verbaasd over. Hij kent me nu immers langer dan vandaag.

'Volgens mij is dit juist de enige manier om onze taak te volbrengen.'

Toen hij dat zei wist ik nog niet wat hij bedoelde, maar nu wel. Vanaf het moment dat we elkaar in Dove River voor het eerst ontmoetten, hebben we er allemaal steeds op vertrouwd dat Parker ons de weg zou wijzen. Moody ook, hoe vervelend hij dat ook vindt.

'Hoe gaat u dat dan doen?'

Parker zwijgt even. Zijn gezicht lijkt nu anders, zachter, minder zelfverzekerd, maar misschien komt dat alleen door het zwakke licht van de lamp.

'Morgenochtend zal ik Stewart het papiertje met het jaartal laten zien dat ik van u heb gekregen. Dan weet hij, als hij het inmiddels nog niet wist, dat ik bij Jammet binnen ben geweest. Ik zal hem vertellen dat ik vertrek en als ik het bij het rechte eind heb...' Hier zwijgt hij even. 'En als hij zo in elkaar zit als ik denk, zal hij de verleiding niet kunnen weerstaan achter me aan te komen, in de hoop dat ik hem naar de pelzen leid.'

'Maar als hij Jammet heeft laten doden... vermoordt hij u misschien ook.'

'Daar ben ik op voorbereid.'

'Het is te gevaarlijk. U kunt niet alleen gaan. Hij gaat vast niet in zijn eentje; hij neemt natuurlijk die... Halfmens mee.'

Parker haalt zijn schouders op. 'Vindt u dat ik Moody mee moet nemen?' Dit is zo onwaarschijnlijk dat hij moet glimlachen. 'Hij moet blijven. Hij moet zien dat Stewart achter me aan gaat. Dan weet hij het.'

'Maar, maar u bent...'

Ik probeer de feiten weer op een rijtje te zetten. Bewijs... wat voor bewijs zou er kunnen zijn, afgezien van een bekentenis van Stewart?

'U kunt niet alleen gaan. Ik ga met u mee. Als een tweede paar ogen. Ik kan... U hebt een getuige nodig. Een getuige die kan bevestigen wat u zegt. U moet niet alleen gaan!'

Mijn wangen gloeien. Parker glimlacht opnieuw, vriendelijk. Hij steekt zijn hand uit, bijna tot aan mijn gezicht, maar hij raakt het net niet aan. In mijn ogen voel ik tranen, die mijn zelfbeheersing, mijn waardigheid, alles dreigen te ondermijnen.

'U moet hier blijven. Moody heeft u nodig. Hij is de weg kwijt.'

En ik dan? denk ik. Die woorden klinken me zo hard in de oren dat ik me afvraag of ik ze niet daadwerkelijk heb uitgesproken, maar Parker laat niet merken dat hij ze gehoord heeft. Ik probeer mijn stem standvastig te laten klinken.

'Ik weet niet wat Stewart volgens u zou kunnen bewijzen, behalve dat hij u kan vermoorden. Dat zou waarschijnlijk afdoende bewijs zijn. Maar... als hij nou in plaats daarvan iemand stuurt om u te vermoorden, hoe kunnen we hem dan met die moord in verband brengen? Als u in uw eentje weggaat en niet terugkeert, neemt meneer Moody daar vast geen genoegen mee. Dat bewijst niets.'

'Nou,' Parker slaat zijn ogen neer en zijn stem klinkt een tikkeltje ongeduldig, 'morgenochtend zien we wel verder. Misschien dat Stewart ons dan alles vertelt. Welterusten, mevrouw Ross.'

Ik bijt op mijn tong, boos en gekwetst. Misschien dat Parker het nog niet weet, maar in deze kamer bevinden zich twee mensen die niet opgeven voordat een kwestie helemaal is afgehandeld.

'Welterusten, meneer Parker.'

Hij loopt weg en trekt de deur zachtjes achter zich dicht. Een paar minuten lang blijf ik als aan de grond genageld staan en terwijl er heel veel dingen zijn waarover ik zou kunnen of zou moeten nadenken, vraag ik me alleen maar af of hij mijn voornaam kent.

Die nacht droom ik.

Ik droom op een vage, maar verontrustende manier over Angus. Ik draai mijn hoofd heen en weer, omdat ik me wil afkeren van mijn man. Hij verwijt me niets. Dat kan hij niet.

Ik word wakker in het holst van de nacht, in een stilte die zo zwaar is dat ik voel dat ik onmogelijk uit bed zou kunnen komen. Op mijn gezicht liggen koude tranen te drogen, waar mijn huid van gaat jeuken.

Heel lang heb ik me afgevraagd waarom hij zo afstandelijk tegen me ging doen. Ik ging ervan uit dat ik iets verkeerd had gedaan. En toen Parker me over Jammet vertelde, dacht ik dat het was vanwege Francis, omdat hij het wist en het vreselijk vond.

Maar in feite was het al veel eerder begonnen.

Ik verberg mijn gezicht in het kussen, dat naar schimmel en vocht ruikt. Het katoenen sloop is koud als marmer. Alleen hier, eenzaam en in de duisternis, kan ik die gedachten wat speelruimte geven. Gedachten die afkomstig zijn uit het niets, uit dromen, en die me gijzelen alsof ik aan het ijlen ben. Ik verlang weer naar de slaap, want alleen als ik slaap kan ik de boeien van werkelijkheid en fatsoen van me af laten glijden.

Maar zoals ik al zo vaak heb gemerkt in dit leven, ontgaat ons datgene waar we werkelijk naar verlangen.

Donald drukt zijn hand tegen het vensterglas. Daardoor smelten de ijsbloemen die vannacht zijn ontstaan en blijft er een duidelijke handafdruk achter: de kou wordt heviger. De winter valt in en ze moeten snel verder, anders raken ze hier in Hanover House ingesneeuwd.

Gisteren heeft hij de brief aan Maria afgemaakt en vanochtend leest hij hem nog eens door. De brief heeft de juiste toon, vindt hij; er staat niets overdreven fijngevoeligs in. Eerst zet hij zijn gedachten uiteen – het is zo'n opluchting om eindelijk te kunnen zeggen wat hij denkt – en vervolgens spreekt hij de wens uit om haar te ontmoeten en hun interessante gesprekken te hervatten. Hij vouwt de brief dicht en doet hem in een envelop, maar daar schrijft hij nog geen adres op. Hij gruwt bij de gedachte dat anderen zijn brieven zouden lezen. Hij is ervan overtuigd dat mevrouw Ross, tijdens een van haar nieuwsgierige, opdringerige bezoekjes aan zijn kamer, een eerdere brief aan Susannah heeft gezien.

Susannah. Omdat hij zo'n situatie nog nooit bij de hand heeft gehad, weet hij niet zo goed wat hij met haar aan moet. Hij heeft het idee dat ze niet echt diepbedroefd zal zijn; tenslotte, zegt hij tegen zichzelf, is er niet echt iets uitgesproken. Geen belofte. Hij voelt zich wat ongemakkelijk, want op het eerste gezicht is dit geen bewonderenswaardig gedrag en Donald wil juist niets liever dan bewonderenswaardig zijn. Van een afstand ziet hij duidelijker dan toen hij nog in Caulfield was dat Susannah een flinke meid is. Maar desondanks is hij kwaad op zichzelf, omdat hij aan die gedachte troost ontleent. Misschien dat hij niet alle brieven aan haar daadwerkelijk laat bezorgen. Misschien moet hij ze nog herschrijven, om overbodige verlangens eruit te schrappen.

Op dat moment, terwijl Donald nog omringd door brieven aan de gezusters Knox aan tafel zit, wordt er op de deur geklopt. Het is Parker.

Stewart zit in zijn kantoor, met op zijn bureau een pot koffie. Het vuur brandt, maar delft het onderspit tegen de metaalachtige kou die oprukt vanaf het raam, vanaf de deur en zelfs door de muren.

Donald, die vindt dat hij de leiding moet nemen en dat ook met zoveel woorden tegen Parker en mevrouw Ross heeft gezegd, schraapt tamelijk agressief zijn keel.

'Meneer Stewart, neemt u me niet kwalijk dat we u zo vroeg storen. We willen even met u praten.'

De ernstige toon in zijn stem ontgaat Stewart niet, maar hij laat hen glimlachend binnen. Hij laat een paar extra kopjes komen en dit keer is het Nancy die op het belletje afkomt. Zolang zij in het vertrek is staart Donald naar de vloer en hij hoopt dat de warmte in zijn gezicht niet zichtbaar is. Maar niemand slaat acht op hem.

Donald begint. 'Ik vind dat u moet weten wat de werkelijke reden is van ons bezoek.' Hij negeert de blik van mevrouw Ross. Hij kan Parkers gezichtsuitdrukking niet zien, want die zit naast Stewart voor het raam en blijft daardoor in de schaduw. 'We hebben een spoor gevolgd. Het leidde vanaf Dove River noordwaarts en we hebben gegronde redenen om aan te nemen dat het hiernaartoe leidde.'

'Bedoelt u dat het spoor niet van de zoon van mevrouw Ross was?'

'Nee. Tenminste, niet helemaal tot hier. En er zijn hier mannen wier aanwezigheid voor ons verborgen is gehouden.'

Stewart knikt, met een ernstig gezicht en neergeslagen ogen. 'Ik denk dat er dingen zijn gezegd die u hebben misleid. Daarvoor wil ik me verontschuldigen. Ik zal u vertellen wat ik weet, misschien kunt u daarna sommige hiaten invullen. Wat ik zei was waar: Nepapanees was een van mijn beste mannen. Een harde werker, een capabele stuurman, een fantastische spoorzoeker. Maar ruim een jaar geleden is er iets met hem gebeurd. Meestal is het drank, zoals u ongetwijfeld hebt gezien...' Hij werpt een blik op Donald, maar op de een of andere manier weet hij hen er allemaal bij te betrekken. 'Maar in zijn geval niet. Althans, aanvankelijk niet.

Ik weet niet hoe het kwam, maar zijn geest ontspoorde. Hij herkende zijn vrouw niet meer. Hij herkende zijn eigen kinderen niet meer. Dit voorjaar liep hij het fort uit en naar men zegt is hij in de wildernis gaan leven. Zo nu en dan kwam hij terug, maar het was beter als hij wegbleef. Een paar weken geleden kwam hij heel lang niet meer terug. Ik had het gevoel dat hij iets had gedaan. Dat gevoel werd sterker toen jullie kwamen. Maar tegen die tijd...' Hij haalt zijn schouders op en laat ze vervolgens slap omlaag hangen.

'Ik wilde zijn vrouw en gezin niet nog meer schande bezorgen. Dat wilde ik ze besparen. Nesbit en ik spraken af om het... te verdoezelen. Om net te doen alsof hij dood was. Dat was stom, ik weet het.' Hij slaat zijn ogen op en ze lijken te glinsteren van de tranen. 'In zekere zin zou ik willen dat hij daadwerkelijk overleden was. Hij is een arme stakker die de mensen die om hem gaven veel verdriet heeft gedaan.'

'Maar hoe kon u zijn vrouw vertellen dat hij dood was? Hoe kon u haar zo laten lijden?' Mevrouw Ross buigt zich naar voren en haar ogen priemen zich vast in die van Stewart. Haar gezicht is bleek en strak en een emotie, waarschijnlijk woede, straalt van haar af als een magnetische kracht.

'Geloof me mevrouw Ross, ik heb er een hele poos over nagedacht. Ik kwam tot de conclusie dat zijn dood haar en haar kinderen minder verdriet zou doen dan wat hij hun uiteindelijk zou aandoen als hij in leven bleef.'

'Maar hoe dacht u dat u zijn aanwezigheid voor haar verborgen zou kunnen houden? Hij is hier twee dagen geleden nog gesignaleerd!'

Even valt Stewart helemaal stil; daarna kijkt hij op en het is duidelijk hoe opgelaten hij zich voelt. 'Het was onbezonnen. Ik heb mezelf laten... De afgelopen jaren, vooral 's winters, heb ik vaak het gevoel gehad dat ik niet meer helder kan oordelen. Maar als u hem had gezien met zijn kinderen... als ze op hem af renden, staarde hij ze angstig en haatdragend aan en gooide hun de afschuwelijkste dingen naar het hoofd... God mag weten voor wat voor boze geesten hij ze dan aanzag. Het was vreselijk om hun gezichten te zien.'

Stewart heeft een gekwelde blik, alsof hij de kinderen nog steeds voor zich ziet. Donald voelt een vlaag van medeleven. Hij kan zich voorstellen hoeveel spanning dat geeft, de ene eindeloze winter na de andere.

Mevrouw Ross kijkt naar Parker, en daarna weer naar Stewart. Bijna alsof Donald er niet is.

'Wie is Halfmens?'

Op Stewarts gezicht verschijnt een pijnlijke glimlach. 'O ja. Ziet u...' Hij kijkt op, ditmaal rechtstreeks naar mevrouw Ross. 'Halfmens is een andere verschoppeling. Een verstokte dronkaard. Hij is de man van Norah en daarom geven we hem zo nu en dan te eten. Hij is pelsjager, maar niet een heel nuttige.'

Zijn gezicht heeft een zekere naaktheid, waardoor Donald zich ongemakkelijk voelt. Met welk recht dwingen ze deze man zijn problemen openbaar te maken?

'Ik moet me alweer verontschuldigen dat ik u heb misleid. Men wil graag worden beschouwd... vooral in een Company als deze...' Hij kijkt weer naar Donald, zodat deze verlegen zijn ogen neerslaat. 'Men wil graag worden beschouwd als een goede leider, een vader in zekere zin, voor degenen voor wie men verantwoordelijk is. Ik ben voor deze mensen geen goede vader geweest. Het is ook zwaar geweest, maar dat is geen excuus.'

Mevrouw Ross leunt achterover in haar stoel, met een verwarde, afwezige uitdrukking op haar gezicht. Parkers gezicht is slechts vaag te onderscheiden, omdat er een schaduw over valt. Donald mengt zich in het gesprek.

'Die dingen gebeuren overal. Er heerst dronkenschap en sommigen worden krankzinnig. Het zegt niets over uw leiderschap dat sommige mannen het verkeerde pad op gaan.'

Stewart buigt zijn hoofd. 'Het is aardig dat u dat zegt, maar het is niet waar. Maar enfin, waar het jullie nu om gaat is de man die jullie op het spoor waren... ik neem aan vanwege iets wat hij gedaan heeft. Een... misdaad?'

Donald knikt. 'We moeten hem vinden en ondervragen, in wat voor toestand hij zich ook bevindt.'

'Ik weet niet precies waar hij is, maar waarschijnlijk vinden we hem wel. Maar als u een misdadiger zoekt, zult u die niet vinden. Deze man beseft gewoon niet wat hij doet.'

Terwijl Stewart zit te praten, haalt Parker een pijp en tabak uit zijn zak. Er valt een stukje papier op de vloer, tussen zijn stoel en die van Stewart. Parker merkt het niet, maar scheurt strengen tabak uit het tabakszakje en drukt ze in zijn pijp. Stewart ziet het en bukt zich om het papiertje op te rapen. Heel even blijft hij zo zitten, met zijn hand op de vloer, om het daarna aan Parker terug te geven, zonder hem aan te kijken.

'Ik zal een paar mannen eropuit sturen om hem te zoeken. Ze zullen zijn spoor wel kunnen volgen.'

Parker stopt het stukje papier weer in zijn zak, bijna zonder het ritueel van het vullen van de pijp te onderbreken. Het hele gebeuren heeft misschien drie seconden geduurd. Tijdens het hele gesprek hebben de twee mannen naast elkaar gezeten, zonder elkaar ook maar één keer aan te kijken.

Aan het einde van de gang richt Parker zich tot mij. 'Ik ga me klaarmaken.'

'Gaat u weg?'

Ik nam aan dat zijn vragen nu waren beantwoord. Dom van me; natuurlijk geloofde hij niets van wat Stewart zei.

'Hij heeft niet gezegd dat hij Nepapanees niet naar Dove River heeft gestuurd.'

Zijn zelfverzekerdheid irriteert me, dus ik geef geen antwoord. Hij kijkt me aan met die wezenloze, strakke blik van hem, waaruit grote concentratie spreekt, maar waaraan niets valt af te lezen over het gespreksonderwerp, of zelfs maar over de teneur ervan. Maar door de rimpels in zijn gezicht leid je er maar al te snel uit af dat er woede en gewelddadigheid achter schuilgaan. Ik weet nu dat dit niet het geval is. Of misschien heb ik mezelf een vals gevoel van veiligheid aangepraat.

'Hebt u het overhemd van Elbow Ridge nog?'

Natuurlijk heb ik dat nog. Het zit opgerold onder in mijn tas, onder mijn met bont gevoerde jas.

'Ga het maar even halen.'

Halverwege de open vlakte achter de magazijnen breekt door een gat in de wolken de zon door. Een straal licht zo recht als een trap schijnt over de vlakte achter de palissade en verlicht een stuk kreupelhout met lage wilgen, dat is doorspekt met sneeuw en glinstert van de ijspegels. Het wit is zo helder dat je ogen er pijn van doen. Dankzij de zon straalt even plotseling als een glimlach de schoonheid van de vlakte je tegemoet. Na zo'n honderd meter worden alle onvolkomenheden in het landschap verborgen. Achter de palissade is het landschap volmaakt, als een beeldhouwwerk uitgehouwen in zout, kristalhelder en puur. Intussen ploeteren wij door omgeploegd slijk en modder, platgetreden en bezoedeld met hondenpies.

De weduwe zit in haar hut met een van haar zonen, een ernstig kijkende jongen van een jaar of acht. Ze kookt vlees op het vuur en zit er gehurkt naast. Naar mijn idee ziet ze er dunner en havelozer uit dan de vorige keer dat ik haar zag, en op de een of andere manier ook indiaanser, hoewel ze met haar fijne trekken het duidelijkst van hen allemaal een halfbloed is.

Ze kijkt uitdrukkingsloos op als Parker zonder kloppen naar binnen gaat. Hij zegt iets wat ik niet versta en zij geeft antwoord in een andere taal. Mijn reactie hierop – een plotseling opkomende, felle jaloezie – snijdt me de adem af.

'Neemt u plaats,' zegt ze, lusteloos.

Dat doen we, op de dekens rondom het haardvuur. De jongen staart me onbeweeglijk aan; als je winterpetticoats draagt is op de vloer zitten geen elegant gebeuren, maar ik doe mijn best. Parker draait eerst wat om de hete brij heen. Hij vraagt naar de kinderen en betuigt zijn medeleven, waar ik me mompelend bij aansluit. Ten slotte komt hij ter zake.

'Heeft uw man het ooit over de Noorse pelzen gehad?'

Elizabeth kijkt eerst hem aan en daarna mij. Ze geeft geen blijk van herkenning.

'Nee. Hij vertelde me ook niet alles.'

'En die laatste reis die hij maakte, wat was het doel daarvan?'

'Stewart wilde jagen. Meestal nam hij mijn man mee, omdat die de beste spoorzoeker was.' Haar stem verraadt stille trots.

'Mevrouw Bird, het spijt me dat ik u dit moet vragen, maar was uw man ziek?'

'Ziek?' Met een vinnige blik kijkt ze op. 'Mijn man was nooit ziek. Hij was zo sterk als een paard. Wie zegt dat? Zegt Stewart dat misschien? Liep hij daarom over ijs waarop hij zich nooit gewaagd zou hebben?'

'Hij zei dat hij ziek was en zijn eigen kinderen niet meer herkende.' Parker praat met zachte stem, om de jongen er niet bij te betrekken. Elizabeths gezicht vertrekt letterlijk van emotie – van walging, of verachting, of woede, of van alles tegelijk – en ze buigt zich naar voren, zodat haar gezicht fel oranje kleurt door het vuur.

'Dat is een gemene leugen! Hij is altijd een heel goede vader geweest.' Ze krijgt iets angstaanjagends: ze wordt hard en onverzoenlijk, maar ook, zo schijnt het mij toe, eerlijk.

'Wanneer hebt u uw man voor het laatst gezien?'

'Negen dagen geleden, toen hij op reis ging met Stewart.'

'En wanneer was hij daarvoor voor het laatst weggeweest?'

'Afgelopen zomer. De laatste reis die ze maakten was naar Cedar Lake, aan het eind van het seizoen.'

'Dus in oktober, begin november was hij hier?'

'Ja. De hele tijd. Waarom vraagt u dat?'

Ik kijk Parker aan. Er staat ons nog maar één ding te doen.

'Mevrouw Bird, het spijt me dat ik u dit moet vragen, maar hebt u nog een overhemd van uw man? Dat zouden we graag even bekijken.'

Ze kijkt Parker woedend aan, alsof dit een vreselijk brutale vraag is. Desondanks komt ze met een krampachtige beweging overeind, loopt naar het achterste deel van de hut en verdwijnt achter een gordijn.

Ze komt terug met een blauw overhemd, dat ze opgevouwen in haar hand houdt. Parker neemt het van haar aan en spreidt het uit op de vloer. Ik haal het vieze bundeltje tevoorschijn, dat gewikkeld zat in een bonte, katoenen lap. Stijf en vuil als het is spreid ik het uit; de donkere vlekken verspreiden een ranzige lucht. De jongen kijkt ernstig toe. Elizabeth staat met haar armen over elkaar en kijkt met harde, boze ogen op ons neer.

Ik zie meteen dat het schone overhemd kleiner is dan het andere. Het lijkt volkomen duidelijk dat ze onmogelijk van dezelfde man kunnen zijn.

'Dank u wel, mevrouw Bird.' Parker geeft het overhemd van haar man aan haar terug.

'Ik heb er niets meer aan. Er is niemand meer om het te dragen.' Ze houdt haar armen over elkaar. 'Als u het wilde hebben, moet u het ook maar houden.'

Er ligt een onaangename trek om haar mond. Parker is van zijn stuk gebracht. Het is een nieuwe, verfrissende ervaring voor mij om hem met zijn mond vol tanden te zien staan.

Voor het eerst doe ik mijn mond open. 'Dank u wel, mevrouw Bird. Het spijt me dat we u dit moesten vragen, maar u hebt ons enorm geholpen. U hebt bewezen dat wat Stewart vertelt een leugen is.'

'Wat kan mij dat schelen? Het interesseert me geen biet of jullie hiermee geholpen zijn. Krijg ik daarmee mijn man terug?'

Ik kom overeind en pak het vieze overhemd op. Parker houdt nog steeds het andere vast.

'Ik vind het zo erg voor u.' Op gelijke hoogte met haar, en slechts een halve meter bij haar vandaan, kijk ik haar in de ogen, die helder grijsbruin zijn en gevat in een masker van woede en wanhoop. Ik word er helemaal stil van. 'Echt. We gaan...'

Ik hoop dat Parker zich nu in het gesprek mengt en uitlegt wat we gaan doen. Hoe eerder hoe liever. Hij is ook overeind gekomen, maar hij lijkt het wel prettig te vinden dat ik het woord voer.

'We gaan op zoek naar rechtvaardigheid.'

'Rechtvaardigheid!' Ze lacht, maar het klinkt meer als een grauw. 'En mijn man dan? Stewart heeft mijn man vermoord. Hoe zit het dan met hem?'

'Ook voor hem.' Ik loop achteruit naar de deur, want ik wil weg, liever dan hier te blijven en te horen waarom ze hier zo van overtuigd is.

Elizabeth Bird trekt een grimas; een grijns die op een glimlach lijkt maar het niet is. De schedel onder haar huid wordt erdoor benadrukt, zodat haar gezicht lijkt op een doodshoofd, bezield maar niet in leven; flets, bloedeloos en boordevol haat.

Op de terugweg naar het hoofdgebouw geeft Parker het schone overhemd aan mij, alsof hij er niet langer door wil worden besmet. Hij voelt zich schuldig omdat hij haar zo overstuur heeft gemaakt.

'We zullen ze aan Moody laten zien,' zeg ik. 'Dan snapt hij wel hoe het zit.'

Parker schudt zachtjes zijn hoofd. 'Het is niet genoeg. Dat overhemd kan er wel een paar maanden gelegen hebben.'

'Dat gelooft u zelf ook niet! En u gelooft haar toch ook, over de dood van haar man?'

Parker kijkt me vluchtig aan. 'Ik weet het niet.'

'Dus u gaat nu weg.'

Zonder iets te zeggen beaamt hij dat. Weer voel ik die bekende, verpletterende last op mijn borst en het is alsof de adem me wordt afgesneden, al hebben we nog maar enkele tientallen meters gelopen.

'Als hij inderdaad zijn gids heeft vermoord, zou het waanzin zijn als u alleen ging. Ik ga een geweer lenen. Als u me niet meeneemt volg ik uw spoor en daarmee uit.'

Parker doet er eerst even het zwijgen toe en kijkt me daarna weer aan, enigszins ironisch volgens mij.

'Denkt u niet dat erover gepraat zal worden als ze ons samen zien vertrekken?'

Nu de last van me wordt afgenomen veer ik helemaal op. Plotseling vind ik zelfs de gebouwen van het fort prachtig en ik zie hoe de zon de vieze sneeuwhopen bij de schutting stralend witblauw kleurt. Op dat moment ben ik ervan overtuigd dat wij ondanks alle gevaar zullen zegevieren, omdat we in ons recht staan.

Dat gevoel hou ik bijna tot aan de deur van mijn slaapkamer.

Laurent was vaak op pad voor zaken. Over die mysterieuze periodes van afwezigheid wist Francis precies evenveel, en dus precies even weinig, als ieder ander. 's Zomers verdwenen de wolven uit het bos, dus dan hield Laurent zich met zijn handel bezig. Die zomer leek hij het bijzonder druk te hebben – of misschien was het gewoon de eerste keer dat het Francis iets kon schelen of hij er wel of niet was – en maakte hij uitstapjes naar Toronto en de Sault. Als Francis hem vroeg wat hij daar deed, reageerde Laurent ongeïnteresseerd of gewoon ontwijkend. Hij maakte grapjes door te zeggen dat hij dronken in bars lag of prostituees bezocht. Maar misschien waren het wel helemaal geen grapjes. De eerste keer dat hij het over een hoerenkast had, had Francis hem zwijgend van afkeer aangestaard met een heftige, stekende pijn rondom zijn hart. Laurent pakte hem bij de schouders en lachte; hij schudde hem ruw heen en weer, totdat Francis in woede was ontstoken en was gaan schreeuwen: kwetsende dingen, die hij zich naderhand niet meer kon herinneren. Laurent lachte hem uit, maar plotseling werd hij zelf ook boos. Ze gooiden elkaar verwijten naar het hoofd, totdat er een onverwachte stilte viel en ze elkaar gebiologeerd en duizelig aankeken. Francis was gekwetst, maar kwetste zelf ook. Laurent placht hem op een grievende, wrede manier te kleineren, maar als hij naderhand zijn excuses aanbood deed hij dat heel serieus en lief en smekend; die eerste keer ging hij op zijn knieën liggen, totdat Francis moest lachen en hem enthousiast vergiffenis schonk. Dan voelde Francis zich oud, nog ouder dan Laurent.

En dan waren er de mannen die Laurent thuis bezochten. Als Francis hem kwam opzoeken en voor de hut zijn fluitje liet horen, kreeg hij soms geen antwoord. Dat betekende dat Laurent iemand op bezoek had en vaak bleven die mannen logeren, om vervolgens hun bepakking weer op de rug te hijsen en verder te sjokken, op de voet gevolgd door een paar honden. Francis ontdekte dat hij in staat was tot het voelen van een afschuwelijke, diepgaande vorm van jaloezie. Meerdere keren kwam hij 's ochtends vroeg terug en verstopte hij zich in het struikgewas achter de hut. Dan wachtte hij tot de mannen weer weggingen en keek hij of er van hun gezicht misschien iets was af te lezen, maar hij kon niets ontdekken. De meeste mannen waren Fransen of indianen: onguur uitziende types, die van ver kwamen en vaker onder de blote hemel sliepen dan onder een dak. Ze brachten Laurent pelzen, tabak en munitie en gingen weer net zo weg als ze gekomen waren. Soms leken ze helemaal niets bij zich te hebben. Eenmaal, na een uitzonderlijk hysterische ruzie, vertelde Laurent dat er mannen bij hem kwamen omdat ze iets aan het opzetten waren, een handelscompagnie, en dat het geheim moest blijven, want als iemand erachter kwam zouden ze zich de woede op de hals halen van de Hudson Bay Company en zoiets kon je maar beter voorkomen. Francis was uitzinnig van vreugde en maakte alles weer goed met een uitzonderlijk opgewekt humeur. Daarop pakte Laurent zijn viool en begon erop te spelen, zodat Francis door de hut danste tot hij snikkend van het lachen de voordeur uit stoof. Maar er stond iemand op het pad, een flink eind weg, en hij vloog weer naar binnen. Hij had de gedaante slechts heel even gezien, maar hij meende dat het zijn moeder was. Daarna verkeerde hij dagenlang in afschuwelijke onzekerheid, maar er veranderde thuis niets. Als ze al iets had gezien, had ze er blijkbaar niets achter gezocht.

Het werd herfst, de school begon weer, en daarna werd het winter. Hij kon niet meer zo vaak naar Laurent, maar zo nu en dan, als zijn ouders al naar bed waren, sloop hij het pad af en floot. En soms werd er teruggefloten, maar soms ook niet. Naarmate de tijd vorderde, scheen het hem toe dat zijn fluitje steeds minder vaak werd beantwoord.

In de lente, nadat Laurent weer op pad was geweest naar een niet nader gespecificeerde bestemming, begon hij hints te geven dat er iets belangrijks op stapel stond. Dat hij zijn fortuin ging maken. Deze vage, meestal dronken toespelingen verwarden Francis en brachten hem van zijn stuk.

Ging Laurent Dove River verlaten? Wat zou er dan met hem, Francis, gebeuren? Als hij hem ertoe probeerde te bewegen (op een slimme manier, vond hij zelf) zijn plannen toe te lichten, plaagde Laurent hem en die plagerijen waren soms bot en wreed. Hij maakte vaak toespelingen op Francis' toekomstige vrouw en gezin, of dat hij naar de hoeren zou gaan, of over de grens zou gaan wonen.

Eens was er weer zo'n gelegenheid, bij lange niet de laatste; ze hadden allebei gedronken. Het was het begin van de zomer en de avonden waren net warm genoeg om buiten te kunnen zitten. De eerste bijen kwamen tevoorschijn vanaf de plaatsen waar ze de koude maanden hadden doorgebracht en zoemden rondom de appelbloesem. Dat was nog maar zeven maanden geleden.

'Tegen die tijd,' Laurent zat weer toespelingen te maken op zijn toekomstige rijkdom, 'ben jij natuurlijk getrouwd en woon je ergens met een stel kinderen op een boerderijtje en dan ben je mij helemaal vergeten.'

'Dat denk ik ook.' Francis had geleerd om het spelletje mee te spelen. Als hij ertegen inging, spoorde dat Laurent alleen maar aan.

'Ik neem aan dat je hier niet blijft als je van school komt. Er is hier immers niet zoveel voor jou.'

'Nee... Ik ga denk ik naar Toronto. Misschien kom ik je nog wel eens opzoeken als je in je rolstoel zit.'

Laurent bromde wat en dronk zijn glas leeg. Francis bedacht dat hij nu meer dronk dan vroeger. Toen zuchtte Laurent. 'Ik meen het, p'tit ami. Je moet hier niet blijven. Het is een plaats van niks. Je moet hier zo snel mogelijk weg. Ik ben gewoon een boerenpummel.'

'Jij? Jij gaat rijk worden, weet je nog? Jij kunt overal heen waar je maar wilt. Je kunt verhuizen naar Toronto...'

'O, hou je kop! Jij hoort hier helemaal niet! En je hoort al helemaal niet bij mij. Dat dient nergens toe. Ik deug nergens voor.'

'Wat bedoel je?' Francis probeerde de trilling in zijn stem te onderdrukken. 'Doe niet zo belachelijk. Je bent gewoon dronken.'

Laurent draaide zich naar hem om en formuleerde zijn woorden met angstaanjagende helderheid. 'Ik ben een vervloekte idioot. Jij bent een vervloekte idioot. En je moet gewoon oprotten naar je papa en mama.' Er stond een gemene uitdrukking op zijn gezicht en door de alcohol waren zijn ogen spleetjes geworden. 'Schiet op! Waar wacht je nog op? Oprotten!'

Francis kwam overeind, doodongelukkig. Hij wilde niet dat Laurent hem zag huilen. Maar hij kon ook niet zomaar weglopen, niet op deze manier.

'Dat meen je niet,' zei hij zo kalm mogelijk. 'Ik weet dat je het niet meent. En als je het hebt over naar hoerenkasten gaan en kinderen hebben en zo, dan meen je dat ook niet. Ik zie hoe je naar me kijkt...'

'O, mon Dieu! Wie zou er niet zo naar jou kijken? Jij bent het mooiste wat ik ooit heb gezien. Maar je bent een vreselijk dom kereltje. Ik heb genoeg van je. En ik ben getrouwd.'

Francis staarde hem verbijsterd aan en wist niet wat hij hierop moest zeggen. 'Je liegt,' zei hij ten slotte. Laurent keek naar hem op met een vermoeide blik, alsof hij zich opgelucht voelde dat hij het had verteld.

'Nee, het is waar, mon ami.'

Francis had het gevoel dat zijn borst werd opengereten. Hij vroeg zich af waarom hij niet viel, of flauwviel, want de pijn was vreselijk. Hij draaide zich om en liep weg; hij liep over een van zijn vaders akkers het bos in. Hij begon te rennen en zijn ademhaling was zo onregelmatig dat de snikken die door zijn lichaam raasden erdoor werden overstemd. Na een poosje hield hij op met rennen, ging op zijn knieën voor een grote den zitten en ramde met zijn hoofd tegen de schors. Hij wist niet hoe lang hij daar zo bleef zitten; misschien had hij zichzelf verdoofd, blij dat de pijn die andere, hevigere kwelling had verdrongen.

Laurent vond hem vlak voordat het donker werd. Hij was hem op zijn zwerftocht door de wildernis gevolgd en had hem opgespoord als een gewonde wolf. Hij bukte zich en nam hem in zijn armen. Zijn vingers ontdekten de wond op zijn voorhoofd en met tranen op zijn wangen fluisterde hij dat het hem speet.

Heel even dacht Francis dat hij na die avond gewonnen had. Wat deed het ertoe als Laurent getrouwd was geweest, wat deed het ertoe als hij een zoon had: het was voorbij, en het was allemaal niet belangrijk meer. Maar Laurent bleef zich verzetten tegen zijn pogingen hem vast te pinnen, dingen te achterhalen. In feite wilde hij niet dat Francis iets in zijn leven zou veranderen; hij wilde Francis alleen maar als een incidenteel verzetje. Met een haperende, schorre stem beschuldigde Francis Laurent ervan dat hij niet om hem gaf. En Laurent stemde daar meedogenloos mee in.

En zo ging het maar door. Hetzelfde gesprek werd met kleine, zinloze variaties avondenlang herhaald. Francis vroeg zich af hoe veel langer hij deze afschuwelijke kwelling nog zou kunnen volhouden, maar hij moest zich er wel aan onderwerpen. Hij probeerde zich in Laurents aanwezigheid nonchalant en luchthartig te gedragen, maar had daar weinig ervaring mee. Diep in zijn hart wist hij dat Laurent hem vroeg of laat helemaal aan de kant zou zetten. Maar zoals een mot die wordt aangetrokken door een kaarsvlam kon hij zich er niet van weerhouden naar de hut te gaan, hoewel Laurent er steeds vaker niet was. Hij begreep niet hoe Laurents gevoelens zo veranderd konden zijn, terwijl die van hem alleen maar intenser waren geworden.

En toen, op de een of andere manier, kwam zijn vader erachter.

Het was geen catastrofale gebeurtenis. Het leek eerder alsof zijn vader de puzzelstukjes aan elkaar had gelegd; hij had alle fragmenten geduldig bekeken en heen en weer geschoven totdat het plaatje opeens duidelijk werd. Een aantal keren was Francis pas thuisgekomen toen zijn ouders al op waren en dan had hij weinig overtuigend iets gemompeld over een ochtendwandeling. Een andere keer was zijn vader bij Laurents hut gekomen terwijl Francis daar juist was en toen had hij gemompeld dat hij les kreeg in houtsnijden. Misschien was dat wel het moment geweest waarop zijn vader het doorhad, al liet hij het niet merken. En dan was er ook nog die keer dat hij heel onbezonnen had beweerd dat hij de nacht bij Ida had doorgebracht. Zijn vader had heel licht zijn wenkbrauwen opgetrokken, maar niets gezegd. Toen moest Francis, die in paniek raakte, een smoes bedenken om naar de familie Pretty te rennen en Ida te zoeken. Hij wist al evenmin wat hij tegen haar moest zeggen, maar hij verzon een verhaal dat erop neerkwam dat hij zich in Caulfield had bedronken en dat voor zijn ouders verborgen moest houden. Er verscheen een strakke, ijzige uitdrukking op haar gezicht, en hoewel ze instemmend knikte, keek ze hem aan met een gekwetste blik, en hij schaamde zich.

Hoe het ook zij, zijn vader, die het al een tijdje moeilijk vond om met Francis te praten – en ze waren nooit zo vertrouwelijk met elkaar geweest – werd onuitstaanbaar. Hij zei nooit iets rechtstreeks tegen hem, keek hem niet aan als hij tegen hem sprak en richtte alleen het woord tot hem om hem iets op te dragen of om hem tot de orde te roepen. Hij leek voor zijn zoon een kille, vernietigende verachting te koesteren: Francis kreeg het gevoel dat zijn vader nauwelijks met hem in één huis wilde zijn. Als Francis aan tafel zat in de ijzige zone tussen zijn vader en moeder, voelde hij soms een afkeer in hem opkomen die hem dreigde te overweldigen. Toen hij een keer ergens met zijn moeder over zat te praten, zag hij zijn vader op een onbewaakt ogenblik naar hem kijken en in zijn blik bespeurde hij slechts kille, meedogenloze woede.

Het verbaasde hem alleen dat zijn moeder het niet merkte. Ze voelde duidelijk wel de kilheid tussen vader en zoon, en dat maakte haar verdrietig, maar ze ging niet anders tegen hem aankijken. Dat wil zeggen, ze bleef dezelfde ongeduldige, ongelukkige vrouw die ze al was zolang hij zich kon herinneren.

Het was eind oktober. Francis had zichzelf vele malen bezworen nooit meer naar Laurent terug te gaan, maar aan die belofte kon hij zich onmogelijk houden. Die avond trof hij hem thuis en na een poosje kregen ze een langdurige, bittere ruzie en zeiden ze steeds maar weer dezelfde dingen die ze al eerder hadden gezegd. Op zulke momenten had Francis een hekel aan zichzelf, maar hij kon er gewoon niet mee ophouden. Soms, als hij alleen was, stelde hij zich voor hoe hij waardig, met opgeheven hoofd, zou weglopen, maar zodra hij in Laurents keuken stond, tegenover de man zelf: chaotisch, ongeschoren en onbehouwen, dan voelde hij een waanzinnig verlangen in zich opkomen om zich in tranen aan zijn voeten te werpen, om zichzelf te doden; als die kwelling maar ten einde kwam. Soms voelde hij zelfs het verlangen om Laurent te vermoorden.

'Ik ben niet naar jou toe gekomen, weet je nog wel?' schreeuwde Francis hees, zoals hij al zo vaak gedaan. 'Ik heb hier niet om gevraagd! Jij hebt me zo gemaakt! Jij!'

'En ik zou willen dat ik je nooit had gezien. Jezus, ik word ziek van jou!' En vervolgens had hij gezegd: 'Het maakt trouwens toch niet uit. Ik ga weg. Een hele tijd. Ik weet niet wanneer ik weer terugkom.'

Francis staarde hem aan en geloofde er niets van.

'Prima. Zeg maar wat je wilt.'

'Volgende week ga ik weg.'

De woede was van Laurents gezicht verdwenen en Francis had het kille, akelige gevoel dat diens bewering wel eens waar kon zijn. Laurent draaide zich om en ging iets anders doen.

'Misschien kom je er dan wel overheen, toch? Dan vind je vast een leuk meisje.'

De tranen sprongen Francis in de ogen. Hij voelde zich slap worden over zijn hele lichaam, alsof hij door koorts werd geveld. Laurent ging weg. Het was voorbij. Hij begreep niet hoe het mogelijk was dat hij zo'n verdriet kon hebben en toch nog verder leefde.

'Hé, zo erg is het niet. Je bent een heel aardige jongen.' Laurent had zijn gezicht gezien en probeerde vriendelijk te zijn. Dat was nog erger dan grove taal of gemene opmerkingen.

'Alsjeblieft...' Francis wist niet wat hij moest zeggen. 'Zeg dat nu alsjeblieft niet. Ga gewoon op een gegeven moment weg, maar zeg dat alsjeblieft niet. Laten we doorgaan, totdat...'

Misschien had Laurent ook genoeg van het ruziemaken, want hij haalde zijn schouders op en glimlachte. Francis liep naar hem toe en sloeg zijn armen om hem heen. Laurent klopte hem op de rug, alsof hij zijn vader was. Francis klemde zich aan hem vast, en wilde dat hij weg kon lopen; het allerliefste zou hij willen dat het nog de vorige zomer was, maar die was voorgoed voorbij.

Mijn lief, die me spuugzat is.

Die nacht bleef hij, maar hij lag de hele tijd wakker en luisterde naar Laurents ademhaling. Hij slaagde erin op te staan en zich aan te kleden zonder hem wakker te maken, maar voordat hij wegging boog hij zich over hem heen en kuste hem zacht op de wang. Laurent werd niet wakker, of liet het althans niet merken.

En vervolgens, twee weken later, stond hij in de donkere hut te kijken naar dat warme, lege omhulsel op het bed.

En God sta hem bij, maar de tweede gedachte die in hem opkwam was: *O mijn lief, je mag me nu niet in de steek laten.*

De ziekte van lang denken

Jaren geleden, toen hij op zoek was naar Amy en Eve Seton, zat Sturrock in net zo'n soort gelagkamer als deze whiskypunch te drinken met een jongeman aan wie hij juist was voorgesteld. Hij had al eerder over Kahon'wes gehoord en hij voelde zich gevleid omdat de jongeman hem graag wilde ontmoeten. Kahon'wes bleek een lange, markante Mohawk te zijn, die probeerde een carrière op te bouwen in de journalistiek. Hij was weliswaar welbespraakt en intelligent, maar hij leefde in twee werelden en leek niet goed te weten waar hij thuishoorde. Dat kwam duidelijk naar voren in zijn kleding, die bij die gelegenheid zeer modieus was: een rokkostuum, een hoge hoed, laarzen met knoopjes enzovoort. Hij was zelfs een soort dandy. Maar tijdens volgende ontmoetingen was hij gekleed in geitenleer, of in een vreemde mengeling van die twee stijlen. Zijn taalgebruik hield ook het midden tussen een vloeiende, ontwikkelde vorm van Engels – net als bij hun eerste ontmoeting – en een gekunstelde manier van praten, die hij 'indiaanser' leek te vinden; het hing er allemaal vanaf in wiens gezelschap hij verkeerde. Sturrock vond het prima om over journalistiek te praten, maar daarnaast hoopte hij dat de man hem van pas zou komen bij zijn zoektocht. Kahon'wes had allerlei contacten omdat hij altijd op reis was, veel met mensen praatte en volgens de gouverneurs in Toronto doorgaans een onruststoker was. Aangezien Sturrock ook een onruststoker was, konden ze prima met elkaar overweg.

Sturrock vertelde hem over de zoektocht naar de meisjes. Hij was er al bijna een jaar mee bezig en koesterde langzamerhand weinig hoop meer op succes. Net als de meeste mensen in het landinwaartse deel van Canada had Kahon'wes over deze zaak gehoord.

'Aha... die twee meisjes die zijn ontvoerd door verdorven indianen.'

'Of opgegeten door wolven, begin ik zo langzamerhand te geloven. Desondanks wil de vader in heel Noord-Amerika geen middel onbeproefd laten.'

Hij vertelde Kahon'wes dat hij stammen aan weerskanten van de grens had bezocht en zich had gewend tot invloedrijke personen die hem voorheen hadden geholpen. Maar hij had niets gehoord waar hij iets aan had.

Na een korte stilte zei Kahon'wes dat hij rond zou vragen bij de mensen die hij tegenkwam. Zoals Sturrock ongetwijfeld wist, zijn er momenten waarop een antwoord (net zoals zijn eigen manier van spreken en kleden) afhankelijk is van degene die je voor je hebt.

Maanden later kreeg Sturrock bericht van de journalist. Hij was op doorreis in Forest Lake en hij hoorde dat Kahon'wes maar een paar mijl bij hem vandaan was. Bij deze gelegenheid was hij gekleed op zijn indiaans en zijn manier van praten was veranderd. Hij was gefrustreerd geraakt door zijn pogingen om artikelen te publiceren in de blanke pers. Sturrock had de indruk dat de man een wispelturig karakter had en zonder de juiste stimulans wel eens het spoor bijster kon raken. Hij bood aan een paar artikelen van hem te lezen en hem advies te geven, maar Kahon'wes leek nu niet in zijn hulp geïnteresseerd te zijn.

Tijdens deze ontmoeting spraken de beide mannen over een oude indiaanse beschaving, die belangrijker en verder ontwikkeld was dan degene die erna kwam. Kahon'wes gaf een heel enthousiaste beschrijving en ook al hechtte Sturrock er niet het minste geloof aan, toch werd hij onwillekeurig door dit visioen bekoord. Daarna zag hij Kahon'wes nog slechts eenmaal, een paar maanden later, vlak bij Kingston; ditmaal spraken ze niet lang met elkaar en Sturrock kreeg de indruk dat Kahon'wes zwaar aan de drank was. Maar bij die laatste ontmoeting had hij wel nieuws. Hij had gesproken met het opperhoofd van een Chippewa-stam in de buurt van Burke's Falls, die nieuws had over een blanke vrouw die bij de indianen woonde. Dat was alles, maar het aanknopingspunt deed niet onder voor een heleboel andere waarmee Sturrock in zijn functie te maken had gehad.

Een paar weken later reisden Seton en hij naar een klein dorpje. Na lange onderhandelingen werden ze van daaruit meegenomen naar een indianenkamp waar ze het meisje zouden ontmoeten. Het was ruim zes jaar geleden dat de meisjes waren verdwenen en drie jaar geleden dat mevrouw Seton was overleden aan een mysterieuze ziekte, waarvan algemeen werd beweerd dat het ging om een gebroken hart. Sturrock had altijd medelijden gehad met Charles Seton, wiens verdriet continu aanwezig was, als een afschuwelijke wond onder een dun laagje littekenweefsel. Maar dit gevoel van hoop was zo mogelijk nog erger. Sinds ze uit het dorp waren vertrokken, had Seton nauwelijks een woord gezegd en zijn gezicht was lijkbleek. Hij zag eruit als een zieke. Daarvoor leek hij nog het meeste in beslag te worden genomen door de vraag om welke van zijn dochters het ging: Eve zou nu negentien zijn, Amy eenentwintig, maar niemand scheen te weten hoe oud dit meisje was. Er was niets gesuggereerd over een naam, of liever gezegd: ze had nu een indiaanse naam.

Sturrock probeerde Seton aan de praat te houden en herinnerde hem eraan dat het meisje, als ze inderdaad zijn dochter was, erg veranderd zou zijn. Seton hield vol dat hij haar hoe dan ook zou herkennen.

'Ik zou zelfs het kleinste detail in hun gezicht niet kunnen vergeten, zo lang als ik leef,' zei hij, terwijl hij recht voor zich uit staarde.

Sturrock drong voorzichtig aan. 'Maar het is opvallend hoe sommigen van hen veranderen. Ik heb meegemaakt dat ouders hun eigen kinderen niet herkenden, zelfs als ze maar kort bij de indianen hadden gewoond. Het is niet alleen een kwestie van het gezicht... het is alles bij elkaar. Hoe ze spreken, hoe ze zich bewegen, hoe ze zijn.'

'Dat maakt niet uit, ik zou ze herkennen,' zei Seton.

Ze stegen voor de tipi's af en lieten hun paarden daar achter om te grazen. Hun gids ging praten bij de grootste tipi en er kwam een oude grijsaard naar buiten, die luisterde naar wat er werd gezegd in de Chippewataal. De gids vertaalde zijn antwoord: 'Hij zegt dat het meisje uit eigen vrije wil met hen is meegegaan. Ze is nu een van hen. Hij wil weten of u gekomen bent om haar weer mee te nemen.'

Voordat Seton iets kon zeggen kwam Sturrock tussenbeide. 'We zullen haar niet dwingen om iets te doen wat ze niet wil, maar als ze inderdaad de dochter is van deze man, wil hij graag met haar praten. Hij heeft haar jarenlang gezocht.'

De oude man knikte en bracht hen naar een andere tipi. Even later gebaarde hij naar Sturrock en Seton dat ze met hem mee naar binnen moesten komen.

Ze gingen zitten en konden een tijd lang onmogelijk iets onderscheiden. Het was benauwd, donker en rokerig in de tent en ze werden zich er pas geleidelijk van bewust dat er twee figuren tegenover hen zaten: een Chippewa-man en vrouw. Charles Seton slaakte een zucht die bijna klonk als een miauw en hij staarde naar de vrouw, die niet ouder dan een meisje was.

De huid van haar gezicht was donker, ze had donkere ogen en haar haar was lang en zwart en glom van het vet. Ze droeg een leren tuniek en had een gestreepte deken om zich heen geslagen, hoewel het die dag warm was, en ze staarde naar de grond. Op het eerste gezicht had Sturrock haar gewoon aangezien voor een Chippewa-meisje. Hij nam aan dat de jongeman die naast haar zat haar man was, al werden ze niet aan elkaar voorgesteld. Na die eerste uitroep maakte Seton geen geluid meer. Het leek wel of hij zich in zijn woorden verslikte: zijn mond stond open maar zijn keel zat dicht.

'Dank u wel dat u ermee hebt ingestemd ons te ontmoeten,' begon Sturrock. Nog nooit had hij zoiets wreeds gezien als de pijn die op dat moment van Setons gezicht was af te lezen. 'Wilt u misschien even opkijken, zodat meneer Seton uw gezicht goed kan zien?'

Hij glimlachte aanmoedigend naar het jonge stel tegenover hen. De man staarde onverstoorbaar terug en klopte het meisje op de hand. Ze tilde haar hoofd op, maar hield haar blik omlaag gericht. In de kleine ruimte was Setons ademhaling goed hoorbaar. Sturrock keek van de een naar de ander en wachtte tot ze elkaar zouden herkennen. Misschien hadden ze een schim nagejaagd. Er ging een minuut voorbij, en daarna nog een. Het was hartverscheurend. Toen, ten slotte, haalde Seton diep adem.

'Ik weet niet wie van de twee ze is. Ze is mijn dochter... als ik haar ogen kon zien...'

Sturrock schrok. Hij keek naar het meisje, dat zo stil zat als een afgodsbeeld, en noemde haar bij haar indiaanse naam.

'Wah'tanakee, wat voor kleur ogen heb je?'

Ten slotte keek ze op, naar Seton. Hij keek haar in de ogen die, voor zover Sturrock dat in het halfdonker kon zien, bruin waren.

Seton slaakte nogmaals een pijnlijke zucht. 'Eve.' Zijn stem haperde even en een traan gleed geluidloos over zijn wang. Maar hij had een verklaring afgelegd. Na zes jaar zoeken had hij een van zijn vermiste dochters gevonden.

Het meisje keek hem even aan en sloeg daarna haar ogen neer. Het zou ook een knikje kunnen zijn.

'Eve...'

Seton wilde zich naar haar toe buigen, haar in zijn armen nemen, dat voelde Sturrock, maar het meisje zat er zo stil en onheilspellend bij dat hij zich niet verroerde. Hij zei alleen nogmaals haar naam, één of twee keer, en probeerde zichzelf toen tot kalmte te manen.

'Wat... ik weet niet hoe... Gaat het goed met je?'

Ze bewoog alleen eenmaal haar hoofd op en neer. Nu sprak de oude man opnieuw en de tolk, die achter hen in de tipi gepropt zat, vertaalde.

'Deze man is haar echtgenoot. De oude man is haar oom. Toen ze haar hadden gevonden, heeft hij haar grootgebracht in zijn eigen gezin.'

'Haar gevonden? Waar? Wanneer was dat? Met Amy? Waar is Amy? Is ze hier? Weet je dat ook?'

De oude man maakte een opmerking die Sturrock herkende als een vloek. Daarna nam Eve zelf het woord en al die tijd staarden haar ogen langs hen heen, naar een plek op de vloer.

'Het is nu vijf, zes jaar geleden. Ik weet het niet meer. Het lijkt heel lang geleden. Een andere tijd. Tijdens de wandeling raakten we verdwaald. Eerst verdween het andere meisje. Ze ging er zonder ons vandoor. We liepen en liepen. Toen waren we zo moe dat we gingen slapen. Toen ik wakker werd was ik alleen. Ik wist niet waar ik was, waar de anderen waren. Ik was bang en ik dacht dat ik zou sterven. En toen kwam Oom en hij nam me mee en gaf me eten en onderdak.'

'En Amy? Wat is er met haar gebeurd?'

Eve keek hem niet aan. 'Ik weet niet wat er is gebeurd. Ik dacht dat ze me in de steek had gelaten. Ik dacht dat ze boos was en zonder mij naar huis was gegaan.'

Seton schudde zijn hoofd. 'Nee. Nee. We wisten niet wat er met jullie gebeurd was. Cathy Sloan kwam terug, maar er was geen spoor van jou of van Amy. We zochten overal. Sinds die dag heb ik voortdurend naar jullie gezocht, geloof me.'

'Dat is waar,' zei Sturrock in de stilte die daarop volgde. 'Je vader heeft jullie onophoudelijk gezocht en hij heeft zijn hele hebben en houden daaraan opgeofferd.'

Seton slikte; in het kleine tentje was het duidelijk hoorbaar. 'Helaas moet ik je vertellen dat drie jaar geleden in april je moeder is overleden. Ze is jullie verdwijning nooit te boven gekomen. Ze kon het niet aan.'

Het meisje keek op en Sturrock meende op haar gezicht het eerste – en laatste – vleugje gevoel te bespeuren. 'Mama is dood.' Dat verwerkte ze en ze wisselde een blik met haar man, maar Sturrock had geen idee wat die blik betekende. Het klinkt misschien harteloos, maar die mededeling was hoogst ongelukkig, want als mevrouw Seton er nog was geweest, zelfs op een afstand, zouden hierna de dingen misschien anders zijn gelopen.

Seton veegde een traan van zijn gezicht. Eventjes meende Sturrock dat hij over koetjes en kalfjes moest gaan praten om die afschuwelijke spanning die er hing te doorbreken, en dat ze dan weer verder zouden kunnen. Hij vroeg zich af hoe lang hij deze ontmoeting nog moest laten voortduren voordat er iemand geïrriteerd zou raken. En toen was het te laat.

In de benauwde tent klonk Setons stem schel en te hard.

'Het kan me niet schelen wat er allemaal heeft plaatsgevonden, maar ik moet weten wat er met Amy is gebeurd. Ik moet het weten! Vertel het me, alsjeblieft.'

'Ik heb het u verteld, ik weet het niet. Ik heb haar niet meer in levenden lijve teruggezien.'

Die formulering klonk zelfs Sturrock vreemd in de oren.

'Bedoel je... dat je haar dood hebt teruggezien?' Setons stem klonk gespannen, maar beheerst.

'Nee! Ik heb haar hoe dan ook nooit meer teruggezien, dat bedoelde ik.' Nu werd het meisje nors, afwerend. Sturrock hoopte dat Seton zou ophouden over Amy; het had helemaal geen zin om tegen zijn andere dochter over haar door te zeuren.

'Je gaat met mij mee terug. Dat moet. We moeten verder zoeken.' Setons ogen hadden een afwezige, glazige blik. Sturrock boog zich naar hem toe en legde een hand op zijn arm om hem te kalmeren. Hij had de indruk dat Seton het niet eens merkte.

'Alstublieft, we moeten denk ik... Neemt u me niet kwalijk...' Hij richtte zich nu ook tot de anderen. 'Het is de spanning. U kunt zich niet voorstellen hoe zwaar het al die jaren voor hem is geweest. Hij weet niet wat hij zegt...'

'Mijn hemel man, natuurlijk weet ik wel wat ik zeg!' Met een heftige beweging schudde Seton Sturrocks hand van zich af. 'Ze moet terugkomen. Ze is mijn dochter. Het is de enige mogelijkheid...'

Vervolgens stak hij, over het vuur, zijn hand naar het meisje uit. Ze deinsde achteruit. Door die beweging werd er zichtbaar wat de gestreepte deken tot dan toe verborgen had gehouden: ze was hoogzwanger. De jongeman kwam overeind en versperde Seton de weg.

'U moet hier nu weg.' Zijn Engels was perfect, maar daarna ging hij over op zijn eigen taal, en hij richtte zich tot de tolk.

Seton, geschrokken maar vastbesloten, hapte naar adem en huilde tegelijkertijd. 'Eve! Het geeft niet. Ik vergeef je! Ga gewoon met mij mee. Kom met mij mee terug! Mijn liefste! Je moet...'

Sturrock en de tolk sleurden Seton de tipi uit, naar de paarden. Ze slaagden erin hem in het zadel te krijgen. Het staat Sturrock niet meer zo helder voor de geest, maar op de een of andere manier konden ze Seton overhalen om te vertrekken. Hij bleef onophoudelijk om zijn dochter schreeuwen.

Een jaar later, op tweeënvijftigjarige leeftijd, stierf Seton aan een beroerte. Hij had Eve nooit meer teruggezien en ondanks verder speurwerk bleef Amy spoorloos. Soms betwijfelde Sturrock of ze wel daadwerkelijk had bestaan. Hij schaamde zich voor zijn eigen aandeel in deze zaak; hij had de zoektocht willen staken, want het was onmogelijk om met Setons obsessie om te gaan, dat had de ontmoeting met Eve hem wel duidelijk gemaakt. Desondanks kon hij zich er niet toe zetten de zaak op te geven, want die man had al te veel geleden. Dus ging Sturrock door, met tegenzin, zonder Seton veel van dienst of tot steun te kunnen zijn. Hij had, bedacht hij achteraf, een vervanger moeten zoeken. Maar na die middag in Burke's Falls namen de beide mannen om de een of andere reden een stilzwijgen in acht, want dit was het allervreemdste van alles: Seton weigerde toe te geven dat ze Eve hadden gevonden. Hij maakte bekend dat het weer vals alarm was geweest en dat het om een ander meisje ging. Hij haalde Sturrock over om het gebeurde eveneens geheim te houden en Sturrock stemde schoorvoetend toe. Alleen Knox was van het geheim op de hoogte, maar dat was per ongeluk gebeurd.

Eén of twee keer stelde Seton voor om terug te gaan naar Burke's Falls en om te proberen Eve over te halen met hem mee te gaan, maar zijn plannen kwamen nogal halfslachtig over en Sturrock vermoedde dat hij ze niet zou doorzetten. Zonder het aan Seton te vertellen keerde Sturrock een week later terug om haar alleen te spreken, maar hij kon de groep indianen nergens meer vinden. En hij betwijfelde of het veel had opgeleverd als het hem wel was gelukt.

De weg noordwaarts langs de rivier oefent op iedereen zijn aantrekkingskracht uit. Het gerucht doet de ronde dat meer mannen zich nu klaarmaken voor vertrek. De ene zoekactie na de andere. Haar vragen ze natuurlijk niet. Maar desondanks voelt ze die aantrekkingskracht: daarom is ze hier. Terwijl Maria het pad volgt langs de rivier, snijdt een scherpe wind haar in het gezicht. De bomen zijn nu kaal, de gevallen bladeren zijn besmeurd met modder en de sneeuw is bezoedeld. In de verte ziet ze de gladde bult van Horsehead Bluff, met daaronder het kolkende water in het door erosie uitgeslepen bekken. 's Zomers gingen Susannah en zij hier altijd zwemmen, maar dat is allemaal jaren geleden gestopt. Maria heeft nooit meer gezwommen sinds de dag dat ze het ding in het water zag.

Zij was er niet bij toen ze het vonden; dat waren een paar jongere jongens die kwamen vissen, maar hun kreten trokken de aandacht van Maria en van haar beste vriend op dat moment, David Bell. David was de enige op school die met haar optrok. Ze hadden niets met elkaar, maar ze waren verschoppelingen die zich hadden verenigd in hun verzet tegen de rest van de wereld. Ze zwierven rokend door de bossen en spraken ondertussen over politiek, boeken en de tekortkomingen van hun leeftijdsgenoten. Maria hield niet zo van roken, maar omdat ze graag iets wilde doen wat verboden was, dwong ze zichzelf ertoe.

Bij het horen van de noodkreten renden ze langs de rivieroever omhoog, en daar zagen ze de jongens in het water turen. Ze lachten, wat een schril contrast vormde met de schrik die aanvankelijk in hun geschreeuw had doorgeklonken. Een jongen draaide zich om en zei tegen David: 'Kom eens kijken! Zoiets heb je nog nooit gezien!'

Ze liepen naar de oever en op hun gezicht verscheen al een verwachtingsvolle glimlach. Toen zagen ze wat er in het water lag.

Maria sloeg verbijsterd haar handen voor haar gezicht.

De rivier had hun een poets gebakken. De handen draaiden langzaam in het rond en strekten zich vanuit de bruine diepten naar hen uit. Ze waren gebleekt en enigszins opgeblazen. Toen zag ze het hoofd daar beneden, dat het ene moment hun kant op was gericht, maar meteen daarna weer van hen weg draaide. Het gezicht staat haar nu nog net zo helder voor de geest als toen ze het zag, maar toch zou ze het niet kunnen beschrijven; of de ogen open waren of dicht en hoe de stand was van de mond. De trage beweging van het lichaam, dat gevangen zat in de draaikolk, had iets heel gruwelijks; door een uitzonderlijk toeval tolde het op één plaats recht omhoog, met de handen boven het hoofd alsof het een dans uitvoerde. Al evenmin als de anderen kon ze haar ogen hiervan afhouden. Ze wist dat de man dood was, maar ze herkende hem niet. En zelfs naderhand, toen ze hoorde dat het dokter Wade was, kon ze het gezicht in het water niet in overeenstemming brengen met wat ze zich van de bejaarde Schot herinnerde.

Ook nu nog, jaren later, moet ze zichzelf ertoe dwingen in de duistere diepte te turen. Alleen om zich ervan te overtuigen dat daar niets is.

Toen ze bij de rivier vandaan gingen, hield David op weg naar huis haar hand vast. Hij zei niets, wat voor hem heel ongewoon was, en voor ze uit het bos kwamen trok hij haar achter een boom en kuste haar. Hij had een wanhopige blik in zijn ogen, wat haar beangstigde omdat ze niet wist wat die blik betekende. Ze versteende, niet in staat om te reageren, en om de een of andere reden van afkeer vervuld; vervolgens rukte ze zich los en liep een eindje voor hem uit naar huis. Daarna was hun vriendschap nooit meer zo ongecompliceerd geweest als voorheen en de volgende zomer keerde zijn familie weer terug naar het oosten. Hij was de enige jongen die haar ooit had willen kussen, tot Robert Fisher.

Na bijna een uur komt ze aan bij Jammets hut en stijgt af. Ze loopt door de korst van oude sneeuw om de hut heen naar de voordeur. Ook op het onverwarmde dak ligt nog sneeuw en de hut oogt klein en somber. Misschien deinzen kopers wel terug als er een moord is gepleegd, in tegenstelling tot als er iemand verdronken is.

Rondom de hut zijn allerlei voetsporen, voornamelijk van nieuwsgierige kinderen. Maar voor de deur is de grond onbetreden; de laatste tijd is er niemand binnen geweest. Maria loopt er kordaat overheen. De deur zit dicht met een stuk metaaldraad. Dat maakt ze los, waarbij ze haar duim openhaalt. Ze is nog nooit binnen geweest, want voor meisjes van goeden huize werd Jammet niet als een geschikte kennis beschouwd. Ze mompelt een verontschuldiging tegen zijn geest, of iets wat daarop lijkt, omdat ze hier binnendringt. Ze zegt tegen zichzelf dat ze dit alleen maar doet om te controleren of het stuk been niet vergeten in een hoekje ligt. Zoiets kleins kan gemakkelijk over het hoofd worden gezien. Bovendien dwingt ze zichzelf om iets te doen waar ze bang voor is, al kan ze dat gevoel niet precies verklaren.

Door de ruiten van geitenleer sijpelt slechts een zwak licht, en deze plek ademt een vreemde sfeer uit, alsof alles door een sluier wordt bedekt. Het is erg stil. Binnen staan alleen een paar theekisten en het fornuis, dat wacht tot iemand het weer nieuw leven inblaast. En op de vloer ligt stof, als een dunne laag sneeuwvlokken. Haar voeten drukken er een spoor in af.

Maar als je op zoek gaat, blijkt zelfs een leeg huis veel te bieden te hebben: oud keukengerei, stukken krant, een handje spijkers, een pluk donker haar (ze huivert), een schoenveter... Allerlei dingen waarvan niemand de moeite neemt om ze weg te halen omdat ze niets waard zijn; omdat niemand ze zou willen hebben, zelfs niet degene die hier gewoond heeft.

We laten maar zo weinig achter.

Het is onmogelijk om nu nog aan de weet te komen wat voor iemand Laurent Jammet is geweest, althans voor haar. Ze waagt zich lange tijd boven, waar een paar halflege dozen staan. In geen van die dozen zit iets wat lijkt op een stuk been, maar ze diept iets anders op, iets wat zit weggestopt in het gat tussen het deurkozijn en de muur (waarom heeft ze daar eigenlijk gezocht?).

Op een stuk bruin papier, van het soort waar bijvoorbeeld boodschappen uit de winkel van Scott in worden verpakt, heeft iemand een potloodschets van Laurent Jammet gemaakt. Maria's wangen gloeien: op de tekening ligt Jammet naakt op bed, ogenschijnlijk in slaap. Het moet zomer zijn geweest, want om zijn voeten zit een laken gewikkeld, alsof hij dat 's nachts van zich af heeft geschopt. De tekenaar was niet heel bedreven, maar de tekening heeft iets elegants en straalt een tastbaar gevoel van intimiteit uit. Maria voelt zich bij het zien van deze afbeelding van een naakte man niet alleen hevig opgelaten, maar ervaart ook een gevoel van schaamte, alsof ze per ongeluk is doorgedrongen in de meest vertrouwelijke, verborgen uithoek van de menselijke geest. Want de tekenares, wie ze ook was, hield van hem, dat lijdt geen enkele twijfel. Dan ziet ze een soort handtekening, die is gekrabbeld tussen de slordige lijntjes die samen het laken vormen. Er lijkt François te staan. Er staat geen 'e', dat weet ze zeker. Niet Françoise.

En meteen denkt ze aan Francis Ross.

Ze staat daar met het stuk papier in haar hand en ze is zich er nauwelijks van bewust dat het bijna begint te schemeren. Tot haar afgrijzen ontdekt ze dat haar bloed een vlek op het papier heeft gemaakt. Haar eerste coherente gedachte is dat ze het papier moet verbranden, voor het geval iemand anders het te zien zou krijgen en dezelfde conclusie zou trekken. Daarna beseft ze, met een plotseling opkomend schuldgevoel, dat ze de tekening aan Francis moet geven, want als de schets van haar was (hielden haar wangen nou maar eens op met gloeien), dan zou ze hem terug willen. Ze voelt zich er op een vreemde, intieme manier door in verwarring gebracht en ze vouwt het papier zorgvuldig dicht, met de tekening naar binnen, om hem vervolgens in haar zak te stoppen. Dan haalt ze hem er weer uit, want om de een of andere reden stelt ze zich voor dat haar zuster haar hand in haar zak zou steken en hem daar zou vinden. Nu stopt ze hem in haar lijfje, waar niemand ooit komt, behalve zijzelf. Daar, vlak bij haar hart, gloeit hij als een hete steenkool, zodat er langs haar hals een warme gloed opstijgt. Ten slotte stopt ze de tekening ongeduldig in de schacht van haar laars. Maar zelfs daar stuurt hij langs haar benen een hete gloed omhoog, terwijl zij intussen door de invallende duisternis terugrijdt naar Caulfield.

Line is druk bezig een vuur te stoken. Na dat ene geweerschot is er niets meer gebeurd. Ze wachten, eerst gezellig babbelend, opgewonden en vrolijk; daarna worden ze stil en kruipen wat dichter rondom het vuur. Het licht verdwijnt al te snel, en de duisternis komt tevoorschijn gekropen vanuit plaatsen waar hij zich overdag heeft schuilgehouden, in holle plantenwortels en rottende boomstronken. Line kookt water en voegt daar suiker aan toe, en de kinderen moeten dit opdrinken terwijl het nog gloeiend heet is, zodat ze hun mond branden. Ze maakt een stoofpot van havermout, bessen en gedroogd varkensvlees, die ze zwijgend opeten, in afwachting van het geluid van voetstappen en van een lichaam dat zich een weg baant door de takken. De portie van Espen bakt aan in de ketel. En nog steeds komt hij niet.

Line kapt de vragen van de kinderen af en stuurt ze eropuit om meer hout voor het vuur te sprokkelen, zodat het helder kan branden en hij het van veraf kan zien. Vervolgens bouwt ze een schuilplaats waar ze kunnen slapen. Daarna stellen ze geen vragen meer.

Maar nadat Anna zich in een warme omstrengeling heeft genesteld tegen Lines rechterdij, begint Torbin aan de andere kant tegen haar te fluisteren. Hij is stil geweest de afgelopen dagen, sinds ze het kompas hebben verloren. Terwijl normaal gesproken niemand hem de mond kan snoeren.

'Mama, het spijt me,' fluistert hij, met bevende stem. Ze aait over zijn haar met haar gehandschoeide hand.

'Ssst. Ga maar slapen.'

'Het spijt me dat ik heb geprobeerd om weg te lopen. Als ik dat niet had gedaan, waren we vast niet verdwaald, toch? En dan zou Espen er ook niet zomaar vandoor zijn gegaan. En nu is hij ook verdwaald...' Hij huilt zachtjes. 'Het is allemaal mijn schuld.'

'Doe niet zo mal,' zegt Line, zonder hem aan te kijken. 'Er is niets aan te doen. Ga maar slapen.'

Maar ze trekt haar lippen samen tot een onaangename streep, want in feite is het inderdaad zijn schuld dat ze het kompas hebben verloren. En het is ook zijn schuld dat ze zijn verdwaald in het koude bos; zijn schuld bovendien dat ze haar man is kwijtgeraakt. Haar hand aait hem mechanisch en ze merkt niet dat Torbin is verstijfd; ze merkt niet dat ze hem pijn doet, maar dat hij haar niet durft te vragen om op te houden.

Ze kan niet slapen en daarom zit ze bij de ingang van hun schuilplaats naar het vuur te staren, terwijl de kinderen zich tegen haar rug en haar benen hebben gevleid. Ze doet erg haar best om niet na te denken. Dat is gemakkelijk als Torbin en Anna wakker zijn en zij ze gerust moet stellen, maar als ze alleen is, zoals nu, en is overgeleverd aan haar angsten, valt het niet mee om zich daardoor niet te laten overweldigen. Afgezien van het feit dat ze verdwaald zijn en versteend van de kou, dat ze zich diep in het bos bevinden en worden omringd door sneeuwstormen en god mag weten door wat nog meer, is haar grootste angst dat Espen haar heeft verlaten. Toen ze in de stal zat in Himmelvanger, wist ze dat ze hem kon dwingen om te doen wat zij wilde, met hoeveel tegenzin dat ook gepaard mocht gaan. Nu vermoedt ze dat hij het geweerschot heeft gebruikt als een excuus, dat hij ervandoor is gegaan en niet van plan is om weer terug te komen. En ditmaal weet ze niet waar ze hem kan vinden.

Vlak bij hen staan de twee paarden zij aan zij, het hoofd tegen de staart en met de hals omlaag. Op een gegeven moment, als ze helemaal is verkleumd, schrikt een van de dieren op van iets in de bomen. Het legt zijn oren plat tegen de schedel en zwaait zijn hoofd heen weer, alsof het iets gevaarlijks heeft ontdekt maar niet precies weet waar het zich bevindt. Het andere paard – het zieke – verroert zich nauwelijks. Eerst krimpt Line ineen van schrik, maar daarna tuurt ze in de duisternis in de hoop Espen te horen, al weet ze dat Jutta nooit zo zou reageren als hij het was. Ze hoort niets. Ten slotte is ze het wachten moe en ze vleit zich neer naast haar kinderen, wikkelt haar sjaal om haar gezicht en valt in slaap.

Ze droomt, bijna meteen, over Janni. Janni is in moeilijkheden en lijkt haar te roepen. Hij is ergens ver weg op een donkere plaats en hij heeft het koud. Hij zegt dat hij spijt heeft van zijn domme gedrag, van zijn veronderstelling dat hij op deze manier, met diefstal en muiterij, geld zou kunnen verdienen. Nu betaalt hij daarvoor met zijn leven. Ze ziet hem van een enorme afstand en het is net of hij in de sneeuw ligt: hij lijkt een klein, donker vlekje in een immens wit veld, en hij kan zich niet bewegen. Ze verlangt ernaar met haar hele wezen om naar hem toe te gaan, maar dat kan ze niet. Dan verandert plotseling alles en is hij bij haar, zo dichtbij dat ze zijn warme, vochtige adem op haar gezicht voelt. In de droom doet ze haar ogen dicht en glimlacht. Zijn adem stinkt, maar is warm en van hem. Ze droomt helemaal niet over Espen.

Ze wordt wakker voordat het helemaal licht is. Het vuur is uit en er zijn alleen nog wat verkoolde resten; de lucht is vochtig en ruikt naar dauw. Ze kijkt om zich heen. Ze ziet de paarden niet meer: die zijn blijkbaar verdwenen achter de schuilplaats, op zoek naar voedsel. Geen teken van Espen, maar dat had ze ook niet echt verwacht. Ze richt zich op haar ellebogen op, terwijl haar ogen wennen aan het grauwe licht. En dan ziet ze, minder dan twintig meter verderop, de platgetreden, besmeurde sneeuw.

Aanvankelijk weigert ze te accepteren dat de donkere, rode vlekken bloed zijn. Daarna stapelen de afschuwelijke details zich op: daarginds loopt er over de sneeuw een straal van rode vlekken; hier zit een rode veeg, en in een hoge sneeuwhoop staan een heleboel hoefafdrukken. Ze geeft geen kik. De kinderen mogen dit niet zien, want dan raken ze in paniek... Dan kijkt ze omlaag.

Tussen haar ellebogen, in het enige nog onaangetaste stukje sneeuw buiten de schuilplaats, staat een pootafdruk. Eentje maar. Hij is minstens tien centimeter in doorsnee, met daarvoor nog de kleine, ronde gaten van de klauwen. Twee van die gaten zijn donkerrood bevlekt.

Met een schok van misselijkheid herinnert ze zich hoe Espen haar noemde: een Vargamor, een vrouw die optrekt met wolven. Terwijl ze terugdenkt aan de warme, stinkende adem uit haar droom en hoe ze daarvan genoot, proeft ze gal in haar mond. De wolf moet pal over haar heen hebben gestaan, voorovergebogen naar de schuilplaats. Terwijl ze lag te slapen, ademde hij haar in het gezicht.

Line onderdrukt een gevoel van misselijkheid en komt zo snel als ze kan overeind. Ze schopt sneeuw over de ergste sporen heen en strooit kluiten sneeuw over de parabool van bloed. Ze kan nog zien waar Bengi heeft geprobeerd om te ontsnappen, achtervolgd door de wolven: het moet er meer dan één zijn geweest. Gelukkig leidt het spoor in dezelfde richting als waar zij vandaan zijn gekomen en hoeven ze dus niet te zien waar, of waarmee, het eindigt.

Ze ziet nog een spoor en staart ernaar: een helder omlijnde afdruk van een laars, vlak bij de stam van een ceder. Het duurt even voor het tot haar doordringt dat het Espens voetafdruk is, van gisteren. Hij is bijna pal westwaarts gelopen, terwijl ze naar het zuiden reizen. Sinds zijn vertrek is er geen sneeuw meer gevallen, niets om zijn spoor te bedekken. Hij had in zijn eigen voetsporen naar ze kunnen terugkeren, maar om de een of andere reden heeft hij dat niet gedaan.

Line schrikt, met bonzend hart, als Jutta tussen de bomen op haar af komt, en daarna zucht ze bevend van opluchting als het paard de neus in haar oksel steekt. De opluchting lijkt wederzijds te zijn.

'We zijn veilig,' zegt Line geëmotioneerd tegen het paard. 'We zijn veilig. We zijn veilig.'

Ze klemt zich vast aan de manen van het paard tot ze niet meer trilt en gaat daarna de kinderen wekken om ze te vertellen dat ze verder moeten.

Donald kijkt toe als Parker en mevrouw Ross de post verlaten. Ze lopen de poort uit in noordwestelijke richting, zonder achterom te kijken. Nesbit en Stewart wensen hun een goede reis en keren terug naar hun kantoor. Nesbit slaagt erin om Donald daarbij een onaangename, betekenisvolle blik toe te werpen, waarmee hij mevrouw Ross en Parker, en op de een of andere manier ook Donald, in diskrediet brengt. Donald duldt die blik, maar windt zich er vreselijk over op. Toen Parker zijn redenering aan hem uitlegde vond hij dat de man knettergek was, en dat werd alleen maar erger toen Parker vertelde dat mevrouw Ross met hem meeging, al scheen dat ook haar wens te zijn. Hij nam haar apart en vertelde haar wat hij ervan vond. Verbeeldde hij het zich, of vond ze hem grappig? Zowel Parker als mevrouw Ross drukte hem op het hart Stewart nauwlettend in de gaten te houden, en dat zal hij dan maar doen, ook al gelooft hij dat het weinig zin heeft.

Hij ziet hoe Stewart naar het dorp loopt om te vragen hoe het met Elizabeth gaat. Ondanks haar norse vijandigheid blijft Stewart zich om haar bekommeren. En wat hemzelf betreft, hij kan de drang om haar weer te bezoeken niet weerstaan. Sinds het idee in hem heeft postgevat dat zij een van de meisjes Seton is, wordt hij overmand door nieuwsgierigheid, ook al is dat vermoeden alleen maar gebaseerd op de naam van haar dochter. Nee, niet uitsluitend: ook op haar trekken, die onmiskenbaar blank zijn en die naar zijn idee een zwakke, maar waarneembare gelijkenis vertonen met die van mevrouw Knox. Zodra Stewart is teruggekeerd naar zijn kantoor staat hij voor haar hut en wacht op een teken dat hij binnen mag komen.

Het vuur prikt in zijn ogen en hij ademt door zijn mond, om te wennen aan de rook en aan de lucht van ongewassen lichamen. Elizabeth zit gehurkt bij het haardvuur en veegt het gezicht van het meisje, dat heeft gehuild, schoon. Ze werpt Donald een korte, afwijzende blik toe, tilt het krijsende kind op en geeft het aan hem.

'Neem haar van me over. Ik word gek van haar.'

Elizabeth verdwijnt achter de scheiding tussen de woonkamer en het slaapvertrek en laat Donald achter met het krijsende meisje, dat zich in zijn armen in bochten wringt. Hij wiegt haar nerveus heen en weer en ze kijkt hem beledigd aan.

'Stil maar, Amy, huil maar niet.'

Als hij geen ervaring had gehad met de kinderen van Jacob, dan was dit de eerste keer geweest dat hij een klein kind vasthield. Hij houdt haar in zijn armen alsof ze een onberekenbaar klein dier is, met scherpe tanden. Maar als door een wonder houdt ze op met huilen.

Als Elizabeth terugkomt heeft Amy Donalds stropdas ontdekt en gefascineerd door zoiets vreemds zit ze ermee te spelen. Elizabeth kijkt eventjes toe.

'Waarom dacht u aan de Setons?' vraagt ze plotseling. 'Was het alleen vanwege de naam?'

Donald kijkt op, overrompeld. Hij had haar het een en ander over Stewart willen vragen.

'Ik denk het wel. Maar het verhaal speelde al door mijn hoofd, ziet u, omdat het me onlangs was verteld door iemand die er zeer nauw bij betrokken was.'

'O.' Als ze al meer dan terloops is geïnteresseerd, dan weet ze dat goed te verbergen.

'Ik heb onlangs kennisgemaakt met het gezin van Andrew Knox. Zijn vrouw was, of althans, ze is...' Hij kijkt haar nu aan, terwijl het kind een harde ruk aan zijn das geeft, zodat hij bijna wordt gewurgd, '...ze is de zuster van mevrouw Seton, de moeder van de meisjes.'

'O,' zegt ze weer.

'Ze is een fantastische, vriendelijke vrouw. Je merkt dat zelfs na zo veel jaren de herinnering aan die verdwijning haar nog heel veel verdriet doet.'

In de hut valt een lange stilte, die slechts wordt onderbroken door geluiden van het haardvuur.

'Wat heeft ze erover verteld?'

'Nou... dat het de ouders doodongelukkig heeft gemaakt. Dat ze er nooit overheen zijn gekomen.'

Donald probeert haar gezichtsuitdrukking te peilen, maar ze kijkt vooral boos.

'Ze – de Setons – zijn nu allebei overleden.'

Ze geeft een kort knikje. Donald heeft al die tijd zijn adem ingehouden en ademt nu pas weer uit.

'Vertel me eens iets over tante Alice.' Ze zegt het heel zachtjes, met een soort zucht. Donald voelt zich plotseling heel opgewonden. Hij probeert het niet te laten merken en haar niet te strak aan te kijken. Zij staart naar haar dochter en ontwijkt zijn blik.

'Nou, ze wonen in Caulfield, aan Georgian Bay. Meneer Knox is daar magistraat, een heel aardige man, en ze hebben twee dochters, Susannah en Maria.' Hij vat moed en vraagt: 'Kunt u zich die nog herinneren?'

'Natuurlijk. Ik was toen dertien, ik was geen baby meer.'

Donald doet zijn uiterste best de opwinding niet te laten doorklinken in zijn stem, maar daardoor klemt hij het kind nog steviger vast. Als vergelding duwt ze haar vuistje tegen zijn bril.

'Susannah... ik herinner me niet meer wie wie was. De laatste keer dat we ze zagen was een van de twee nog een baby. De ander was nog maar twee of drie.'

'Maria zal toen ongeveer twee zijn geweest,' zegt hij, en het noemen van haar naam geeft hem een warm gevoel.

Ze staart in de schemering en hij heeft geen idee wat ze denkt. Hij haalt de verbazend sterke kindervingertjes uit zijn mond.

'Ze maken het allemaal prima en... het zijn innemende mensen. Stuk voor stuk. Ze zijn heel aardig voor mij geweest. Ik zou graag willen dat u ze kon ontmoeten. Ze zouden het zo fijn vinden om u te zien... dat kunt u zich gewoon niet voorstellen!'

Op haar gezicht verschijnt een vreemd lachje. 'U gaat hun vast alles over mij vertellen.'

'Alleen als u dat wilt.'

Ze wendt haar gezicht af, maar als ze begint te praten is haar stem niet veranderd. 'Ik moet aan mijn kinderen denken.'

'Natuurlijk. Denk er goed over na. Ik weet zeker dat ze u nooit zouden dwingen om iets te doen wat u zelf niet zou willen.'

'Ik moet aan mijn kinderen denken,' zegt ze opnieuw. 'Nu, zonder vader...'

Met enige moeite slaagt Donald erin om zijn zakdoek onder het kinderlijfje uit zijn broekzak te halen. Maar als Elizabeth haar gezicht weer naar hem toedraait, zijn haar ogen droog.

'Hebben ze u verteld dat mijn vader me heeft gevonden?'

'Wat? Ze zeiden dat u nooit was gevonden!'

Haar gezicht vertoont even een spoortje emotie – van pijn? Ongeloof? 'Zei hij dat?'

Donald weet niet wat hij hierop moet zeggen.

'Ik weigerde om met hem mee terug te gaan. Ik was nog niet zo lang getrouwd. Hij bleef maar doorvragen over Amy. Het leek wel alsof hij mij de schuld gaf dat zij daar niet ook was.'

Donald kan zijn verbijsterde blik niet verbergen.

'Snapt u dat niet? Zij hadden hun dochters verloren, maar ik was alles kwijtgeraakt! Mijn familie, mijn thuis, mijn verleden... ik moest opnieuw leren praten! Ik kon mezelf niet losmaken van alles waaraan ik gehecht was... niet nóg een keer.'

'Maar...' Opnieuw staat hij met zijn mond vol tanden.

'Toen hij me zag straalde zijn gezicht afschuw uit. Na die ene keer is hij nooit meer teruggekomen. Dat had wel gekund. Hij had zijn hoop op Amy gevestigd. Zij was altijd zijn lievelingetje.'

Donald kijkt naar het onbezorgde kind. Het voorkomt dat hij wordt overspoeld door een golf van medelijden.

'Hij verkeerde in een shocktoestand... u kunt hem niet verwijten dat hij naar haar vroeg. Tot zijn dood heeft hij niets anders gedaan dan verder zoeken.'

Ze schudt haar hoofd, met een harde blik; zie je wel?

'Jullie waren...' Hij ploetert verder, zoekend naar woorden. 'Jullie waren het grote mysterie van die tijd! Jullie waren beroemd, iedereen had over jullie gehoord. Mensen schreven vanuit heel Noord-Amerika: ze beweerden dat ze u of uw zus waren, of dat ze een van jullie hadden gezien. Er schreef zelfs iemand vanuit Nieuw-Zeeland.'

'O.'

'U weet zeker niet meer wat er is gebeurd.'

'Is dat nou nog van belang?'

'Is het niet altijd van belang om de waarheid te achterhalen?' Hij denkt aan Laurent Jammet en aan hun zogenaamde zoektocht naar de waarheid; al die gebeurtenissen hebben elkaar beïnvloed als een rij omvallende dominostenen en hebben hem uiteindelijk over de met sneeuw bedekte velden naar dit hutje geleid. Elizabeth huivert, alsof ze last heeft van tocht.

'Ik herinner me... ik weet niet wat u hebt gehoord, maar we waren een eind gaan wandelen. Om bessen te plukken, geloof ik. We kibbelden erover hoe ver we zouden gaan; dat andere meisje, hoe heette ze ook alweer, Cathy? – die wilde niet zo ver; ze was bang dat haar gezicht zou verbranden omdat het zo warm was. Zij was bang voor de wildernis.'

Haar blik is strak gericht op een punt vlak boven Donalds schouder. Hij durft zich nauwelijks te verroeren omdat hij bang is de lijn van haar verhaal te doorbreken.

'Ik was ook bang. Bang voor indianen.' Op haar gezicht verschijnt even een lachje. 'Toen maakte ik ruzie met Amy. Zij wilde nog verder, maar ik was bang om ongehoorzaam te zijn. Toch liep ik door, omdat ik niet alleen wilde zijn. Het werd donker en we konden het pad niet meer terugvinden. Amy zei steeds dat ik niet zo flauw moest doen. Toen gaven we het op en vielen in slaap. Tenminste, dat denk ik... En toen...'

Er valt een lange stilte, waarin de hut met geesten wordt gevuld. Het is alsof Elizabeth langs hem heen naar een van die geesten zit te staren.

Donald houdt onwillekeurig zijn adem in.

'...toen was ze er niet meer.'

Haar ogen staren niet langer meer in de verte en ze kijkt hem aan. 'Ik dacht dat ze de weg naar huis had gevonden en mij had achtergelaten in het bos, omdat ze boos op me was. En niemand kwam me zoeken... totdat mijn oom, mijn indiaanse oom, me heeft gevonden. Ik dacht dat ze me daar hadden achtergelaten om te sterven.'

'Het waren uw ouders. Ze hielden van u. Ze zijn nooit opgehouden met zoeken.'

Ze haalt haar schouders op. 'Dat wist ik niet. Ik heb zo lang gewacht. Er kwam niemand. En daarna, toen ik mijn vader weer terugzag, dacht ik, kom je nu pas, nu ik gelukkig ben, nu het te laat is. En hij bleef maar naar Amy vragen.' Haar stem is dun en hees, alsof hij tot het uiterste is geforceerd.

'Dus Amy... is verdwenen in het bos?'

'Ik dacht dat ze naar huis was gegaan. Ik dacht dat ze me in de steek had gelaten.' Elizabeth – ondanks alles kan hij haar in zijn gedachten niet Eve noemen – kijkt hem aan. Er glijdt een traan over haar wang. 'Ik weet niet wat er met haar is gebeurd. Ik was uitgeput. Ik ging slapen. Ik dacht dat ik wolven hoorde, maar dat heb ik misschien gedroomd. Ik was zo bang dat ik mijn ogen niet durfde te openen. Als ik geschreeuw of gegil had gehoord zou ik me dat wel herinnerd hebben, maar ik heb niets gehoord. Ik weet het niet. Ik weet het niet.' Haar stem sterft helemaal weg.

'Bedankt dat u me dit hebt verteld.'

'Ik ben haar ook kwijtgeraakt.'

Ze buigt haar hoofd, zodat haar gezicht wordt verborgen in de schaduw. Donald schaamt zich. Haar ouders hebben zo veel medeleven gekregen; iedereen had door hun verlies met hen te doen. Maar ook degenen die zijn verdwenen hebben verdriet.

'Misschien is ze nog in leven. Dat wij het niet weten betekent nog niet dat ze dood is.'

Elizabeth zegt niets en heft haar hoofd niet op.

Donald heeft alleen een oudere broer, op wie hij nooit bijzonder gesteld is geweest; hij vindt het vooruitzicht dat die voor eeuwig in het bos zou verdwijnen wel aantrekkelijk. Hij merkt dat zijn rechterbeen is gaan slapen en hij verplaatst het moeizaam. Hij laat zijn stem hartelijk klinken. 'En hier hebben we Amy...' Het kind op zijn schoot zit onverschillig haar kousen uit te trekken. 'Het spijt me. Vergeeft u me dat ik u erover heb laten vertellen.'

Elizabeth pakt haar dochter op. Ze schudt haar hoofd. Eventjes loopt ze heen en weer.

'Ik wil dat u hun over mij vertelt.' Ze kust Amy en duwt haar gezicht in haar hals.

Voor de hut zijn twee vrouwen verwikkeld in een verhitte discussie. Een van hen is Norah. Donald richt zich tot Elizabeth.

'Mag ik alstublieft nog één gunst van u? Kunt u me vertellen wat zij zeggen?'

Elizabeth glimlacht sardonisch. 'Norah is bezorgd over Halfmens. Hij gaat ergens heen met Stewart. Norah heeft tegen hem gezegd dat hij moet weigeren, maar dat doet hij niet.' Donald staart naar het hoofdgebouw en zijn hart bonst plotseling in zijn keel. Gaat het nu gebeuren?

'Zegt ze ook waar of waarom? Het is belangrijk.'

Elizabeth schudt haar hoofd. 'Ze gaan op reis, misschien op jacht... al is hij meestal te dronken om recht te schieten.'

'Stewart zei dat hij uw man ging zoeken.'

Ze neemt niet de moeite hierop te reageren. Hij maakt snel een plan. 'Ik ga achter ze aan. Ik moet weten waar ze heen gaan. Als ik niet terugkom, dan weet u dat wat ik u heb verteld waar is.'

Elizabeth kijkt verbaasd: het is voor het eerst dat hij die uitdrukking op haar gezicht ziet. 'Het is gevaarlijk. U kunt niet gaan.'

Donald probeert de spot in haar stem te negeren. 'Ik moet wel. Ik heb bewijs nodig. De Company heeft bewijs nodig.'

Op dat moment komt Alec, haar oudste zoon, met een andere jongen uit de hut van een van de buren gelopen en de twee vrouwen gaan weg; Norah keert terug naar het hoofdgebouw. Elizabeth roept iets naar de jongen en hij loopt haar kant op. Ze praat even met hem in hun eigen taal.

'Alec gaat met u mee. Anders verdwaalt u.'

Donalds mond valt open van verbazing. De jongen komt nauwelijks tot zijn schouder.

'Nee, dat kan ik niet... Ik weet zeker dat ik me kan redden. Dat spoor is makkelijk te volgen...'

'Hij gaat met u mee,' zegt ze eenvoudig, op besliste toon. 'Hij wil het zelf ook.'

'Maar ik kan niet...' Hij weet niet hoe hij dit moet zeggen: hij voelt zich niet bij machte om in dit klimaat voor iemand te zorgen; niet voor zichzelf en laat staan voor een kind. Hij gaat zachter praten. 'Ik kan niet ook voor hem de verantwoordelijkheid op me nemen. Stel je voor dat er iets gebeurt. Hij kan niet met me mee.' Hij wordt boos, door een gevoel van schaamte en nutteloosheid.

Elizabeth zegt eenvoudig: 'Hij is nu een man.'

Donald kijkt naar de jongen, die zijn ogen naar hem opslaat en knikt. Donald herkent niets van Elizabeth in hem. Zijn huid is donker, zijn gezicht plat en hij heeft amandelvormige ogen onder zware oogleden. Hij lijkt ongetwijfeld op zijn vader.

Later, als hij teruggaat naar zijn kamer om in te pakken, draait Donald zich nog een keer om en ziet hoe Elizabeth, omlijst door de deurpost, naar hem staat te kijken.

'Uw vader wilde alleen antwoord hebben op zijn vragen. Dat weet u toch wel? Het betekende niet dat hij niet van u hield. Het is alleen maar menselijk om een antwoord te willen hebben.'

Ze staart hem aan, met ogen als spleetjes vanwege de zon, die opkomt uit een hemel die wel gepolijst staal lijkt. Ze staart hem aan, maar ze zegt niets.

Er is iets vreemds gebeurd met het weer. Het is bijna Kerstmis, maar terwijl we door de bevroren sneeuw lopen is de hemel zo helder als op een zonnige julidag. Ondanks de sjaal die ik om mijn gezicht heb geslagen branden mijn ogen door de heldere lucht. De honden zijn dolblij dat ze weer op pad zijn, en in bepaalde opzichten kan ik dat wel begrijpen. Buiten de omheining heerst geen verraad of verwarring. Er is alleen ruimte en licht; mijlenver achter en mijlenver vóór ons. De dingen lijken hier eenvoudig.

Desondanks zijn ze dat niet; ik vind dat alleen omdat ik verdoofd ben.

Als de zon ondergaat, ontdek ik waar mijn domheid toe heeft geleid. Eerst struikel ik over een van de honden en slaag erin om daarbij mijn rok te scheuren en een kakofonie van geblaf te ontketenen. Vervolgens kan ik het pannetje met sneeuwwater, dat ik ergens heb neergezet, niet meer terugvinden. Ik probeer een vlaag van angst te onderdrukken en roep Parker, die mijn ogen onderzoekt. Ook zonder dat hij het me vertelt, weet ik dat ze rood zijn en tranen. Rode en paarse flitsen doorkruisen mijn vervaagde blikveld. Achter mijn ogen voel ik een bonzende pijn. Ik weet dat ik ze gisteren bij mijn vertrek had moeten bedekken, maar daar heb ik toen niet aan gedacht. Ik was zo blij dat ik met hem mee mocht en na de vervuilde omgeving van Hanover House zag de uitgestrekte witte vlakte er prachtig uit.

Parker maakt een kompres van theebladeren, gewikkeld in katoen en gekoeld in sneeuw, en laat me dat tegen mijn ogen drukken. Het geeft wat verlichting, al is het niet zo aangenaam als een paar druppels Perry Davis pijnstiller. Misschien is het wel zo goed dat we die niet bij ons hebben. Ik denk aan Nesbit in het kantoor, woest en in het nauw gedreven; ooit ben ik ook zo geweest.

'Hoe ver is het nog naar... die plaats?'

Gewoontegetrouw laat ik het kompres zakken: ik vind het onbeleefd om degene tegen wie ik praat niet aan te kijken.

'Laat het maar zitten,' zegt hij. Als ik het kompres weer voor mijn ogen heb gedaan, voegt hij eraan toe: 'Overmorgen komen we daar aan.'

'En waar is daar?

'Bij een meer, met een hut.'

'Hoe heet die plaats?'

'Die heeft geen naam, voor zover ik weet.'

'En waarom gaan we daarheen?'

Parker aarzelt een tijdje, zodat ik van achter het kompres naar hem begin te gluren. Hij staart in de verte en lijkt het niet te merken. 'Omdat de pelzen daar zijn.'

'De pelzen? Bedoelt u de Noorse pelzen?'

'Ja.'

Nu laat ik het kompres zakken en kijk hem ernstig aan. 'Waarom leidt u hem daarheen? Dat is precies wat hij wil!'

'Daarom doen we het ook. Laat het kompres nou maar zitten.'

'Kunnen we niet net doen alsof ze ergens anders zijn?'

'Ik denk dat hij al weet waar ze zijn. Als we een andere kant op zouden gaan, zou hij waarschijnlijk niet achter ons aan komen. Hij is al eerder deze kant op gegaan – hij en Nepapanees.'

Ik overweeg wat dit betekent: Nepapanees is niet teruggekeerd en moet hier dus nog zijn. Er trekt een angstig gevoel door me heen dat zich nestelt in mijn beenmerg. Het is eenvoudig om mijn reactie te verbergen achter het doorweekte kompres, maar minder eenvoudig om net te doen alsof ik hiertegen ben opgewassen.

'Als hij komt is het op die manier ook duidelijk.'

'En wat dan?' denk ik, maar dat durf ik niet hardop te zeggen. Een ander stemmetje in mijn hoofd – het vervelende stemmetje – zegt dat ik ook had kunnen blijven waar ik was. Ik heb 'a' gezegd, dus nu moet ik ook 'b' zeggen.

Er valt nogmaals een stilte, waarna Parker zegt: 'Doe uw mond eens open.'

'Neem me niet kwalijk?' Kan hij mijn gedachten lezen? Ik word overmand door schaamte, die bijna mijn angst verdrijft.

'Doe uw mond eens open.' Zijn stem is nu luchtiger, alsof hij ergens pret over heeft. Ik doe hem een eindje open en ik voel me een klein kind. Er stoot iets hards en hoekigs tegen mijn lippen, zodat ik ze verder moet openen, en iets puntigs glijdt mijn mond in, iets wat lijkt op een stuk ijs uit het meer: het is vlak en het smelt. Zijn duim of wijsvinger strijkt langs mijn lippen en voelt ruw als schuurpapier. Misschien is het zijn handschoen.

Ik sluit mijn mond om het voorwerp en terwijl het warm wordt en smelt komt er een mysterieuze, rokerige, zoete smaak vrij, waardoor het water me met een duizelingwekkende vaart in de mond loopt. Ik glimlach: ahornsuiker. Ik heb geen idee waar hij dat vandaan heeft.

'Lekker?' vraagt hij, en aan zijn stem kan ik horen dat hij ook moet glimlachen. Ik hou mijn hoofd scheef een kant op gedraaid, alsof ik over mijn antwoord moet nadenken.

'Mmm,' zeg ik luchtig, nog steeds veilig van achter mijn kompres. Ik word er roekeloos van. 'Is dit bedoeld als medicijn voor mijn ogen?'

'Nee. Het is bedoeld als iets lekkers.'

Ik adem diep in en die adem is vervuld van herfstachtige rook en zoetheid, maar met een bitter, aangebrand luchtje. 'Ik ben bang.'

'Dat weet ik.'

Achter mijn masker wacht ik op Parkers kalmerende, geruststellende woorden. Hij denkt erover na en lijkt ze behoedzaam te overwegen.

Ze komen niet.

Het reddingsteam telt vijf vrijwilligers: Mackinley; Sammy, een indiaanse gids; een jongen uit de buurt, genaamd Matthew Fox, die graag wil bewijzen wat hij waard is in de wildernis; Ross, de man wiens zoon en vrouw worden vermist, en Thomas Sturrock, ex-speurder. Sturrock merkt dat hij in deze groep slechts wordt gedoogd. De anderen vinden hem waarschijnlijk een oude man en niemand weet wat hij eigenlijk in Caulfield uitspookt. Hij dankt zijn plaats in dit gezelschap alleen aan zijn grote charme, plus aan het feit dat hij een hele avond heeft zitten slijmen bij Mackinley, die man met dat vossengezicht, en hem heeft herinnerd aan zijn vroegere wapenfeiten. Hij heeft zelfs op zitten snijden dat hij goed kan spoorzoeken, maar gelukkig heeft Sammy geen hulp nodig, want in de ongerepte schittering van de verse sneeuw heeft Sturrock geen idee of ze wel of niet een oud spoor volgen. Maar hij is er en elke stap brengt hem dichter bij Francis Ross en het doel van zijn reis.

Vanaf het moment dat Maria Knox terugkeerde uit de Sault met het opmerkelijke relaas over haar ontmoeting met Kahon'wes, is hij bevlogen door een geestdrift waarvan hij meende dat hij hem voor altijd was verloren. Keer op keer heeft hij overwogen of Kahon'wes kon hebben geweten dat hij erachter zat. Konden de namen die hij had genoemd puur toeval zijn geweest? Onmogelijk. Hij heeft besloten dat de inscripties op het stuk bot zijn geschreven in een Irokese taal en dat ze een verslag vormen van de confederatie van de Vijf Naties. Wie weet zijn ze zelfs in die periode geschreven. Maar hoe het ook zij, het is hem niet ontgaan dat het stuk bot verstrekkende implicaties kan hebben. Zo'n ontdekking zal gevolgen hebben voor het beleid ten opzichte van de indianen en zal de regeringen ten noorden en zuiden van de grens in verlegenheid brengen. Bovendien zal de roep van de indianen om autonomie erdoor worden versterkt. Wie verlangt er niet naar om goed te doen, zonder daarbij zijn eigen belangen uit het oog te verliezen?

Dat waren zijn gedachten gedurende de eerste paar uur. Daarna ging hij nadenken – want hij is een echte pragmaticus – over de mogelijkheid dat Maria wel eens gelijk kon hebben en dat het voorwerp misschien een knappe vervalsing is. Diep in zijn hart weet hij dat dit geen verschil maakt. Hij zal Kahon'wes overhalen om hem te steunen: dat kan niet heel moeilijk zijn. Als hij het stuk been overtuigend en slim genoeg presenteert (geen probleem), zal door het aanvankelijke succes zijn naam zijn gevestigd. Als er vervolgens controverse over ontstaat, betekent dat alleen maar positieve publiciteit. En hij laat zich niet van de wijs brengen door het feit dat hij op dit moment niet weet waar het stuk been is. Hij is ervan overtuigd dat Francis Ross het heeft meegenomen en dat hij Francis, zodra ze hem hebben ingehaald, wel kan overhalen om het aan hem te geven. Hij heeft de tekst waarmee hij dat zal doen al vele malen geoefend...

Hij stuit op een oneffenheid, zijn sneeuwschoen blijft haken en hij valt voorover op zijn knieën. Hij was de hekkensluiter en met zijn gehandschoeide hand plat op de sneeuw gesteund blijft hij even zitten om op adem te komen. Zijn gewrichten doen pijn van de kou. Het is jaren geleden dat hij zo heeft gereisd en hij was vergeten hoezeer het zijn tol eist. Hopelijk is dit de laatste keer. Degene vóór hem, Ross, ziet dat hij is achtergebleven en wacht op hem. Godzijdank loopt hij niet terug om hem een handje te helpen: dat zou al te vernederend zijn.

Maria had beschreven dat ze Ross in de Sault met een andere vrouw had gezien en ze had erover gespeculeerd of de verdwijning van zijn vrouw daadwerkelijk zo onschuldig was als algemeen werd aangenomen. Sturrock vond dat wel grappig, omdat Maria hem de allerlaatste persoon leek om zo'n choquerende gedachte te koesteren. Maar zoals Maria al zei, het idee was nauwelijks choquerender dan de algemeen aanvaarde theorie dat mevrouw Ross ervandoor was gegaan met de ontsnapte gevangene (terwijl haar man geen vinger uitstak!). Sturrock vindt Ross een interessante man. Van zijn gezicht is niets af te lezen: als hij al bezorgd is over het lot van zijn vrouw of zoon, dan laat hij dat niet merken. Dat maakt hem niet geliefd bij de andere mannen van de groep. Ross heeft zich tot dusverre verzet tegen Sturrocks pogingen om hem te betrekken in een gesprek, maar Sturrock laat zich hierdoor niet uit het veld slaan en versnelt zijn pas om hem in te halen.

'U lijkt zich in dit land op uw gemak te voelen, meneer Ross,' zegt hij, terwijl hij probeert om zijn hijgende ademhaling tot bedaren te brengen. 'Ik durf te wedden dat u al heel wat van dit soort tochten hebt gemaakt.'

'Niet echt,' gromt Ross. Maar hij voegt eraan toe: 'Alleen wat jachtpartijen en zo. Niet zoals u.' Misschien wordt hij door de piepende ademhaling van de oude man wat toegeeflijker.

'O...' Sturrock voelt zich enigszins gevleid. 'U bent vast ongerust over uw gezin.'

Even sjokt Ross zwijgend voort, met zijn blik strak op de grond gericht. 'Sommigen vinden me blijkbaar niet ongerust genoeg.'

'Iemand die ongerust is hoeft daar niet mee te koop te lopen.'

'Nee.' Het klinkt sarcastisch, maar Sturrock wordt zo in beslag genomen door zijn pogingen om zijn sneeuwschoenen te plaatsen in de afdrukken die zijn gemaakt door de jongen vóór hem, dat hij niet op het gezicht van zijn metgezel let.

En vervolgens vertelt Ross: 'Onlangs ben ik in de Sault geweest. Ik ging naar een vriendin van mijn vrouw, alleen om te vragen of ze iets van haar had gehoord. Toen ik daar was zag ik de oudste dochter van de familie Knox. Ze zag mij en ze schrok zo dat ik vermoed dat nu in de hele stad het gerucht gaat dat ik een minnares heb.'

Sturrock glimlacht, schuldig maar opgelucht. Hij is blij dat mevrouw Ross iemand heeft die om haar geeft. Ross kijkt hem even onbewogen aan. 'Ja, dat dacht ik al.'

Op de tweede dag na hun vertrek uit Dove River houdt Sammy halt en steekt zijn hand op om de rest van de groep tot stilte te manen. Iedereen blijft onmiddellijk staan. De gids overlegt met Mackinley, die vooraan loopt en zich vervolgens tot de anderen richt. Net als hij wil gaan spreken klinkt er uit de bomen links van hen een kreet, plus het geluid van krakende takken. Iedereen draait zich in paniek om; Mackinley en Sammy heffen hun geweer, voor het geval het een beer is. Sturrock hoort een hoge gil en beseft dat deze afkomstig is van een mens: van een vrouw.

Hij en Angus, die het dichtste bij zijn, stormen naar voren en storten zich in een dikke laag opgewaaide sneeuw, waar ze in hun voortgang worden belemmerd door kreupelhout en verborgen obstakels. Ze komen zo moeizaam vooruit dat het even duurt voor ze kunnen zien wie hen roept. Ze gluren tussen de bomen... Sturrock meent dat er meer dan één persoon zit; maar een vrouw? Een aantal vrouwen... hartje winter, hier in de wildernis?

En dan krijgt hij haar volop in het vizier: een magere, donkerharige vrouw die moeizaam op hem afkomt, haar sjaal achter zich aanslepend. Haar mond is opengesperd in een uitgeputte, opgeluchte kreet, maar ook spreekt er de angst uit dat deze mannen slechts een hersenspinsel zijn. Ze snelt door het kreupelhout op Sturrock af en zakt een paar meter voor hem in elkaar, terwijl Ross in zijn armen een kind opvangt. Tussen de bomen achter hen komt nog een gedaante aanstuiven. Als Sturrock bij haar komt, valt hij voor haar neer op één knie, alsof dit een parodie is op een romance; zijn sneeuwschoenen zitten in de weg. De vrouw heeft scherpe trekken, door uitputting en angst, en haar ogen hebben een gekwelde blik, alsof ze bang voor hem is.

'Rustig maar, het komt wel goed. U bent nu veilig. Stil maar...'

Hij weet niet zeker of ze hem wel begrijpt. Achter haar is een kleine jongen opgedoken, die een hand beschermend op haar schouder heeft gelegd en Sturrock aanstaart met een duistere, achterdochtige blik. Sturrock weet nooit wat hij tegen kinderen moet zeggen en deze jongen ziet er bepaald niet vriendelijk uit.

'Hallo. Waar komen jullie vandaan?'

De jongen mompelt een paar woorden die hij niet verstaat en de vrouw antwoordt hem in dezelfde vreemde taal. Het is geen Frans, want dat kent hij, en ook geen Duits.

De anderen zijn erbij komen staan; ze drommen om de vreemdelingen heen en staren ze verbaasd aan. Er is dus een vrouw, een jongetje van misschien zeven of acht en ook nog een meisje, dat nog jonger is. Ze vertonen alle drie de beginsymptomen van onderkoeling. Niemand kan ze verstaan.

Men besluit om een kamp op te slaan, ook al is het nog maar nauwelijks twee uur. Sammy en Matthew bouwen een schuilplaats achter een ontwortelde boom en sprokkelen hout voor een groot kampvuur, terwijl Angus Ross thee zet en eten klaarmaakt. Mackenzie loopt terug het bos in, in de door de vrouw aangewezen richting, en komt weer tevoorschijn met een ondervoede merrie, die nu in dekens wordt gehuld en haver te eten krijgt. De vrouw en kinderen zitten in elkaar gedoken om het vuur. Nadat ze even zachtjes met elkaar hebben gepraat, staat zij op en loopt naar Sturrock. Omdat ze aangeeft dat ze hem onder vier ogen wil spreken, lopen ze een klein eindje bij het kamp vandaan.

'Waar zijn we?' vraagt ze zonder plichtplegingen. Hij hoort dat ze vrijwel accentloos Engels spreekt.

'We bevinden ons op anderhalve dag reizen van Dove River, in zuidelijke richting. Waar komen jullie vandaan?'

Ze staart hem aan en haar blik flitst even in de richting van de anderen. 'Wie zijn jullie?'

'Ik ben Thomas Sturrock uit Toronto. De anderen komen uit Dove River, behalve die man met het korte bruine haar: dat is Mackinley, een werknemer van de Hudson Bay Company. Hij is ook gids.'

'Wat doen jullie hier? Waar gaan jullie naartoe?' Ze lijkt zich niet te realiseren dat haar vragen wel eens ondankbaar zouden kunnen overkomen.

'We volgen een spoor naar het noorden. Er worden een paar mensen vermist.' Omdat de situatie niet in een paar woorden is uit te leggen, doet hij ook geen poging daartoe.

'En waar leidt dat spoor naartoe?'

Sturrock glimlacht. 'Dat weten we pas aan het eind.'

De vrouw ademt uit en daarmee lijkt er iets van haar opgekropte spanning en angst te verdwijnen. 'Wij waren op weg naar Dove River, maar onderweg zijn we ons kompas en een paard kwijtgeraakt. Er was ook nog iemand anders bij ons. Hij is vertrokken om...' Op haar gezicht verschijnt plotseling een hoopvolle uitdrukking. 'Heeft een van jullie de afgelopen dagen misschien met een geweer geschoten?'

'Nee.'

De moed zinkt haar weer in de schoenen. 'We zijn elkaar kwijtgeraakt, en wij weten niet waar hij nu is.'

Ten slotte vertrekt haar gezicht van emotie. 'Er waren wolven. Die hebben een van de paarden gedood. Ze hadden ons ook wel kunnen doden. Misschien...'

Ze barst in snikken uit, maar zonder geluid en zonder tranen. Sturrock klopt haar op de schouder.

'Stil maar. Het komt allemaal goed. Het is vast afschuwelijk geweest, maar nu is het voorbij. U hoeft nergens meer bang voor te zijn.'

De vrouw slaat haar ogen naar hem op en hij merkt op hoe mooi ze zijn: helder lichtbruin, in een glad, ovaal gezicht.

'Dank u wel. Ik weet niet wat we anders hadden gemoeten... We hebben ons leven aan u te danken.'

Sturrock ontfermt zich over haar ijskoude handen. Mackinley roept spontaan een vergadering bijeen en besluit dat hij en Sammy samen op zoek gaan naar de vermiste man – die duidelijke sporen heeft achtergelaten – terwijl de anderen in het kamp blijven. Als ze hem de volgende avond nog niet hebben gevonden, zullen Matthew en Sturrock de vrouw en haar kinderen naar Dove River brengen. Sturrock is niet helemaal gelukkig met deze regeling, maar hij begrijpt dat de drie doorgewinterde reizigers het beste zo snel mogelijk verder kunnen trekken. Bovendien voelt hij zich eigenlijk wel gevleid dat de vrouw hem verkiest boven de anderen. Ze heeft met niemand anders onder vier ogen gesproken en ze blijft steeds in zijn buurt, waarbij ze hem zo nu en dan zelfs vereert met een bijzonder lieve glimlach ('Dus u komt uit Toronto...?'). Hij zegt tegen zichzelf dat hij door zijn leeftijd minder bedreigend is, maar hij weet dat dit niet alles verklaart.

Mackinley en Sammy vertrekken al terwijl het nog licht is, want uit het tamelijk verwarde verhaal van de vrouw leiden ze af dat haar man misschien gewond is. Ze worden verzwolgen door de duisternis onder de bomen en Ross geeft iedereen een slokje brandewijn. De vrouw vrolijkt aanzienlijk op.

'Wie zijn die mensen die u achtervolgt?' vraagt ze, nadat de kinderen als een blok in slaap zijn gevallen.

Ross zucht en zegt niets; Matthew kijkt van Ross naar Sturrock, die dit opvat als een hint.

'Het is een tamelijk vreemd verhaal en het is niet zo één-twee-drie te vertellen. Meneer Ross misschien... Nee? Nou, ziet u, een paar weken geleden vond er bij ons een betreurenswaardige gebeurtenis plaats waarbij een man is overleden. In diezelfde periode verdween de zoon van meneer Ross uit Dove River, misschien omdat hij iemand achtervolgde. Vervolgens stuurde de Hudson Bay Company twee mannen achter hem aan, in het kader van hun onderzoek. Ze zijn nu al een flinke poos weg en niemand heeft meer iets van ze gehoord.'

'En...' Matthew buigt zich enthousiast naar voren, aangemoedigd door de belangstelling van de vrouw, 'dat is nog niet alles! Er was nóg een man: hij was gearresteerd vanwege de moord – het was een halfbloed, een ongure kerel – en is toen ontsnapt; nou ja, eigenlijk heeft iemand hem vrijgelaten en hij is toen verdwenen met de moeder van Francis... en sindsdien heeft niemand ze meer gezien!'

Matthew zwijgt en wordt knalrood; veel te laat dringt het tot hem door wat hij heeft gezegd en hij werpt een angstige blik op Ross.

'Het is niet bekend of ze samen waren of dat een van hen deze kant op is gegaan,' verbetert Sturrock hem, met een voorzichtige blik naar Ross, die onbewogen lijkt. 'Maar dat is, in een notendop, waarom we hier zijn: om zo veel mogelijk mensen terug te vinden en om zorg te dragen voor hun... veiligheid.'

De vrouw buigt zich naar voren, naar het kampvuur, met wijd opengesperde, glinsterende ogen: ze lijkt totaal iemand anders dan het doodsbenauwde schepsel in het bos van een paar uur geleden. Ze haalt diep adem en draait haar hoofd schuin naar een kant.

'U bent heel vriendelijk voor ons geweest. We hebben ons leven aan u te danken. Daarom vind ik dat ik u moet vertellen, meneer Ross, dat ik uw zoon heb gezien en uw vrouw en ze maken het allebei uitstekend. Ze maken het allemaal uitstekend.'

Ross draait zich voor het eerst naar haar toe en kijkt haar aan. Als Sturrock het niet met eigen ogen had gezien, had hij nooit kunnen geloven hoe dat onwrikbare gezicht kon ontdooien.

Voor het eerst sinds weken wordt Francis bij het wakker worden begroet door een stralende zon. Om hem heen hangt een mysterieuze stilte; vanuit de gang en de binnenplaats ontbreken de gebruikelijke geluiden. Hij kleedt zich aan en loopt naar de deur. Die staat open, want sinds Moody is vertrokken zijn de regels nogal verslapt. Hij vraagt zich af wat er zal gebeuren als hij in zijn eentje naar buiten gaat. Misschien dat er dan iemand in paniek raakt en op hem schiet. Maar dat is onwaarschijnlijk, want de Uitverkorenen zijn mensen van God en hebben meestal geen wapens bij zich. Hij kan trouwens toch nergens heen zonder in de sneeuw zijn karakteristieke manke voetspoor achter te laten. Hij hinkt de gang op, leunend op zijn kruk. Er komt niemand aanrennen en er zijn inderdaad weinig tekenen van leven. Snel denkt Francis na: is het vandaag zondag? Nee, dat is het een paar dagen geleden nog geweest (het is moeilijk om hier bij te houden welke dag het is). Hij stelt zich voor dat iedereen weg is. Langzaam loopt hij de lange gang door. Hij heeft geen idee waar alle deuren van die gang heen leiden, want sinds hij hier binnen werd gebracht is hij zijn kamer nog niet uit geweest. Geen teken van zijn cipier, Jacob. Ten slotte vindt hij een deur, waardoor hij naar buiten loopt.

De schok van de frisse lucht is zowel koud als aangenaam. De zon verblindt hem; zijn gezicht tintelt van de kou, maar hij ademt met grote teugen de koude lucht in en geniet van de pijn. Hoe kon hij zo lang in die kamer blijven liggen? Hij walgt van zichzelf. Hij oefent om zich sneller te bewegen en hij hinkt voor de deur heen en weer om te wennen aan de kruk. En dan hoort hij een kreet. Hij volgt het geluid om de hoek van de stal en ziet, honderd meter verderop, een groepje mensen staan. Zijn eerste reactie is om snel weg te duiken, maar ze lijken niet erg in hem geïnteresseerd te zijn. En dus hinkt hij nog wat dichterbij. Een van hen is Jacob; hij ziet Francis en loopt op hem af.

'Wat gebeurt hier? Waarom is iedereen hier?'

Jacob kijkt achterom. 'Weet je nog dat ik je had verteld dat Line en de timmerman waren vertrokken? Nou... die man is weer terug.'

Francis hinkt langzaam naar het groepje Noren. Een paar vrouwen staan te huilen; Per lijkt bezig een gebed op te zeggen. Te midden van die groep ziet hij de man die Jacob hoogstwaarschijnlijk bedoelt: een ongeschoren type met holle ogen. Zijn neus en wangen zijn rood bevroren en zijn baard en snor zijn wit door de rijp. Dit is dus de timmerman die hij nog nooit had gezien en die door Line was meegetroond. Het lijkt alsof iemand hem ondervraagt, maar hij ziet er verdoofd uit. Francis vervloekt zichzelf omdat hij zo langzaam van begrip is en terwijl hij steeds bozer wordt wankelt hij op hem af.

'Wat hebt u met haar gedaan?' schreeuwt hij, zonder te weten of de man wel Engels spreekt. 'Waar is Line? Hebt u haar daar achtergelaten? En haar kinderen?'

De timmerman kijkt hem stomverbaasd aan. Dat is begrijpelijk, want hij heeft hem nooit eerder gezien.

'Waar is ze?' vraagt Francis, woedend en angstig.

'Zij... dat weet ik niet,' stamelt de man. 'Op een avond... kwamen we bij een dorp en ik kon er niet meer tegen. Ik wist dat het verkeerd was wat ik deed. Ik wilde weer terug. Dus heb ik haar achtergelaten... in het dorp.'

Naast hem staat een vrouw met spitse trekken, die zich in tranen aan hem vastklampt. Francis vermoedt dat zij de vrouw is die hij in de steek had gelaten.

'Welk dorp is dat dan? Hoe ver is het hier vandaan?'

De man knippert met zijn ogen. 'Ik weet niet hoe het heet. Het lag aan een rivier... een klein riviertje.'

'Hoeveel dagreizen hier vandaan?'

'Eh... drie.'

'Dat is een leugen. Drie dagreizen hiervandaan is geen dorp, niet als jullie naar het zuiden zijn gereisd.'

Ondanks zijn bleekheid trekt de man wit weg. 'We zijn het kompas kwijtgeraakt...'

'Waar hebt u haar achtergelaten?'

De timmerman begint te huilen. Ten slotte, half in het Noors en half in het Engels, legt hij uit wat er is gebeurd.

'Het was afschuwelijk... We waren verdwaald. Ik hoorde een schot en ik dacht dat ik de jager wel zou kunnen vinden en dat hij ons dan de weg kon wijzen. Maar ik kon hem niet vinden... Er waren wolven. Toen ik terugging vond ik bloed en zij waren... weg.'

Hij snikt hartverscheurend. De vrouw met het spitse gezicht keert zich van hem af, alsof ze van hem walgt. De anderen staren Francis met open mond aan; de helft van deze mensen heeft hem sinds hij hier halfdood werd binnengebracht niet meer gezien. Francis voelt tranen opkomen. Hij heeft het gevoel dat zijn keel wordt dichtgeknepen, alsof hij stikt.

Per steekt zijn hand op om de aandacht te vragen. 'Ik vind dat we beter naar binnen kunnen gaan. Espen moet worden verzorgd en heeft voedsel nodig. Daarna zullen we uitzoeken wat er is gebeurd en mannen op weg sturen om ze te zoeken.'

Hij spreekt in zijn eigen taal en langzamerhand draaien ze zich allemaal om en lopen terug naar de gebouwen.

Jacob komt naast Francis lopen. Hij begint pas te praten als ze bijna binnen zijn.

'Luister eens. Ik weet het niet, maar... het is niet waarschijnlijk dat wolven drie mensen zouden aanvallen en doden. Ik betwijfel of dat wel is gebeurd.'

Francis kijkt hem aan. Hij veegt zijn neus af aan zijn mouw.

Bij de deur van zijn kamer worden ze begroet door Per. 'Jacob... Francis... jullie hoeven hier niet meer naar binnen te gaan. Kom mee naar de eetzaal, samen met alle anderen.'

Verbaasd en ontroerd volgt Francis Jacob naar de eetzaal.

Ze eten brood en kaas en drinken koffie. Er wordt gepraat op gedempte toon, want de mensen zijn onder de indruk van de gebeurtenissen. Francis herinnert zich hoe vriendelijk Line tegen hem was en hoe graag ze weg wilde. Maar ze is ook taai. Misschien is het zo niet gegaan. Hij wil er niet aan denken, nog niet.

Niemand in deze zaal lijkt argwaan tegen hem te koesteren. Hij zou graag met ze meegaan om Line te zoeken, maar nu hij weer voor het eerst heeft gelopen begint zijn knie te kloppen en hij voelt zich zo slap als een vaatdoek. Hij heeft wekenlang in de witte kamer gelegen, waardoor zijn spieren zijn verzwakt en zijn huid is verbleekt als rabarber onder een pot. Wekenlang...

Met een schok beseft hij dat hij al minstens een uur niet meer aan Laurent heeft gedacht, niet vanaf het moment dat hij de samengeschoolde menigte op het witte veld zag staan; als hij eerlijk is, al niet meer sinds hij de buitendeur opende en de frisse, koude lucht opsnoof. Al die tijd heeft hij niet aan Laurent gedacht en hij heeft het gevoel dat hij hem ontrouw is geweest.

Die nacht, lang geleden, zag Francis vanaf de heuvel achter de hut een licht door het perkamenten venster schijnen. Hij liep langs de wal omlaag, stilletjes, voor het geval Laurent bezoek had. Dat heeft – had – hij vaak en dan bleef Francis uit de buurt. Hij wilde geen uitbrander meer van die scherpe tong. Hij hoorde de deur opengaan en zag een man met lang zwart haar naar buiten komen. In één hand hield hij iets vast, iets waarvan Francis niet kon zien wat het was, en wat hij vervolgens behoedzaam in zijn gordel stopte, terwijl hij met de zwijgende alertheid van een echte spoorzoeker kijkend, en vooral luisterend, zijn omgeving in de gaten hield. Francis zweeg en hij verroerde zich niet. Het was middernacht en pikdonker, maar hij wist dat het niet iemand uit Dove River was; hij weet van al die mensen daar hoe ze lopen, bewegen, ademhalen. Deze man was anders. Hij spuugde op de grond en draaide zich om naar de open deur. In een flits zag Francis een donkere, glimmende huid, vet haar dat om zijn schouders krulde en een gevoelloos, gesloten gezicht dat niet jong meer was. Hij liep de hut weer in en verdween uit het zicht. Toen ging het licht in de hut uit. De man vertrok, terwijl hij zachtjes iets mompelde, en verdween in de richting van de rivier, naar het noorden. Hij liep met zachte tred. Francis slaakte een zucht van opluchting. Als er een handelaar op bezoek was, moest hij uit de buurt blijven. Maar deze man bleef niet.

Francis kroop langs de aarden wal omlaag en liep om de hut heen naar de voordeur. Binnen hoorde hij geen enkel geluid. Hij wachtte even voordat hij de deur opendeed.

'Laurent?' fluisterde hij, zich schamend voor zijn gefluister. 'Laurent?'

Het zat er dik in dat Laurent boos op hem was: anderhalve dag geleden hadden ze nog ruzie gehad. Maar – en bij die gedachte trekt er een koude rilling door hem heen – stel je eens voor dat hij al is vertrokken voor zijn mysterieuze laatste reis en hem is ontglipt? Misschien is hij eerder vertrokken dan hij had gezegd, om hem te ontlopen, om een scène te voorkomen. Dat zou echt iets voor hem zijn.

Francis duwde de deur open. Binnen was het stil en donker, maar het was er ook warm, door het fornuis. Francis liep op de tast naar de plaats waar meestal een lamp stond en vond die ook. Hij opende het deurtje van het fornuis en stak een kaars aan, hield deze tegen het kousje van de lamp en knipperde vervolgens met zijn ogen tegen het licht. Er was geen reactie geweest op zijn plotselinge binnenkomst. Laurent was dus weg, maar voor hoe lang? Misschien volgde hij buiten een spoor. Misschien was hij niet voorgoed vertrokken, want dan had hij het fornuis vast en zeker niet laten branden. Misschien was hij...

Er restten hem nog slechts een paar seconden van zijn oude leven en Francis was ze achteloos aan het verspillen: hij prutste met het lampenkousje. Als hij zich omdraaide, zou hij Laurent op zijn bed zien liggen. Dan zou hij onmiddellijk de vreemde rode vlek in zijn haar zien en vervolgens zou hij snel ergens anders gaan staan, zodat hij zijn gezicht, zijn hals en de dodelijke wond zou zien.

Hij zou zien dat zijn ogen nog vochtig waren.

Hij zou voelen dat hij nog warm was.

Francis pinkt zijn tranen weg. Jacob praat tegen hem: hij zegt dat hij naar buiten gaat, want hij houdt er niet van om lang achter elkaar binnen te zitten. Jacob legt een hand op zijn schouder; iedereen is vandaag aardig tegen hem, hij kan het nauwelijks verdragen. Wil Francis hier wel een poosje blijven? Hij hoeft hem nu niet meer te verbieden om weg te lopen... ha!

Francis stemt toe, op de een of andere manier, en uit zijn gezichtsuitdrukking leidt Jacob af dat hij verdriet heeft om Lines vermoedelijke lot.

Nadat hij Laurents lichaam had gezien, nadat hij daar de hemel mag weten hoe lang in een shock had gestaan, besloot Francis dat hij de moordenaar moest volgen. Hij kon niet bedenken wat hij anders zou moeten doen. Hij kon niet naar huis nu hij wist wat hij wist. Hij wilde geen moment langer in Dove River blijven nu Laurent er niet meer was om het draaglijk te maken. Hij pakte Laurents rugzak en stopte er een deken in, eten en een jagersmes – groter en scherper dan dat van hemzelf. Hij zocht de hut af, op zoek naar een teken, een laatste bericht van Laurent dat aan hem is gericht. Laurents geweer was spoorloos; had die man er één bij zich gehad? Hij probeerde zich hem voor de geest te halen, besefte plotseling wat de man zo behoedzaam in zijn buidel had gestopt en voelde een vlaag van misselijkheid opkomen.

Terwijl hij zijn ogen afhield van het bed, wrikte Francis de losse vloerplank omhoog en zocht op de tast naar Laurents geldbuidel. Er zat niet veel in, alleen een klein rolletje bankbiljetten en het gekke stukje gegraveerd bot waarvan Laurent dacht dat het kostbaar was, dus dat pakte hij ook. Laurent had het immers aan hem willen geven, maanden geleden, toen hij in een goede bui was.

Ten slotte trok hij Laurents jas van wolvenvel aan, die met het bont aan de binnenkant. Die zou hij nodig hebben, 's nachts.

In gedachten nam hij afscheid. En hij vertrok in dezelfde richting als de vreemdeling, zonder te weten wat hij zou doen als hij hem zou vinden.

Ik herinner me dat ik een keer een lange reis ging maken en ik denk dat die gebeurtenis me zo helder is bijgebleven omdat hij het einde van een bepaalde periode in mijn leven inluidde en het begin van een andere. Ik weet zeker dat voor heel veel mensen in de Nieuwe Wereld hetzelfde geldt, maar ik heb het hier niet over de reis over de Atlantische Oceaan, hoe afschuwelijk die ook was. Mijn reis voerde me van de poorten van het openbare gesticht in Edinburgh naar een groot, vervallen huis in de westelijke Hooglanden. Ik werd vergezeld door de man die mijn echtgenoot zou worden, maar daar had ik op dat moment natuurlijk nog geen weet van. En evenmin kon ik vermoeden hoe belangrijk die reis zou worden, maar toen hij eenmaal was aangevangen, begon mijn leven volledig en voor altijd te veranderen. Ik had het toen niet kunnen vermoeden, maar ik ben nooit meer naar Edinburgh teruggekeerd en toen de koets het gesticht via de lange, bochtige oprijlaan achter zich liet, werden er daarmee inderdaad bepaalde banden doorgesneden – met mijn verleden, met mijn ouders, met mijn relatief welgestelde achtergrond, zelfs met mijn stand – die nooit meer zouden worden hersteld.

Later dacht ik graag aan die reis terug; dan stelde ik me voor hoe het lot zijn werk deed en de draadjes achter me doorknipte, terwijl ik verbijsterd en onwetend in die op en neer stuiterende bak zat en me afvroeg of ik – bij wijze van spreken – gek was om dat gesticht met zijn relatieve comfort te verlaten. En ook vroeg ik me af hoe vaak we ons bewust zijn van onomkeerbare krachten op het moment dat ze nog in werking zijn. Uiteraard was ik dat toen niet. En omgekeerd verbeelden we ons vaak dat iets bepaalds heel belangrijk is, terwijl het even later in rook opgaat, zonder ook maar een spoor achter te laten.

Wat mijn overpeinzingen ook waren, we zijn eindelijk aangekomen. Het is het einde van deze reis, die zo belangrijk lijkt. Maar misschien komt dat alleen door de angst voor geweld.

Het landschap is hier minder eentonig: het heeft nu hobbels en vouwen, als een kleed dat moet worden rechtgetrokken. En tussen de vurige flitsen door zie ik een klein meer voor ons liggen. Het is lang en krom, als een wenkende vinger, en ligt in een knik om een grote rots, die halverwege het meer ruim dertig meter omhoog rijst. Op de tegenoverliggende oever staan bomen, maar het is meer een kreupelbos dan een echt bos. Het grootste deel van het meer is bevroren en het is glad en wit als een ijspiste. Maar aan één kant, waar een rivier via een lage rots in het meer stroomt, stijgt vanaf het zwarte water stoom omhoog en de turbulentie van de waterval voorkomt dat er hier ijs ontstaat.

We lopen over het bevroren meer. De zon schijnt kil vanuit het westen. De lucht is een aquarel van puur hemelsblauw en de bomen vormen een houtskoolschets tegen een achtergrond van sneeuw. Ik probeer me voor te stellen dat we hier om een andere reden zijn, een goede reden, maar ik weet dat er geen enkele andere reden is waarom ik hier met Parker zou kunnen zijn. We hebben niets met elkaar gemeen, behalve de dood die ons met elkaar verbindt, plus het verlangen naar een zekere vorm van rechtvaardigheid. Zodra er aan dat verlangen is voldaan – op wat voor manier dan ook – is er niets gemeenschappelijks meer over. Die gedachte kan ik niet verdragen.

En daarom dwing ik mezelf om te kijken, hoe erg mijn ogen ook branden. Ik moet dit zien. Ik moet me dit kunnen herinneren.

Onder de bomen is de sneeuwlaag dunner. De vervallen hut is zo verweerd dat je hem pas ziet als je er vlak voor staat. De deur staat op een kier en hangt uit zijn verrotte scharnieren, de sneeuw is doorgedrongen in de hut en blokkeert een deel van de ingang. Parker klimt eroverheen en ik volg hem, terwijl ik de sjaal van mijn gezicht trek. Er is slechts één raam, met een luik ervoor, en binnen is het aangenaam donker. Niets verraadt dat hier misschien ooit iemand gewoond heeft; er ligt alleen een stapel bundels, wit van de sneeuw.

'Wat is dit?'

'De hut van een pelsjager. Misschien wel honderd jaar oud.'

De hut, verzakt en vervallen, is zo verweerd dat het hout een zilveren glans heeft; hij zou inderdaad best zo oud kunnen zijn. Die gedachte fascineert me. Het oudste gebouw in Dove River is precies dertien jaar oud.

Ik struikel over iets op de vloer. 'Zijn dat de pelzen?' Ik wijs op de bundels. Parker knikt, loopt naar eentje toe en snijdt met zijn mes een band door. Hij haalt een donkere, grijzige pels tevoorschijn.

'Hebt u al eerder zo'n pels gezien?'

Ik neem de pels aan: hij voelt soepel, koud en ongelooflijk zacht aan mijn handen. Ik heb er al eerder één gezien, in Toronto geloof ik, om de kwabbige hals van een rijke oude vrouw. De pels van een zilvervos. Er werden opmerkingen over gemaakt, over dat hij wel iets van honderd guinjes waard zou zijn. Hij is zilverkleurig en zwaar, soepel en glad als zijde. Al die dingen tegelijk. Maar zou hij echt zoveel waard zijn?

Ik ben teleurgesteld in Parker. Ik weet niet wat ik had verwacht, maar om de een of andere reden vind ik het vreselijk om na alles wat er is gebeurd te moeten toegeven dat hij helemaal hierheen is gekomen voor exact hetzelfde als Stewart.

Zonder iets te zeggen leggen we onze spullen neer in de hut. Parker is zwijgzaam, maar de stilte is ditmaal anders en wordt niet veroorzaakt doordat hij opgaat in datgene waar hij mee bezig is. Ik merk dat hij in beslag wordt genomen door iets anders.

'Hoe lang denkt u dat het nog zal duren?'

'Niet lang.'

We zeggen geen van beiden wat we bedoelen, maar we weten allebei dat het niet gaat over de taak waar we mee bezig zijn. Ik blijf naar buiten turen door de deur, die op het zuiden ligt, waardoor we de route die wij hebben genomen niet kunnen zien. Het licht buiten is verblindend; elke blik die ik werp bezorgt me een stekende pijn diep in mijn schedel. Maar ik kan niet in de hut blijven, ik moet alleen zijn.

Ik blijf tussen de bomen langs de westoever en loop in de richting van het zwarte, niet bevroren deel van het meer; ik word aangetrokken door de waterval daarboven, die beweegt maar griezelig stil is. Als ik onderweg dode takken tegenkom pak ik die op, als brandhout. Maar gaan we eigenlijk wel een vuur maken als we zitten te wachten op Stewart? In mijn mond proef ik een zure, metaalachtige smaak die ik langzamerhand maar al te goed ken. Het is de smaak van mijn lafhartigheid.

Het is maar honderd meter naar het meer, dus je zou denken dat je onmogelijk kunt verdwalen. Maar toch is dat precies wat er gebeurt. Ik blijf vlak bij de rand van het meer, maar zelfs als ik terugloop langs de oever zie ik nergens de hut meer. Aanvankelijk raak ik niet in paniek. Ik loop dezelfde weg terug naar de waterval, waar het water donker is, rookt en door steeds bleker ijs wordt omsloten. Ik voel de drang – zoals de wandelaar op de klif, die zich gedwongen voelt om steeds dichter naar de rand toe te lopen – om het ijs op te lopen, van het witte naar het grijze gedeelte, om te zien hoe sterk het is. Om zo ver te lopen als ik kan en daarna nog een stukje verder.

Ik keer om en ik zorg ervoor dat ik de ondergaande zon en zijn vurige flitsen rechts van me hou. Opnieuw loop ik tussen de bomen door. De boomstronken breken het zonlicht tot trillende golven, die als flitsen en vegen door mijn gezichtsveld schieten, zodat ik duizelig word. Ik doe mijn ogen dicht, maar als ik ze weer open zie ik helemaal niets meer: een brandende leegte wist alles uit en ik slaak een kreet van pijn. Ik weet wat er aan de hand is, maar plotseling word ik bang dat mijn ogen niet meer beter worden. Sneeuwblindheid is zelden blijvend, maar het komt wel eens voor. En vervolgens vraag ik me af of dat eigenlijk wel zo erg zou zijn. Het zou betekenen dat Parkers gezicht het laatste was wat ik heb gezien.

Ik sta nu op handen en knieën, omdat ik ben gestruikeld over iets wat op een grote sneeuwhoop lijkt. Ik klop met mijn handen op de grond; misschien is het een hol van een of ander dier. Onder de sneeuw ligt losse, donkere aarde. Er ontvlamt een nieuwe angst in mij: als dat dier zo veel aarde heeft uitgegraven, moet het wel heel groot zijn geweest, en bovendien moet dat heel kort geleden zijn gebeurd. De grond voelt rul en vers en geeft mee onder mijn hand. Ik druk mezelf omhoog en vlak onder de aarde komt mijn hand in aanraking met iets waarvoor ik ogenblikkelijk met een gil terugdeins. Het was zacht en koud en voelde onmiskenbaar als stof, of...of...

'Mevrouw Ross?'

Op de een of andere manier staat hij al naast me voor ik hem heb horen aankomen. De leegte lost enigszins op en ik zie zijn donkere gedaante, maar mijn ogen houden me voor de gek: rode en paarsblauwe vormen versmelten met takken en stukken witte sneeuw. Hij pakt me bij de arm en zegt: 'Rustig maar, er is hier niemand.'

'Daar... ik voelde iets onder de grond. Ik heb het aangeraakt.'

Ik word overvallen door een vlaag van misselijkheid, die vervolgens weer wegebt. Ik zie de berg aarde niet meer, maar Parker gaat ernaar op zoek en vindt hem. Ik blijf op dezelfde plaats staan, terwijl ik de tranen die onophoudelijk uit mijn ogen stromen (zonder reden, want ik huil niet) wegveeg. Als ik dat niet meteen doe, bevriezen ze op mijn wangen tot kleine pareltjes.

'Het is zeker een van hen? Een van de Noren?' Ik kan de herinnering aan die aanraking niet van me afschudden; om onverklaarbare redenen heb ik geen handschoenen aan.

Parker knielt nu neer en schraapt aarde en sneeuw weg. 'Het is niet iemand van de Noren.'

Ik slaak een zucht van verlichting. Dus toch een beest. Ik pak handenvol sneeuw op en schuur daarmee mijn handen, om dat vreselijke gevoel kwijt te raken.

'Het is Nepapanees.'

Ik loop een paar stappen naar hem toe, wankelend, want ik kan er niet op vertrouwen dat mijn ogen me de waarheid vertellen. Vlak voor me, op de grond, flikkert en brandt Parker als een pop van Guy Fawkes op vijf november.

'Blijf waar u bent.'

Ik zie hoe dan ook niet veel en mijn voeten lopen uit zichzelf verder zijn kant uit. Dan staat Parker op en pakt me bij mijn armen, zodat ik niet kan teruglopen naar het ding onder de grond.

'Wat is er met hem gebeurd?'

'Hij is doodgeschoten.'

'Laat me eens zien.'

Na een korte aarzeling doet hij een stap opzij, maar als ik kniel naast het ondiepe graf blijft hij al die tijd mijn arm vasthouden. Door mijn ogen bijna dicht te houden kan ik zien wat er op de grond ligt. Parker heeft zo veel sneeuw en aarde weggeschraapt dat het hoofd en de romp van een man zichtbaar zijn geworden. Het lichaam ligt voorover in de sneeuw en het gevlochten haar is bezoedeld, maar de rood met gele draad waarmee de vlechten zijn samengebonden is nog helder van kleur.

Ik hoef hem niet om te draaien. Hij is niet door het ijs gezakt en verdronken. In zijn rug zit een wond die even groot is als mijn vuist.

Pas als we terug zijn in de hut merk ik mijn laatste blunder op. Blijkbaar ben ik ergens tussen de bomen mijn handschoenen kwijtgeraakt en de huid op mijn vingers is nu wit en verdoofd. Binnen twee dagen twee doodzonden: ik verdien het om te worden doodgeschoten.

'Het spijt me, stom van me...' Alweer een verontschuldiging. Ik ben nutteloos, stom, een blok aan zijn been.

'Het valt nog wel mee.'

De zon is ondergegaan en de lucht heeft een tere, blauwgroene tint. In de hut brandt een vuur en Parker heeft een fortuin aan pelzen opgestapeld tot een bed.

Dit is pas de tweede keer dat me dit is overkomen; de andere keer was tijdens mijn eerste winter hier en toen heb ik mijn lesje wel geleerd. Ik schijn de laatste weken veel vergeten te zijn. Bijvoorbeeld hoe ik mezelf moet beschermen. Op allerlei manieren.

Parker schuurt mijn handen met sneeuw. Het gevoel in mijn handen keert langzaam terug en ze beginnen te tintelen.

'Stewart is dus hier geweest; dan weet hij van de pelzen.'

Parker knikt.

'Ik ben bang dat ik zo niet in staat ben om het geweer te gebruiken.'

Parker gromt. 'Misschien is het niet nodig.'

'Het is waarschijnlijk het beste als u ze allebei neemt. Ik kan gewoon...'

Ik zou een tweede paar ogen zijn. De boel voor hem in de gaten houden. Hem beschermen. Nu kan ik zelfs dat niet meer.

'Het spijt me. U hebt niets aan mij.' Ik smoor een verbitterde lach. Die lijkt ongepast.

'Ik ben blij dat u hier bent.'

Ik kan zijn gezichtsuitdrukking niet zien, want als ik hem recht aankijk verschijnen er in het centrum van mijn gezichtsveld heldere flitsen. Ik zie hem slechts in vlagen, vanuit mijn ooghoeken.

Hij is blij dat ik hier ben.

'U hebt Nepapanees gevonden.'

Ik trek mijn handen weg. 'Dank u wel. Dat kan ik nu zelf wel doen.'

'Nee, wacht.' Parker knoopt zijn blauwe overhemd los. Hij pakt mijn linkerhand weer beet, leidt hem onder zijn hemd, naar de holte van zijn rechterarm, en drukt hem tegen zijn warme huid. Ik steek mijn rechterhand onder zijn andere oksel en zo zitten we aan elkaar vast, op een armlengte van elkaar, met de gezichten naar elkaar toe. Ik leg mijn hoofd tegen zijn borst, omdat ik niet wil dat hij mijn gezicht ziet, mijn rode, tranende ogen, mijn gloeiende wangen. Mijn glimlach.

Met mijn oor tegen een stukje blote huid kan ik Parkers hart horen kloppen. Klopt het snel? Ik weet niet of dit normaal is. Mijn hart wel, dat is zeker. Mijn handen gloeien en komen weer tot leven door de warmte van huid die ik nog nooit heb gezien. Parker duwt de opgerolde zilverkleurige pels onder mijn hoofd: een kussen van honderd guinje, zacht en koel. Het gewicht van zijn armen rust op mijn rug. Als ik me even later een beetje beweeg, merk ik dat hij mijn haar vasthoudt, dat is losgegaan en in zijn hand tot een streng is gedraaid. Hij streelt het afwezig, alsof hij een van zijn honden aait. Misschien. Of misschien ook niet. We praten niet. We hebben niets te zeggen. De enige geluiden zijn onze ademhaling en het gesis van het vuur. En het onregelmatige kloppen van zijn hart.

Als ik een wens mocht doen, zou ik eerlijk gezegd wensen dat er aan deze nacht nooit een einde zou komen. Ik ben egoïstisch, dat weet ik. Ik doe mezelf niet beter voor dan ik ben. En hoogstwaarschijnlijk ben ik verdorven. Ik lijk me niet te bekommeren om de mannen die om het leven zijn gekomen, niet als dat ertoe heeft geleid dat ik hier ten slotte zo lig, met mijn lippen vlak bij een driehoekje warme huid, zodat hij mijn adem kan voelen komen en gaan.

Ik verdien het niet dat mijn wensen worden vervuld, maar ik herinner mezelf eraan dat het toch niet uitmaakt of ik het wel of niet verdien.

Ergens in de verte komt Stewart eraan.

Ik word wakker doordat ik zachtjes op mijn schouder word getikt. Parker zit gehurkt naast me, met zijn geweer in de hand. Onmiddellijk besef ik dat we niet alleen zijn. Hij geeft me zijn jagersmes.

'Hier, neem dit maar. Ik neem allebei de geweren. Blijf binnen en luister goed.'

'Zijn ze er al?'

Hij hoeft die vraag niet te beantwoorden.

Buiten klinkt geen enkel geluid. Geen wind. Het is nog steeds helder, ijzig weer en de sterren en een afnemende maan verlenen de sneeuw een zacht, op licht lijkend schijnsel. Er klinkt geen vogelgezang. Geen enkel geluid van mens of dier.

Maar ze zijn hier wel.

Parker gaat naast de geïmproviseerde deur staan en tuurt door de kieren naar buiten. Ik schuifel naar de muur achter de deur, met het mes vastgeklemd in mijn hand. Ik kan me niet voorstellen wat ik ermee zou kunnen doen.

'Het is bijna dageraad. Ze weten dat we hier zijn.'

Ik heb altijd al een hekel aan wachten gehad. Ik mis de gave die jagers hebben om de tijd voorbij te laten gaan zonder zich om elk ogenblik druk te maken. Ik doe mijn uiterste best het minste of geringste geluid op te vangen en ik begin juist te denken dat Parker zich misschien heeft vergist, als er buiten zachtjes een schrapend geluid klinkt, op de wand van de hut zelf, lijkt het wel. Het bloed stolt in mijn aderen en ik maak een plotselinge, onwillekeurige beweging – ik zweer dat ik er niets aan kan doen – waardoor het lemmet van het mes tegen de wand slaat. Degene die buiten staat moet het ook gehoord hebben. De stilte wordt nog intenser en daarna klinkt er heel zacht het geluid van voetstappen die verdwijnen in de sneeuw.

Omdat ik me niet nogmaals wil verontschuldigen, zeg ik niets. Daarna klinken er meer voetstappen, alsof degene van wie de voeten zijn heeft besloten dat het niet meer de moeite waard is om stil te zijn.

'Wat ziet u daar?'

Ik praat zo zacht dat het nauwelijks meer is dan een zucht. Parker schudt zijn hoofd: niets. Of ik moet mijn mond houden. In beide gevallen ben ik het met hem eens.

Na nog een eindeloze poos wachten – een minuut? twintig minuten? – klinkt er een stem: 'William? Ik weet dat je daar bent.'

Het is de stem van Stewart, uiteraard. Voor de hut. Pas na een poosje besef ik dat hij het tegen Parker heeft.

'Ik weet dat je die pelzen wilt, William. Maar ze zijn eigendom van de Company en ik moet ze teruggeven aan de rechtmatige eigenaren. Dat weet je.'

Parker kijkt me vlug even aan.

'Ik heb mannen hier buiten.' Stewart klinkt zelfverzekerd, onbezorgd. Verveeld.

'Wat is er met Nepapanees gebeurd? Had hij het ontdekt, van Laurent?'

Stilte. Ik zou willen dat Parker dat niet had gezegd. Als Stewart weet dat we het graf hebben gevonden, laat hij ons nooit meer levend gaan. Dan klinkt de stem weer.

'Hij was hebzuchtig. Hij wilde de pelzen voor zichzelf hebben. Hij wilde me vermoorden.'

'Je hebt hem van achteren neergeschoten.'

Ik zweer dat ik een zucht hoor, alsof hij zijn geduld begint te verliezen. 'Een ongeluk zit in een klein hoekje. Dat weet jij maar al te goed, William. Het was geen... opzet. Ik verzoek je nu met klem om naar buiten te komen.'

Er valt een lange stilte. Ik zie dat Parker zijn geweer steviger beetpakt. Mijn ogen branden nog steeds, maar ik kan nu wel zien. Ik moet zien. Het andere geweer hangt diagonaal op zijn rug. De hemel is lichter. Het wordt dag.

William Parker, ik hou van je.

Dat gevoel overvalt me als een op hol geslagen paard. De tranen springen me in de ogen bij de gedachte dat hij die deur uit zou lopen.

'Laten we elkaar tegemoetkomen. Als je weggaat mag je wat pelzen meenemen.'

Parker zegt: 'Kom maar even binnen om het te bespreken.'

'Kom jij maar naar buiten. Het is donker daarbinnen.'

'Niet naar buiten gaan! U weet niet hoeveel mannen hij daar heeft.' Ik klem mijn tanden op elkaar. Ik bid met de laatste restjes van mijn geloof dat hij wordt gespaard.

'Alstublieft...!'

'Het komt wel goed.' Hij zegt dit heel zachtjes. Hij kijkt me aan. En nu is er genoeg licht om zijn gezicht helder te kunnen zien. En ik zie elk detail, elke gebogen lijn, die ik ooit woest en wreed vond; elke rimpel, die me nu onbeschrijflijk dierbaar is.

'Kom eerst naar buiten. Laat me zien dat je niet gewapend bent.'

'Nee!'

Dat zeg ik, maar wel fluisterend. Buiten klinkt wat lawaai en dan trekt Parker de geïmproviseerde deur open en loopt naar buiten, de grijze schemering in. Hij duwt de deur achter zich dicht. Ik knijp mijn ogen dicht, in afwachting van de kogel.

Maar die komt niet. Ik ga achter de deur staan, zodat ik door de kieren kan kijken. Ik zie daar een figuur die Stewart moet zijn, maar Parker zie ik niet; misschien staat die te dicht bij de hut.

'Ik wil geen gevecht. Ik wil alleen de pelzen terugbrengen naar de plaats waar ze horen.'

'Je had Laurent niet hoeven te vermoorden. Hij wist niet eens waar ze waren.' Zijn stem komt van ergens rechts van mij.

'Dat was een vergissing. Dat was niet mijn bedoeling.'

'Twee vergissingen?' Het is weer de stem van Parker, nu van verder weg.

Van waar ik ben kan ik Stewarts gezichtsuitdrukking niet zien, maar ik voel de woede in zijn stem, als iets hards en onbuigzaams dat tot het uiterste wordt gespannen. 'Wat wil je, William?'

Na die woorden verdwijnt Stewart plotseling uit mijn gezichtsveld. Er klinkt een schot, ik zie een flits ergens achter hem tussen de bomen en er ploft iets tegen de muur aan het andere eind van de hut, rechts van me.

Verder is het stil. Ik weet niet waar Parker is. Door de flits van het buskruit lijkt het alsof mijn oogbollen branden, alsof er een roodgloeiende naald in mijn hersenen wordt gestoken. Ik haal hijgend adem, met gierende uithalen die ik niet tot bedaren kan brengen. Ik wil Parker roepen. Het lijkt of ik geen adem meer kan krijgen. Er is nu niemand te zien. Links van me klinkt een geluid en daarna hoor ik gevloek. Stewart.

Gevloek omdat Parker is ontsnapt?

Buiten klinken voetstappen, heel dichtbij. Met mijn verdoofde vingers klem ik het handvat van het mes zo stevig mogelijk vast en ik sta klaar achter de deur...

Zodra hij de deur intrapt, is alles heel simpel. De deur slaat tegen mijn voorhoofd en werpt me omver, en het mes laat ik vallen.

Verder gebeurt er even niets, misschien omdat zijn ogen nog aan de duisternis moeten wennen, tot hij mij aan zijn voeten over de vloer ziet kruipen. Ik graai naar het mes; op wonderbaarlijke wijze is het onder mij beland. Ik pak het beet bij het handvat en slaag erin het in mijn zak te stoppen. Dan pakt hij mijn andere arm vast en trekt me ruw overeind. En hij duwt me, voor zich uit, naar buiten.

Toen Donald het schot hoorde, begon hij te rennen. Hij weet dat dit misschien niet zo verstandig is, maar om de een of andere reden, misschien omdat hij lang is, komt dat bericht niet op tijd bij zijn voeten. Hij hoorde Alec achter hem iets sissen, maar hij verstond niet wat hij zei.

Hij is vlak bij het eind van het meer; het geluid kwam uit het bos op de tegenoverliggende oever. Hij bedenkt aldoor dat ze gelijk hadden. Ze hadden gelijk, en nu worden ze vermoord door Halfmens. Hij weet dat hij zo, rennend tegen de achtergrond van het ijs, extreem, belachelijk goed zichtbaar is, maar hij weet ook dat Stewart nooit op hem zou schieten. Ze kunnen eenvoudig tot een vergelijk komen; ze kunnen erover praten, als twee redelijke mensen die beiden in dienst zijn van de grote Company. Stewart is een redelijk mens.

'Stewart!' schreeuwt hij tijdens het rennen. 'Stewart! Wacht!'

Hij weet niet wat hij nog meer gaat zeggen. Hij denkt aan mevrouw Ross – die misschien wel ligt dood te bloeden. En aan het feit dat hij haar niet heeft gered.

Hij is bijna aangekomen bij de bomen aan de voet van een grote heuvel, als hij een eindje voor zich uit iets ziet bewegen. Het is het eerste levensteken dat hij ziet.

'Niet schieten, alstublieft. Ik ben het, Moody... Niet schieten...' Hij houdt zijn geweer bij de loop vast en zwaait ermee, ten teken van zijn vreedzame bedoelingen.

Van onder de bomen komt een lichtflits en hij wordt met enorme kracht ergens door geraakt in zijn middenrif, zodat hij achterover valt. De tak, of wat het ook maar was waar hij tegenaan is gelopen, lijkt hem te hebben geraakt vlak boven zijn litteken, wat het er niet beter op maakt.

Happend naar adem probeert hij overeind te komen, maar als dat niet lukt blijft hij even liggen en probeert weer op adem te komen. Zijn bril is afgevallen: die is ook wel heel onhandig in Canada, hij bevriest of beslaat voortdurend op het verkeerde moment en nu... hij graait ernaar in de sneeuw, maar het enige wat hij voelt is kou. Je zou je wel iets aangenamers kunnen voorstellen.

Ten slotte vindt hij het geweer en hij pakt het op. Op dat moment, omdat de geweerlade glad en warm aanvoelt, merkt hij het bloed op. Als hij met een grote krachtsinspanning zijn hoofd optilt, ziet hij bloed op zijn jas. Hij is geïrriteerd; sterker nog, hij is woedend. Wat is hij toch een stommeling, om met open ogen zo in de val te lopen. Nu is Alec ook in gevaar en dat is allemaal zijn schuld. Hij overweegt de jongen te roepen, maar iets, een ingeving misschien, weerhoudt hem daarvan. Hij concentreert zich erop het geweer in de juiste positie te krijgen, want hij kan op zijn minst nog een schot afvuren, in plaats van zich op zijn zij te rollen en zonder protest de geest te geven. Hij wil niet geheel nutteloos zijn; wat zou zijn vader daarvan zeggen?

Maar het is stil, alsof hij, opnieuw, het enige levende wezen in de wijde omtrek is. Hij zal moeten wachten tot hij iets kan zien. Nou, degene die heeft geschoten, wie het ook geweest mag zijn, vindt blijkbaar niet dat hij zijn werk moet komen afmaken. De stommeling.

Dan, een poos later, kijkt hij op en ziet een gezicht. Het is een gezicht dat hij zich vaag herinnert uit Hanover House: het gezicht van een dronkeman, gevoelloos en leeg; gesloten, op een of andere manier, als een steen die een hol afsluit. De man is nu niet dronken, maar het gezicht straalt geen nieuwsgierigheid of angst uit, zelfs geen triomf. Het is het gezicht, beseft hij, van de moordenaar van Laurent Jammet. De man wiens voetstappen in de sneeuw hen allemaal hierheen hebben gelokt. Daarvoor is hij gekomen: om te achterhalen wie hij was en om hem te vinden. Dat is nu gebeurd. En het is te laat. Typisch iets voor hem, denkt Donald, om zo traag van begrip te zijn. Precies wat zijn vader altijd al zei. En terwijl hij de warmte naar zijn gezicht voelt stromen, verlangt hij ernaar om nu te worden getuchtigd door zijn vaders stem.

Donald bedenkt dat het misschien een goed idee zou zijn om zijn geweer op dat gezicht te richten, maar tegen de tijd dat hij dat heeft bedacht is het gezicht alweer verdwenen en zijn geweer ook. Hij is zo moe. Moe en koud. Misschien moet hij even met zijn hoofd achterover leunen, op de zachte sneeuw, om een poosje uit te rusten.

Buiten de hut zie ik niemand; zelfs Stewart niet, die mijn arm heeft omgedraaid en hem zo strak tegen mijn rug houdt dat ik alleen heel oppervlakkig adem kan halen, omdat ik bang ben dat mijn arm anders uit de kom zal schieten. In elk geval is er niets wat erop duidt dat Parker gewond is of, nog erger, in de sneeuw ligt. Geen teken van Halfmens, als dat hem is tenminste. Vlak voor me zwaait Stewart met zijn geweer. Ik ben zijn schild. Hier en daar beweegt er iets, maar allemaal achter de hut; er klinkt een geluid, maar niet overtuigend. Hij duwt me naar de achterste muur, naar de plaats waar de zon de horizon in vlam gaat zetten. Uiteraard heb ik geen sjaal om mijn ogen te beschermen. En ik draag geen handschoenen.

'Wat onachtzaam,' zegt hij, alsof hij mijn gedachten leest. 'En ook uw ogen. Hij had u nooit naar deze plek moeten meenemen.' Hij klinkt licht teleurgesteld.

'Hij heeft me ook niet meegenomen,' zeg ik, met op elkaar geklemde tanden. 'Ik ben hierheen gekomen omdat u Jammet hebt laten vermoorden.'

'Echt waar? Nou nou, ik had geen idee... Ik dacht dat u en Parker...'

Praten doet pijn, maar de woorden stromen naar buiten: ik kook van woede. 'U hebt geen idee wat u allemaal hebt aangericht. Niet alleen voor degenen die u hebt vermoord, maar...'

'Mond dicht,' zegt hij kalm. Hij luistert. Een geknetter in de bomen. Ver links van ons klinkt een oorverdovende knal: een geweer. Het klinkt anders dan eerst.

'Parker!'

Ik kan er niets aan doen. Een fractie van een seconde later kan ik mijn tong wel afbijten. Ik wil niet dat Parker denkt dat ik om hulp roep en zo meteen komt aanrennen.

'Niets aan de hand!' roep ik meteen daarna. 'Niet schieten alstublieft. Hij wil wel onderhandelen. We gaan wel weg. Laat ons alstublieft gaan...'

'Hou je mond!'

Hij legt een hand over mijn mond en hij drukt zo hard dat het voelt alsof zijn vingers mijn kaak zullen breken. Als een onhandige viervoeter schuifelen we naar het uiteinde van de hut, maar ook nu is er niemand te zien.

Een tweede schot snijdt de stilte in tweeën; ditmaal komt het van links, van achter de hut. En nu wordt het gevolgd door een geluid. Het gekreun van een mens.

Ik hap naar lucht en de adem stokt in mijn keel, als teer.

Stewart schreeuwt iets in een vreemde taal. Een bevel? Een vraag? Als Halfmens al luistert, antwoordt hij niet. Stewart schreeuwt opnieuw; zijn stem klinkt gespannen en zijn hoofd zwiept heen en weer, uit onzekerheid. Nu moet ik iets doen, zeg ik tegen mezelf, nu, terwijl hij zo onzeker is. Hij laat mijn mond los, zodat hij met één hand zijn geweer kan richten. Ik grijp het mes in mijn zak en ik draai het rond totdat het handvat in mijn handpalm ligt. Centimeter voor centimeter begin ik het uit mijn zak te trekken.

En dan klinkt er ergens tussen de bomen een stem, maar het is niet de stem van Halfmens. Een jonge stem geeft antwoord, in dezelfde taal. Stewart is van zijn stuk gebracht: hij kent die stem niet. Dit is geen onderdeel van zijn plan. Ik zwaai het mes om mijn lichaam heen en steek het in zijn zij, zo hard als ik kan. Hoewel hij op het laatste moment lijkt te beseffen wat er gebeurt en terugdeinst, stuit het lemmet op weerstand en hij schreeuwt het uit van de pijn. Ik vang een glimp op van zijn gezicht, en onze ogen kijken elkaar aan. Die van hem, blauwer dan de lucht, hebben een verwijtende blik, maar op zijn gezicht lijkt een halve glimlach te staan, zelfs als hij zijn geweer mijn kant uit zwaait.

Ik ren. Er klinkt nog een geweerschot, oorverdovend en vlakbij, maar ik voel niets.

Alec ziet Donald over het bevroren meer rennen, ondanks zijn geschreeuw en daarna zijn verwensingen. Hij roept dat hij moet stoppen, maar dat doet hij niet. Alec voelt zijn maag samentrekken door een afschuwelijk soort angst en omdat hij bang is dat hij moet overgeven wendt hij zich af. Daarna zegt hij tegen zichzelf dat hij niet zo kinderachtig moet doen; hij moet net zo doen als zijn vader zou hebben gedaan en hij rent achter hem aan.

Alec is nog zo'n honderd meter bij hem vandaan als hij de flits ziet – later zou hij zweren dat hij niets had gehoord – en Donald neervalt. Alec werpt zichzelf op de grond, achter een paar rietstengels die door het ijs heen steken. Hij houdt het geweer van George met de haan gespannen voor zich uit en knarst met zijn tanden van woede en angst. Ze hadden Donald niet neer moeten schieten. Donald was aardig voor zijn moeder. Donald had hem verteld over zijn mooie, slimme tantes, die wonen aan een meer dat zo groot is als de zee. Donald had niemand kwaad gedaan.

Zijn ademhaling sist tussen zijn tanden door, te luidruchtig. Hij speurt de bomen af – ze hebben het voordeel dat ze dekking bieden – en komt dan overeind en rent weg, half huilend en in elkaar gedoken. Vervolgens werpt hij zichzelf voorover in de sneeuw en kruipt naar de top van een heuveltje, waar hij om zich heen kan kijken. Hij heeft de eerste bomen bereikt en het is mogelijk dat ze hem niet hebben gezien. Een eind voor hem uit klinkt nog een geweerschot en daarna is het stil. Hij kon de flits niet zien. Het schot was niet op hem gericht. Hij rent van de ene boomstronk naar de andere, blijft steeds even staan en kijkt naar rechts en links, alle kanten op. Zijn ademhaling klinkt als gesnik en maakt zo veel lawaai dat hij daar wel door zal worden verraden. Hij denkt aan de anderen – de blanke dame en de lange man – om zichzelf moed in te spreken.

Dit geweer is zwaarder dan dat waaraan hij gewend is en de loop is langer. Het is een goed geweer, maar hij heeft weinig kunnen oefenen. Hij weet dat hij dichtbij moet komen om een kans te hebben. Hij sluipt steeds dichter naar de bron van het schot. Rechts van hem is het rotsblok dat de vloeiende stroming van het meer verstoort en voor zich, tussen de bomen, ziet hij een of ander gebouw. Als hij nog iets dichterbij komt, ziet hij voor het gebouw twee gedaantes: de man die zijn vader heeft vermoord verschuilt zich achter de blanke dame.

'Ze weten niet dat ik hier ben,' zegt hij tegen zichzelf, dus hij zal dapper zijn.

De stem van Stewart roept in het Cree: 'Halfmens? Wat was dat?'

Stilte.

'Halfmens? Geef antwoord – als je kunt.'

Geen antwoord. Alec loopt naar voren van boom tot boom tot hij nog zo'n vijftien meter bij ze vandaan is. Zijn lichaam wordt beschermd door de stronk van een spar. Hij tilt zijn geweer op en stelt het vizier in. Hij zou willen dat hij dichterbij was, maar hij durft zich niet te verroeren. Stewart roept ongeduldig, maar Halfmens antwoordt niet. En daarom geeft Alec antwoord, vanuit zijn schuilplaats, in de taal van zijn vader.

'Jouw vriend is dood, moordenaar.'

Stewart draait zich vliegensvlug om, op zoek naar hem, en dan gebeurt er iets. De vrouw haalt uit naar Stewart en ontsnapt, waarop de man jankt als een vos en zijn geweer op het enige doel richt dat hij kan zien: haar. Alec houdt zijn adem in. Hij heeft één kans om haar te redden, ze zijn zo dichtbij. Hij haalt de trekker over; er is een enorme terugslag en de loop van het geweer wordt gehuld in een enorme rookwolk.

Eén schot. Slechts één schot.

Hij doet een stap naar voren, behoedzaam, voor het geval Halfmens toch nog ergens verstopt zit. Als de rook optrekt, lijkt de open plek voor de hut leeg te zijn. Hij herlaadt het geweer, wacht, en rent vervolgens naar een dichterbij gelegen schuilplaats.

Stewart ligt met uitgespreide armen en benen op de open plek, met een arm uitgestrekt boven zijn hoofd, alsof hij daarmee iets wilde pakken. Een kant van zijn gezicht is verdwenen. Alec valt op zijn knieën en braakt. En daar wordt hij door Parker en de vrouw gevonden.

Ik ben zo opgelucht dat ik Parker achter de hut zie dat ik even mijn armen om hem heen sla, zonder erbij na te denken en zonder dat het me iets kan schelen. Heel even voel ik een reactie. Zijn gezichtsuitdrukking verandert niet, maar zijn stem klinkt wat heser dan anders.

'Is alles goed met u?'

Ik knik.

'Stewart...'

Ik kijk achter me en Parker loopt naar de hoek en tuurt om zich heen. Dan loopt hij naar voren: geen gevaar. Ik volg hem en zie midden op de open plek een lichaam liggen. Het is Stewart; ik herken de bruine jas, maar verder valt er niets meer te herkennen. Een paar meter verderop zit een jongen geknield in de sneeuw, als een standbeeld. Even meen ik dat ik hallucineer en dan herken ik de oudste zoon van Elizabeth Bird.

Hij kijkt naar ons op en zegt slechts één woord: 'Donald.'

Als we Moody vinden leeft hij nog, maar hij is stervende. Hij is in de maag geschoten en heeft al te veel gebloed. Ik scheur repen af van mijn rok om het bloeden te stelpen en ik maak een kussen voor zijn hoofd, maar zolang de kogel nog in hem zit kunnen we niet veel voor hem doen. Ik kniel naast hem neer en wrijf zijn ijskoude handen.

'Het komt allemaal goed, meneer Moody. We hebben ze te pakken. We hebben de waarheid ontdekt. Stewart heeft Nepapanees in de rug geschoten en in het bos begraven.'

'Mevrouw Ross...'

'Stil maar. Maakt u zich maar geen zorgen. Wij zorgen wel voor u.'

'Ik ben zo blij dat u... niets is overkomen.'

Hij glimlacht zwakjes, in een poging, zelfs nu nog, om beleefd te zijn.

'Donald... alles komt goed.' Ik probeer te glimlachen, maar het enige waar ik aan kan denken is dat hij maar een paar jaar ouder is dan Francis en dat ik nooit erg aardig tegen hem ben geweest. 'Parker zet wat thee voor je en... we nemen je mee terug naar de post; wij zullen voor je zorgen. Ik zal voor je zorgen...'

'U bent veranderd,' zegt hij beschuldigend. Dat is niet zo vreemd, want mijn haar zit los en wild, mijn ogen tranen voortdurend en op mijn voorhoofd zit een grote bult.

Plotseling pakt hij verbazend stevig mijn hand beet. 'Ik zou graag willen dat u iets voor me doet...'

'Ja?'

'Ik heb iets... heel eigenaardigs ontdekt.'

Hij wordt vreselijk kortademig. Zonder bril zijn Moody's ogen grijs en afwezig, dwalend. Ik zie de bril vlak bij mijn voet op de grond liggen en pak hem op.

'Hier..' Ik probeer de bril voor hem op te zetten, maar hij beweegt zijn hoofd een beetje en duwt hem weg.

'Beter... zonder.'

'Prima. Wat heb je ontdekt?'

'Iets heel eigenaardigs.' Hij glimlacht een beetje, tevreden.

'Wat dan? Bedoel je Stewart en de pelzen?'

Verbaasd fronst hij zijn voorhoofd. Zijn stem wordt zwakker, alsof die op het punt staat te verdwijnen. 'Dat bedoelde ik helemaal niet. Ik... hou van...'

Ik buig me steeds dichter naar hem toe, tot mijn oor een centimeter voor zijn mond zit.

De woorden sterven weg.

Mevrouw Ross, die zich over hem heen buigt, zwaait heen weer als een rietstengel in de wind. Donald kan er niet over uit hoe ze is veranderd: haar gezicht, zelfs nu het half is verborgen achter haar haar, is zachter, vriendelijker, en haar ogen stralen, vol verblindende kleuren, als helder water, alsof de pupillen zijn samengetrokken tot niets.

Hij weerhoudt zichzelf ervan om de naam 'Maria' uit te spreken. Misschien, denkt hij, is het beter dat ze het niet weet. Dan houdt ze niet altijd ergens in haar achterhoofd dat zeurende gevoel van verlies, van spijt, van gemiste kansen.

Maar nu opent zich voor Donalds ogen een tunnel, een immens lange tunnel, en het is alsof hij door het verkeerde uiteinde van een telescoop kijkt, waardoor alles heel klein lijkt, maar heel scherp.

Een tunnel van jaren.

Verbaasd kijkt hij toe: door de tunnel ziet hij het leven dat hij zou hebben geleid met Maria. Hun huwelijk, hun kinderen, hun ruzies, hun kleine onenigheden. De woordenwisselingen over zijn carrière. Hun verhuizing naar de stad. Hoe het voelde om haar aan te raken.

Hoe hij met zijn duim het rimpeltje in haar voorhoofd glad streek. Hoe zij hem terechtwees. Haar glimlach.

Hij glimlacht terug, terwijl hij zich weer herinnert hoe ze tijdens de rugbywedstrijd haar sjaal afdeed om het bloeden van zijn wond te stelpen, al die jaren geleden. Zijn bloed op haar sjaal, dat hen met elkaar verbindt.

Hun leven zoeft aan zijn ogen voorbij, als een spel kaarten dat vakkundig wordt geschud; elk plaatje straalt hem tegemoet, compleet tot in het kleinste detail. Hij ziet zichzelf als hij oud is, en Maria, die zelfs in haar ouderdom nog bruist van energie. Nog discussieert, schrijft, tussen de regels door leest, het laatste woord heeft.

Zonder spijt.

Het lijkt geen slecht leven.

Maria zal nooit weten wat voor leven ze had kunnen leiden, maar Donald wel. Hij weet het en hij is gelukkig.

Mevrouw Ross kijkt op hem neer; haar gezicht gaat verscholen in een nevel, verblindend en vochtig, prachtig. Ze is tegelijkertijd dichtbij en ver weg. Ze lijkt hem iets te vragen, maar om de een of andere reden kan hij haar niet meer verstaan.

Maar alles is duidelijk.

Daarom zegt Donald niet Maria's naam en al evenmin iets anders.

Het allerergste was om Alec mee te nemen naar het lichaam van zijn vader. Hij wilde per se dat we het lichaam mee terugnamen naar Hanover House, net zoals dat van Donald, om ze daar te begraven. Stewart besloten we te begraven in het ondiepe graf dat hij zelf had gedolven. Dat leek ons niet onredelijk.

Halfmens was ernstig gewond door Parkers kogel, maar toen we terugkeerden bij de hut was hij verdwenen. Zijn spoor leidde naar het noorden en Parker volgde het een poosje, maar kwam vervolgens weer terug. Halfmens was in de hals geraakt en zou het vermoedelijk niet lang meer maken. Ten noorden van het meer is alleen maar sneeuw en ijs.

'Laat de wolven maar met hem afrekenen,' zei Parker.

We wikkelden Donald en Nepapanees in pelzen; Alec vond een hertenvel voor zijn vader, wat belangrijk voor hem scheen te zijn. Donald wikkelden we in vossen- en marterbont, zacht en warm. Parker maakte een bundel van de waardevolste pelzen en laadde die op de slee. Jammet had een zoon: ze zijn voor hem en voor Elizabeth en haar gezin. En wat de rest betreft: ik neem aan dat Parker die op een dag zal komen halen. Ik vraag er niet naar. Hij zegt het niet.

Al die dingen deden we die dag rond het middaguur.

En nu lopen we terug naar Hanover House. De honden trekken de slede met de lijken. Alec loopt ernaast. Parker ment de honden en ik loop achter hem. We volgen ons eigen spoor van de heenweg en dat van onze achtervolgers, die beide diep in de sneeuw staan afgedrukt. Ik ontdek dat ik zonder het te beseffen heb geleerd om sporen te herkennen. Regelmatig zie ik een afdruk waarvan ik weet dat hij van mij is en dan ga ik erop staan om hem uit te vegen. Dit land zit vol met zulke tekens: bescheiden sporen van menselijke verlangens. Maar evenals dit bittere pad zijn deze voetsporen broos, uitgesleten door de winter, en als er weer sneeuw valt, of als het in de lente gaat dooien, zal elk spoor van ons verdwijnen.

En toch hebben drie van deze sporen de mannen die ze hebben gemaakt overleefd.

Als ik het een keer controleer, ontdek ik dat ik het stuk been ben verloren. Het zat nog in mijn zak toen ik uit Hanover House vertrok, maar nu is het weg. Ik vertel het aan Parker en die haalt zijn schouders op. Hij zegt dat het stuk been als het belangrijk is wel zal worden teruggevonden. En in zekere zin – al spijt het me voor die arme meneer Sturrock, die ernaar leek te hunkeren – ben ik blij dat ik niet iets bezit wat andere mensen heel graag willen hebben. Daar lijkt alleen maar ellende van te komen.

Ik heb natuurlijk nagedacht, en als ik sliep gedroomd, over Parker. Dit weet ik wel: hij denkt aan mij. Maar samen vormen we een raadsel dat niemand kan oplossen. Na zo veel ellende kunnen we niet verdergaan en als ik heel eerlijk ben, hadden we dat nooit gekund.

En toch kan ik, elke keer als we halt houden, mijn ogen niet van zijn gezicht afhouden. Het vooruitzicht dat ik hem zou moeten verlaten voelt alsof ik blind zal worden. Ik denk aan alles wat hij voor mij is geweest: vreemde, vluchteling, gids.

Geliefde. Magneet. Mijn ware noorden. Ik richt me altijd naar hem.

Hij brengt me terug naar Himmelvanger en reist daarna verder, terug naar waar hij vandaan kwam. Ik weet niet of hij is getrouwd; ik neem aan van wel. Ik heb het nooit gevraagd en ga dat nu ook niet doen. Ik weet bijna niets van hem. En hij – hij kent mijn voornaam niet eens.

Je zou om bepaalde dingen kunnen lachen, als je daarvoor in de stemming was. Vlak nadat ik dit heb gedacht, begint Parker tegen me te praten. Alec loopt een eindje voor ons uit.

'Mevrouw Ross?'

Ik glimlach naar hem. Zoals ik al zei, gaat dat vanzelf. Hij glimlacht terug, zoals alleen hij dat kan doen; het voelt alsof er in mijn hart een mes wordt gestoken dat ik er voor geen geld zou willen uithalen.

'U hebt me nooit verteld hoe u heet.'

Gelukkig dat de wind zo koud is, want daardoor bevriezen de tranen voordat ze op de grond vallen. Ik schud mijn hoofd en glimlach. 'U hebt mijn naam anders vaak genoeg gebruikt.'

Dan kijkt hij me aan, zo doordringend dat ik dit keer als eerste mijn ogen neersla. Er zit toch een lichtje in zijn ogen.

Ik dwing mezelf aan Francis te denken en aan Dove River. Angus. De stukjes die ik weer aan elkaar moet leggen.

Ik dwing mezelf de Ziekte van Lang Denken te voelen.

En dan draait Parker zich weer om naar de honden en de slee; hij loopt door, en ik ook.

We hebben immers geen keus?

Inhoud